國家『十五』重點圖書出版規劃項目

國家古籍整理出版『十五』重點規劃項目

國家教委人文科學研究『九五』規劃項目

全國高等院校古籍整理研究工作委員會『十五』重點項目

江蘇省『十五』重點圖書出版規劃項目

全國古籍整理出版規劃領導小組資助出版

李修生　主編

全元文

鳳凰出版社

10

圖書在版編目（CIP）數據

全元文. 10 / 李修生主編. -- 2版. -- 南京 : 鳳凰出版社, 2017.5
ISBN 978-7-80643-029-3

Ⅰ. ①全… Ⅱ. ①李… Ⅲ. ①古籍－匯編－中國－元代 Ⅳ. ①Z424.7

中國版本圖書館CIP數據核字(2017)第078625號

書　　名	全元文(十)
主　　編	李修生
責任編輯	卞　岐
出版發行	鳳凰出版社(原江蘇古籍出版社)
	發行部電話025-83223462
出版社地址	南京市中央路165號,郵編:210009
出版社網址	http://www.fhcbs.com
照　　排	南京理工出版信息技术有限公司
印　　刷	上海世紀嘉晋數字信息技術有限公司
	上海市匯金路899號,郵編:201700
開　　本	850×1168毫米　1/32
印　　張	26.875
字　　數	575千字
版　　次	1998年12月第1版　2017年5月第2版
	2017年5月第3次印刷
標準書號	ISBN 978-7-80643-029-3
定　　價	148.00圓

(本書凡印裝錯誤可向承印廠調換,電話:021-69214197)

《全元文》編纂工作委員會

顧　問（以姓氏筆劃爲序）

白壽彝　周　林　郭預衡　啓　功　劉迺和

鍾敬文

主　編

李修生

副主編

龍德壽　曾貽芬　李夢生　吳小平　彭久安

編　委（以姓氏筆劃爲序）

王明澤　卞　岐　朱瑞平　李　軍　李　鳴

李修生　李夢生　何本方　吳小平　邱居里
邱瑞中　卓連營　周少川　姜小青　查洪德
徐　勇　曾貽芬　張文澍　郭立傑　彭久安
鄧瑞全　樊善國　魏崇武　龍德壽　羅　超

資料工作人員

李仲祥　楊玉芬

第十冊責任編委

龍德壽　何本方

目錄

全元文卷三二九

王思廉

全元文卷三三〇

陳　觀

焦養直

全元文卷三三一

全元文卷三三二

趙文 二

全元文卷三二三

趙文　三

全元文卷三三四

趙文　四

全元文三二三五

趙文 五

全元文卷三三六

趙文　六

全元文卷三三七

趙文　七

全元文卷三三八

趙淇

牟楷

全元文卷三三九

全元文卷三四〇

劉壎 二

全元文卷三四一

劉壎 三

全元文卷三四二

劉壎　四

全元文卷三四三

劉壎　五

全元文卷三四四

劉壎　六

全元文卷三四五

劉壎　七

全元文卷三四六

劉壎 八

全元文卷三四七

劉壎　九

全元文卷三四八

劉壎 一〇

全元文卷三四九

劉壎　一一

全元文卷三三五〇

劉壎　一二

全元文卷三三五一

劉壎 一三

全元卷三五二

劉壎　一四

全元文卷三五三

劉壎　一五

全元文卷三五四

劉壎　一六

全元文卷三五五

蘇子珍

全元文卷三五六

全元文卷三五七

全元文卷三五八

全元文卷三五九

徐琰

全元文卷三六〇

丁易東

全元卷三六一

王埜翁

方鳳

全元文卷三六二

鄭思肖　一

全元文卷三六三

鄭思肖 二

全元文卷三六四

蕭𣂏 一

全元文卷三六五

全元文卷三六六

全元文卷三六七

蕭䢼　四

全元文卷三六八

林棟

燕公楠

全元文卷三二九

王思廉

王思廉(一二三八——一三二〇),字仲常。真定獲鹿(今河北獲鹿)人(嘉靖《真定府志》卷二七)。幼年師事元好問。年及冠,恰值張德耀宣撫河東,任爲掌書記。至元十年(一二七三),因薦授符寶局掌書。十三年,受姚樞舉薦任昭文館待制等職。十四年,改任翰林待制,進講經筵。十八年,升任中順大夫、典瑞少監。二十年,升典瑞太監。歷任嘉議大夫、同知大都留守等官。二十九年,升正議大夫、樞密院判官。大德中歷任中奉大夫、翰林學士、工部尚書、集賢學士、正奉大夫、太子賓客等職。延祐三年(一三一六),以翰林學士承旨、資善大夫致仕。七年卒,謚文恭。《元史》卷一六〇有傳。本書收王思廉文十六篇。

元氏縣重修廟學記　大德五年八月

元氏有廟學,稽之宋初,圖志無傳。其創於田君照鄰,在城西北陬。爾後邑人承議郎鄭士宗、殿直裴士廉因衆人所願，遷於巽方，則見於元祐庚午知縣事曹景所述。金實因之。天兵南來，焚撤無餘。己酉庚戌之交，府祭酒張公德輝、教官王昱、平天瑞，鄉耆張誠輩雖作新之，猶少變於曩時。迨乙卯，邑丞董輔君彌縫其闕，功始告備，則翰林學士李公冶遺刻存焉，蓋四十餘年於兹矣。上雨旁風，不無摧圮。大德庚子春，襄□董君繼昇由平陰來令於此，視事之日，肅謁祠下，見而傷之，即有營葺之心，蓄而未發也。不半歲，譁者靜，悍者柔，寃者有□告，徑賦以平，刑罰以清，剖析如流，庭靡留事，而邑以治。乃謀舉兹役，捐月祿以爲之倡。主簿耿仲祥、尉王鼎□從事輩翕然和之，豪宗右姓從而助之。經始於辛丑之春三月，落成於其秋七月。不動聲色，頓還舊觀。教諭燕山竇文政□文以謹歲月。竊惟聖天子嗣服之初，明詔天下，聖帝明王載在祀典者，廟宇損壞，官爲修理，而郡縣之吏因卑習陋，弗克奉行，遂致向之跂翼矢棘、翬飛鳥革者，駸駸乎欹傾頹敗，漫不顧省。而君能欽承綸命，興復完美，聳居民瞻仰之敬，贊盛世彬蔚之風，此一宜書也。抑聞之，君前莅平陰，既嘗振飾墜廢，俾免鞠爲園蔬之歎。今又於此能事，則君之爲政，知所□務有過人者，此二宜書也。遠而田、鄭、裴、曹，近而張、王、平、董，咸列貞石，昭示永久。如君者獨使之湮鬱不章，可乎？此三宜書也。有三宜書而不爲之揄揚，令將來勇於爲義者無所激勸，則秉筆之士不得不任其責矣，故不敢以淺陋辭。若夫前代洎我國朝崇儒重道之意，與夫勉勵士子爲學進德之方，二碑載之已詳，可得而略也。君字鵬飛。清慎明敏，所至以能官著稱。（清沈濤《常山貞石志》卷一七）

横山重修聖母祠記　大德八年十月十七日

祠舊雜民居，屋宇摧圮，神嘗見夢。里人封時中知其惡囂湫而樂爽塏也，乃徙之絶頂。經始於大德辛卯春，訖功於是年夏五月。像設繪事，粲然一新。旁近村落有禱輒應，時聞雲車風馬之聲，衆庶畏信，香火不絶。時中欲鑱石以謹歲月，乞文於余。既述其本末，復口以詩。其辭曰：

太行元氣口此形，勢不在高貴有靈。懿哉聖母兹殿庭，内外賁飾輝丹青。簷棲歸雲桷挂星，下瞰濁世紛羶腥。神之來兮鞭雷霆，千巖烟雨昏冥冥。神之口兮風泠泠，霓旌絳節擁輜軿。春祈秋報遵禮經，犧牲博碩黍稷馨。一方獲佑神使令，消弭疫癘驅蝗螟。百室盈止婦子寧，神化仰答無替零，自今以始終千齡。（清沈濤《常山貞石志》卷一七）

欒城縣學田記　至大二年七月十五日

欒學無田，其來也尚。教官蒞職，但食諸生束修之奉而已。號寒啼飢，蓋有所未免，故往往不能滿秩。縣豪傑僉樞張浹子惠、洎弟澄，三原宰郭貞正卿，首割己業以畀之。富室董恪杜端、洎弟秉彝、耿鳳見義勇爲，從而附益。又以錢五百緡具祭器。僉樞公復施諸書壹萬卷。於是講授之席不虚，而釋奠之儀克舉。闔境化之，文風於變，駸駸乎齊魯之鄉矣。主簿梅濟濟川將勒琬炎昭示悠久，特命教諭劉澥以文爲請。予嘉諸君之用心與它人異，樂爲之書而不辭。若夫田之頃畝，則詳載之陰，兹可得而略云。（清沈濤《常山貞石志》卷一八）

重修縣廨廳壁記

皇慶二年

無極爲中山屬縣，作宰者自宋晁以道、金馮臨海以迄於今，見於碑刻題名者，班班可考。公署多歷年所，不無摧圮。皇慶二年，監縣君來視印，始倡繕完之議，僚寀和之，如響應聲。廳事五楹，吏舍四楹，廚庫各兩楹，咄嗟而辦，所需什器亦一新之，皆鄉豪願爲，非出力取。既落成，求文以誌歲月，樂爲之書。繼登斯堂者，踵而修之，君所望也。君名琵琶，畏吾人。故大丞相安童怯薛大都巴剌哈赤出身。由大同之平地縣達魯花赤考授今職。廉潔有幹局，吏畏而民愛之。前途所至，未可量也。（清光緒十七年《無極縣續志》卷一〇）

增修正定府學記

延祐三年

延祐丙辰夏，郡學教授蘇夢麟、學正韓大明、學錄焦悦合辭謂予曰：「恒府廟學建置之始，無從稽考。其遷金粟岡地，則有宋龍圖閣學士、知府事吳中復熙甯三年律詩〔一〕，禮部郎中陸佃元祐元年記。重修則有金常山周先生昂明昌三年記。國朝己未歲踵修之，則有遺山元先生好問記。歷來五紀有奇矣。至元辛未夏，總管烏提營葺講授之堂、結課之室，則有東原崔迪記。四十五年於今矣。上下兩旁風雨疏敝已甚。憲司諸公倡議完復，總府長二司亦贊成，不憚改作。殿基舊卑下，崇以三尺。棟楹榱桷、瓦甓牖户易腐敗，以堅率三之二，漫漶者鮮之。東西廡講堂各益兩楹，用廣狹隘。故者因而新之，華麗宏壯，殆類初構，一洗前日之陋，稱侯邦泮宮之制。七十子、二十四大儒昔圖於壁，剝落幾半，繪以縑素，爲不朽計。宋九儒、本朝許魯齋附焉。祭祀陶器加四百餘事，籩九十，豆六十，冪布九十，此又餘力所及也。其貲蓋憲司總府州縣官吏俸金、富室巨族見義而勇爲者之所助，不强取也。始正月，成於五月，其勤亦至矣。夢麟等承乏教職，目擊盛事，不紀，恐上官嘉績將遂湮没無聞焉；矧先世營繕，列有碑刻以志歲月。礱石已具，敢屬筆於子。」予起身諸生，不容以綿薄甘，且一舉而宜書者三，詎可緘默？方今聖天子在上，更張政瑟，設科取士，鋭意復古，而諸公以廟學風化之所由興，人才之所由出，承流順美，知所先後，一宜書也。郡值南北大路，餞迓往來，略無虚日。人民繁多，甲於河朔，牒訴倥偬，疲於剖決。於斯時也，不半載卒此役，非才力恢恢，遇盤錯易於破竹，而能之乎？二宜書也。彼爲身謀者曰：「簿書期會吾責也，遑恤其他。」安苟且者曰：「三載吾及瓜矣，何急於是？」天下事日趨於壞，職此之由。而諸公不爲身謀，不安苟且，奉公如私，以勵偷惰，三宜書也。有三宜而不爲之發揮，諸公固無負於我徒，而我徒實有負於諸公也。於是述其本末，用告來哲。

（一九四一年《正定縣志》卷二一）

〔一〕熙寧三年律詩：律詩，原作「創建」，據清沈濤《常山貞石志》卷一九改。

儒學號房記

隆道，美政也；興學，懿典也，然君子於名實之間有所考論焉。夫聯師儒以主生徒，有司者提調之，定制也。彼闇於□要，視學校如土苴者，駁乎無以議爲也。迺若體貌以示優，賙恤以示惠，色笑煦愉以示親，姑息寬假以邀譽於末俗，遂謂盡心於學校。其於道術弗明，規條弗設，士習弗端，風教日偷，舉淡焉忘矣，何哉？鹿邑趙侯來視事，深以學政爲慮。繼見號舍圮久，且士無肄業所，或散入村落，尋山寺以居。侯乃創立號舍十二楹於儀門外之東西，而日激昂之。時進多士，而申告之曰：「夫道一而已矣。科舉所以崇道義，非欲徼利達；經術所以淑性分，非欲資口耳，文詞所以敷心術，非欲飾葩藻、長浮華。」多士聞之，始灑然醒，幡然改矣。蓋鹿邑僻處山谷，士多質少文。百八十年以來，王道雖洽，而風化猶鬱。先是，本道臬司麓泉王公主節於茲，操紀肅化，談經析義，士始脱標野，而沃以禮樂，厥習煥以新。逮侯繼之，端以格範，嚴以鑒裁，揚休董威，而旌別之政行焉。士如春花既茁，長養爛熳，利遂貞成，小大各正，厥風敦以確。嗟夫！天下之事因循以壞者，虚文病之也。如工弗實藝則器窳，軍弗實籌則績僨，搢紳弗敦實行則俗敝。是故立政莫先於飭蠱，飭蠱莫先於育才，育才莫先於崇道，崇道莫要於綜實。鹿之學政前有王，後有趙，而斯文遂興。《詩》曰：「鳶飛戾天，魚躍于淵。豈弟君子，遐不作人。」觀風比事，卓有明徵矣。（清光緒七年《獲鹿縣志》卷八）

郡守趙侯遺愛碑記

甚矣，斯民之不易欺也久矣。爲之長吏者，誠能率之以正，御之以寬，利與之興，害與之除，使之妥安田里，而無嘆息愁恨之聲，彼必愛之如父母，畏之如神明，及終更則有願借之舉，惟恐舍我而他適也。反是，則有推之不去之譏。跡好惡而觀，謂之易欺，可乎？晉守趙侯之治晉也，急撫字而緩催科，抑豪猾而恤鰥寡，明足燭理，廉足律身，獄靡冤囚，曹無廢事。鄉村逋賦，曩責親鄰代輸，侯爲申請而蠲貸之。役買百物，積年未酬其價，侯爲申請而頒給之。歲凶艱食，窮乏不能自贍，侯爲申請而賑救之。實惠及人，類皆如此。居職五載，有始有卒。是以晉人樂其政而歌舞之。及陞而代，痛挽留之不獲。耆老趙良輔、劉淵、秦寬、田甫、王德林、張彬、宋天彝、馬進等乃議樹石紀述盛德，昭示不朽，乞文于余。余以斯民之不易欺者信而有徵，特書之以爲來者之勸。侯名仁舉，字伯昂。惠之欒陽人也。賢而有文，好古博雅，由直省舍人來涖是邦云。（一九二七年《晉縣志》卷六）

加號孔子詔書碑

延祐二年四月

大德十一年，成宗上仙。武宗皇帝爲宗親臣庶推戴，嗣登寶極。承重熙累洽之際，綿區晏晏，烟火萬里。狗吠鷄鳴，無風塵之警，九夷八蠻，輿琛輦賮，奔走朝賀，惟恐其後。於是天子思所以文致太平，乃繼述列聖尊崇儒教之志。秋七月，加封孔子爲大成至聖文宣王。一札十行，誕告中外，得始定終綏之理，高掩前古。延祐乙卯夏，燕南憲司、真定總府同謀叶力贊成朝廷盛事，鑱諸琬炎，樹于殿階，庸示悠久。臣能歸美以報其上，不可不書。（清沈濤《常山貞石志》卷一九）

祝延聖主本命長生碑

粤若釋迦大聖，説護國之元功；藥師如來，發本行之至願。鎮乾坤而遏祲虐，和風雨以着星辰。消百怪之神苻，除九横之妙術。波斯匿王之善言義諦，曼殊室利之請問慈心。博施無窮，光昭有感。猶祥雲之覆庶類，同慧日以照諸天。資善大夫燕南河北道肅政廉訪使執禮和台出自誠心，恪遵彝憲，格陰陽之大造，沐雨露之洪恩。戴瞻北極之尊，闡繹西天之教。作殊勝功德，開方便法門。印造《仁王護國般若波羅蜜經》五十部，計百卷，《藥師如來本願功德經》五十卷施本寺，欽爲聖主本命，看轉誦讀。捐一千緡之俸金，會五十員之僧寶。規子息而供飲膳，取贏羡以給香燈。次第相循，長生得用。革去昔時之簡略，贊成今後之嚴恭。增名刹之輝華，爲他方之冠冕。所冀祝聖歷億萬載無疆之筭，結梵席千百年不斷之緣。永惟臣子至極之情，寔爲歲月悠久之計。告諸來哲，刻此堅珉。擴充報上之端，式副發源之望。（清沈濤《常山貞石志》卷一九）

順德府大開元寺弘慈博化大士萬安恩公碑

廣恩，師名也。賈，師姓也。萬安，師自號也。洛水之張華里，上世之所居也。有服勞壟畝不慕榮利、重風節、樂施與，諱玉者，師考也。曰孚，曰珍，師兄也。經鎮法雲禪寺堅公，祝髮之師也。暉公，得戒之師也。臨城山棗疆霍氏宅，脩習之地也。閉門絶食，誦持大悲章句，勤勞精進，業之成也。隆冬沍寒，霍氏兒出樵採榛莽中，獲桃二枚，鮮潔可愛，獻師啖之。自是所求益驗，火莫之焚，暴莫之害，以至鷄啄香而爇，牛受戒而馴，甘泉復已涸之井，斗米供萬人之食。甘陵治古塔基得石文，預識師名。民有始發心布施，既而口變者，歸視篋笥，蓮華滿帙，起敬起信，冥契諸聖靈異之跡也。同里武弁趙監軍者，化而爲善，臨清大帥路侯通請師建淨土道場，師爲作白蓮花會，規模一以廬山遠公爲式。真定等處五路萬户史侯天澤、安國軍節度使趙侯伯元洎兩郡僚佐，具疏致之，搆開元寺圓照塔。富以財、貧以力而助役於師者，駢肩接武。燕都大萬壽寺開資戒大會，萬招禪師行秀延師登壇説戒，大灑甘露，四衆歡喜，得未曾有願力之廣也。癸卯仲冬十有八日，大風晝晦，草木變色，師之示寂也。其徒以師全身龕於丈内，十旬之内空中現五雲宫殿，光明交射，菩薩妙相，花冠瓔珞，略無虚日。後八年，世祖皇帝在潛藩，特旨塔於丈室之西二十步有畸爲安厝之所。命斷事官忽魯脱化、宣差趙侯添喜，率甲士千人營葬，奉御鐵鑄山，署職爲外護。啓龕之際，顔貌如生，爪髮俱長，枕席間舍利充物，觀者聳動，感應之祥也。四十九年，閲世之數也，三十年夏□也。門人相繼住持，克遵先範，自餘從師有得達性相根源者，餘五百人。紹續慧命爲人天眼耳者，餘百人。寵膺寶書，典司諸方及本宗者，幾半天下，道法之行也。歲己未，世祖南伐，兩幸其寺。時悟禪師主叢席，上慰諭詢訪，聞師遺行，歎美再四。既踐阼，降詔曰：「朕聞設方無類，建福有緣。顯菩薩之權，念彌陀之號。重修寶塔十三級，普度衆生億萬人。道符古德，義合今時。豈非童子之來，或乃僧伽之化。德聞於輿口之嘉聲，事見於箇人之行狀。濟斯末劫，用所深仁。寺塔因人，俱宜美賜，永傳不朽。順德府開元寺賜大開元，塔賜普門，師賜弘慈博化大士。」續有旨：賈菩薩門人創設一宗，官屬通揖，提點僧錄判正都綱等職。又命先正太傅劉文正公秉忠、大丞相史忠武公天澤、宣政院使荅失蠻以次提調。錫白金以資工費。又從文正公之請，起資戒壇於本寺。國師璉珍升壇演法，凡度僧尼餘十萬人。裕宗皇帝、隆福太后亦加主護。今天子嗣服，敕荅失蠻仍舊提調大開元一宗，直隸宣政院，釋教都總統所毋得管領。三朝眷注之隆也。師有《白蓮集》行於世，大概以勸勵世俗，由念佛三昧祈生安養爲趨道之捷徑。萬招讀而歎曰：「此觀音大士慈悲方便濟人利物之心也。」師没垂六十年，沐師之恩，追念不忘，議樹石以昭示攸久。蒙犯霜雪，不遠十舍來求文者，宣授大開元一宗諸路都提點通辯大師法孫、妙澤等也。重門人之義，列師生平而系之以銘者，鹿泉王思廉也。銘曰：

師之來，如雲之無心；師之去，如月之在水。去以緣盡，來以緣起。胡不少留？作叢林軌。大行嵒嵒，橫亘千里。師名山齊，終古未已。纔辭貞珉，後人仰止。復以遺傳法嗣派行四十字以垂後云。（一九三三年《達縣志》卷一九）

東郡宋氏世德碑　延祐四年十月

延祐四年，山南河北道肅政廉訪使宋公走書恒府謂予曰：「崇祿不敏，承乏台憲，身寵而在高位，家溫而食厚祿，大人先妣，復蒙褒贈。究其所自，匪祖宗培植之力，曷克致此？不有刊紀播揚遺芳，何以示來裔？敢以文爲請。」宋氏東郡白馬永甯鄉中東林子里人，以農爲業。里西北五里許宋胡寨北，先塋在焉。年代遼邈，丘壟頗多，不能辨昭穆。乃改卜里西原，別自爲祖。公曾祖殷、妣張氏還葬先塋。二子：長德文，娶劉氏，早卒；次德仁，即公祖也。戊午年六月二十五日卒，壽五十。妣孫氏，至元七年六月初一日卒，壽六十四。夫婦俱有懿行，潛德弗燿，始葬新塋。德仁二子：長曰瑄，字子璋，即公父也；次未名而夭。子璋受性篤實，喜讀諸子百家書，曉醫卜，躬稼穡給衣食。遇凶年，借粟貧乏，不立券契，雖日久未嘗徵索，人感其惠，亦無逋負。鄉人死無所歸，悉瘞己地。傭耕之家至有生長子孫不忍離去者。臧獲有過，以善言教之，不施鞭扑。至元庚辰，公始仕於朝。子璋歲一再至都下，戒以敬官長，信朋友，廉勤舉職。今年春用以貴，祖贈亞中大夫、彰德路摠管、輕車都尉，追封京兆郡侯。妣孫氏，追封京兆郡夫人。父封嘉議大夫、祕書卿、上輕車都尉、京兆郡公。母孟氏，追封京兆郡夫人。祕書年開九袠，神明不衰，飲啖如少壯，眉間壽豪長數寸而黑，安享榮養，嗣身奉承。其生平爲人概可見矣。孟氏，金進士唐卿之長女，婦道母儀，見稱姻族。大德改元六月十三日卒，春秋六十有三。子男二人：長崇信，早逝；次即公也。女四人：長適柳閏；次適馬良；次適張叔；次適户部奏差李庸。公先室張氏贈京兆郡夫人。一子，曰謙。繼室張氏封京兆郡夫人。一子，曰訥。女二人，在室。公資明慧，律己甚嚴，以儒飾吏，由中書省掾歷同知樂平州事，改處州路推官、江浙行省都事。入主户部事，就陞員外郎、御史台都事、燕南河北道肅政廉訪副使、潭州路摠管都漕運使、江南諸道行御史台治書侍御史。所涖有聲，官大中大夫。公從房伯三，曰立，曰顯，曰敬。立子二，曰進，曰通。女二人，長適孟善，次適千户呂椿。進二子，曰信，曰仲。通四子，曰誼，曰誠，曰珪，都漕運司奏差曰琪，同居鄉里。顯一子，曰貞。貞三子，曰松，曰興，曰從。敬二子，曰平，曰元。女二人，長適陳用，次適崔文，居輝州焉。既而文之，且系以詩，其詞曰：

良苗如雲覆大田，始於力菑非逢年。翬飛廣廈金碧鮮，廣德肇基從厥先。寶書恩渥來日邊，再世封郡開秦川。公持使節清官聯，高閣駟馬豈偶然。積累益出前人賢，畜久發大理不愆。弗播弗堂功則捐，刈穫丹雘始光前。作善百祥降自天，一門餘慶宜蔓延。貞珉琢頌來新阡，千

秋萬古佳名傳。（一九三二年《滑縣縣志》卷七）

廣平路威州井陘縣蒼巖福慶禪寺碑

皇慶元年

蒼巖舊無蘭若，隋文帝女嘗患厲風，聞此中石井涅不涸，水不溢，給用不竭，可已此疾，遂舍其側，以供飲食湯沐。久之，病良愈，因棄家爲佛子。文帝不能强，乃爲建寺，比丘尼從者如雲。寺有萬佛殿、十王堂、廊廡廚庫、公主真容。堂東北鑾臺、宴臺，云是文帝駐蹕之地。土人相傳，弗克考究。或名興善，或呼山院，亦不知何代石刻所書如此。大中祥符七年，勅賜今額，從孤臺僧銓悦、智贇之請也。悦鑿崖壁以棲衆，芟榛棘以通路。丹青簷宇，雕鏤像設，其功爲多。大觀三年，縣之南障城村賈巳無子，以己業田三頃五十畝有奇，施爲常住，夫婦終老焉。大定間，跨澗構石梁實平定之天寧衍公倡之，寺僧知建、平定縣鄉豪陳宗助之也。國朝甲辰歲，僧普儀來居，二十餘年。佛殿、文殊殿、公主堂、橋樓、雲堂方丈、僧寮、香積庫、庾閑廄燦然一新。儀，潘其姓。邳州人。幼而厭俗，年十七禮陳州大通寺福公而得名，繼叅臨濟之慵菴而得法。朝旨命住元氏縣三聖院，儀不喜廛市，故挂錫于此。後以慵菴洎總統所真定路僧俗官禪教諸師德疏開普化堂主臨濟席，所至四衆欽仰，門資百餘人，常以營繕爲己事。晚歸普化，不疾而逝，壽八十有二，實至元丁亥二月十一日也。茶毗火滅，獲舍利數百粒，其從塔而藏之。至大戊申夏六月，住持行歡介臨濟退堂深公錄祖師行實，寺之始末，謁文以謹歲月。曩予以事至北障城村，父老盛談此寺之勝，恨不一到。忽承茲屬，即爲紀之。若夫山水之峻潔，境趣之幽邃，樓殿之宏敞，林木之薈蔚，則前碑載之詳矣，可得而略云。（明嘉靖二十七年《西關志·故關》卷七）

大元故宣授管軍千户張公墓碑

公諱林，張姓。其先定之新樂人，□無極縣□□世矣。曾王父諱□慶，王父諱□□□□□□□□□□□□□□領無極縣主簿，官□武校尉。□□氏公主簿□長子，□質直尚氣節，□□□□□□□□□□□□大師□至統諸道兵南□春即迎□□□例隸□□金紫□公府 □□□□ 制封 □□□□ 知慶源軍節度使。公趙州觀察 □□節度判官。及□歿□□□□□□□□□□□□判官讓于春之弟，而自請領軍五路□□賢之，從其請，隨署公軍職。□□□□□□□□□□□□□□□□□□賴之以安。甲午，從軍南□□□□其先登陷陣，勇冠三軍。擬以慶源□□□□□□□□□□□□□□□□□□□□□□使高□□有□幹□所不及，乞昌州□之萬户□□□乃□前後□□□□宣授管軍千户，衆方昌遠業期之，不幸遭疾而終。□□無極之□□□□。夫人□□□□□□□□□□□□□大將軍真定等路新軍萬户，佩金虎符。□男四人：長□□忠□校尉□軍□把□銀符從父戰于鄂之□城□□□□□□□□□□答次獺拉叱皆未仕。女孫二：長□連奇，蚤逝；次曰恒壽，適萇氏。男曾孫一，□□□。女曾孫一，名絨□□□□元□等安遠北覲過鎮陽，以墓碑爲請，屬余作文以誌之。余竊觀夫金源氏之□遷也，□雲□朔豪傑並起，□□□□□□野，不勞餘力，致身青雲疑若易而下，知其乃祖乃父積累之厚，有以□之也。觀□氏之門，子葉孫枝□□□□□□榮耀鄉國，雖才武過人，足目自奮，然究其原委，皆自主簿君□予，鄉鄰護念孤幼□□□□□□□□□□□□又豈如是而已哉。銘曰：

桓桓張公，萬夫之雄。奮身從戎，百戰樹功。□去編齋，□□□□。辭祿繼絶，讓能代工。薦紳之賢，□學而同。□□□□，□□□□。啬于厥躬，惟嗣之豐。宋村之原，辛木青葱。勒辭堅珉。（一九三六年《無極縣志》卷一六）

河東廉訪使程公神道碑　大德元年

元貞丙申正月十五日，河東山西道肅政廉訪使程公以官壽薨于太原。二月三日，歸柩汴梁。大德改元冬，諸姪狀公行實來請銘。按公諱思廉，字介甫，姓程氏。上世洛陽人，元魏遷兩河豪右實雲中三州，因著籍東勝。公，處士諱某之曾孫，贈少中大夫、安定郡伯諱某之孫，宣授沁邊監榷規運使解州鹽使諱某之子。妣田氏。公始知讀書，從樞判白公學，故文筆論議皆有師法。中統建元，用太保劉文貞公薦，事裕皇于春宫。服勤守恪，特被眷遇，令監印宥省。至元七年，樞副合丹公以平章政事領河南行省，選署都事。十二年，轉同知淇州事。力辭養親，繼丁外艱。服除，授東平路判官。入拜監察御史。十六年，出僉河東山西道提刑按察司事。俄遷河西隴右道副使，徙河北河南山東東西兩道。未幾，陝西行省舉公興元路總管。明年，進陝西漢中道大使。二十六年，雲南立行御史臺，擢拜中丞。今上嗣位，改河東山西道肅政廉訪使。公識見明敏，沉毅果斷。筮仕之初，年尚少，言動有節，望之儼然。同列雖親密者，亦不敢以狎褻及之。由是見知時宰，有都司之辟，竭力參贊，事有當行，惟恐或後。丞相史忠武公每加獎拔，幕府有疑忠武公之徇公者。時規取襄樊，供億浩穰，公視出納，綽有餘裕。初築新城於江北，和糴以足兵食，委公領其事。倉稟未完，米多露積。一夕大雨，諸相以爲憂。使人覘公，方安卧帳中。召而詰之，公徐曰：「敵人在邇，常宜鎮靜。縱有漂濕，所損幾何？不過軍士一日糧耳。若中夜搔動，衆心驚惑，事變之來，殆有不可勝言者矣。」聞者韙之。簡書之暇，究心營繕，舟車器仗，靡不犀利。向之見疑者始以忠武爲知人。公之世父治書公金南渡後嘗爲監察御史，正色立朝，不畏强禦。及公嗣職，慨然有濟美之志，彈奸臣阿合馬輩不法，至陷囹圄，居之泰然。其黨巧爲機穽，卒不能傷。出僉提刑司事也，平反糾擿，不克殫紀。其尤者，大同楊刺真等犯酒禁，有旨誅之，公以其罪不至死，論列數四。其忠君守法如此。其赴河北河南也，道彰德，聞兩河凶歉，民大艱食，而官府徵租甚急，欲止之，有司謂：「法當上稟，不敢專擅。」公曰：「若循常例，比得請，民已疲於勾呼矣。」即移文停催，然後申明省臺，果獲蠲除。僚友有當鞫獄鄴中而不果其行者，公乃請代。至則詳究本末，盡得其情，蒙湔洗者以百數。二十年，河北復饑，民多轉徙于南。朝廷遣使與汴梁官屬會憲司官于河上以扼之，公與總管張侯國寳決議放渡，既而列上，亦賜允俞。是秋霖雨，大河、清、沁皆泛溢，爲衛輝、懷孟害。公親乘舟臨視賑貸，全活甚衆。水浸衛城不没者數版，適郡僚各以事出，公與屯成萬户張公集軍民發倉稟，修築堤防以捍其衝。晝夜督促，暴露城隅，閲數旬功始就。至今大水不復爲患，衛人德之。興元命下，公欲辭。時尚書省丞相桑哥擅權，頤指所及，竭蹶奉承，親奮力勸之。公以大夫人年將九十，旁無兼侍，輦致弗克。不聽。章三上，得告而後已。嗣有陝西漢中之行，亦極力丐免。杜門家食，慈母孝子懽然一堂，若將終身焉。二十六年，丁内艱，哀毁過禮，見者傷之。雲南去京師踰萬里，朝議以爲振舉綱維，肅清風憲，綏輯遠人，非公不可，乃起公。或疑跋涉勞苦，且未終制，公必不拜。公乃曰：「前此三除，昧死陳請，蓋以老母故也。今當宣力絶域，以贖前過。」甫踰小祥，即素服就道。既涖事，即戒敕典兵之官、牧民之吏、主刑名、司稟庫各謹爾職，毋致人言。自是上下肅然，一新舊染。雲南舊有孔子廟，朔望長吏便衣拜謁而已。教官雖設，一無從學之士。公乃舉春秋釋菜之禮，先於所治中慶府，集行省臺以下諸官百餘人，公服以行禮事。屬城化之，有遺子弟受業者。公之不鄙裔夷，推誠敷教又如此。河東地瘠民貧，仍遭旱暵，公奏除歲飼親王馬駞十之九。所輸租税，易遠倉爲近倉以便民。歷年積弊，前政欲去而不得者，下車未久，蕩洗一空。鄰境之人亦知嚮慕。竟用是得疾。公頻居風憲，剛稜疾惡，恒以古人自期。晚年言事尤切直，如早建儲貳以固國本，訪求賢俊用贊丕圖，車服辨尊卑之差，封謚表忠勤之實，養軍力以備邊，定律文以革弊，皆急務也。使節所臨，擾民不急之役必先禁止。農桑庠序，檢災戢盜，尤所盡心，至忘饑渴寒暑。平居不事生產，惡衣菲食無難色。與人交愈久而情好愈篤，不以貴賤爲輕重。或有疾病死喪，問遺賙恤，禮意兼盡，雖往反數百里，亦不憚勞。後仍爲之經理家事，無視子孫，不少衰減。其於宗族姻戚，又所厚者也。恬於進取，勇於爲義。卧病太原，未得謝，猶力疾視事。一旦索紙筆作遺書，寄弟姪。翌日，飲啖應酬若平時。客退，易衣就枕而薨。蓋剛大不屈之氣充養有素，故於死生之際明公如此。僚吏士民涕泣相弔，如失私親，靈輀所經，皆盡哀致奠，則公之爲人概可見矣。享年六十有二。夫人鄭氏，婦道可稱，前公卒。今夫人柏德氏，臨潢之甲族也。明悟莊重，持家有法。一子，牛童，早夭。三女，長適尹氏，二幼在室。以某年月日葬公于某處先塋之次，禮也。銘曰：

烈烈程公，出遭盛時。儒素世家，孝友天資。揚歷中外，才可吏師。霜凜烏臺，風生憲司。去惡如草，遇民如兒，捍患禦灾，奚翅己私。事不辟難，去必見思。用夏變夷，悦禮敦詩。惟是頑獷，化而柔慈。萬里來歸，兩鬢不絲。養吾浩然，豈其餒而。望公廟堂，決疑龜耆。命也奈何，竟止于斯。有韞于中，未究設施。不龍不蛇，賢人嗟咨。有巍者碑，銘以昭之。公有遺恨，余無愧辭。（元蘇天爵《元文類》卷六七）

安石峰先生墓表

大德五年九月

君諱滔，字巨源，姓安氏。其先太原離石人，世以儒素稱。曾大父玠官修武校尉。妣某氏。大父全廣以貲雄鄉里，所蓄書幾萬卷。妣王氏。父昇。妣宋氏。再世皆不仕。君自幼讀書，大父躬爲訓授。九歲登經童第，仍習詞賦。貞祐紛擾，河朔不守，金主徙都汴，衣冠從而南渡，設科取士如常時。獨山西州縣恃險不降，王師至則逃竄山谷，去則復出，道路梗塞，以故君不克赴試。歲丁丑，避兵石洞，兵士以火逼之，盡室被焚，君僅得脱，而爲所執。先是，太師怒諸城久拒，令男女無少長皆殺，違者以軍法論。監軍士石抹陳奴聞獲一書生，馳使召之。既見，易以敝服，詭其鄉里，俾朝夕自隨，由是卒免。君亦以遭罹大變，血屬靡遺，幸全性命，遂身從之，誓不他適。從軍攻鳳翔，主帥命分戮諸俘虜，君所得必匿而遣之。時僵尸蔽野，軍人爭解其衣而服之，君雖甚寒，有不忍也。歲壬辰，監軍至真定之藁城，與君田宅，課其子受業。戊戌，朝廷開選舉，中者復其家。君詞賦入優等，於是始以聚徒講肄爲生。壬子，括天下户，遂占籍真定而徙居焉。因以玉峰遺叟洎石峰自號，示不忘本也。中統紀元之二年，省叅張公德輝熟君文行，授館其家，使諸孫執弟子禮。至元丙寅，郡博士舉君貳其學事，君即力贊之，絃誦洋洋，將復承平之舊矣。不幸遘疾而卒，實丙子正月甲戌也。春秋七十有八。戊寅，葬藁城安仁鄉辛里之西原，從遺命也。君天姿寬裕樂易，慈祥忠厚，不妄喜怒，不苟受施，安儉薄，重然諾。與人言，開心見誠，無所矯飾。聞人之善，稱之如己出。人有過，則未嘗出諸口。讀書務躬行，不徒事章句。晚而學《易》，嗜伊川程先生傳，造次不去手。誨人嚴而有禮，得師之道，終日娓娓無倦色。生徒有爲舉業者，久在席下，必辭之曰：「吾不經場屋，汝當别求先進而師之可也。」其不自欺如此。隱居教授逾三十年，貴人子弟往往出其門。戒飭諸子致力經文，不干禄仕。凡世之聲利榮達，得喪忻慼，舉不足以動其心。優游自樂，以終其身。家有一力一旦亡去，諸子欲追之，君曰：「彼既負罪，必懷愧赧，縱使追還，又安能復與我共處乎？」乃止弗追。常攜長子芝西歸，田園已爲族人所鬻，皆不敢隱，謂君曰：「某氏宅、某氏田俱君家舊物，我輩實冒賣，願承其罪。」君當聞之官，酬其直而取之。」君以凌谷變遷，有非人力所能與者，何罪之有，竟不取，但修完先壠而還。延安府尹牛子益、總管袁某與君同里閈，因君内弟米脂令宋某致書勸歸，且遺以束帛。君曰：「吾既未能即歸，而貧困無以爲報焉，可虚辱其惠。」乃答其書，而還其幣，其慎取與又如此。既没，真定士大夫爲詩哀挽，教官吴君特起序之，以爲君之爲人明而不察，簡而能肅，犯而不校。又謂隱不違親，貞不絶俗，樂天知命。君子初娶同郡李氏，没于兵間。生一女，適劉氏。再娶磁州賈氏，治家有法，閨門肅睦。當兵凶相仍之際，嗣息幼弱，生理肅然，能黜衣殺食，周旋其間，姻黨賢之。後君二年，年八十有四卒。子男三人：芝，從迂軒李君謙學，時文典贍，詩筆敏捷。張公德輝宣撫河東，選充轉運司從事。公移山東，復辟以從，常監收嘉祥縣絲料，垂橐而往，垂橐而歸，人服其廉。尋陞行省掾以卒。次松，次筠。松從緱山李君元學，用名公薦，歷江淮轉運司知事、潛江尉、峽州司獄、江東宣慰司照磨，皆非其好也。官將仕郎。筠屢爲憲屬，所至有聲，終于同知綿州事官承事郎。大德辛丑春，子松狀君之行實，謂思廉曰：「吾宗由曾高而上，皆塋域離石縣北下安村之原。先大父終于孟門之義居丁氏莊，因葬其處。先君既居真定，愛其風土遂卜宅兆，以其藏瘞之制，昭穆之次，有不如禮者。今改以元貞二年二月庚申春，先君夫人之柩遷于先兆之北凡二十步。惟先君不喜進取，故設施止此。若夫貞白之操，惻隱之仁，爲己之學，義方之教，則不可不鑱諸石，以昭示永久。其材具矣，子其爲我書之。」思廉猥以晚生得拜君牀下，且與芝等或聯事、或同舍，交深契厚，義不能以不敏辭。竊念石洞之禍，安氏幾絶，今而子孫曾玄宦達蕃衍，爲海内文章家，非君之陰功潛德有以啓迪之，何以致此？然則墓表之文不獨使安氏之後知上世積累之勤，厲聿修之志，亦欲令擬《汝南先賢》、《襄陽耆舊》而作傳者有所考焉。（一九三四年《藁城縣志》卷一二）

祭康先生文

翰林學士承旨致仕王思廉致祭于故國子博士康先生之靈而言曰：

吳楚奇材，楩楠豫章。下蔽牛馬，上摩穹蒼。修直堅緻，可棟可梁。斧以斯之，不得締構乎明堂。渥洼異種，綠耳飛黄。過都歷塊，電掣龍驤。以駕大輅，和鸞鏘鏘。困於鹽車，弗獲馳騁乎遐方。先生之學，經笥書囊。先生之才，錦心繡腸。視草北門，制禮奉常。外而藩宣，内而贊襄。何施匪宜，皆其所長。進用無媒，竟老國庠。猶木之不遇於匠石，驥之不遇於孫陽。噫嘻！孰維孰綱？孰主孰張？吾欲問之，神理茫茫。耆英已矣，識者歎傷。雖然，有德以化其鄉，有文以流其芳。愈遠愈思，愈久愈光。是之謂不亡。（《涵芬樓古今文鈔》卷九九　以上何本方點校）

全元文卷三三〇

陳觀

陳觀(一二三八——一三一八),字國秀。奉化(今浙江奉化)人(《宋元學案補遺》卷八六)。咸淳十年(一二七四)進士,任臨安府新城縣尉。入元隱居不仕,延祐五年卒。著作有《皷蚓集》、《蒿里集》、《棣萼集》。本書收陳觀文四篇。

崇福寺記

邑境内多山,巃嵸四合,或掖江而左行,委蛇低昂,不知幾里許。益東而背邑側出,如神虬驤首而卻走至是,清峭秀整,蒼鬱敻異。崇崗長嶺,下接修陸。踰嶺而北行,林麓間,原隰高下,彌望平衍,廬落井井,人境幽邈。雖無窮崖絶壁奇偉之觀,天然勝狀,軒豁呈露,固宜爲瞿曇氏卓錫之地也。民家其陰,居相宜,故以南山名院,創於邑僧志旻。宋淳祐中,旻過是山而愛之,雨巾風笠,雖去不忘。既而與土人謀而協,乃得地築環堵之室,勺飲盂飯,以待過客。有自邑遵陸並海以北,暮夜如歸，遂名曰「南山接待」。咸淳初年，衆請更今額，使傳以甲乙。於是旻師罄衣盂之資，始廣其居，薅刈開拓，乃址乃構。至元辛巳，建法堂。甲午，又建山門。而旻耄矣，旻之徒元戒，戒之徒元淨，淨之徒一筌。筌機械精敏，通理習事，獨鋭以繼述爲己任，徒弟大森等克相甚勤。大德辛巳，大殿成。未幾，方丈又成。廊廡寮敘、帑庮庖溷以次皆成。殫用極力，工善材良，瓦甓涂塈，黝堊丹碧，靡不周悉。金像儼然，龍天環拱，鐘鼓鏜如，百爾器備，迄成大莊嚴。工興於辛巳，落成於至大辛亥，前後歷二十年。高甍飛宇，雲矗星麗，固旻師經始之力，實筌堅忍乃心，篤志不懈，盡斥其私帑弗恡，而成若是。於呼！亦難能也已。院始有田百五十畝，元戒增置八十畝。筌又慮功德未完，節己用之餘置八十畝，并續置田備修造之需，以畝計嬴三百有奇，蓋經久之規也。余昔自山中過之，諗其顛末，因念釋流塔廟之盛，山林形勢，率皆名藍，豈佛者擇地而止，抑地必有待而興耶？亦由其徒願力堅忍而然耳。天恩洋溢，無遠弗居，誠能如師積累歲之勤，彼創此因，以成一方崇信歸根之所，績用亦不細矣。《書》曰：「罔不能厥初，惟其終。」師今克念厥紹多於前功，則世世相承，有弊必葺，以迓續於無窮者，其不在後之人乎？師曰：「然。」請書諸石，以示來者。遂書以爲記。（一九一六年《剡源鄉志》卷一七）

奉化州重建公宇記

奉化於明爲望，山海風物之殊，衣冠閥閲之盛，自爲縣時，前人紀述備矣。然土瘠而民儉食於耕，地阻而四方不甚通於貨。治者雖謂其難，而亦存乎其人也。比年民數登進爲州，官吏品秩以次俱升，獨菘事所因循猶舊，歲久漸弗支。皇慶壬子，達魯花赤木八剌公之來，顧而歎曰：「縣之爲州，雖征賦所不增，土地所不闢，而今之視昔，難以概論。司存不壯麗，難以示觀瞻。」既而，耆年士民不謀同辭，乃諗諸同僚，上之統府。上下胥悦，鳩堅蒐良。凡木植之可致者，必厚直以□；屋廬之願售者，必倍價以償。工匠之勞，夫丁之募，皆日有給。始於癸丑三月，爲廳，爲軒，爲佐幕，爲賓榮，晝諾有堂，宴息有室，不日皆成。譙門吏廡，犴狴垣墉，次第具舉。體制宏敞，輪奐翬飛，儼然千里之郡矣。邦人欲頌公之德，紀公之績，舍儒者其誰與？余不獲辭。竊謂天下之事，有志者竟成，而事有非一朝一夕之可集，亦非一手一足之能爲。其事豈易易，惟公於民得之也有素，使之也有道。平時律己廉，持心恕，牘不輕署，卒不輒發。不施鞭而賦自辦，不假箠而辭自服。兩造在庭，事輕者釋之以理，使不戾其和氣，重者得其情而勿喜，凡此皆所以作其遜讓之風，道其君子長者之歸。故是役也，人之趨之，如子弟之從其父兄，聞者樂於勸，役者忘其勞。猗歟美哉！今之仕也，耳目聰明，不能周於簿書期會，何暇他及？亦有苟焉歲月，視爲傳舍，不能一日葺，寧有不愧於公？若公之材，試於一州者，特出其緒餘。吾知其去是而黼黻帝室、柱石明堂，有非此邦之士民所得私者矣。同寅協恭實相斯舉，敬書於石。（元袁桷《（延祐）四明志》卷八）

資福廟記

延祐元年九月五日

古之長民者，生能保其民社，死能廟食其地者，代不多見。惟宋之謝鳳、唐之陸明允有祠在吾邑。陸侯既受褒封，謝公之名稱未易，非闕歟？余按《古鄞志》謂：公名鳳，即晉康樂侯謝靈運子也。嘗宰鄞，有功德於民，至今祠之。鄞即今之奉化，秦爲會稽屬邑，至唐開元二十六年始改今名。公爲令時，嘗作方勝碶，溉民田五千餘畝。又於碶北作橋，以濟不通。舊名謝鳳橋，紹興間以慶登易之。古有生祠在碶南，政和八年，令周因徙今所。公爲政寬平，務施仁惠。爲神正直，屢彰靈異。凡水旱癘疫必禱焉。嘉定八年，有飛蝗蔽空而來，民禱于神，忽暴風疾雨驅之出境，乃不害稼。紹定元年，大水漂廬舍，囓惠政橋，陷龍津館，民籲神求援，水不爲害。嘉熙三年夏，旱，首種不入，民禱輒雨。咸淳二年夏，作淫雨，六七月之間，旱禾盡槁，民就祠禱之，雨暘時若。元大德丁未，天災流行，時境內無虞。至大戊申，歲大饑。劍南有米舟至埼亭，云有人招之，問之，則謝其姓，而鳳其名。民不溝中瘠者，神之賜也。若此者衆，不能盡述。州之父老具其事來請記。余聞怪力亂神，聖人不語，禦災捍患，《禮經》所載。今觀謝公之靈應如此，固當登之石章，以貽後世，不可使之泯滅無聞也。梁竦謂：「生當封侯，死當廟食。」韓昌黎謂：「柳子厚生當澤其民，死能驚動禍福之，以食其土。」自古皆然，不知謂謝公之事，涉於虛誕也。公非欲廟食也，非欲驚動禍福也，而人自祠之。吾邦之人蓋謂公嘗穀粟我矣，衣被我矣，又嘗保障我矣，雖欲不祠，安得而不祠？其歿而爲神，則眷戀於是邦也，審矣。於是而尸祝之，則有祈焉，有報焉，有由辟焉，故其感應之妙，如影響之荅形聲，其有功德爲何如哉！昔周因能徙其廟，而不能請其封號，可慨也已。後之人倘能數其事之本末而請於朝，則神必能禦災捍患而報其上矣，豈可謂神怪而不語哉！故書其事於石。（一九一六年《剡源鄉志》卷一七）

樊氏先塋之記

延祐二年正月元日

樊氏之先，蓋出於周之苗裔。自文王子仲虞支孫爲周卿士，食采□□，故因邑以命氏。穆仲、仲皮及濟，皆其後也。漢宏儵兄弟，悉以文行著。梁護威將軍□、左衛將軍猛，皆以武力大。隋武威大守子蓋、司農卿叔略，並以善政聞。唐檢校右僕射贈司空澤，以賢良方正顯。司空子宗師，字紹述，聞望尤表著，嘗爲絳州刺史。昌黎韓文公爲志其墓，述其文章風節甚詳。自刺史父子居河中，後之子□散居支縣。然歲□譜志族系莫究。居臨晉之董村者，又不知其幾世也。近代有曰樊二員外者，金季以貲名舉。家千□，樂振施，修德好禮，鄉黨稱爲善人。娶張氏，生子曰德□。□泰和末年，甫三十，遭壬辰之亂，保族完家，不離鄉土，人以爲難。噫！積善儲祥，此非效歟？享年七十有七，至元十四年十二月二十一日以疾卒於鄉。娶衛氏，壽至五十五，卒於丙辰八月二十有五日也。生三子：一男，諱玉；二女，長適任政；次適雷顯。玉性剛毅，儀觀甚偉，冬一裘，夏一葛，至數歲不易。而修潔清楚皎□，不受毫髮垢污之雜。蓋天性如此，非矯飾爲也。治家有法，整整致嚴。子孫朝夕覲省，必加禮敬，雖大暑不冠不見。凡所訓誨，□忠信之言不道。輕財重義，務□弱摧强，閭里皆宗敬之。喜賓客，每名士大夫過門，必擊鮮爲數日留。劇談歡飲連晝夜，喜不惓而樂不厭。由是人多推□焉。嘗被漕司檄主巡解池鹽禁□，至以廉謹稱。其勤敏幹濟，又他人所不能及也。不幸於至元二十六年四月二十四日遘疾，殁於私第之正寢，春秋六十三。娶張氏，平陸大族，婦道母儀，咸盡於禮。至大元年四月二十四日卒，壽至八十一。生子男三人：曰瑞、曰珪、曰璧。二女：長適高昱；次適王德。瑞有□行□平，臧否不出諸口。至大二年，實生六十二歲矣，於是年冬十月二十日以寢疾終于家。配里眷惠氏，生二男：曰思明、思問。璧，機警過人，年四十三，以寒疾不起，卒在元貞二年二月十九日。妻趙姓，解粱人。至大四年十一月二十四日亦病卒，年五十四。生二男，曰思恭、思難。珪，字仲璋。妻同邑趙氏，殁於至大二年七月初一日，年五十八。生四子，曰思聰、思濫、思忠、思敬。仲璋資略明敏，幼嗜讀書，忘晝夜寒暑。少長，卓然能自樹立，衆謂樊氏有子矣。事親至孝。先是受安西王命爲吉州路人匠提舉，比□父已卒，旦夕思慕，悲號不已，自是不復有仕進意。乃營葺貲産，治居宅，增田疇，□隸僮僕，悉有條序。故上下能相親，外内爭爲之戮力，無少告勞，兄弟共財，庭無間言，友愛之情，白首不衰。奉母張夫人，克盡其道。夫人晚年得目疾，百療不效。仲璋晝則以舌津潤舐，夜則露香默禱，祈以身代，一旦翳退復明，視物瞭然如初。朝廷聞而異之，遂表門以旌其孝感焉。大德七年，瑞、珪等□克大葬祖考于董村西原先塋之兆次，堋用九月十六日，從□命也。延祐元年夏五，宣授珪忠翊校尉，管領崇慶等處怯憐口民匠長官。遂遣其子思溫不遠二千餘里抵京師再拜致書，求文於太史氏陳觀，□記其本末。予以迫於里閈之情，友義之篤，使不得以不敏辭，因取文學掾張敬承善□一篇，又摭平昔聞見之實而次第其事。夫立身行道，孝之始也，顯親揚名，孝之終也。終始不虧，爲子之道足矣。矧又喪葬祭祀之禮，尤子孫所當愼重者也。或者昧於追遠而狃於習俗，亟然惟自奉若不及，視祖宗丘壠血□則蔑如也。由此較之，其世存與亡相去間不能以髮，若樊氏昆仲可謂知所本而得奉先之道矣，是可尚也！乃叙而書之，俾刻石墓側，使後之人有以考德焉。仲璋嘗從余先君子肅齋先生游，又其子思聰、思溫幼問學於余，故知□世次爲尤詳云。（清光緒二十七年《山右石刻叢編》卷三一）

焦養直

焦養直（一二三八——一三一〇），字無咎。東昌堂邑（今山東冠縣東）人（《道園類稿》卷四九）。至元十八年（一二八一），以真定路儒學教授超升典瑞少監。大德元年（一二九七），爲成宗進講《資治通鑑》。三年，授集賢侍講學士。九年，進集賢學士。十一年，升太子諭德。至大元年（一三〇八），授集賢大學士，謀議大政。後告老歸鄉。三年卒。謚文靖。《元史》卷一六四有傳。本書收焦養直文一篇。

東華觀記

文登之西有山曰「崑崙」，高出天半，巋然南向，俯瞰巨海，諸山皆左右環拱。有泉曰「靈源」，淵淪噴薄，上連青松白鶴。溪旁引白玉臺之九池合流，下注底于窮谷。由山之右夾岸兩山對峙，重崗回合，老木瘦藤，湍流激石，景趣古澹，夐共世外。南一峰曰「紫金」，最爲奇秀，千仞矗起，是蓋崑崙絶勝處也。大定壬寅，丹陽馬貞人西來，愛其風土清曠，遂藉茅白玉臺下而居焉，是爲「契遇庵」。一旦行視紫金峰帝君故宅，嘆曰：「靈都貞境實此地。」於是始營焉。閱月告成，謂：「古仙東華嘗棲於此。」因以東華名之。居無何，庵前數松忽反青爲白，師曰：「松之白也，殆爲我乎？」明年癸卯，師果□去。其徒明惠等繼主之，是時聚徒已四十人矣。貞祐末，山東大亂，道侶散亡，庵亦隨廢。丙子，文登天寶宫扈慶貞繼葺之。甲申，丘長春又買田以增給之。是後由庵而觀，而宫，皆朝命也。慶貞没，道寬等相承整飭。雖弘麗之制未能盡復其故，昔人所謂「焕若神明，頓還舊觀者」，亦將有俟於他日也。（明萬曆四十五年《山東通志》卷二〇）

崔　彧

崔彧(?——一二九八)，字文卿，小字拜帖木兒。弘州(今河北陽原)人。至元十六年(一二七九)，奉詔赴江南訪求藝術之人。第二年回京參奏忽都帶兒貪財貨。十九年任集賢侍讀學士，主張窮治阿合馬餘黨。繼而，由刑部尚書拜御史中丞。二十年進言時政十八事，多獲允行。二十一年劾奏丞相盧世榮，觸忤帝旨罷官。二十三年加官集賢大學士，中奉大夫、同簽樞密院事。尋出爲甘肅行省右丞。召拜中書右丞。二十八年復任御史中丞。成宗即位，重信如故。卒于大德二年(一二九八)。至大元年(一三〇八)，贈推誠履正功臣、太傅、開府儀同三司，追封鄭國公，謚忠肅。《元史》卷一七三有傳。本書收崔彧文一篇。

言時政十八事疏

一曰開廣言路，多選正人，番直上前，以司喉舌，庶免黨附壅塞之患。二曰當阿合馬擅權，臺臣莫敢糾其非，迨其事敗，然後接踵隨聲，徙取譏笑。宜別加選，用其舊人除蒙古人取聖斷外，餘皆當問罪。三曰樞密院定奪軍官，賞罰不當，多聽阿合馬風旨。宜擇有聲望者爲長貳，庶幾號令明而賞罰當。四曰翰苑亦頌阿合馬功德，宜博訪南北耆儒碩望，以重此選。五曰郝禎、耿仁等雖在典刑，若是者尚多，罪同罰異，公論未伸。合次第屏除。六曰貴遊子弟，用即顯官，幼不講學，何以從政。得如左丞許衡教國子學，則人才輩出矣。七曰今起居注所書，不過奏事撿目而已。宜擇蒙古人之有聲望，漢人之重厚者，居其任，分番上直，帝王言動必書，以垂法於無窮。八曰憲曹無法可守，是以奸人無所顧忌。宜定律令，以爲一代之法。九曰官冗，若徒省一官員，併一衙門。亦非經久之策。宜衆議，而立定成規。十曰官僚無以養廉，責其貪則苛，乞將諸路大小官有俸者量增，無俸者特給。然不取之於官，惟賦之於民。蓋官吏既有所養，不致病民。少增歲賦，亦將樂從。十一曰内地百姓流移江南避賦役者，已十五萬户。去家就旅，豈人之情，賦重政繁，驅之致此。乞特降詔旨，招集復業，免其後來五年科役，其餘積欠並蠲，事産即日給還。民官滿替，以户口增耗爲黜陟，其徙江南不歸者，與土著一例當役。十二曰凡丞相安童遷轉良臣(一)，悉爲阿合馬所擯黜，或居散地，或在遠方，並令拔擢。十三曰簿錄姦黨財物，本國家之物，不可視爲横得，遂致濫用。宜以之實帑藏，供歲計。十四曰大都非如上都，只備巡幸(二)，不應立留守司，此皆阿合馬以此位置私黨。今宜易置總管府。十五曰中書省右丞二，而左丞缺。宜改所增右丞置諸左。十六曰在外行省，不必置丞相、平章，止設左右丞以下，庶幾内重，不致勢均。彼謂非隆其名不足鎮壓者，奸臣欺罔之論也。十七曰阿剌海牙掌兵民之權，子姪姻黨，分列權要，官吏出其門者，十之七八，其威權不在阿合馬下。宜罷職理算，其黨雖無污染者，亦當遷轉他所，勿使久據湖廣。十八曰銓選類奏，賢否莫知。自今三品以上，必引見

而後授官。（明崇禎張溥《歷代名臣奏議》卷六六）

〔一〕十二日凡丞相安童遷轉良臣：凡，原脱，據《元史》卷一七三補。　〔二〕只備巡幸：只，原作「上」，據《元史》卷一七三改。

進傳國璽牋

至元三十一年歲次甲午春正月既旦，臣番直宿衛御史臺。通事臣闊闊朮即衛所告曰：「太師國王之孫曰拾得者，嘗官同知通政院事。今既歿矣，生産散失，家計窘極，其妻脱脱真縈病，一子甫九歲，託以玉見貿，供朝夕之給。」及出，玉印也。闊闊朮蒙古人，不曉文字，茲故來告。聞之，且驚且疑，乃還私家取視之，色混青緑而元，光采射人。其方可黍尺四寸，厚及方之三不足。背鈕盤螭，四厭方際，鈕盡璽之上，取中通一横竅，可徑二分，舊貫以韋條。面有象文八，刻畫捷徑位置匀適，皆若蟲鳥魚龍之狀，別有彷彿有若命字若壽字者。心益驚駭，意謂無乃當此昌運傳國璽出乎？急召監察御史臣楊桓至，即讀之曰：「受命于天，既壽永昌。」此傳國寶璽文也。聞之果合前意，神爲肅然，乃加以淨綿，複以白帕，率御史臣楊桓，通事臣闊闊朮等直趨青宫。因鎮國上將軍都指揮使、僉事王慶端，嘉議大夫、家令臣阿散罕，少中大夫、僉事院判臣僕散壽導謁，進獻皇太妃御前。啓曰：「此古傳國璽也。秦以和氏璧所造，厥後有天下者寳之，以君萬國，然自前代失之久矣。今當宮車晚出，諸大臣僉議迎請皇太孫龍飛之時，不求而見此，乃天示其瑞應也，宜早達於皇太孫行殿，以符靈貺。」蒙皇太妃嘉納，翼日令資善大夫、中書右丞、詹事臣張九思，少中大夫、詹事院判臣僕散□傳皇太孫，親爲付授。此蓋皇太妃懿慮深遠，非臣愚所能及也。臣前又啓：「收藏寳璽之家，不知甄别，循常以玉求粥，臣見而識之，特持來獻，彼猶未知，望恩恤其家。」傳旨賜收玉之家楮幣二千五百貫，並逮臣等進辨其寳者三人衣段各一表裏，紋金綺素有差，以爲異日旌賞之徵。臣等已詣府前敬受訖，自惟無狀，不勝慚赧。是日金紫光禄大夫、中書右丞相臣完澤率集賢翰林侍從諸臣入賀御前，命出寳璽偏示羣臣，此又出於皇太妃至正至大之量。翰林學士臣董文用等前啓曰：「此誠神物，出當其時，若非皇太妃、皇太孫聖感，何以臻此？」丞相以下臺臣等，次第上壽。自是内外稱慶，咸曰：「天命有歸。」臣聞《詩序》曰：「文王有明德，故天復命武王。」今神寳之出，蓋因先帝有明德，故天命復歸於皇太孫也。又曰：「皇天親有德，享有道。」以言皇天，非有德有道，則不親不享也。又聞之《書》曰：「皇天無親，惟德是輔。」又曰：「天命有德，克享天心。」受天明命作善降之百祥。歷觀上世《詩》、《書》之旨，未有無德而能致天命之歸也。欽惟太祖聖武皇帝，秉資神格，始爲天下除禍定亂，隆功盛德簡在天心，受命而爲天下主。以至我憲天述道仁文義武太光孝皇帝德配乾坤，功包海岳，孝格宗廟，子育黎元，輿地所記，悉主悉臣，照臨無幽，咸遂生樂，施及明孝太子，天錫仁慈之德，上感君親之悦，下係億兆之望。至元建號，日月重明，無爲而治者迨廿年，雖太子進德修業之洪溢，亦頼元妃内助之淵密也。敬惟皇太妃聰明淑懿，母儀崇嚴，德量溥厚，孝敬慈恕，出乎天性，往古未有也。自明孝太子升遐，内則皇孫翼翼訓導端嚴，外則百司班班臨御整飭，由是聖上君父大見倚重，雖於時皇太孫未昭儲副之託，而詹事之司未嘗一日廢闕，以見皇天定命於青宮之位，無時不在，誠非人力所能爲也。欽惟皇太孫殿下，德資剛明，才兼文武，英謀獨斷，大肖祖宗，族屬係望，遐邇歸心。聖祖憲天述道仁文義武大光孝皇帝，灼知天命之所在，久存降顧，將付以撫軍之重。於至元三十年夏六月二十二日，賜以皇太子金寶，大正儲位，而後詔以出師之期。天下聞之，室家胥慶，和氣穰穰，出於兩間。是歲秋稔，數年罕遇。臣竊念天象無言，託命不爽。豈期又於大行皇帝宮車晚出之後甫八日，傳國神寶不求而出於大功臣子孫之家，速由臺諫耳目之司，直達於皇太妃御前。斯蓋皇天授命皇太孫誕膺龍飛，以正九五之位，俾符寶璽之文，既壽而永，永而又昌。臣又見皇天之心大賴我皇元繼體之君，不疾不遲，景命適至，以允四海之望者。其瑞應之兆有三。按《唐史》，代宗之將爲太子，先封楚王，及位正儲副而監國，楚州獻定國寶一十有三。因曰楚者太子之封。今天降寶於楚，宜建元寶應，蓋以寶爲太子瑞應也。昔明孝太子封爲燕王，今皇太孫燕王之子也，將主神器而神寶出於燕，適與前事相符，此瑞應之兆一也。又寶璽之出，正當皇元聖天子六合一統之時，宮車晚出之近朝，以見天心正爲繼體之君設也，此瑞應之兆二也。又寶璽之出適當月之三十日，有終而復始之象，以見先聖皇帝御世太平之功既成，俾繼體之君復其始也，此瑞應之兆三也。今以此三兆觀之，益見天命之來際合於青宮也。臣區區之情無任傾嚮，輒罄所見以贊其萬一，謹將寶璽之出處，古今始末，詳據考。按許慎《說文》：

「璽，玉者，印也。」以守土故爲文，從爾，從土，其義，蓋曰天付爾此器，俾寶之以守爾土也。至周太史籀《易》，爲從爾，從玉義，取天付爾此玉寶以爲天下君也。三代以上璽文無所考，諸史籍并《寶璽篆文圖説》曰：「傳國璽方四寸，其文文飾如前。」楚以卞和所獻之璞琢而成璧，後求昏於趙以納聘焉。秦昭王請以十城易之而不獲。始皇併六國得之，命李斯篆其文，玉工孫壽刻之。《太平御覽》又以爲藍田玉所刻，二世子嬰奉璽降沛公於軹道旁。高祖即位服其璽，因世傳之，謂爲傳國璽。厥後孺子未立，藏於長樂宮。及莽篡位，使安陽侯王舜迫太后求之，太后怒駡而不與。舜言益切，出璽投之地，璽因歸莽。及更始滅莽，校尉公賓得璽，詣宛獻於更始。赤眉殺更始，立盆子，璽爲盆子所有。後盆子面縛奉璽於光武。至獻帝，董卓作亂，掌璽者投於井中。孫堅征董卓，於井中得之。袁術奪於堅妻。術死，荆州刺史徐璆聞帝爲曹操迎在許昌，以璽送之。帝後遜位，并以璽歸魏帝。道鄉公禪位，璽歸於晉懷帝。遇劉聰之害，璽歸於聰。聰死，歸曜。曜爲石勒所滅，璽入於勒。勒滅，入於冉閔。閔敗，見收於閔之將軍蔣幹。晉征西將軍謝尚購得之，以還東晉，時穆帝永和八年也。自璽寄於劉、石，共五十三年，晉復得之。是後宋、齊、梁、陳相傳，以至於隋滅陳，蕭后與太子正道并傳國璽并入於突厥。唐太宗即位，寶璽未獲，乃自刻玉，曰「皇天景命，有德者昌」。貞觀四年，蕭后與正道自突厥奉璽歸於唐，唐始得焉。朱溫篡唐，璽入於溫。莊宗定亂，璽入於後唐。莊宗遇害，明宗嗣立，再傳養子從珂，是爲廢帝。石氏篡立自焚，自是璽不知所在。至宋哲宗，咸陽民段義獻玉璽。及徽宗爲金所虜，凡有寶璽金皆取之，内璽一十有四，青玉傳國璽一，其色與今所獻玉璽相同，則知宋之南遷二百年無此寶璽也明矣。然自金既取於宋之後，寶璽出處得失，亦未見明説。以及我元，適集皇太孫寶命所歸之際，應期而出。臣職總御史，親會盛事，不可以不錄。又圖中別有璽，其文亦八，旁注曰：「此傳國璽，背文也。」今見寶璽之背皆刻螭形，蟠屈凹凸不齊徧廢，厥四際無地可置此文。按《太平御覽》：「□□十九年，雝州刺史郄恢表慕容末稱藩，奉璽方六寸，厚七分，蟠螭爲鼻。」今高四寸六分，四邊龜文，下有字，曰「受天之命，皇帝壽昌」。原其所由，未詳厥始，以信斯言之當別是一璽，非今傳國璽也，此又不可不辨。臣彧誠惶誠恐，稽首頓首，謹奉牋上進以聞。伏希聽覽，微臣不勝瞻望之至，謹言。（清康熙《古今圖書集成·經濟編·考工典》卷一四四　以上何本方點校）

趙昌

趙昌（一二三八——一二九四），字壽卿。濱州渤海（今山東濱洲市）人。官四川廉訪司經歷。至元三十一年（一二九四）卒，年五十七。本書收趙昌文一篇。

樊氏墓碑

至元二十二年二月

夫公諱進，字用之，其先肇於濰之昌樂，不知幾昭穆矣。高曾大父遠不知諱，皆隱德弗耀。父諱松，母時氏，以銀爲治生之具，曩金末之亂，率家轉徙淮南，寓居楚城，是時公始生也。歷數年間，海内平定，復回鄉土，歸顧先君之業，傷經刼火無迹可尋，即居濰郡，是爲家焉。户因抄數遂附工匠之籍，别隸一司而署之。父乃始置其居，樂營其業，謹身節用，敝衣菲食，銖積寸累，將有生理之漸。惜乎，壽未耆艾，天不假年，春秋四十有七，遘疾終于家，藁殯於負郭之野。當是之際，公幼而未立，持父之喪已有成人之禮，哀毁哭慟，其來弔者稱讃爲能。幸依母氏守志不移，教養孤幼，動有禮法，和親屬整肅閨壼，咸以婦德歸之。公被慈訓懦而有立，襲業成家，愈甚於前，奉侍庭闈，問安視寢，朝夕匪懈，母忻忻高枕而有餘裕矣！日就月將，既老且病，疾勢大臻，卧榻不起，飲食湯藥必躬嘗而進之，壽數滿期竟不可捄，享年八旬有三而卒。有弟樊二，幼嗜佛教，長而棄俗，遂爲梵流，諱智悟，頗有善行，不幸先公而逝。女弟二人，長適里人范進，次適鄧州尚藥文公名士。妻姜氏，事姑有禮，孝敬無違，子男三人：長曰好德，仲曰好義，季曰好禮，有姪曰好信，例皆賢明。女三人，俱已適嫁。男孫二人，幼而未名，女孫三人，亦尚幼。公資稟純實，言行敦重，樂爲施與，好接賓士，仗義幹濟，衆皆推服。時復擢管匠司提領之職，公思念二親靈骨久在淺壞，儻陵遷谷變，迷失其所，何由報罔極之恩。

是以卜其高明塽塏之地，遷瘞於郡南十餘里許宗親樊百户舍之北，白浪水之東，以爲祖塋之域，竊謂私門之事無此爲大。公生□其養，死豊其葬，春秋不乏其祭祀，慎終追遠之德歸於厚矣！公與予鄰里之舊，以墓表爲請，義不可辭，乃以不腆之文勉爲論次之而又系之以銘，銘曰：

河水滚滚，原草芊芊。有墓在側，葬公之先。于嗟父兮，胡不百年。欲報親恩，罔極昊天。子孫歲時，烝嘗豆籩。魂兮來歸，安于此阡。積善如然，種德如泉。蔓之而光，浚之而川。弟昆有道，遺家永傳。銘以表之，後世昭焉。（一九四一年《淮縣志稿》卷四〇　李真瑜點校）

釋元熙

釋元熙（一二三八——一三一九），字晦機，豫章（今江西南昌）人。俗姓唐，歷主百丈、淨慈、仰山等名寺，爲徑山四十六代住持。延祐六年（一三一九）卒，年八十二。《兩浙名賢錄》卷六二有傳。本書收釋元熙文一篇。

普慶福田寺記

普慶福田寺在徑山之陽。初，國一禪師過其處，愛其高山深林，秀氣葱鬱，顧瞻徘徊久之而後去。至元十七年，雲□□□爲徑山，履及於斯，曰：「昔國一之所盤桓而不忍去者，此其是乎！吾將營禪居以飯游錫。」其徒師能跪于前曰：「今四海一統，師首奉綸音，主東南第一法席，當以正宗自任，能雖不能，當盡瘁土木以承師志。」于是審曲面勢，乃搆乃築，積三十年始克就緒。殿堂門廡一倣祇園之制，飛錫如歸，居者以安。又建大莊嚴樓閣，上容十千金色寶花玉座百寶光明互相灌射如帝網珠旋轉無礙。延祐四年，仁宗皇帝賜今額，爲十方禪寺。明年，師能來南屏，請曰：「夙夜兢業，懼墜先訓，今茲有成，皆先師願力也。諸父行惟師巋然，敢求一言以紀成緒。」余諗之曰：「自國一相傳至于今五百有餘歲矣，鬼物呵護，蛇龍虎豹罔敢竄伏，而卒爲釋梵之宫，此豈人力也哉！居于斯者，盍亦思紹之？人重趼而舍，併日而炊，訪求知識，決了大事，慎毋厚自奉而薄于甀集，是違先志以速禍尤也。有能以身爲准，以行爲訓，晝永勤勞，夜□禪誦，若牛首之負米，金牛之畀飯。巖公訶雪峰于逆椽，地藏接法眼于旦過。居者、游者二俱相，當此而翁之志也。能其以是勗之哉。」（臺灣影印《餘杭縣志》卷一五　鄧瑞全點校）

全元文卷三三一

趙文 一

趙文（一二三八——一三一四），字儀可，一字惟恭，號青山，廬陵（今江西吉安）人。宋景定咸淳間，曾冒姓宋，三貢於鄉，入太學爲上舍。元軍東下，入閩依文天祥抗元，元兵下汀州，與文天祥相失，返回故里。宋亡，居鄉講學，起爲東湖書院山長，尋授清江儒學教授。著作有《青山集》八卷。本書所收趙文文，以清文淵閣四庫全書本《青山集》爲底本，校以清乾隆翰林院抄本。輯得集外文五篇。

贈許生序

「許子織布然後衣乎？」曰：「否。」「許子冠素自織之與？」曰：「否。」「許子以釜甑爨，以鐵耕，自爲之與？」曰：「否，以粟易之。」許子不知幾世孫，祥叟本刻梓，又圖書，又金石，以刀爲筆，尚不甚相遠，而且雷法，且婦人醫、且眼醫，充其巧。即自布、自冠、自釜、自甑，亦何所不可？抑吾有憂焉！巧者勞，拙者逸。子之能多，則人之易子也多；子方呼召風雷，而東家以刀筆徵；方挫鋮刮膜，而西家以帶下召。吾懼子之皇皇焉而不給於其事也。子之爲是多能也，將以易粟也。而祖守其一，而可以役百工。子身爲百工，以致其一巧莫巧於而祖矣！我爲子畫計，反而祖之所能，人不能役我，而我可以役人，巧孰大焉。吾言不欺，子歸問之而祖。

贈陳恕翁序

方陳濟庵遣恕翁從余學，豈不以應舉覔科爲可羡？而醫不足爲哉！十年來，恕翁折節爲醫，而余恨不早從濟庵學矣。恕翁見余嚴湖，且别，徵贈言。余曰：「昔者，足下家君爲子請字於濳齋翁，濳齋翁字子以恕，夫恕盡之矣。予何言？恕之取譬，唯醫爲近，人方在呻呼顰蹙之中，爲其親戚者，愁苦墊隘，欲代不可，援天號神，靡所控告，漆漆然惟醫之是望。而世之貪醫，方且風雨莫夜辭，方且責報於未試，方且先富之緩者，而後貧之急者，是反其心而思之。吾一指之痛也何若？吾一稚之苦也何若？則未有不得其本心者矣。此之謂恕，此之謂求仁莫近。吾考史傳，醫家唯《南史》徐文伯兄弟五世貴盛，自古無比。此外，大倉公無子，扁鵲爲李醯所殺；華陀爲曹操所殺；皆不聞有子能傳其業。此無他，倉公不肯爲人治病，病家怨之。扁鵲醫婦、兒、老人、隨時變易其術以規利。華陀晚以醫爲諱，爲曹操療頭風，尚留不盡之術。屢呼，托妻病不往。而況他人？不恕於人者，天亦不恕於我，理固當然。今恕翁傳其父業，而又將以傳其子，君父子之用心可知矣。」恕翁起，再拜，重爲告曰：「恕有二，恕人恕也；自恕亦恕也；恕人可，自恕不可。夫醫之難，雖倉公猶自謂治病有時不能愈，豈可謂倉公無不愈之病哉！我不愈而人愈之，必彼之術賢於我也。世之有疾者，亦豈肯舍能愈之人，而嘗試於未可必之人哉！而惰者見夫勝己者，輒曰：『有命。』醫道類相，醫，造命者也，非言命者也。」恕翁庭闈之講有素，學問之日方長，益精其所已能，而求其所未至。四方之欲愈疾者，不歸恕翁而何歸乎！

贈醫道士蕭無爲序

蕭師學爲醫，問其號，曰無爲。余曰：「《傳》稱：晉侯疾，秦伯使醫緩爲之。杜預注：『爲，治也。』緩治，則曰不可爲。他日，秦又使醫和視晉侯疾，和亦曰不可爲。是古之言醫者，皆曰爲。今子醫也，而曰無爲，何故？」無爲曰：「吾師之言曰無爲，而無不爲，吾以之療病可乎？凡人之病，皆生於爲，使皆饑而食，渴而飲，夙而興，夜而寐，春夏而動作，秋冬而收藏。即病安從生？既不謹於爲，以至於病。吾治其病而已，其邪也逐之；其積也疏之；開鬼門潔淨府；是不免於爲矣。雖然，是所以爲無爲也。彼不善爲醫者，因一臓之病而擾及他臓；因一經之病而累及他經；使其五臓相讎而不寧，十二經、十五絡擾擾焉，不病於邪則病於藥，茫然莫得其病之所在。則又用其下品，以搜求於腸胃之間，若捕盜然，罪人未得而良善先及，當是時，雖有和緩，不能爲也。是故善醫者以無爲爲，以無爲爲者，非不爲也，爲之於所當爲而已矣。」余曰：「夫治天下亦若此而已矣！夫子之論舜曰：『無爲而治，夫何爲哉！恭己正南面而已矣。』夫舜豈誠木偶人而已哉？病在四凶，則治四凶；病在三苗，則治三苗；是故病去而元氣不傷。東漢之末，病在宦官。竇武、何進之徒，知其病之在此也，而無術以去之，乃召董卓以爲之。宦官未誅，而董卓之難作，遂使袁紹、曹操之徒得以誅卓爲名，而天下大亂，以至於亡。庸醫之爲病，何以異此？語有之曰：『病不服藥，爲得中醫。』蓋不服藥止於不爲而已，未若爲之之害大也。有病者，苟不得以無爲爲之上醫，又不如得不爲之中醫。無爲見黄帝而問焉，黄帝亦曰『無爲謂是』。」

贈無見和尚序

有目不能以無見，非學道所病也。見而不與之俱往，又不留於心，幾矣！至尊從輪掌中飛一寶光阿難右，而阿難右盼；又放一光阿難左，而阿難左盼；阿難不能不隨所見而動摇，而能知見性之不動，其庶乎！然使之見而不動，則更進一步矣。見之而不動，謂之無見可也。今夫瞑目而趺坐，可以無見矣。然本心不定，則其擾擾乃甚於未瞑目時。寢而不寐，寐而夢，是豈有所見哉？心而定也，雖不必瞑目趺坐，猶無見也。是故無見易，有見而無見難；有見而無見易，無見而無不見難。蓋至於是則圓覺大智朗然獨存，而見性周遍十方矣，而豈易到哉！觀無見秉拂，北禪諸公叙詩以道其行者不少矣，而無見猶介吾弟以請於予。夫無見之於予，未始有一日雅也，而知求於予，則無見必有無見之見也。予未始識無見，而爲之言，予於無見亦有無見之見也。此豈他人所得與哉？後日相逢，又當刮目。

贈李見心序

世有所謂道法者，能使雷霆鬼物，其理誠有如釋氏所謂萬法由心生者。人一身五臟皆有神，而心爲之主，存吾之神，雖天地可動也，而况於雷霆鬼物乎！夫子不語怪神，世固非無怪神也，聖人道其常，而不語耳。李見心從事雷霆諸法以濟人，治鬼物，靈甚。私有所欲問於君，造化之顯然而可畏者，莫如雷霆，經史所稱，震夷伯廟，震武乙射天，碎元祐黨碑，此其尤大彰明較著者也。世或言顏魯公爲神于雷，蓋有是理。竊疑之：雷霆之擊一樹也，以其怪、妖、蛇、虺之所伏，爲人害也。世之爲人害者不少矣，則必有爲之伏也。雷默然未有討焉，而徒時時小樹、小蟲之是震，得無舍豺狼而問狐狸乎？君有職司於雷霆者，嘗試爲我問之。

劉肖巖觀星序

星萬八千有奇，其有名可識者三百六十星，何名哉？後人傅會而名之爾。夫豈惟星？雖天，亦其初誰天之？文字展轉因天之，而不可改爾。今之談天者有《百中經》，即可言星命；有《排日曆》，即可言躔度。指在天之三百六十者以問之曰：「此何星也？」曰：「吾不知，吾不知。」是何以異於不識藥之土產真僞而用藥者哉？劉肖巖能推曆，又識象，其言曰：「吾貧不能具油甕，吾夜卧而觀之，其逆順進退疾徐贏縮，必與吾曆合。其不合者，吾雖曆不敢信，而況於市井排日者乎？故吾推人命，非他有謬巧，大率以天爲曆，以目爲手而已。」嘗試有以問君：「君名肖巖，肖巖事本傅説，天有傅説星，説者曰：『傅説死而其精氣上乘箕尾之間，爲是星也。』使是星果傅説爲之，則其所主當係賢人君子之進退、天下國家之治亂，而特主後宫女巫之事，是何也？」蓋箕尾之間固有是星，後人見莊周書有傅説騎箕尾之説，因以名之爾。是傅説不幸爲莊周寓言受誣，而反爲是星借重也。猶天駟之旁有王良，傳舍之旁有造父，後人以其在天駟、傳舍之旁，有類乎御者，遂王良、造父之爾。何人不可相，則何人非傅説。使傅説之爲傅説，如此而已。即以之主女巫而猶不足者也。因君名肖巖、善觀星及此。

贈竹隱相士序

人與此君處，出從時貴人遊，其必有不可於眼者矣。不可於眼而欲論，其窮通夭壽焉！吾見其難合也，抑人賓異竹，君毋以觀竹之眼觀人。竹以清貴，人濁貴；竹以直貴，人曲貴；竹以堅勁貴，人軟媚貴。試以此觀，萬不失一，而未知此，其必然耶！無肉瘦，無竹俗，世之知舍肉而取竹者鮮矣！而王子猷獨深好之，庸知今之清者、直者、堅勁者之不貴乎？由此言之，貴與否，直未定也。吾鄉蕭君宏叔號竹隱，而善相，徵予言，既告以此，重爲告曰：「凡物美惡何常？邕以痂爲甘，赤以溷爲潔，海上之夫以臭爲芬，溺於彼者深，其視熊蹯豹胎金鐺玉椀，與夫蘇合婆律之逆於鼻，不可一朝近也。君出觀時貴人熟，人歸見此君，得無反訝此君之不濁、不曲、不軟媚乎？」竹隱笑曰：「吾與此君周旋三十年矣，吾出而無所不相，歸而清風祓之，竹不我疑也，子毋間我。」

贈易卜尹清甫序

鍾毓不求公明筮死，曰：「死以付天，不以付君。」顏含不求景純作卦，曰：「自有性命，毋勞蓍龜。」人固各自有見，顧方幽憂感懟之中，安得如管、郭者而問之？乃聞峰塘尹清甫易卜奇驗，一日邂逅金溪之上，試令作卦，如扁鵲見人五臟癥結，如東方生射覆，如佛祖通他心，即管、郭何以過此？余嘗謂公明、景純之術得傳後世，以其所驗者多名公卿。清甫下簾深山，即奇驗千百，誰復傳之？雖清甫不求人知，然一代奇術，泯焉無傳，寧不可恨！吾試爲卦，得遯䷠艮下，乾上之漸䷴艮下巽上，其繇曰：「乾之巽，亦巽之乾。君子好遯，其遯于山。其遯于山，而升于天。木氣上行，進于天門。鴻趾連連，得桷以遷。木高而風，鴻飛其翮。不出三年，當有二首六身顯于天門。」而君亦繇之以傳乎？二首六身，亥也，木繫以生。亥，乾也，故爲天門。木，三數也，故不出三年。

贈王祖文表背序

世稱莊嚴書畫者，謂之表背。二字不見史傳。吾嘗思其義，表外也、背亦外也。槩而言之，則飾乎其外之謂也。吾鄉有精是業者曰王祖文，謁余曰：「昔吾祖、吾父皆儒也，吾不能世其業而業此，吾羞焉！」余曰：「而何羞？今天下皆表背也。綴其語言而謂之文，雅其衣冠而謂之士，吾不知其中何如也。然大者可以取卿相，小者猶買田宅遺子孫。彼之表背欺人，子之表背不欺。欺人者猶遇若是。況不欺？子持子業往，必遇不疑。」

贈尹道士序

道士尹起莘，吾友朱復古之弟子。復古以琴鳴諸公間，莘學琴於復古，將行來別，使之琴，宛然復古也。琴罷，與余論丹，益奇。出其所爲墨，又奇。余曰：「子以是爲道邪！昔者而祖關令得《道德》五千言於老子，老子非而祖師邪！余觀而祖師，未始有琴與丹與墨也，而焉用暨暨焉與人偕來之歟？」莘曰：「吾師之書，何所不有？吾以之酬酢，以之佑神，將百千萬億於琴、丹、墨，而未始有極也。吾師不云乎？『渙兮若冰之將釋，敦兮其若樸，曠兮其若谷，渾兮其若濁，忽兮若海，漂兮若無所止』。吾以之爲琴，吾鼓之，而喜者娛心，悲者抆淚而不能止。吾之琴，非雍門周伯牙之琴也。玄牝之門，是謂天地根，綿綿常存，用之若勤。吾以之爲丹可以養生，可以長年。吾之丹，非桑君鐵甕之丹也。知其白，守其黑，玄之又玄，歟妙之門，吾得其玄，且黑者以爲墨，用之愈久而愈不敗。吾之墨，非李庭珪潘谷之墨也。且夫天地一琴也；陰陽一丹也；混沌一墨也。吾方養形於陰陽之丹，玩心於天地之琴，而寄目於混沌之墨。而子方且以絲桐爲琴，以金石爲丹，以膠煤爲墨，不亦遠乎？」予聞其言惘然，則敬以請曰：「以子之說，爲我書之可乎？」道士笑曰：「吾不解人間書，叟爲我書。」

贈張山人管見序

以管闚天，言天大，而所見小也。張山人談命號管見則不然，天之大也，正使周四垂而望之，亦何足以盡之哉？泛觀之不盡，又不若管闚之精。七政之行度，必窺之以孔徑一寸之衡；太陽之精，必取之以中凹之鏡。泛然而求之，不得也。北人看書如顯處視月，廣而難周；南人學問如牖中窺日，寡而易覈；此致一説也。吾所見談命多矣，今日見張山人説林開數專論所歸，奇中。要之，造化之大，精於其一，可以窺之，若汗漫而求之，滋不合爾。故管見，致一之謂，非見小之謂也。山人喜。吾命有歸，風濤如此，欲何歸乎！

贈文一志兄弟序

文堂同知慨然語其友曰：「太師公粥田教子，而吾不能以有餘之人爲子擇師。吾辱太師，將以幣約余教其子，會余已與故人約，不可負，則走百里謝。」文堂二子，真字一志，寧字紹志，各出所業示余，余既和其詩，嘉其所已能，而勉其所未至。二子復請不已，重爲告曰：「昔明皇問曹霸：『卿畫馬誰師？』對曰：『廐馬萬疋，皆臣之師。』今子讀書爲文，天地間道理，誰非子之師者，而況六經行世，如日在天，有目者皆可睹，子義理師；三百以後騷、選、陶、謝、韋、柳、李、杜、蘇、黄、二陳，子詩師；晉唐以來帖，子字師。而況太師丞相之遺訓，宣慰公與而翁之教詔，子之師亦多矣！子勉之而已矣。孟子曰：『人樂有賢父兄也。』單門晚出，矻矻自奮，聲譽難起，子之聞見多、移養别、交遊廣，視單門晚出，難易萬萬。子勉之哉！學患無天資，而子有其資矣。」

贈劉雲山序

山之蒸氣，其名爲雲，雲之態，不知其幾千萬也。雲出於山，雲起而山隱焉，雲去而山之爲山者自若。雲，動也；山，靜也。動者變，靜者常，此雲之所以斯須，而山之所以壽歟！人之遊乎世，其何往而非雲乎？出没於是非利害得喪之中，而不失其山之體者鮮矣！劉西龍號雲山，科舉士科舉罷，飄飄然挾甘石書以遊。吾黨之士莫不屈之，而西龍油然不見有隕穫意。其雲其心者歟？雲之變未有已，向也士，今也術，雲也；今也術，後也侯，亦雲也。西龍得吾言，其亦自重矣乎！毋失其所以爲山者。

贈劉玉衡序

昔者嘗疑舜之正天文之器，曰「璿璣玉衡」，而北斗魁杓，亦曰「璿璣玉衡」，不識舜之名器有取於斗歟？抑斗之名，有取於舜之器也？夫斗則安能自名？謂之斗，謂之魁杓，以至謂之星，皆人名之也。意者後之人見是七星者，運乎天中，以建四時，而均五行，有類乎璣衡者，而以是名之與？然以後世之侈，所謂渾天儀者，不過以銅爲之。而舜以徑八尺、周二丈五尺之璣，長八尺、孔徑一寸之衡，皆以玉焉爲之。吾又疑璿玉之未必果璿玉也，若寶龜然，亦珍重其事而名之爾。安成劉君談天，號玉衡。數年來，士多去談天，談天正儒者事。然而俯仰今昔，不能無慨焉。然於中則不得其平；不得其平則不可以爲衡；不可以爲衡，則不可以窺天。劉君每對余談夙昔，容色充然而無不足，其得其平者與！玉衡將行湘，來別。余酌而祝之曰：「吾聞九州之星土，荆州屬衡，子以衡遊荆楚之間，其必有合也，以是爲子賀。」又酌曰：「吾聞玉衡主燕，子是行其由荆而燕，且大有合，敢不重賀！」又酌曰：「吾聞《春秋》：元命苞言玉衡得萬人壽。余泥塗之老人也，敢不自賀！」酌而飲余。

曾一山修屋序

曾子居武城，有寇至則去諸，曰：「無寓人於我。」室毀傷其薪木。寇退，則曰：「修我牆屋，我將反。」賢哉！武城大夫。今人處患難，方謀身、謀家，不暇視。蕭然一士，去來何與人事？甚者且怒其警則去安則復矣。而曾子自去自來之間，乃更以薪木牆屋累人。雖其弟子且有所不安於心，而武城之大夫安之、忠之、敬之，久而不變，其不謂賢哉？吾友曾一山，辟地上城，上城諸公，推屋以居之。殆如出一人、同一時，武城之大夫安得獨賢於前也！抑吾嘗過一山矣，四壁如敗堠，仰而瓦隙可以觀星，俯而青青之滿地者，皆榆也。余謂一山，此豈可以責諸公哉？是亦一山有罪焉！古人處客館一日必葺，去之日如始至。君家一唯翁之居武城也，而一唯翁室曰「我室」，牆屋，曰「我牆屋」，夫豈不安其分而我他人之物者？其在我也；推之以及人；其在人也，視之如我。忠恕之學，正如此爾。今君居敝甚，君誠安之，獨不爲惡少之騎屋慮乎？夫諸公惟未之知爾，君何不告於諸公，修我牆屋？諸公或相工，或共費，誰爲君愛力？又豈惟諸公？將自諸公之外，凡爲一山故人與不識一山而知一山者，誰獨無武城大夫之心，而君乃若是乎？愛於一言也；吾嘗謂士之處世，得其時則屋天下之人而不難，不得其時，則雖以一巢累人，聖賢或爲之，寧能翹翹脩脩於風雨中，而不爲桑土計邪？」於是一山忻然笑曰：「子試書其説以遺我。」

曾秀峰建祠序

嗚呼！諸公言曾秀峰之痛，亦有知余之痛者哉？始余與亦周從丞相於延平也，至小簣篖而病，病且死，丞相聞，即遣吏迎余，至則與秀峰同館。居數日，亦周竟死。秀峰卜葬亦周水南鳳山。既葬，從丞相出汀。丞相嚴事秀峰，未嘗以錢穀甲兵事累秀峰。丞相以師道尊秀峰，不敢吏秀峰也。丙子冬，汀四境急，明年春益急，丞相夜與客語，必至夜分。嘗曰：「各歸亦不能寐，曷若相與更共語一餉。」然余時尚病，不堪久坐，輒白丞相去。正月十一日早，余病卧尚未起，同館者余管轄亟扣門，報丞相已去。余高卧不之信，曰：「我夜者方從丞相處歸，寧有此？雖軍事嚴密，丞相忍不語病客棄之去邪？」余管轄不能待，徑去。余逡巡起視之，屋蕭然無人，余所傭二兵亦去矣。出門，門外軍過者如織。余不知所爲，徒步隨行軍後，冀追丞相。追丞相不及，行至夜，甚黑，止野田中。時微雨夜寒，哭聲四起，蓋走者骨肉多相失。又行兩日，乃及丞相於吳家坊。丞相一見問余：「曾見曾先生否？」余曰：「未也。」丞相驚曰：「曾先生其不免乎？」蓋十二日四更，丞相得黄招撫報，近關已破。丞相亟請招撫，議事使者曰：「招撫已行三十里矣。」故丞相亦猝猝行，不及相聞爾。然近關實未破，丞相發吳家坊如漳州。余以病行三日夜，憊甚，不復能從，與丞相訣，留吳家坊。不自意得不死，又從黄招撫出汀，遂得以喪弟告吾父，相持慟絶，不復聞秀峰動靜。秀峰之死，其在於蒼黄出汀時乎？悲夫！秀峰吾同舍，實前輩。秀峰葬我弟，我乃不知秀峰死，秀峰已矣，無後矣，不祀矣。後之祀之，豈獨其宗人、親戚是望？朋友有責焉！聞有秀峰三從姪曾觀復慨然有意建祠，又合秀峰師友巽翁、文山祠之，誰不興起感動。雖貧如彣者，猶將操畚鍤自編於役夫，而況不爲彣者乎！三賢合祠，示子孫也，而並使來者尚見是鄉道德、文章、忠孝之盛，其賢於尋常土木偶萬萬也。觀復其以告於凡私淑於巽齋者，凡爲秀峰故人者，聞文山之風者，觀復毋獨爲君子。（以上清文淵閣四庫全書本《青山集》卷二）

送羅山禺序

士之貧，於今世不亦可笑也哉！往時，士拔一第難，改官又難，今立賢無方，用人不次，版築漁釣割烹，或坐致公相，即擁鉅萬、連阡陌，直何足道？必無用如余者乃貧爾。異時吾鄉大家，皆積累數世而後能有所就，未有朝爲一窶人，暮爲萬石君，若近世之易也。然近世富家，其驟興崛起，不出於詩書之澤，不本於父祖之積，雖能驟致富强，驚動閭里，其子孫一落，往往鞭背馬前，呼臯庭下，終不若彼出於父祖之積、詩書之澤者，雖貧且弱，猶挾册往教，號稱人師。此俗人之所詆諆姍侮，而至不易得者也。印山羅氏有曰：嵎山禺者與余庚午同解進士，數年來，貧於賦役，僕僕館四方，間過余，充然不見不足之色，豈非以先疇累盡去故耶？昔者君家固起於儒，土梗遇雨復歸於土，夫亦安知無取是梗而盛以篋衍，巾以文繡者？吾友李希元作序爲山禺言貧，山禺未嘗言也。居今而貧，吾猶笑之，而況他人！雖然，余畸人也，畸人之言？率與時左。余以山禺爲可笑，安知山禺親戚故人知山禺者，不惻然動其心，而欣然爲之一援手也耶！

送謝會可序

人心如畫師，士自讀書爲文，以至功名富貴，下至農、工、商、賈，所以營其生者，萬方凡出於其心之所建立者，皆畫也。豈必弄筆墨爲戲，而後謂之畫哉？謝會可畫梅、蘭、竹、石、枯木、草蟲、山水精絕，每一紙出，諸公貴人爭取之。然會可每不屑爲人作，乃獨以舉子業爲童子師。問之，則曰：「彼工也，此師也。師，孔孟之位也，故吾寧忍窮而爲此。」余曰：「子過矣，以子之才，使在科舉場屋，即高科膴仕，亦書生分內事。今隋、唐弊法，廢去不用，士無所發身以行其志，自非老無他能如我，寧當棲棲兔園急就老死而已。丈夫負其耿耿，苟不忍草木俱腐，則挾其所能，豈不可以名一時而傳後世！蓋士有足恥者，而不在乎爲畫師也。屈哉乎會可，悲哉乎吾言！雖然，吾與汝亦畫也。」吾聞畫非酒不奇，且相與飲酒。

送尹壽翁序

二十年前，尹壽翁在場屋，自能駕風鞭霆、摘抉星宿。即才不如壽翁，亦可舉可第。場屋既閉，歲貢士二人，非富者、少者、有力者不得，萬無貢壽翁理。士窮至此，無可爲者。壽翁挾雷法星書，走數百里外，藉是爲井田取養，屈矣！雖然，壽翁何屈？談天固儒者事，況役使雷霆鬼物！人爵不可得，而要爵於天，自除授，自遷轉，其賢於求人爵者，所信多矣。君號見心，陰極陽生等語，不足復爲君道。事至於極而後見天地之心，今壽翁極乎？未也？士不得志於人，必得志於天。壽翁既畸於人，宜其役雷而雷我靈，談星而星我驗。將所至踏破鐵門限，多得買山資，亦足了此生矣。吾儒家有大雷法、大星經，禹抑洪水而天下平，周公驅猛獸而百姓寧，孔子成《春秋》而亂臣賊子懼，謂非神通妙用，可乎？孔孟扶持世道，的然識其期月可，三年成，百世可知，七年必爲政於天下，果何所見、何所據而取必歲月如此？其必有術矣。我亦欲行雷法、談星經，顧未知天心何如爾，見心嘗試以語我來。

送文介山序

文介山吟愈工，愈窮，貌愈老，老而傳客諸公間。行李中有詩數卷，及古銅罏缾，所至焚香插花，對之即賦所未能忘情者，攜「乘雲」，歌《薤露》，悲吟躑躅。其鬚髮盡白，對酒浩歌，雖旁觀怪驚狂起不爲忤。予謂介山以翁年仕宦，猶當告老而家居，況客耶？介山曰：「吾豈不欲家者？顧先廬亂後不復葺，嘗春雨，牀漏不可睡，吾起坐吟數首，滿意甚，及旦索紙書之，案左缺足而地右傾，手拾斷瓦支焉，筆未濡而紙已濕，一笑而罷。吾客外雖索然，尚不至此。」予聞而驚曰：「此非介山憂，諸公責也。」君子之愛是人也，則必爲之計久遠。諸公愛介山，寧當使之以七十翁客外，即夜起誰侍扶者？我爲諸公畫計，諸賢歲以數月俸奉介山，寧不亦費酒數十斛？何不各移數月酒資，使翁得結茅三間，以不漏而睡且吟？孔子云：「老者安之。」若諸賢聽吾計，即介山安矣。然後時時小兵馳一壺，問翁安否。翁龍鍾方據案苦吟，聞藩根枸杞聲，杖藜出問誰何，顧小孫取甆甌酌數過，又吟。翁亦時時出謝故人，知己童兒遮道迎笑，問老先生不出幾日矣，出安往，豈非詩家一奇事？豈非今世一佳事？而在諸賢，直易事耳。吾於翁厚甚，顧不當以貨財爲禮，第旦夕成，翁曰：「安得健步移遠梅？則吾請先。」（以上清文淵閣四庫全書本《青山集》卷一）

全元文卷三三二

趙文 二

送宋公路序

苟於事親從兄盡其分，綜理家事有其度，即道在是矣。使其父子兄弟之間未盡分，而米鹽薪水一切付之不治，方羸糧負笈，千里求師，曰「學道學道」，其去道也遠矣。昔者科舉命世，士不得志於科舉則戚戚；得志於科舉，則千里走京師試禮部，試禮部而第，則歸而需次，及次而迎親就養，幸甚。止試禮部報罷，則又試成均，試成均不中，又戚戚而歸。則是三歲之間，其得安坐事親者僅一歲。成均而中，則終歲爭名。天子之學，榮親之望與思親之念，常交戰於胸中。脩廊夜鐸，收燈掩卷，敦其獨宿，不知二親千里外亦已睡否？睡不念其子否？蓋科舉累人甚矣。吾自甲子後十年間，正苦爲功名役。一旦世變，蒼黃歸，奉親辟地，數年甫定，而風木之悲不堪言矣。誠知其如此，豈以十年養親之歲月而棄之於奔走乎？已矣，而勿言之矣。吾友宋公路自清江來從吾遊，始至，一試爲廬陵學諸生，諸生推之，郡博士甚俊異之。秋風早涼，余有行役，公路匆匆別余歸，因爲誦余疇昔之作，蓋既以自悲，而且爲公路賀，爲公路勉也。無科舉之累，有讀書之閑；無客外之苦，有養親之樂。余不得及公路矣，余不得及公路矣！孟子爲曹交言：「堯舜之道，孝悌而已矣。」交願留而受業於門，則告以「歸而求之，有餘師」。歸而求之，求之孝悌而已。公路勉之。

送朱則陽序

使在前十年，朱則陽何至以親喪累人哉？憶吾舉庚午進士時，則陽在同升中年最少，方巾廣袖，俊氣溢出眉目。使禮部試士不已，則陽且再試三試將不能取一第以光榮其親耶？即不幸親死，營高燥，送車千乘，賵者脱驂，弔者挂劍，何至棲棲風雨中銜袖作章默居士語耶？吾謂則陽：「古之孝子之葬其親也，雖負土種樹，不借力於人，固有親友賻贈而固辭不受者矣。今子之以親喪不能舉，告人也，何居？」則陽泣且言曰：「吾豈欲家於喪者？吾忍死數年，惟是大事未畢，顧重器必不能自舉。前無一日貴富之待，而後有倉卒不測之虞，葬又不容以不亟。自世變來，士賤傭貴，一切所需，直百倍他日。計今日貧者之葬，不減異時中産之費也。吾終歲往教之所得，吾之所謂井田者在是，俯仰衣食之餘，其與存者有幾？將何以集事？若是而曰必不借助於人，是吾親無葬期矣，吾且終其身爲天地間惡子矣〔一〕。」吾聞其言愴然。誰非人子？仁人君子豈有聞則陽之言而不動其心者乎？東坡有言：「心知義財難，甘就貧友乞。」吾於君友中貧特甚，不能有以相子也，敬爲子言。

〔一〕吾且終其身爲天地間惡子矣：此句原闕，據清翰林院抄本補。

尹公槐雲萍録序

雲萍有録尚矣。異時東南偪仄，相遭於偪仄之内，其爲散難聚易。南北一家，天地闊遠，士之交遊寢廣，而散易聚難，不有以録之，再會且無足徵，此尹公槐雲萍録所以不可無也。公槐快士，方浩然有功名志，未知此生當費幾録？抑吾有所謁於子：子之録也，必王公大人而後録與？古之士有王公大人求與之友而不可得者矣。王公大人求書是録而不可得，而後子之録重，若徒以其王公大人也而録之，則天下士有不願與是録者矣。天下之奇士無定在，翳桑餓人，安知非靈輒？吹篪鼓腹，安知非伍子胥？釣魚城下，安知非韓淮陰？吾懼子之未必録也。陸機入洛，有劫其舟者，機登航屋望之，見一人踞胡牀部分羣盜，機遥謂曰：「觀子氣貌，柰何爲此？」其人即拜且泣，謂機知己。機至洛薦士，以其人爲首，後爲渡江名士，與王導齊名，曰戴若思者，即其人也。今君脱遇是人，以爲幸歟？以爲不幸歟？録之歟？否歟？吾又聞太行之陽、嵩山石室之間有隱者焉，君將問其姓名，有不告而去者矣，若然者，君又烏得而録之。

龍有章卜築序

《式微》、《旄丘》，諸侯寓於諸侯者爲之也；《黄鳥》、《我行其野》，昏姻寓於昏姻者爲之也。諸侯失國則托於諸侯，昏姻失家則托於昏姻。朋友之無所居，非朋友之托而誰托乎？托之矣，而未得其所安，非朋友安之而誰安乎？才情如龍有章，而皇皇焉一居之不可得，有章之友有不得辭其責矣。世言孟嘗君好士，余竊疑之，馮驩彈鋏之歌無魚，則遷之幸舍而魚矣；無車，則遷之逮舍而車矣。至無以爲家，則爲之不悦，而卒不聞所以家之者。士亦焉往而不得車魚乎！敢以此告今之爲孟嘗君者。

送蕭漁所序

漁有所，任公漁會稽，一漁而得大魚。自浙河以東，蒼梧以北，無不厭魚者。又有大者焉，陶士行漁於澤中，一漁而得龍，雷雨挾之以飛。又有大者焉，龍伯國大人漁於歸墟，一漁而得六鼇，流二山以爲北極。又有大者焉，丈人漁於江上，一漁而得伍子胥，後胥卒報强楚，夫差用之以霸。又有大者焉，太公漁於磻溪，一漁而得文王，爲周輔相，以有齊國。其他嚴子陵七里灘、張志和西塞上、陸魯望笠澤，皆以漁得高人隱士之稱，以名後世，其與揭竿守鯢鮒相去無幾耳。蕭振玉不知何所於漁，而凡天之二百八十三宮、一千四百六十四星，舉得而識其狀貌之詳。與之言言語語，以知人間富貴貧賤、死生禍福之故，而後隱之如任、嚴、張、陸；達之如太公望、伍子胥、陶士行；又遠之，壽如龍伯國之人，舉不能遯吾振玉之見。然則謂振玉漁于河漢而得星，豈不可也？吾聞河之南有魚焉，觀之以知雲雨；河之北有龜焉，占之以知吉凶；南斗之南有鼈焉，觀之以知水。是皆不足漁也。天漢起東方，經箕尾謂漢津。其南經傳説，傳説在尾後。莊周書言傳説騎箕尾，有以也。振玉漁天漢而遇傳説焉，爲我告之曰：天下蒼生望子久矣。

郭氏詩話序

古之爲詩者，率其情性之所欲言，惟先王之澤在人，斯人情性一出於正，是則古之詩已。尹吉甫自謂穆如清風，蘇公自謂作此好歌，當其意到語適，自清自好，亦不知見删於聖人而傳於後世也。夫子之於《詩》，删之而已，無所論説也，亦間有所發明，如「爲此詩者，其知道乎」？孟子又申之曰：「故有物必有則。民之秉彝也，故好是懿德。」而詩話始此矣。三百篇後，建安以來，稍有詩評。唐益盛，宋又盛，詩話盛而詩愈不如古。此豈詩話之罪哉！先王之澤遠，而人心之不古也。舊見胡仔《漁隱叢話》，雖其間不無利鈍，亦觀詩之一助。又有《總龜》，俗甚。黄氏《玉屑》最後出，大抵掇漁隱之緒餘而已。吾來文山，日從宋季任、郭友仁言詩，季任集諸家之説，友仁增廣而編次之。凡漁隱諸書之所已陳者，一語不録。二君盛年强力，使有科舉之累，亦安得餘力及此？噫！

蕭漢傑青原樵唱序

蕭漢傑出所爲詩號《青原樵唱》示余。或曰：「樵者亦能詩乎？」余曰：「人人有情性，則人人有詩，何獨樵者。」彼樵者，山林草野之人，其形全，其神不傷，其歌而成聲，不煩繩削而自合。寬閑之野，寂寞之濱，清風吹衣，夕陽滿地，忽焉而過之，偶焉而聞之，往往能使人感發興起而不能已。是所以爲詩之至也。後之爲詩者，率以江湖自名。江湖者，富貴利達之求，而饑寒之務去，役役而不休者也。其形不全，而神傷矣。而又拘拘於聲韻，規規於體格，雕鎪以爲工，幻怪以爲奇，詩未成而詩之天去矣。是以後世之詩人，不如中古之樵者。漢傑自抑其詩曰「樵唱」，樵唱，詩之至也。我學爲樵唱而未至也。雖然，衡鹿守山，今之樵者，又誰暇唱？君詩傳，得無使長民者謂山中猶有不病之樵者也。願君勿示鷄林賈人。

陳竹性删後贅吟序

詩之爲教，必悠揚諷詠乃得之。非如他經可徒以訓詁爲也。古之學詩者，必先求其聲，以考其風俗，本其情性。後世學詩者，不復知所謂聲矣，而訓詁日繁，去詩寖遠。漢人稱説詩解人頤，詩非癡物，説詩者必使人悠然，有得於眉睫之間，乃爲善爾。近世横渠以詩説詩，蓋得之，然不過十數章止。横渠蓋姑爲之例爾。竹性陳君取風雅語，一用横渠例，謂之《删後贅吟》。余讀之，《毛鄭》以來奇書也。釋氏之徒，演説大意，敷陳既竟，復五七其辭，謂之偈言，不必皆有韻也。讀之往往能使人悟入異教，自不當與吾書並論。要之教人方便，是或一道。吾欲取竹性吟，使童兒知習，即他詩傳可束閣。竹性徵余題吟後，輒用竹性例系之以吟：觀詩妙處在吟哦，解説紛紛意轉訛。記得富陽明月夜，篷窗閑聽竹聲歌。

高敏則采詩序

宦學於靖節之鄉而采詩，猶采珠於海，采玉於山，未有不得者也。雖然，詩與珠玉異，珠，珠而已爾，玉，玉而已爾。至於詩，不可以一體求。采詩於彭澤，而曰非靖節之詩不采，是絶天下以爲無詩，而亦不必采也。人之生也，與天地爲無窮，其性情亦與天地爲無窮。故無地無詩，無人無詩。采詩與删詩異，删詩，非夫子誰敢當之？以夫子删詩，田夫野人之作，宜無足以當夫子之意。吾觀於《詩》，而後知夫子之大也。方其觀於《風》也，不知其有《雅》也，及其觀於《雅》也，不知其有《頌》也，歌《二南》，春風醇酎之濃鬱也。歌《邶鄘》，雁烟蛩雨之凄斷也。歌王，如故家器物，雖敝壞零落，而典刑尚存，見之能使人感傷也。歌鄭、衛、陳，如行幽遠閒曠，采蘭拾翠，閑情動盪而禮防，終可畏也。歌齊、秦，如與山東大猾、關西壯士語，獵心劍氣，不覺飛動也。歌唐，如聽老人大父相與蹙額而談往事也。歌魏、曹、鄶，如楚舞短袖，雖欲回旋曲折而不可得也。歌豳，如行阡陌間，所見無非耘夫、桑女，亦不知世有長安狹斜也。吾以是知夫子之大也。故采詩者眼力高，而後去取嚴；心胸闊，而後包括大。今之所謂采詩者，大抵以一人之目力、一人之心胸，而論天下之詩，要其所得，一人之詩而已矣。而况或怖於名高，或貪於小利，則私意顛倒，非詩道，直市道而已。高敏則兄弟俱從吾學，信則今直永新州學，而敏則、彭澤二高俱有詩聲，而敏則琴又清熟如其詩，自負其才，嘗一筆萬言，浩然有主父西遊意。是將有意乎？天下之詩者，豈獨彭澤而已哉！故余爲之序，以壯其行。

曲江士友送陳定叟詩序

陳定叟年十四五時，以蜀亂從其家尊新會公，辟地江南。又二十年，又亂，定叟失所怙，茕然奉其母，爲盧陵永和窮人，若是乎命之不淑，而值乎此時也。定叟有妹，適蜀士樂士，登甲戌第矣，死曲江。寡妹窮無所依，太夫人日夜念其女甚。定叟徒步曲江省其妹，值兵方入南山山谷，又時時聚嘯，定叟崎嶇其間，得不死，抵曲江，挈其妹及其孤以歸。計其宛轉兵盜間，視去時之苦，復何可勝言？歸而時方艱食，米直視常時頓增，定叟食指亦頓增，而定叟處之裕如。想見定叟歸時，母子兄弟相持一慟當何如？顧骨肉滿前，世間之樂，何以代此！即定叟貧，日不能再上食，太夫人亦必欣然安之。杜少陵有妹鍾離，良人早歿，諸孤癡，事正與定叟同。然少陵念其妹，欲往不能，正以南國擾擾旌旗之故。定叟之所爲，賢於少陵多矣。兄弟急難相拯，自分內事，何足爲難？然今之人，兄弟平居相與，非有定叟崎嶇道路之難也，而或泛泛如尋常，以傷其親心者甚衆，於是定叟果難矣。定叟之歸也，南方士友無不爲詩送之，人心天理之同，於此可見。吾於定叟之事，亦喜爲人誦之，非爲定叟難之也，悲定叟能爲其難，而世之不能爲其易者衆也。

王奕詩序

世謂詩能窮人，歐公謂詩非能窮人，詩必窮者而後工。陳無己謂詩能達人。皆未必然也。詩者，天之所以私窮人，使之有以通其窮者也。孟郊、賈島，世所謂羇窮之極者，使天不與之以清才而能爲詩，亦甚矣。宰物輕與人以富貴，重與人以清才。委巷之人，崛起而有千金，跨大馬、稱達官，所在時時有之。至於能詩之士，曠數十年而不一遇也，豈非天之所靳在此而不在彼歟！吾友王奕亦大，苦學而蕭然一寒。人皆謂亦大詩窮，吾謂亦大不窮，亦大貧耳，亦大何窮哉？「衡門之下，可以棲遲，泌之洋洋，可以樂饑。」吾窮居每諷此詩，充然不見吾爲不足，而況能爲此詩者乎！富者踞桉，終日焦然，樓船户馬之應酬，前者在庭，而後者在户，雖有高臺曲池、撞鐘舞女，將不暇樂。貴者縻組而入，佩瑰而出，率以爲常。其得志者，乘堅驅肥於黄河莽蒼之外，風沙雨雪，新知邂逅，立馬而語寒，酌酒以相煦，而吾亦大翛然溪水之上，雲煙竹樹，莎蟲水鳥，與凡盛衰反復，可悲可愕之事，皆取之以爲詩，豈不浩然於天地間，而得其所以爲亦大哉！吾貧甚似亦大，而亦有吟癖，每苦吟得句，欣然滿意，未知世間富貴者之樂，與我得句時何似。雖持此，今世誰售？而來者誰傳？然人生貴適意耳，使吾吟常得句，即常適意，即雖富貴亦不過如此矣。正恐富者之顰蹙，更甚吾苦吟時也。嗟夫！吾言過矣，亦惟亦大而後可以聞此言也。

李叔登詩序

謝公問子弟：「詩中何句最佳？」遏稱「昔我往矣，楊柳依依。今我來思，雨雪霏霏」以對。謝公乃獨愛「訏謨定命，遠猷辰告」。今之談詩者，豈以謝公之説爲然哉！要之詩六義，異今人所喜，獨在風比興爾。大率前輩尚渾含，後生喜流麗。宜謝公所賞，與遏輩異也。余與叔登俱客歷塘之上，叔登典則士間，相從倡和，皆「訏謨定命」之作。一日，同挽張文翁，叔登云：「飲仙疑旭似，書學自堪傳。」又云：「遽斜庚子日，適在己辰年。」蓋張嗜酒而善書，庚子生，卒癸巳。余已服其精切。其後盡見叔登集，如《題梅間》云：「此外有花皆長物，其中分席只孤山。」《九日》云：「白髮欲千丈，黄花又一年。」皆穎脱奇傑於「訏謨定命」之中，未嘗無「楊柳依依」者。每見國初及耆英諸老詩語，皆樸茂。元祐以後，發越動盪之意多，而諸賢之福氣，一時之世道，亦不及多矣。觀叔登詩，知叔登晚福未可量，而世道亦或可望。叔登李氏，名應楠。

來清堂詩序

物之初，有聲而已，未名其所以聲也。於是有名其所以聲者，而後謂之言，而猶未有字也。於是有形其所以言者，而後謂之字。言與字合，而文生矣。文也者，取言之美者而字之者也。詩也者，以言之文合聲之韻而爲之者也。聲而後有言，言而後有字，字而後有文，文至於詩極矣。彼其初，何以異於蟲耶？蟲之聲也，庸知其非言也？而不能形其所以言。夫亦生且死而已矣，而焉用形其所以言哉？故曰：唯蟲能天。吾每爲文辭，苦且倦甚，欲休乎未始有言之先，而既已有之矣，然默默終日輒不樂；有時言之而得其所欲言，雖天下之樂無以過也。則又笑曰：「此寧非吾天耶？」今年春，來清與吴孔瞻、戴用聖諸人遊，每陰陽寒暑、日星之運、草木鳥獸、蟲魚之感，無一不發之於詩。前于後喟，往復不厭，歲晚筆之，遂成卷帙，相視而笑，亦莫知其所自來也。雖其間一時之作，未必盡合，然亦豈無出於吾天者？姑序而藏之，他日之傳與不，正未可必也。（以上文淵閣四庫全書本《青山集》卷一）

彭應叔山家大五行論序

天地之初，皆水而已。彼其蕩漾凝結而爲山者，水之滓也，其曲折、其高低，要亦出於其勢之偶然，而其實一大島也。古之人生且死於其間而已矣。而後之人，因其高低曲折而爲風水之説：來者爲龍，盤者爲穴，堆者爲沙，前者禽，後者鬼，如是而可以富，如是而可以貴。自有道者觀之，其不猶蟻穴之盤龍岡邪？俗師野巫，方持羅經以論卦座，言人人殊，彼又惡知其説之所從始與理之所以然？自彭應叔《大五行論》出，而後推其説合於《河圖》、《洛書》、「先天」、「後天」之數，以至《太玄》、《參同》、醫經、丹説，無不吻合，而羅經尊矣。或曰：「今之求地者，龍穴爲急，沙法次之，卦座、水神之説拘矣。應叔又發明陰陽五行之説，雖非俗巫所有，毋乃徒迂闊而無用乎？」余曰：「不然。古稱地理，要必明其理而後可以用其術，則是書者，莊周所謂無用之用也。」應叔用針主丙午而非子午，此則似不可概論。子午天地之中，中原得天地中氣之正，子午可用。東南地勢既偏，故稍移丙以就之，不中所以求中也。南北一家，求封侯富貴者相屬，聞應叔名者，誰不欲傳客之針法？隨地勢用之可也。

吴山房樂府序

觀歐、晏詞，知是慶曆嘉祐間人語；觀周美成詞，其爲宣和靖康也無疑矣。聲音之爲世道邪？世道之爲聲音邪！有不自知其然而然者矣。悲夫！美成號知音律者，宣和之爲靖康也，美成其知之乎？「緑蕪凋盡臺城路，渭水西風，長安亂葉」，非佳語也。憑高眺遠之餘，蟹螯玉液以自陶寫，而終之曰：「醉翁山翁，但愁斜照斂。」觀此詞，國欲緩亡得乎？渡江後，康伯可未離宣和間一種風氣，君子以是知宋之不能復中原也。近世辛幼安，跌蕩磊落，猶有中原豪傑之氣。而江南言詞者，宗美成；中州言詞者，宗元遺山；詞之優劣未暇論，而風氣之異，遂爲南北、强弱之占可感已。玉樹後庭，花盛陳亡，花間麗情盛唐亡；清真盛宋亡，可畏哉！吾友吴孔瞻所著《樂府》，悲壯磊落，得意處不減幼安、遺山意者，其世道之初乎？天地間能言之士，駸駸欲絶。後此十年，作樂歌，告宗廟，示萬世，非老於文學，誰宜爲！

高信則詩集序

孟子以固譏高子爲詩，而吾友信則自名其詩曰《固稿》，謙辭。雖然，固，詩病也，有心於爲不固，亦病也。自三百五篇以來，發乎情者流動發越，誠無所底滯。使無止乎禮義，則情之流者將何之？騷體起於南國，跌宕怪神，出乎風雅頌之外，而其歸於忠君愛上，則詩之禮義未嘗亡。近世詩人，高者以才氣凌駕，無復細意熨貼；下者纖軟稚弱，固不足論。工者刻削過當，去情性絶遠；疏者則苟簡滅裂，雖律詩亦不必留意屬對矣。如此而謂之不固，是誠不固也。今人但知律詩有律，不知古詩歌行亦必有律。故散語中必間以屬對一二，不然，則不韻、不對，漂漂何所底止！又姑論用字，古固不拘，平仄失所，即讀之，音節不合，殆天籟也。此語僅可私語兒孫，使持語大方家，且將獻笑。信則詩不失規矩繩墨，而未嘗不行乎規矩繩墨之外。蓋妥不弱，老不疏，工不刻。吾爲君授記，君他時當名家數，正法眼藏，必自三百五篇始。

黄南卿齊州集序

五方嗜欲不同，言語亦異，惟性情越宇宙。如一《離騷》崛起楚湘，蓋未嘗有聞於北方之學者，而清聲沉着，獨步千古，奇哉！後來「敕勒川」之歌，跌宕豪偉，彼何所得詩法，如此吻合？今采詩者遍天下，吾友黄南卿、歐陽良有取四方詩刻之，號《齊州集》。抑州可齊，詩不可齊。詩之爲物，譬之大風之吹竅穴，唱于唱喁，各成一音；刁刁調調，各成一態；皆逍遥，皆天趣，編詩者亦任之而已矣。故是編雖以齊州名，而詩實不齊，不齊所以爲齊也，必欲執一人之見，以律天下之詩，此豈知齊者

哉！夫詩，技也，知其説者，進於道矣。（以上清文淵閣四庫全書本《青山集》卷二）

何和尚尋母并序

何，上饒人。因丙子亂失母，乃削髮爲僧，刺血寫經，遍天下尋之。至燕，值國方會僧六萬三千人。何於會煉臂，有一僧問：「有何願受此苦？」何具言所以。僧云：「京兆府金鄉縣張官人宅問之。」即往詢求，乃知俱往吉州仕宦矣。何到吉州太和，得知張名守德，爲太和尹。乞食至門曰：「我信州人，有母在此。」閽人言母，出，不復認。何言：「我辛酉生，母乙巳生。」具言外氏祖父，母方記憶，相向大哭。蓋母由他人三易主矣。張令加冠巾，約爲兒，許爲娶婦。何曰：「初事佛求母，豈可得母負吾初心！」乃陳省，以母不當擄，張以爲買，引法力爭之。何日哭於省前，冀有仁人哀而助之者，後竟得母以歸。

寫經母血盡，長素母容枯。燒蜜煉頂臂，孰非母肌膚。豈不痛至骨，爲母忍斯須。南北萬餘里，來往如趁虛。天高孝可感，報應非浮屠。出門訪東家，遇否不可虞。茫然求我天，再見得所圖。昔者别兒時，那有此頭顱。明明陳左驗，大慟絶復蘇。向來相妒人，泣下成欷歔。收淚相勞苦，何異得乳雛。不即遂其志，彼張非丈夫。冠巾有婦子，諒亦母所娱。爲佛再有母，初志不敢渝。但期百年内，奉母與佛俱。雖非聖賢事，區區守其愚。爲君賦高誼，感我真窮孤。棄我十二年，人母我獨無。

天涯尚可尋，地下不可呼。（清雍正十年《江西通志》卷三五）

文苑英華纂要後序

甲寅　延祐元年冬後一日

予少讀《文苑英華》，困於浩瀚，不能盡究。後得鄉先生高公手抄《文苑纂要》四集，計八十四卷，復又撰十卷《卞證考異》。凡古今名賢諸作，有一聯一句至玄至妙者，必博采無遺。予讀之，神馳心醉。奇哉！是書也。世道不古，詩書之道廢。挾兔園册者，非惟莫之見，且莫之聞。文運天開，車書混同。聖天子下詔，求經明行修之士，試六經、古賦，治諸章表，以觀其所學；試時務策，以觀其所能。士之懷才抱器者，莫不爲之鳶飛魚躍。崇儒重道之風，古之菁義，不啻過矣，習科目者，熟精此書，鏖戰文場寸晷之下，能使朱衣人暗點頭，則題雁塔、跋銅章，特拾芥耳。《文苑》一書，當必遇賞音。予老不能文，姑述其略，以贅高先生手抄之後云。延祐甲寅冬後一日，青山趙文序。（宋刻元修本《文苑英華纂要》）

全元文卷三三三

趙文 三

法壽樂歌序

古詩未始道佛事。梁武帝即位後，更造新聲，帝自爲之辭。帝既篤敬佛法，又制《善哉》、《天樂》、《天勸》、《天道》、《仙道》、《神王》、《龍王》、《滅過惡》、《除愛水》、《斷苦輪》等十篇，名爲正樂，皆述佛法。又有法樂童子伎，童子倚歌梵唄，今所謂《舍利佛法壽樂歌》皆所自出也。

丁督護序

宋高祖女夫徐逵之爲魯軌所殺，高祖使督護丁盱收殯之。逵之妻呼盱至閤下，自問斂送事，每問，輒歎息曰「丁督護」，其聲哀切。後人因其聲，廣而爲歌焉。

公無渡河詩序

《公無渡河》，或作《箜篌引》。朝鮮津卒霍里子高妻麗玉所作也。高晨起刺船，有白首狂夫，被髮提壺，亂河流而渡。其妻隨止之，不及，遂墮河水死。於是援箜篌而鼓之，作《公無渡河》之曲，聲甚悽愴。曲終，自投河而死。子高還，以其聲語妻麗玉，傷之，乃引箜篌而寫其聲，聞者莫不墮淚飲泣焉。

團扇歌序

晉王珉與嫂婢有情好，嫂鞭撻過苦。婢素善歌，而珉好持白團扇。故云：「團扇復團扇，許持白遮面，憔悴無復理，羞與郎相見。」

銅雀臺詩序

魏武帝遺令：「婕好美人皆著銅雀臺，上施八尺牀繐帳，日晡上酒脯。月朝十五，向帳作伎。汝等時時登臺，望吾西陵墓田。」後人悲其意，而爲之詠。《魏志》云：「建安十五年，太祖作臺於鄴，鑄銅爲雀，置于臺上，因以名焉。」（以上清文淵閣四庫全書本《青山集》卷四四）

長沙死事本末後序

至元三十年十二月

嗚呼！丙子之事，長沙郡死事者不可勝數。其大者，帥肯齋李公芾、總漕泉岩鍾公蜚英，不至一時，溝瀆如趙府園池，赴水死者數千，運司園樹自絶脰者，如偃仰纍纍。城破日，城中無虚井，而家自相屠，縱火焚尸者比比而是。圍城三月，死鋒刃、死矢石，復不知幾千人。是何楚之多鬼雄也！抑聞其死而無名以傳者既可悲，至如泉岩鍾公，死而不得名，更得謗，雖公心事上通於天，自靖自獻於一祖十四宗者，浩然無愧怍，天下後世之知與否，非所計。然志士仁人，殺身而不得成名，閭巷小人但見其迹自爲臆説。知其事者，復坐視不爲一言，曰：「何預我事？如此何以學士大夫爲？」余得李君元美所爲《長沙本末》，載公死事甚悉。元美在圍城中，親見公死，非他人傳説者比。則又曰：「元美，公之婿。論出於其婿，誰能信之？」計公是時，所欲爲預謀者，不過心腹數人。數人之中，生存者無幾。幸而有一元美親見其事，述之以語人，則又不此之信，而閭巷臆説之信，亦真昌黎所謂「不樂成人之美」者矣。余每見長沙士人嘗在圍城中者，以李鍾二公之死問之，往往有能言者，大抵與元美説合。公生平以人物自負，亦頗好奇，其死而得謗，亦好奇之報也。太史公言：「臧獲婢妾，猶能引決。」長沙一城，人引決者何限？豈以公之勇而不能求一決而死，自以爲賢於溝瀆？公之止如此，而不知其事之難計之左，以受身後之曖昧也。夫所貴乎昭讒雪枉悼屈哀窮者，謂其拔之曖昧而光明之也。若肯齋之死，則何俟乎言？程嬰曰：「死易，立孤難爾。」公孫杵臼曰：「子強爲其難者，吾爲其易者。請先死。」悲夫！使程嬰之事不成，亦孰知嬰之後死，難於杵臼之先死哉！觀肯齋之告泉岩曰：「芾老矣，不能爲此。公善自圖之。萬一事成，芾爲厲鬼相助。」此與公孫杵臼自爲其易，而使程嬰爲其難蓋相類。泉岩之事，不幸無成。使其得如豫讓一擊衣而死，誰不快之？誰謂公之死不光明俊偉哉！公倅廬陵時，寔提督鷺洲書院。余以諸生間得見，頗以文字見知。未幾，則公去廬陵矣，非深交也。竊獨悲公盛心大節不表見於後世，故書之元美編後。公之精神，往來霄漢之表，未必不聞吾言而猶然笑之也。（清文淵閣四庫全書本《天下同文集》卷一三）

送蒙古荆教授序

古今書殊文。一貨字也，黄帝、帝嚳、高陽、商、周之貨，齊莒之刀，凡十三文；一金字也，古幣，黄帝貨，帝昊、帝嚳金，商之鍾，周之鉦，晉之鼎，凡七文。蓋古之書，特以代結繩，有文無義。其依緣意想而取象，皆古人所爲爾。吾嘗疑國書本於梵書，華以一音該一字，梵以一字貫數音。其左旋，其偏纏，其横綴，皆有今國書意。華有象形之文，梵亦有之，如歲之爲縛是也。其二合三合四合而成字，皆字母所生。《華嚴經》載善知衆藝童子得菩薩字智，已有四十二字字母之説。故知國書似出佛書也。今天下言佛之言，字佛之字，吾佛國之民也。蒙古教授真定荆飛卿，精於國書。初，豐城既改富州，頒州印，用之且十七八歲。飛卿至，辨之曰：「此撫州，非富州也。」然後州請於朝，而改鑄焉。富州印字荆教授始。飛卿教授於此，人人愛其和易可親。吾極欲從君學奇字，恨老矣。（清文淵閣四庫全書本《天下同文集》卷一五）

跋清縝堂記後

論人物當論大節，大節不足道，雖小廉曲謹，何關人心天理絶續存亡之數？士大夫清，不必論；士大夫不清，如女子一污，不名女子。至於不縝，雖豪傑之士，正不免此。然使其進止不失尺度，誤馬字而憂恐，過九折而回車，又豈能有志非常之事哉！言以疏敗者必曰殷浩、房琯，殷浩、房琯何足言？人物如諸葛孔明、張忠獻，或者議其不縝，然識君臣逆順大義，三代而下，孰有如二公？況事勢又有難於二公者。當戎馬倉皇之日，君辱，身從之；國亡，家從之。使東南猶有人而色蒼蒼者，猶有以立於萬物之上，此其功不在禹、周公、孔子下。謂之無成，誰謂其無成？而俗人猶好議論不已。即如諸君，正使真能小廉爲清，曲謹爲縝，正堪爲時貴人脱靴耳。何足道哉！夜讀楊秋山《清縝堂記》，不覺慨然。

跋劉明叟乾坤清氣圖

劉明叟《乾坤清氣圖》，江湖無此奇也。江湖有詩而無迹，雲萍有迹而無形，是圖乃併其詩、其形得之，奇哉！抑予閲是圖也，如夢有久别而乍見之者，如聲子、伍舉之忽焉邂逅而班荆也；有生平欲識其人不可得而得之者，如孔、程之相遇於途而傾蓋也；有其人去我久、終此生不可得見而忽然得之者，如楚王見優孟作孫叔敖抵掌談笑，而以爲死者復生也；有平生聞其人所爲欲唾其面者，如段秀實見朱泚不覺奮笏而欲擊也。覽其人，思其平生數十年之盛衰反覆，一舉目得之，斯不謂之夢哉！不謂之天下之奇觀哉！天地大畫圖也，造物大畫工也。人之生於此世，長短、小大、好醜不能以槩，焉往而非畫乎？當其未磨滅之先，巧者營，力者摶，相爭於一圖之上，惟恐不足。然而百年之後，華屋丘山，美人黄土，向之所遇，忽焉陳迹，而其人智愚賢不肖，樵童牧竪或能言之，又有不隨畫而磨滅者。嘗寄吾目於百年之外，而觀之則有凜然可懼者矣。《老子》曰：「知人者智，自知者明。」今之觀明叟此圖者，指數其人賢不肖，不待智者而後能也。安得斯人自觀之心，如今日觀圖之眼哉！

書王遂初太學篤信齋題名碑後

遂初出篤信齋題名示余，愴然曰：「同舍題名，乃絶筆於我。」余亦相對黯然久之。遂初自盛年負俊聲，獨平生功名崎嶇顛頓類我。蓋補爲成均生五年而後得歸齋，歸齋不兩月而國事去，蒼黄告假，徒步歸，歸而浮沉俯仰，不可爲懷，宜君之愴然於此也。嘗試有以解之，吾鄉英俊林立，如我與君者何限！有終身而不得以名是碑者矣。則得名於是碑，甚幸也。名是碑者何啻千百，獨君以姓名殿是碑。殿是碑，不幸也，然而後之考論太學之興廢者，必曰太學題名至某人止。彼之千百於其間者，或忽焉而忘之，此之止焉而可感者，未有不爲人之所記憶，記憶則必傳，是君之不幸乃大幸也。雖然，國破家亡，何心至此？傳不傳又何足計？區區所以爲斯言者，遂初不可以不甚自重也。使遂初今日爲隱君子，後日爲名卿大夫。人將指之曰：「此前日太學題名之所止焉者也，惜乎其止也。」是則可也。使遂初變化其平素，以快一時，人將指之曰：「此太學題名之所止焉者也，人如是，碑焉得無止也？」是則不可也。吾於遂初誼不薄，不當愴然、黯然遂已。因書以告遂初，而亦以自警。

蕭文孫以學字説

四教以文爲首，而夫子嘗曰：「弟子入則孝，出則弟，謹而信，汎愛衆，而親仁。行有餘力，則以學文。」又若以行忠信先焉者，余嘗疑焉。要之，教人非文無以寓吾教，至論學者之爲學，必於事親、敬長、應事、接物之間，先盡其道，而後用力於文，乃爲知所先後。故四教以文爲首，而學文必行有餘力，正不相悖爾。文，詩書六藝之謂，今禮樂射御書數，學士大夫有至老不能通其物。今世之所謂文，直文墨，議論而已矣。使闊略於夫子所謂孝弟、謹信、愛衆、親仁之事，而遽學於此，世亦焉用有文無行之士哉！吾友蕭行夫之子，名文孫，請字於余，余字之曰「以學」。而告以此。

彭丙翁名字説

彭丙翁，字丙翁。問之，曰：「丙翁之幼也，祖命之；其長，叔祖集齋先生命之曰：古有子儀，字子儀，子字丙翁可也。」余曰：「集齋非不欲以他字字子也，無以字也。丙之爲言炳也，字以避他日之諱。丙名而炳字，猶之不字也，雖丙翁可也。雖然，子亦知丙之説乎？君子、小人之分，陰陽而已矣。陽者常明，而陰者常暗，必然之理也。韓子言之：『青天白日，奴隸皆知其清明，天下決無暗昧之君子。」石勒何人，猶能言「大丈夫行事，當磊磊落落」，此名言也。凡人之行事，使人皆可知，皆可見，入而對家人婦子，出而對鄉里朋友，無詭跡、無靦容，此君子之行也。以至一話一言，以至引筆爲文，亦必光明易直，使人讀之而可曉，考之而有證者，此君子之言也。今之君子，吾不敢知其行也，其見之言語文字間，吾有屢讀而不可曉者矣，則吾懼其心術之亦然也。文如諸葛孔明，字如顔魯公，豈不磊落正大？可見其心事哉！與天地並立而爲人，正大而天地之情可見矣。人之道，未有不光明正大也。惟爲鬼、爲蜮，乃不可測知爾。」丙翁有清才，吾所甚愛，故爲之説。期丙翁爲君子之歸，亦集齋之志也。

趙淵如字説

有自崖而返者，爲我言海，蓋昌黎所謂「扶胥之口，黄木之灣」者，直未望洋爾。自洋以往，其大無際，其深不可底；旦浴日而出之，蛟蜃之氣爲樓觀、市井、人物，倏有而忽無；珠貝之光，騰而上者八萬里。歲大旱，江河淮濟可揭而涉，而海之奫淪滔浮者，浩乎如常時，蛟龍之爲雨者取足焉，何其裕也！國家往時以科舉收天下士，自勝冠以往，剽偷緝綴，不失韻、不觸諱忌，即可舉、可第，高者坐幕府，是非可否獄訟；小者猶不失參軍尉簿，鞭笞天子之吏民，循歲月而進，幸免官謗，即公卿可坐致。往往學未及成，就其短淺而用之，詩書之澤不動盪於天下，以此。科舉既罷，士無致身之望，而其急也滋甚，尤可哀也。溥博淵泉而時出之，而今之士以其淺焉之積，急欲自試於非所當出之時，何其不知量也！吾友渝川趙玉壺之子名若溥，字淵如，清俊有文，余特愛之。使世道不今，淵如世其父科不難。世道至今，而王孫爲此淹也。余謂自世道言，則淵如所遭，淵如之不幸；自己分内事言，則未必非淵如之幸。天遺淵如以讀書之閑，其或者欲深淵如之積，以大淵如之成，未可知也。淵如勉之，予望淵如如海。（以上清文淵閣四庫全書本《青山集》卷五）

此心堂記

自有天地，而此心行乎其間矣。傳有之：人者，天地之心。均謂之人，則人人皆天地之心。自羲、農、黄帝、堯、舜以來，所謂開物成務，所謂位天地、育萬物，人人皆當視之爲己分内事，顧用之有大小爾。吾鄉鍾君瑞伯，醫士，名其堂曰「此心」，瑞伯「此心」，即自有天地以來「此心」。《書》曰：「欲並生哉。」天地間有一人焉不得其生，於我心有戚戚焉。古之聖賢，所以皇皇汲汲爲斯人計者，凡以自盡其心，而非爲他人計也。充此心也以爲醫，即何暮夜風雪之敢辭！何金錢豐約之敢較！瑞伯挈此心以名堂，天之明命，粲然心目之間，所以發深省者多矣。自古聖賢之經世，皆醫也：堯之世，患在洪水，禹醫之；夏商之季，患在無君，湯武醫之；周成王之時，患在戎狄猛獸，周公醫之；春秋之患在亂臣賊子，孔子醫之；戰國之患在楊墨，孟子醫之。皆此心也。自漢唐以後，雖號爲賢君相者，亦不過隨證施治，以偷目前之安，而千百年長治之計，莫之省憂，此心不盡者多矣。吾爲瑞伯記此心，亹亹及此，欲君知此心之體之大，益充而盡之也。吾老矣，所謂聖賢經世之事，無復夢見矣。顧自少時，亦嘗有志於岐黄之書，而未得其説，旦夕當升瑞伯之堂，叩心法焉，故樂爲之記。

約心堂記

彭君秉周取昌黎《復志賦》語，名其讀書之所曰「約心」。余問於秉周曰：「子知昌黎《復志賦》之所由作乎？子樂甚，昌黎何能及也？」秉周未達，余曰：「《復志賦》之作也，昌黎從隴西公於宣武，意必有不得以行其志者，故其爲此賦自述平生，嶔嵚歷落，無所不至，其詞大槩嫉貪佞之汙濁，懲此志之不修，而曰：『苟不内得其如斯兮，孰有不食而高翔？』吾然後知昌黎之所謂約心也。君子讀書爲士，莫不各有一初心。自古聖賢出處，此身可困可戹，而不可以負吾心之約。負約於人，猶曰不信，吾與吾心言矣，能愛富貴而食言乎？雖然，一行作吏，不得以如其約者多矣。異時入幕，視案牘，引筆據理可否，銜袖進大吏，不可其意，不得不小回互，意終日鬱然不樂。遇事欲慷慨論列，顧孺人稚子咿嚶涕泣止。雖守道君子，不以勢權私昵動其心，然而不得以如其約者多矣。蓋雖崛强如退之，所謂不食高翔，亦何嘗盡行其志？仕宦累人，從古則然，而况吾世！今吾秉周，幸脱科舉之累而無仕宦之意，堂有可事之親，案有可讀之書，浩然俯仰，豈不可以得君之初心？故曰：『君樂甚，昌黎何能及也？」君讀書爲士之初，所以與此心約者何事？豈非欲爲聖爲賢？豈非欲『窮則獨善其身，達則兼善天下』？今雖未得以遂兼善之願，豈不可以如獨善之約？願君夙夜無負斯約也。與心約而負之，對鏡窺影，必有靦然于其面目者，此即我心之責也。今世纍纍若若，決非我與秉周所可徒手得，幸而得之，必有負其初心者，故不爲秉周願之也。」秉周起謝曰：「如約。」遂書以爲記。

復初堂記

人以生爲初，天地以開闢爲初，吾言初，異也。昔者混沌之未始有一物也，天地而既開闢矣，然後人與鳥獸草木生焉，於是有範金合土、鑿泉竅穴、刊山墾田、築城浚隍，而又窺以渾儀，算以巧曆，腥以殺伐，孱以偃溲。日中之火，月中之水，靡不智取力索，斲樸破圜，乃毒其天，斵荒鑱頑，朴略不還，而天地爛漫矣。爛漫之極，而天地精英之氣衰耗而無餘，其所鍾日日趨於僬僥夭閼，然後山傾海運，日埋星沉，而向之五伯七雄之所爭、伯夷季札之所讓，一皆澌泯滅没，化爲黄流。蓋自是息之，以至所不知何年之久，是爲天地之復初。迨夫其氣休息之久，盤礴鬱積，不能以不發泄，則又一開闢，如羲、農、黄帝出焉者，是乃天地憂患之始，而非初也。人之未生也，所謂性者，與一氣同遊於渾淪亭毒之表，耳、目、口、鼻、四肢且不知其何所寄也，夫焉有所欲？俄而有生矣，生者，賊性之始也。耳而聲，目而色，口而味，鼻而嗅，四肢而安佚，而去未生之初遠矣。然後有得則喜，失則悲，以至於相靡以力，相戲以智，而去生之初又遠矣。人能返觀内照，以游乎未始有生之初，然後知血肉之身，固未始有一物也，則亦可以蕭然於事物之外，而得吾之所謂性者矣。此之謂復初。劉君明國名其堂曰「復初」，而求記於余。明國嘗有聞於吾書之外者，故樂以斯言就正焉。

青溪書院記

將爲感今懷古而泄其憤懣，則必之乎故都廢苑興亡百戰之場，此豪傑之士、不得志之人悲歌慷慨者之所快也。至於立德立言，以俟久遠，則必之乎窮林邃谷、清泉白石、娱憂舒悲之地，則好脩之士、成德之人安時處順者之所樂也。傳有之：「知者樂水，仁者樂山。」心之與境，自有不相謀而相契者，豈知者必惡山而仁者必惡水哉？金陵爲六朝廢興之海，古今詞人賦客，於此寄懷古之感者多矣。青溪發鍾山而接秦淮，綿亘十餘里，溫太真、庾元規諸賢之所遊覽者也。又有齊高帝之舊宫，江總之故宅，張麗華、孔貴嬪之陳迹。荒煙野草，寒水落日，孰非可賦？謂豪傑之士、不得志之人悲歌慷慨者之快，非與？吾友國録陳君，生長是溪之上，世亂以來，四方之迹，何所蔑有？未老倦遊，睠焉是溪，將歸而誅茅溪上，讀書其間，爲佚老計，而求余文以爲記。余謂國録當盛年以文章魁别頭，祈嚮何許？遭時如此，古今興亡之感可爲流涕者，往往身親見之，至於緣崖蹈海，幽憂沈痛，終古無有，杜牧之、劉夢得《金陵懷古》不足言也。君之讀書於是溪也，能無慨然乎！抑所貴於讀書者，以義理之謂外物爾，而況今之所謂科第者哉！而況今之所謂榮敵外物之感也。大莫大於天下，其興廢成敗，皆外物爾，而況今之所謂科第者哉！而況今之所謂貴富者哉！若感慨之心不除，終不可以讀天下之書，窮天下之理，異時縱有成立，亦不過功名之士，與聖賢所處，天地懸絶，國録不可以不之思也。國録試以是思之，則青溪之爲青溪，無往非世道間，外物之去來，正自何足介意。國録名黄裳，吾弟宗彊同年進士。

虛室記

有一比丘，名曰志一，而號虛室，作禮青山，請山受記。山言：「汝室何處？若在虛空，虛即非虛。既言虛者，不涉名義，著一虛字，即是實相，何況以室而來説？」虛室言：「我此虛室，指我此心，實無有室。」山言：「汝心何處？」室既無對，山即爲設方便法門：「比丘，汝住何山？」室言：「我所住處，名武功山，其山綿亘，跨吉、潭、袁，可八百里，我於山中結草爲菴，今後增修，作大寶刹。」「汝刹何處？」云：「在山上。」「汝山何處？」云：「在虛空。」「虛空何處？」室言：「虛無邊際，安得有處？」「汝知虛空無有邊際，云何將空來説汝心？汝從草菴以至建刹，不論大小，其室皆有四維上下，汝今將室來説汝心，則汝此心，亦應有此。」室言：「我心豈有東西南北上下！」山言：「汝知此心無有東西南北上下，則知此心非一室比。虛空無盡，世界無盡，當知汝心亦復如是。汝此幻身，從無得有，如虛中山，如山上刹。而汝元心，本無住着，若言此心有住着相，即同刹中百種莊嚴、龍象幡幢、鐘鼓香花，淪於一物。汝之此心，不在身内，亦不在外，即虚空是，不可言虚只在室中。從汝室中，無非虚處。室是汝身，虚是汝心，室有限量，虚無限量。無量爲主，有者爲客。汝室未壞，則汝主人，寄在室中；汝室壞時，則汝主人，曾無不壞。隨汝所業，即汝住處。譬如窮人，陷落坑塹；譬如賈人，移居别所；譬如富人，囊橐有餘；隨所住處，無不快樂。我今與汝，云何證知，到快樂處？」於此比丘，合手贊嘆，得未曾有。山作記已，重説偈言：「志一汝當知，心非虚非室，若言非虚者，將心來示我，若言非室者，云何生萬法？名一號虚室，虚一意云何？有一即非虚，言虚並無一。萬法歸於一，一歸於何處？若知一歸處，虚室字亦無。虚室字既無，安用記與偈？受記求記人，當作如是觀。」

恕堂記

孔子曰：「能近取譬，可謂仁之方也已。」孟子曰：「强恕而行，求仁莫近焉。」孔孟言恕如此。先儒又釋之曰：「以己及物，仁也；推己及物，恕也。仁，聖之事；恕，賢之事。」抑聖固不待推，謂賢者必待推，則亦未必盡然。儒者説義太密，下字太謹，尊聖人太過，而自待太薄。仁，人心也。人心未有不仁，亦豈無自然流動處，而必待推？乍見孺子將入井，亦豈有待于推而後能怵惕惻隱哉！又豈必聖人而後能爾哉？而况夫醫者以生人爲業者也，人方呻吟于一榻之上，鞠而望瘉者百口，亟起而圖之，如救焚拯溺，猶懼不及，而方爲之强恕，爲之近取譬，而後推己以及之人，果然，並亦不得謂之賢矣。陳君祥甫，世業儒，又得禁方於其外舅傅氏，遂爲醫儒，名其燕坐之所曰「恕堂」。余謂恕，第二念也，見人之疾而爲之惻然者，第一念也，是即所謂仁也。祥甫自其第一念而充之，亦不待復近取譬矣。病者望君如望歲，吾豈止以强恕望之祥甫哉！祥甫自尊夫人存時施藥，迄于今不廢。吾升恕堂，其伯仲怡然以春，其諸少彬彬然以文，皆能爲儒爲醫，以昌其家，恕之生意流動充滿如此。

雲山記

雲出於山，當歲旱時，焦然萬生求滴潤不可得。神龍出其膚寸，而枯槁立起。山之有是雲也，非雲也，雨也；非雨也，百萬億蒼生之命也。士之行道救時也，亦如此矣。天地間樂莫樂於生意，使天地之内，無一物不遂其生，於吾心亦若慊焉。彼與我並生者槁乾且死，而吾亦何樂於此？士安得皆得卿相之位以行其志？不必卿相之位而可以行志者，惟醫爲然。彼技之不精者，吾無望其雨也。幸而精於其技，有可以濟人之具，而不肯少動其心以及人，則雖有此雲，將焉用之？劉君景雲業醫，諸公多愛景雲者，景雲未嘗自表異也。景雲天分高，使其讀書爲儒，當過人，而屈之醫。景雲對余，時時有華元化晚年之悔。予語景雲：「讀書爲儒，將以行吾志。方延聘如旱歲龍公，雨瓢西歸而瓣香東至。使人望君來如望歲，出門引領，其雨其雨。君至徐視其四大，增損而雨之，無不立起。雖使景雲得志，爲卿相於一時，其樂何以過此？願君出是雲以行雨也，小之可以澤一鄉，大之可以澤天下，以至於君之子孫，所不知何人，將同此一生意未已也。」因書以爲雲山記。

得中齋記

中難得，中於此時，尤難。過乎中，則亢然而取忌於人，不及乎中，則靡然而失其所以爲我。儒者於是曰：「我且守中。」然而如里克之中立、胡廣之中庸，其究歸于靡然而已矣。中難，於此時尤難。其隱不違親、貞不絶俗，不可得而親疏者，而後免於此世矣。黄得中，劍江佳士，朋友皆稱曰心隱。得中謙厚，不欲自標牓也，曰：「我實得中，奈何必心隱我？」乃大書其齋曰「得中」，而屬余爲之記。余復于得中曰：「中之爲物，宜若一定而不可易。而又曰時中，又曰執中，無權猶執一，是中之爲中，特未定也。今君之得中也，何如？」得中曰：「何知許事，吾平旦而起，爲今人着今服，命唐天食唐土，露香對天已，吾書教兒，常飯留客，茶罷清談，商略未有天地之先、既有天地之後。或問時事，吾不知。酒取交歡，不至亂性。詩貴言志，不必忤時。或棋或壺，各取適意，爭則敗興。爲商頑固，不敢名項，籍亦不能。大官貴人，未嘗敢數踏其門。歲時稱觥上壽，爲民之禮，不敢不盡。吾所謂得中者如此。其時耶？權耶？我何與知焉？」吾然後知君之友稱君心隱甚當，不隱則汙迹，隱則矯，隱不以迹而以心，斯得中矣。是心隱即得中，得中即心隱也。得中相視而笑，莫逆于心，遂書爲序。

太原堂記

太原堂者，開禧丙寅誠齋楊文節公爲南江戴氏所書也。後八十餘年，其地歸于王君濟翁。濟翁因舊而新之。客有登斯堂而慨然太息者，曰：「異哉，太原王氏得姓之始也！王爲周同姓，春秋時王子成父有功，因賜氏。世居太原，至今千有七百餘年矣。當誠齋書扁時，寧知今日太原之子孫得而居之哉？」魏起安世殿，而其後得而居之者，安世也。桓氏作盤龍齋，而其後得而居之者，盤龍也。事雖不可槩論，而亦有適相似者，可感也。當其營搆之初，與一時命名之意，孰知有莫之爲而爲之者與乎其間？雖欲不如此而不可得。而世之人以爲私意小智，果可以爭於定分之外，豈不過哉！抑自世變來，往時高門大第，壯麗雄偉，有數十百倍於太原堂者矣，忽焉過之，爲蔬園，爲馬廄，而一時詞人墨客，穹碑大字，不爲野人之所樵，野火之所燬者，鮮矣。今斯堂得歸於濟翁讀書之地，亦豈非斯堂斯扁之幸哉！代之廢興，正自常事，繇姬以來，代不一姓，而王氏忠厚一脈，久而愈昌。今濟翁新卜於此，天以一代之文人豫告其兆於八十年之前，太原之子孫，其能長有斯堂也，必矣。吾故爲君記之，使太原之子孫讀書於此堂者，知其非偶然之故也。（以上清文淵閣四庫全書本《青山集》卷三）

全元文卷三三四

趙文 四

平實堂記

吾少時從先友王見可客于白沙之上，見可諄諄篤厚君子也。又六年，吾從見可之子桂龍、雲叟偕試進士京師，偕報罷去，彼此不復相聞。又二十年，與雲叟相見須山下，兩家長上各凋謝，而雲叟亦老，冉冉如余矣。念二三十年間，人事盛衰反覆，何可勝道？而吾與雲叟，故書破硯無恙，雖棲遲至此，可悲可笑，然更可自慰也。雲叟以其讀書之室曰「平實」者請余記，孤生流落，尚安能爲故人作文字哉？念君别久，且爲君説。今我旦起漱盥焚香，教兒讀書一二卷。既食且茶，部分僮奴，灌蔬飯魚，條桑漚麻。或時鄰翁野老相逢，新聞舊見，亹亹相勞苦。退復課兒讀書。夜燈，對家人談米鹽常事，有酒酌一再行，不然則否。顧兒童溫書，讀倦既就枕，無復人間得喪夢。親賓過從，稱家有無，酌薄厚以爲禮。歲時先祀，簋簠豆籩，何能一一如古，鄉風節物，禮意不廢而已。書蠹曝之，硯滯滌之，琴瑟几杖，各就處所。往時見道士言水銀丹沙，可用燒以爲丹，又餌黄精、胡麻，得不死。更見建竺山大仙説西來意，皆空浮渺莽，終不能信。《戰國策》所載機謀術數，或謂熟此，即黄金白璧，可立談致，坐懶不能。惟兒時先人所受孔孟書，卓卓可信。未論孔孟，安得無愧吾先人與足下家君也？雲叟聞吾言，大喜曰：「君乃真平實者。樂哉，平實！人知平實之可厭，而未知平實之可樂也。願書之以爲平實堂記。」

至樂堂記

樂有幾？人所共尊而榮焉，則爲貴；財有餘而衆附焉，則爲富；棟宇而繪焉爲宫，花石而玩焉爲圃；酥酪而飲饌、水陸之珍而食焉，則爲厚味；金玉珠璣、象犀翠羽以爲飾，錦縠以爲服，嬋娟窈眇，娱心悦目，則爲冶容；冶容之旋折爲舞，其鳴爲歌，操弄絲竹，則爲淫聲；馳駿良，蜚鷙翰，從禽於天，六博角抵，鬬鷄蹴蹋，爭勝於人，以笑以嬉，若是者皆樂也。南昌胡伯正名其堂曰「至樂」，問君何樂？曰：「讀書教子而已。」嗟夫！異時誰不以讀書教子爲事？彼非有所樂乎此，以爲是可以一日而攫取天子之卿相也。十數年來，無所事乎此矣。而君方以之爲至樂，不亦異乎！伯正蹙然告我：「吾先人之於書也勤，以書教我，其望我不能不如君言也。自科舉罷，吾以爲士無所於用，則折節改業，以羞吾先人多矣。今吾去城市而耕於野，而後知讀書之爲至樂也。昔者吾讀書於吾父之側，天下之至樂也。而吾不知其樂者，科舉累之也。科舉罷十年，吾猶不知其樂者，猶有所累之也。吾今而後，知其爲天下之至樂也。古先聖人之書，至樂具是。天亦哀于四方之士，抱至樂之具，纏於科舉之累，而不得有其樂者七百年。車書混同，脱此桎梏，士之讀書者，無時文掇拾之勞，無場屋得失之累，心胸曠然，開卷之頃，聖賢之藴，天地之心，軒豁呈露。是日也，掩書而起，童子伊吾於前，聲若金石。素交至門，啜雙井鬬品共聽之。俯仰天地之間，高論六合之外，其樂孰有過此？吾所謂至樂也。子前所陳者，世俗之樂也。正使得之，憂亦伏焉，未若吾之樂之爲至也。」余曰：「美哉，子之言乎！請爲子書之。」爲記。

文溪兩峰樓記

樓於萬竹之上，所見無非上者，而兩峰獨名焉，高也。高且得名，宜爲物之所忌，而莫能忌之。人能立己於高而待物以靜，物莫之爭矣。當樓之未作也，文溪雖有兩峰而無所用之。咸淳己巳，王君希申始作樓於居之西偏以受之，然後兩峰始爲斯樓用。嘗試登斯樓而望之，山遠而天宇寬，地平而生意滿，遐觀勝趣，四面輻輳。而所謂兩峰者，東向而立，與樓相宜，若顧而語，若俛而揖，蔚然有神俊氣，宜其足以都此樓之名，而非他山之所得與也。然君之以兩峰名斯樓也，豈徒愛是峰而已哉！其意蓋以自屬，而且以屬其子也。始希申之連舉於漕也，與其伯氏希吕而兩；今其子智則讀書於此也，復與其季沂則而兩。山川所鍾，連翩競爽，殆非偶然之故。二子之讀書於此樓也，亦思子之先君子之所以教者乎！夫山，巔者爲椒，督者爲岡，邊者爲崖，足者爲麓，而何取於峰？說之者曰：「上秀者曰峰。」夫人之自立，要當卓然於萬物之上而後可。雖然，物莫切於彼此之相形。獨立以爲高，高易；並立以爲高，高難。陳太丘稱元方難爲兄，季方難爲弟，此相高說也。相高，爭之似也，爭於勢利則不可，爭於名節道義文章則可。蓋昔者首陽之山有兩峰焉，曰伯夷、叔齊，以名節高。龍門之山有兩峰焉，曰二程，以道義高。峨眉之山有兩峰焉，曰二蘇，以文章高。區區愛智則兄弟，願此峰如首陽、如龍門、如峨眉，豈惟立而身，抑亦光而親。不是之競，而他求所以相高者焉，吾見其靡然沓然，自同於丘垤培塿而已矣。智則勉之哉！人之觀子兄弟者，甚於子之居是樓以觀兩峰也。於是智則起再拜，請書其語于壁，以朝夕觀焉。

浮眉樓記

吾友陳元吉僑寓劍江之客樓，而名之曰「浮眉」，蓋取簡齋詩語也。元吉與簡齋俱眉人，同六世祖。簡齋貫洛陽，解褐參大政，而元吉貫金陵，魁別頭登第，今客此，每眷然土思，厚之至也。蜀五十四州，流落東南者何限？時改月化，殆將忘之。君復生長東南，知眉山面目何似？乃能不忘其初。君賢乎哉！是樓内湖外江，畢陳于前，江外諸山，隱約可見，浮眉之名，所爲立也。君登臨是間，可以讀書，可以賦詩，可以飲酒。獨不可者，古人憑高眺遠，必傷悲感慨，形之歌詠，今一爾即爲治世怪民。王仲宣「江山信美非吾土」之感，使作於今，將朝誶而夕替。鼉叢魚梟，知復何許？杜鵑有無，何與人事？人生實難，而焉用感慨爲哉？昔人言不朽，曰：立德、立功、立言。今世何功可立？惟立德、立言，正屬我輩。科第或偶然得之，文章不可猝然致也。眉自蘇後，未有以古文名世者。雖簡齋功名事業，亦僅以詩傳。觀君文力上接三蘇，浮眉之秀，於是乎在。益大其成，與眉山俱傳，朋友之望也。元吉起拜曰「唯唯」。余曰：「未也。君高才吾所敬服，而求田問舍輩不能不以傲疑元龍。吾知君非傲者，而處此世，不可以蒙此疑也。知崇效天，禮卑法地，知固貴崇，禮不厭卑，天地之道也。吾君已元龍矣，吾其敢復作劉元德語乎！」元吉起，重拜曰：「敢不端居深念！」

一樂堂記

吾年家鄒君次陳悦道，故居宜黃城中，亂後奉其親，偕其兄，依士林以居，而名其堂曰「一樂」，屬余爲記。余問於悦道曰：「孟子稱君子有三樂，而君一樂，何也？」悦道曰：「『仰不愧，俯不怍』，吾不敢不勉，而未能信也。『得天下英才而教育之』，吾方求教育於人者，而能教育人乎？惟『父母俱存，兄弟無故』，天之所以與我則然，吾誠樂乎此而已矣。」余甚羨之。父母俱存，兄弟無故，樂也。居今世而有此，又樂也。自世變來，昔者庶人之所不敢指斥、租衣税食於廣廈之内者，俄而黄雲白草，風沙跋涉，愴心酸骨，何可勝道！而田野委巷之小人，不得以有此樂，蓋不足云矣。君於其間，猶得啜菽飲水，讀書絃歌，如承平時，雖使悦道得志，爲卿相於一時，亦何以易此樂也？天下之福禍，豈有定論哉！方悦道登太常第，歸拜堂下，親賓舉酒稱足下家君壽，當此時，謂書生志願粗畢。然後天江夜碎，六合爲水，海山震蕩，仙聖播遷。辛勤一第，轉瞬蕉鹿。家人骨肉，青燈夜雨，能不慨然？抑孰知向微世變，悦道兄弟宦遊東西，二老人隨意就養，其父母兄弟相聚之盛，決不能如今日，無疑也。然則悦道亨今日之樂，豈可更戚戚哉！吾弟亦周亦出悦道榜下，而余以其時繇京庠補成均生，歸拜二親，其樂不在悦道下。今欲如悦道之一日，又豈可得哉？悦道家君桃溪先生，鄉里師表。伯氏次傳商弼，與悦道同時舉于鄉。當此之時，而父子兄弟以文墨相師友，又可樂也。

集義堂記

古者黨有庠，術有序，家有塾。塾也者，大夫致仕者之教於家，以淑其鄉之後進者也。《子衿》刺學校廢，而其詩曰：「縱我不往，子寧不來？」蓋其先生長者，見青青之衿佩，佻闥於城闕，閔然覬其來學于己。用見諸侯之學雖廢，而是時家塾猶有存者。至是而後知先王之澤遠矣。四海一家，文教遠暨，所在學校，不廢益盛。而山林僻遠，又有相帥爲書院，以教鄉之子弟，如富州同文書院者。此三代盛世之所有，而漢、唐以來之所罕見也。書院當南昌、進賢、臨川往來之衝，實爲舊豐城之東，地幽境勝，於藏修息游爲宜。李肖翁得屋於鄉之故家，帥同志共經營之以爲書院，凡鄉人子弟有志于學者，聚而教焉。又將買田以給生徒，而名其堂曰「集義」。肖翁及其同志之士周景純、徐汝用、蔡則名、蔡學爲、蔡學可，求予文以記之。余復于肖翁曰：「君之爲是舉也，義也，未至於集義也。自吾之立身行己，以至宇宙間當爲之事，皆義也。諸君皆有責焉。其自是一義而集之，使至於不可勝用可也。以是一事爲集義，未可也。抑吾有憂焉，科舉以取士，而壞士心者科舉，利祿爲之累也。學校以養士，而壞士心者學校，飲食爲之爭也。科舉未興，士得免於利祿之累，而士習猶未盡古，以猶有學校也。學校有田，本以養士，士果盡養乎？否也。學校設官，本以教士，又果有教乎？否也。子以爲學校之所謂教，與子之書院之所謂教，孰有益乎？吾非以學校爲可廢也，使主學校者以家塾爲心，則學校之弊，庶可革也。書院幸而無田，不以田也，有田則有爭，是集義者，廼所以集利也。士有志於讀書，不待養也。三代之學，未嘗有田也，子之欲買田也，爲久遠計也。嗟！夫文運之興衰，其非人力之所得爲也，必矣。斯文未喪，諸君世有賢子孫，書院必不廢也。以無田之學校，延不官之師儒，讀非科舉之書，他日以之應選舉者，所謂風俗淳一，運祚長久，終必賴之。嗟夫！余之望於集義之諸生也遠，諸生其勉之哉！」

慈和堂記

彭養直兄弟居龍江之濱，出共廛門之勞，入有養母之樂。玉田翁名其所居之堂曰「慈和」，取潘安仁《閑居賦》「壽觴舉，慈顔和」之語也。養直之弟恢道從余遊，以記請于余。余曰：母未有不慈，慈未有不和也。抑保有是和者難矣。詩曰：「妻子好合，如鼓瑟琴；兄弟既翕，和樂且湛。」子曰：「父母，其順矣乎。」妻子兄弟之間，一不得其天，而親之顔有不和者矣。爲人子者，登高臨深，足以危身；苟訾苟笑，足以召鬨。一舉動言笑之不謹，而親之顔有不可和者矣。而况以父母所生之體從于人，苟不得其所從，則爲親羞，貽親憂，爲人子者，可不慎諸？讀潘安仁《閑居賦》所以奉太夫人者，何所不有？板輿輕軒，何所不可遊？昆弟班白，兒童稚齒，何者不足樂？而比之匪人，望塵遥拜，能不爲太夫人羞？石友同歸，能不貽太夫人憂？不知此時之慈顔，和乎否也？科廢，士無可爲；役煩，民無所庇。後生習爲隨時知變之論，不惜其身。高者官，下者吏，得一付身，如捧毛檄，走趨庭下，爲隸甘心焉。辱固已甚矣。一日尻高呼暑，所以貽親憂者，又重可歎也。養直兄弟讀書養志，以孝友聞于鄉，又能因其先人之廬而葺之，庶幾肯堂者，故余爲之記。

野舟記

舟，濟川之具也，而横野焉，屈矣。雖然，以用言之，則横野不得如濟川。然而以用不用爲榮辱者，人也。若舟，則用不足爲榮，而不用不足爲辱。夫豈惟用不足爲榮，將用之辱，過於不用之辱多矣。舟之涉乎江湖而遇風濤也，大者檣傾楫摧，小者行乎湍瀨之間，木與石鬭，至於嚙食敝壞，然後補苴葺治，未及休息，旋復勞敝。而其蕭然於野水之外也，無是患也。爲舟謀者，與其用於江湖而勞乎？寧其棄於野水而逸乎？吾友朱成叔，明敏士，使其得用，豈減今世之士哉！而棄於此，而老於此，築室禾川古城之下，自號「野舟」。余偶過之，見成叔弄孫灌園，余喟然曰：「士不得志於世，如此亦足矣。」因爲成叔言有用之勞，不如無用之逸，以廣成叔之意。成叔笑曰：「子言是矣。雖然，用不用非吾所得爲也。使其用，吾得避風濤之患也邪？夫舟太用則敝，久而不用亦敝，我將處於有用無用之間。」余然後知成叔之未易量，而余言淺矣。併其説書之爲記。

水雲鄉記

去宜黄二十里，水繇黄山發源，盤折百餘里，至漳溪，與四山縈抱，是爲横舟譚公之藏，左爲漳溪書院。書院，横舟公子前武岡使君某廬墓所也。墓廬則其書院何？讀書，横舟公志也。書院有横舟祠，前有濠樂亭，横舟公所建。臨流觀魚，公之精神尚往來是間。山行可一里許，望青紅飛動、樓觀鬱然江滸者，水雲鄉也。鄉之門爲漳溪，又門爲江風山月。入門而右爲樓，俯大江。是鄉多山，得江輒清曠，使人意舒。而樓以高故，尤盡得清空之盛。樓下爲堂，曰「貯清」。下樓而右，門曰「振屐」，登山道也。行倦，喋喋欲據地，得擁高亭小憩。又上爲一碧亭，俯視士林，生意萬頃。士林者，譚士居焉。一碧亭既據高絶，天日霽清，盱山一筆出諸峰間，若自靖獻，以助士林之勝。下山又得息軒小憩。又行，得雪矼，雪矼狀如舟，飛瀑雨聲潺潺，聽之久，但覺身在舟中也。又行，入尋壑，涉略彴，爲流觴亭，壁擁丹霞，小有洞天。有泉出龍口，六月寒甚，不可近。又東過流春亭，亭壁湖，水光山色，融漾演迤。興盡而出，西過跨碧遠園之泉。由跨碧出于江，又西爲濯清堂，面池，月宵露曉，荷氣逼人，爽甚。又於池外爲方臺，高可數尋，外瞰倏碧，漁舫上下，前歌後答，可吟而不可畫。濯清西偏又爲亭，右上作古籀文「流杯」，益奇，視前所謂壁擁丹霞處，可俯也。每禊時，客衆分兩亭飛觴，笑呼聲相聞。又出而西爲道院，水竹幽遠，逢漁樵，心疑爲異人。瀑聲終夜如雨，不可睡。隔濯清盈盈一水間，有釣臺，而湖山水木，澮相輝映顧挹，是所謂水雲鄉已。是鄉自有宇宙以來，不過爲沮洳闒茸之區，耘夫蕘子躑躅其間，惡知所謂山水之勝哉？横舟老仙，疇昔深嗜，未及營度，有寧一丘，相望邇只。衣冠出游，歌舞作樂，遊者未必無意，而像室閒安，高堂邃宇，層臺累榭，川谷潺湲，又楚人所以招魂之道。武岡君思其所嗜，於此寄無思之思，豈如平泉金谷，但爲遊觀耳目之娱而已哉？武岡君既專此水雲，而其文墨又足以發之，故爲之書。武岡字公植，諱某，世爲宜黄人，梅屋其自號云。

秋界記

彭君高則扁其讀書之所曰「秋界」。余曰：「秋既清矣，而復界焉，不已隘乎？」曰：「非敢隘也。」古之君子，不幸而處乎濁世，所以自持其身者，不容不嚴，不容不辨。必聖如孔子，公山召，欲往，可；佛肸召，欲往，可；見南子亦可。自非聖人，遊於其間，鮮有不爲所污者。君子于此，寧爲伯夷，毋爲柳下惠。蓋過于清，不失爲君子；過于和，流入于小人。今吾立吾身于風塵之外、埃壒之表，猶懼其失足焉。若是而欲和其光，同其塵，有長樂老而已矣，此吾之所以不容不秋界也。」余聞君言禀然。世之不失足者鮮矣，其初以爲同流合污，乃處此世之法，而嘗試窺其籓，久則深入焉，而去吾界遠矣。高則隱居龍湖，以龍湖爲未深且密也，而又過江焉。蓋有意于辟世。世方擾擾聲利之場，决無爭子所者。如余者，無所容于斯世，方將從君曠浪之野，以分君一滴之秋，故爲秋界記之。庶幾他日遊君界中，不曰「不虞君之涉吾地」。

倦歸堂記

蕭同伯取山谷先生所賦其六世祖休亭語，名其堂曰「倦歸」，而屬予記之。余問於同伯曰：「君倦而後歸，不倦不歸也？」曰：「然。」「君力倦耶？」曰：「吾真心倦矣。」余曰：「未也，君未必倦也。吾知君所以倦者，方天下功名，在盛時，文士稍精於其技者，操數寸管，欲撼場屋，高科膴仕，談笑攫取公卿大夫之任，數日而取償於其君，何其易也！自試闈長碧苔，黄册飽銀蠹，往時舉子，大言斫月桂、登雲梯，兒童間見，問何語，使人欷歔不能對。武人稍誦七書，挽二石，亦可希當世用。天下既一，英雄無用武之地。陳簡故編，深藏遠屏，恐人指爲可疑可怪之物。酒酣扼腕，猨臂故健，而盃中無復蛇影矣。士又何必皆工時文、草駢儷、拾前人咳唾傳客諸公間？或學晚唐，約略近似，便足稱詩人，亦能撼動當路，黄金白璧，可指顧取。甚者近清光、被恩寵，往往而有之。今奏記簡略，一善書吏可辦。寒士苦吟，不滿一笑。雖才兼陳、阮，思出鮑、謝，安所售之？東南偪仄，然時方無事，何所不可飯魚羹？今荆州無劉表，遼東無公孫度，蜀無嚴武，出門適莽蒼，豺虎塞路，天下雖大，何行而可？雖欲不杜門裹足，自囚空山，蓋不可得矣。然則君之倦而歸也，天倦之也。不然，以君之意氣壓湖海，筆墨落儕輩，非文離疏，非兀者王駘，非叔山無趾，四方上下，談王説伯，何所不可？顧方嗒焉倦遊，幅巾野服，有慕於休亭之歸，此豈其心之所欲哉？」於是同伯聞吾言，大笑曰：「子言真能道人意。子之倦，毋乃亦類我乎？」余曰：「未也。天固倦君，而君歸矣。雖然，天不倦也。君見夫日乎？日之西而没也，以爲無日矣，將旦時，彼軋軋而東者，猶昨日也。由是而觀之，則自盤古開天，以至于今，天未始一息倦也。使天而倦，吾其魚矣。天下之大也，人物之衆也，是蒼蒼者，亦必有此。同伯今日之倦歸，庸知非造物者補汝黥、息汝劓，而將有所用之？未可知也。同伯其端居深念以待。」

學蜕記

嘗見丹家作蟬蜕圖，繇蜣蜋運丸九轉，而後脱殼以飛。其密改潛化，不可知其所以然。學之變化氣質，亦猶此矣。吾夫子之聖，變化氣質，非有待於學，然猶十年一化，而後至於從心所欲不踰矩之地。况學者氣質之偏，而可無學乎？學之蜕也，愚蜕明，柔蜕强，狠愎蜕爲温良，澆薄蜕爲忠厚，桀驁蜕爲謙遜，貪陋蜕爲潔廉，學之驗也。近世之學蜕異於是。自屈首受書，惟時文是急，樸拙蜕纖巧，重滯蜕輕便，鈍蜕敏，直蜕佞。苟能此道矣，即儒蜕官，官蜕盜，圭竇蜕爲甲第，緼袍蜕爲狐貉，簞瓢蜕爲鐘鼎，糟糠蜕爲姬姜。於是平陸蜕爲江海，人類蜕爲走飛，宗廟宫室蜕爲禾黍。吾言蜕何限？不欲言，不欲言矣。清江宋君大昌，名其齋曰「學蜕」。大昌之從子季任與余友，使余記之。余曰：「學如蜕，荀卿語也。其言則善，其學則非，不廢其言可也。學，所以復性也，而曰『性惡』；禮，學者之所當先也，而曰『禮僞』。性惡禮僞，尚何學？此其學所以一蜕而爲李斯與！科舉累人久矣。士欲舍科舉而專意義理，勢有所不能，科舉義理之學兩進，日有所不給。四海一，科舉畢，庸知非造物者爲諸賢蜕其蜣蜋之丸，而使之浮游塵埃之外耶？第恐學與科舉俱廢，則改化其形容，以蜕於彼者，更穢於蜣丸爾。大昌佳士，其所講必有超然俗學之外者，故願以文字定交焉。吾言俗矣，大昌其爲我蜕之。」

息庵記

胡君定甫營壽藏於永水之陽小江之上，而名其庵曰「息庵」，蓋取莊周「息我」之義，而屬余記之。按，息之義，止也，亦生也。止矣則何以生？惟止故生也。故氣之一呼一吸謂之息，是其止也，乃其所以爲生也。人惟過用其精神，故未白頭而已成翁，不終其天年而中道夭。是以老而佚，非佚也，血氣之衰耳；死而息，非息也，不得不息耳。若夫有道之士，未老而佚，可以無老；未死而息，可以無死。嘗試言之：夫人之生，其精神亦直幾何？善養生者，不必熊經鳥伸、呴噓呼吸，但一日之間，稍息其心，則神自還、氣自定，縱不能修之鍊之以至於長生，而其可以終其天年而不中道夭，可信不疑。悲夫，一世之人！其所以役其心者，何時已也？鷄鳴而爲利，旦晝而梏亡，使其神不得寧於其宫，其氣不得宿於其海，蟲飛薨薨，甘與同夢，方擾擾焉尹氏之爲僕。銅臺之歌舞未終，金穴之經營未厭，羲和走馬，倏忽百年。向之擾擾，竟何爲哉！竟何爲哉！定甫號雲心，雲固無心也，卷舒變化，知所止息。吾知定甫之息其心也久矣。修年未半，婚嫁先闬，弄孫抱甥，人事略備，菟裘餘暇，及此樂丘。我竹我松，手自封植。親賓載酒，永日笑談。定甫之所以息，乃定甫之所以生也。在《易》之「隨」，君子以嚮晦入宴息。定甫以暮年處暮世，有嚮晦之義焉。當此時也，退而宴息云爾。定甫之息，當作如是觀。劉伯倫「使人荷鍤」語，未應早計太甚。定甫達士，非有世俗之嫌，而吾方拳拳俾壽之祝者，朋友之情也，亦定甫賢子之志也。（清文淵閣四庫全書本《青山集》卷三）

詩人堂記

雲隱山人錢有常，學道而好吟，繪李、杜、蘇、黄像，置所居堂，又取唐宋詩佳句，書于壁，而名其堂曰「詩人堂」。或病之曰：「此龍太初之所以見訶於郭功甫者也，而君以之名堂，不已僭乎？」有常曰：「吾名堂之意不然，吾嗜詩，字於壁者，詩也，吾以人居其間。詩人云者，猶歐公六一意也。」於是屬余書其意，以爲記。嘗見五代《孫晟傳》，晟初爲廬山簡寂宫道士，好學有文，尤長於詩，畫唐詩人賈島像置於壁，晨夕事之，宫中人皆以爲妖。其後晟乃能以名節自見，其可傳，更有在詩外者。今之僭有常，非昔之妖孫晟者乎？詩人本非大聖大賢之稱，古之田夫野老、幽閨婦妾，皆詩人也。彼以詩人僭有常者，非也。有常辭詩而受人，又非余之所知也。詩可能也，人未易能也。孟子曰：「惟聖人然後可以踐形。」夫至於聖人，然後僅可以充人之形而無愧，詩之難能，未至若此也。近世士無四六時文之可爲，而爲詩者益衆，高者言《三百篇》，次者言《騷》、言《選》、言杜，出入韋、柳諸家，下者晚唐、江西。而夷考其人，衣冠之不改化者鮮矣。其幸而未至改化，葛巾野服，蕭然處士之容，而不以之望塵於城東馬隊之間者鮮矣。是雖山林介然自守之士，忍饑而長哦，抱膝而苦調，未嘗無之，然終不能勝彼之多且雄也。故今世詩多而人甚少，其少者必窮、必禍，雖有高古之詩，且將流落散逸，泯焉以無傳，甚可痛也。有常蕭然山水間，無求於世，研朱點《易》，掃地焚香，庶幾不失其所以爲人者。有能爲詩，以詠歌其情性，謂之詩人可也。如余者，迂疏骯髒，宜其不合於時，而獨爲有常輩之所厚。山中去君幸近，時時相從切磋，以學爲人，次學爲詩，要使百年之後，誦其詩、論其人，而無愧於此文。

樂此堂記

如是逸民名其所居之堂曰「樂此」，太初道人爲之書之。逸民請記於青山居士，居士曰：「志於富者，以金珠爲樂；志於貴者，以官爵爲樂；吾不知逸民所謂此者何樂也？」逸民曰：「吾知樂而已，而安能言之？天下之樂，樂莫樂乎此，『唯我與爾有是夫』，『是』亦此也；『吾斯之未能信』，『斯』亦此也。聖如孔子、賢如漆雕開不能言，而吾安能之？吾知樂此而已。謂之樂道，我何知道？謂之樂天，我何知天？吾昔者從諸公驅馳於功名，雖有一日從軍之樂，而苦亦備嘗之矣。今而後知此之爲樂也。吾入有綵侍之娛，出有棣華之韡；守先人之業，讀聖人之書；勗子婿以學，會賓友以文；吟吾詩，可以寫性情；涉吾園，可以觀生意；掃地焚香，啜茶觀畫；弄琴臨帖，投壺雅歌；丹經內典，瀟灑送日，吾以爲亦似足樂也。若彼之所謂樂者，吾不樂也。物無非彼，亦無非此。意者彼樂彼之樂，無以異於吾樂此之樂，而吾不能以此易彼也。」居士恍然驚，瞿然立，而曰：「果如君言，人患不知彼此之分爾。苟不知彼此之分，則認天下之至憂以爲樂者，有之矣。顏子『不改其樂』，先儒謂『其』字最當玩味，又教人尋顏子樂處，所謂其所樂處，即逸民之所謂此者歟？」逸民曰：「如是如是。」於是居士憑醉而歌之曰：「樂此樂此，此我所處。彼兮彼兮，我所恥兮。此樂此樂，此我所托。彼兮彼兮，我所薄兮。莫高匪山，莫深匪林，其此伊何，闕我德音。闕我德音，俾我也尋。」逸民侯氏俊叔，道人平遠趙公，居士趙某。大德庚子四月朔記。

江村記

胡端叔始居安城之北門，辟地三江橋，因自號江村。予問於端叔曰：「子樂之乎？」曰：「然。」予曰：「夫江村，則有足樂者矣。蓋世所謂吳淞、采石、武昌、南浦，江非不清，而闤闠之聲、歌舞之塵，率能敗人清意。至於深林幽谷、曖曖遠人之地，或不知有江焉。故江村雖非天下之奇觀，而亦隱者之勝趣也。雖然，荒沙斷岸，黄蘆苦竹，風艅雨檝，微茫杳靄，漁腔樵韻，自相酬答，而換魚沽酒，時時出於叢薄之間，好事者繪之以爲圖，苦吟者資之以爲詩，其實荒寒寂寞，人情所難堪者。夫昔之江村，猶未必樂，况今之江村，漁有租，舟有算，官徵長年駕萬斛，單衣叫嚣，鷗鷺辟易，穎茅卧壁，風啼雨嘯，漁童樵青，鶉衣鬼質，俯仰是間，所謂樂者惡在？端叔自妙年以筆力撼場屋，嘗一日三矢破的，使亡曹更待公孫彊，即玉堂霧窗，端叔平步矣。事不意遽至此，而端叔遂淹於此，懷奇匿秀，日與漁童蠻子相爾汝，行吟澤畔，能無慨然於此乎？」端叔曰：「吁！君何見之晚也。夫人生焉往而非寓耶？吾北門寓也，三江橋亦寓也，昔者吾祖由清江而徙此也，亦寓也。使吾果玉堂焉，亦寓也。造物者亦吾寓，而吾焉所逃之？夫吾之寓於江村也，則已過矣。滑王，王也，爲人灌園。東陵侯，侯也，賣瓜青門。王孫呻嚶於路隅，將軍困辱於南山，以至紇干山頭之歌，『水東流，朕西上』之歎，讀之使人欷歔流涕。當其盛時，亦豈不負黼憑玉，走趨臣民？而流離顛踣，一至於此。百年未滿，何所不有？即一士不得以功名自見，而釣魚閒處，復何所恨？願聖王在上，官無急徵，鄉無亂氓，吾以詩書訓子孫，爲江村幸民，則足矣。然皆非吾之所得爲也。吾視江村猶玉堂，玉堂猶江村也。」余然後知端叔之達，非余所及。（以上清文淵閣四庫全書本《青山集》卷四）

全元文卷三三五

趙文 五

樸齋記

樸者，《詩》、《書》、《語》、《孟》皆未之言，言質而已。樸與質近而異，質無文而已，樸又在乎文質之先，樸所以爲質者。吾友溧陽大夫周元粹，以樸名齋，故相文山公既書其扁，元粹以書來屬余記之。余謂元粹：「人生有六尺大患，誰能全此樸乎？君方少時，讀書爲文，擢科第，一行作吏，持手版，俯仰上官，朱墨勾稽版籍多少虛實之數，君之不得以全其樸也久矣。人生自青陽至黄髮，世故之累日深，則樸日散。自世變來，前日之浮者，未有不趨於實，此亦世道反樸之機也。然委曲以爲恭，貶損晦匿以自同於衆人，椎魯以爲無能，頹闒以爲真，敝車羸馬以爲儉，皆巧於避禍者也，彼豈誠樸者哉？憶與元粹裹飯試禮部，去今二十餘年，不惟人情與世事俱改，雖吾與君，敢謂不銷磨變化於世故邪！」元粹聞吾言，怫然曰：「如君言，則士之生於今者，皆不得全其樸矣乎？夫世變猶陰陽寒暑，而樸則太極也。吾遊於世變之中，而吾之樸者未嘗散；遊於陰陽寒暑之不齊，而太極未嘗不流行於其間，豈可謂今世無樸士？士固在所自處爾。」余聞其言，益敬君，既書以記君壁，亦以自警焉。

竹間記

予來朱溪，希程伯仲約余過所謂「竹間」。萬竹森峙如羣玉府，時時有璆鏘鳴聲，如古丈夫比肩立，或默，或語；如玉京山列僊，飄飖虛空之表。奇哉！然引目而遐矚，則天光四垂，平綠萬頃，溪山宛轉，各自靖獻，使人有「手揮五絃，目送飛鴻」意。然則希程之竹間，豈幽深有餘而不足于曠遠者哉！晉竹林七賢逃於酒以避，而王子猷號爲「此君」，最相好者。此人皆清澹放曠，無意當世。其竹間也，竹間而已。希程兄弟生乎功名之世，徜徉竹間，正恐未能忘情斯世也。故斯亭之作，立其身于幽深之所，而寄其目於曠遠之觀，吾豈敢以晉人之竹擬希程之竹哉！因思靈均處乎衆濁之世，清風高致，自愛如竹，而其遊目九州，亦非恝然斯世者，奈之何不得以如其心也！於是寄之《騷》辭曰：「余處幽篁兮終不見天。」余讀其語而悲之。今希程之竹間也，見天矣。天宇方開，二君雖欲爲孤竹之二子，得乎？乃作招隱之辭以徵二君，曰：

樂哉兮竹間，天風兮佩環，悵世氛兮如穢，我寧玉質兮朱殷。避我喧兮在此，子毋剝啄兮吾之關。君何爲兮竹間？浮雲去兮天青還。聯子鑣兮上征，俯萬玉兮溪灣。灑清風兮涼六合，歸來歸來兮視此竹無厚顏。

溪山勝處記

往時過西溪，訪融州公吟嘯處，愛其境趣幽絶，碧玉横陳，漁舟上下，有滄浪間意。江外諸山，翠色逼人，可拾爲和。壁間留題而去，至今夢寐，時到其處。許景翔遺予書，屬記溪山勝處。余於是嘆天於忠孝之報遠矣。吾鄉名園何限？十數年來，俱塵埃瓦礫，正使溪山未改，亦誰敢以勝處命之？惟西溪劉氏，非獨園亭亡恙，且爲祠，奉其祖衣冠嘗遊之處，日讀書賦詩其下，此吾鄉大家所無有也。因思渡江死事諸賢，各廟其地，官其子孫。融州之不得如諸賢，天也。而其子孫能守其園亭，又即其園亭奉祠之，讀其書，學其詩，天之報融州，豈不大彰明較著也哉！江清月寒，融州公騎鶴歸來，覽其溪山，見其子孫題詠，吾知公欣然一笑也。然則兹園非溪山之爲勝也，以融州忠義勝，以景翔之賢勝。景翔詩筆瑰麗，吾所敬服，益勉其所以爲人子孫者。則溪光山色，日異月新，此之謂溪山勝處。

山間記

山間張幼文書來，言：「吾居萬山間，有屋如掌，跼而入，僂而出，榛莽荒穢，不勝其敝。先生爲我藻飾而揭大之，何如？」余曰：「子居萬山間，萬山間固子之屋也，而子猶以爲隘乎？太虛之間而天地，天地之間而山，山之間而屋，固愈隘矣。而屋之間有子，子一身之間，有甚不隘者焉，蓋雖天地不足以爲容也。昔者，舜居深山之中，木石居，鹿豕遊，無以異於深山野人也。及其沛然若決江河，莫之能禦也，則非深山中之所能局也。苟非深山之所能局，則雖容膝之地，而不見其不足。如其不然，雖有千仞之臺，自達者觀之，積蘇累塊而已矣。且子生乎今之世，正使堂高數仞，榱題數尺，將皇皇焉不得其所安。而求萬山間居之，則虎夔藩盜騎屋無所逃而可。今子偃然官道之傍而不慴不避，視門外之覆車者歲千百，而子方傲兀吟嘯，自得於天地間。則以子之居之隘也，而子之不隘者，有力者之所不能奪也。孟子曰：『居天下之廣居。』此豈堂高數仞、榱題數尺之謂哉！」幼文喜曰：「得先生記，吾居大矣。」

秋堂記

所寄先生之季子道威，作堂於魁坊之西，名之曰「秋堂」，請記於余。惟君家自宮講公以來，勤勞竭蹷，以耕於詩書之田也久矣。世變以來，而翁昔者有秋之田，豈其子弗播弗穫，而水旱頻仍，雖異時力穡之氓，天實驅之不容不惰之域，甚則投耒改業，而止而痼，而轉執事，無所不可矣。惟樸拙無他技如余者，乃槁項黄馘，忍饑終日，斸石丘，墾旱塊，俯而耕，仰而望，而彼改業者，固已呀然笑之。今君獨拾而翁異時耕具，以耕於二十餘年不穫之田，非特改業者笑君，老甿亦憐君矣。雖然，未可知也。水於堯九年，旱於湯七年，九年七年之後，天亦且羞之厭之，今二十餘年矣。水旱之久者，一歲而收，其收必倍，非獨氣數之乘除，亦地力休息之久故也。今休息之久乎？未也。子且旦旦而耕之，水種山，旱甃井，或者一日而有秋，亦可以償子之勤也。自有是鄉以來，前乎此時，無魁坊也，未必敢意其有一日之獲穫者也。後乎此時，安知其不再魁坊也？而君家則常有之矣。雖然，古所謂學殖云者，豈必得志於科舉而後爲有秋哉！學之成，仁之熟，充然而得其所養，是吾之有秋也已。春秋之世而無科目，而顔子爲孔門四科第一人，是亦顔子之秋也。科有興廢，而是科無興廢也。待百畝之熟，而後無饑者，農夫也。若夫辟穀之士，彼且惡乎待哉？人人有嘉穀，人人可以有不饑者，而人不能耕之也。人人可以爲德行第一人，而人不能爲之也。道威堂有可養之親，案有可讀之書，樂哉乎，道威！

德行，内也；科目，外也。科目之興廢，未可知也。道威治其爲德行第一人者以待。

盤中記

自《盤谷序》重於世，而天下李氏之堂皆盤矣。季方之園曰盤中。夫有中則有外，吾自盤外來，風於舟，雪於陸，籧篨之局束，行李之跋涉，甚於昌黎之訪盤谷子。而馬頭溪深不可厲，借車載過水入箱也。吾過市焉，平旦爭門者，肩摩轂擊；售者揚，買者抑，操尺寸之物，不征，則吏且捽而縛之，喧呼嘈吸之聲塞於耳。倡坊酒市歌館噭噪，馬通穢塗，蜃氣腥骨，使人不樂。又過官府焉，大官踞坐以訶，百吏持獄以貨，雁往而鶩來，盱皇皇焉有慘戚愁悴之色。鹿畏虎，虎畏貙，貙畏羆，尻高呼暑者，嗷嗷於庭下，奚其樂？則又過佛老之宫焉，以爲天下言山林之樂者，無過於此矣。而來者買福，迎者徼利，撞鐘吹螺，步虚而哀鳴，晝夜不絶。至於爭職之崇卑，憂上之予奪，抑又甚焉。然後至於君之盤中，市聲不聞，官事不到，有山林之閑而無饑渴之累，溪山靜深，花竹娟好，清池躍魚，喬木停鶯。時方二月，想見嘉木繁陰，風霜水石，更有奇趣。君領客是中，箋詩觴酒，絃琴箭壺，掃地焚香，啜茶看畫。君有佳子弟，窗明几淨，讀書臨帖，樂哉乎盤中！吾非見盤外之不樂，亦不知君盤中之樂也。君徜徉是中，出是中跬步不可，出是中跬步，即苦海矣。或曰：「如子之説，則士之隱於盤中者，不復可盤外乎？」曰：「隱盤中，則專其樂於己，出盤外，則同其樂於人。未知季方意何如爾？」季方曰：「我與我周旋久，寧作我。」

竹易吟院記

立雪先生以詩文名江湖，以齒德尊鄉里。其子孟元克世其業，又能以竹推《易》四千九十六卦，諸公號之曰「竹易」。竹易既能詩，喜與四方能詩者遊，築室所居之匾，名曰「竹易吟院」，以待詩人之來者。蓋立雪翁之志，而四方豪傑之助也。吟院成，將勒助者氏名于石，而屬余記之。諸生有問余者曰：《易》者，聖人遺天下以決疑之書，而詩則人人所以自通其情性者也。故六藝中，《易》之去詩也最遠。今劉君名吟院而竹易之何？余曰：「詩之爲物，其作之也，亦必心閒無事而後能，未有擾擾焉，得失利害之中而能詩者也。」劉君吟院于此，水石花竹之勝，足以娱心；風雲月露之觀，足以卒歲。焉往而非詩者？君又時時取三聖人之書，與賓客居觀動省，知世俗之所爭、所羡，莫不有一定不易之數，而皇皇汲汲之無益。其亦可以息心于彼，而適吾之情性于此矣。吾觀三百篇中，其出于周公之所作者，皆沉着精詣，爲千古詩人之祖。吾夫子之詩，雖間見于傳記，而不見于經，其贊易也。文言小象，往往皆自然，叶于音韻，豈非妙理精義融液于方寸，而流動于筆舌，有不自知其然而然者歟？由此言之，竹易之有助于吟也，甚大。夫詩，豈特窮者之所以娱憂舒悲哉！窮而推敲于一室，吟院也。達而賡歌于廟堂，亦吟院也。有道者，聽天所命而安之，且夫天地間陰陽之唱和，亦大吟院也，而其理則備于《易》矣。既以答諸生，遂言于劉君，而爲之記。

塵外亭記

十年前，過甘泉訪復古，登所謂塵外亭者，意忻然，留居之。復古請余記，余謝未能，匆匆題老劉師畫像去。其後每見復古，必問記。去年冬，再過甘泉，適復古與其徒偕出。空山無人，白雲不驚，欲徑造塵外，不可得。歲晚，復古以書來謝，徵記益急。余問復古曰：「老子同塵，而子塵外何？」復古曰：「將無同。夫余也，雖在鴟鴉腐鼠之外，而不免猶在桐花竹實之中。我豈能不同塵哉？顧所以自立者不得不塵外。不同則爭，過同則流。同塵，外也；塵外，內也。如此而後於道爲無敝。且人亦安能得塵外而居之？吾道家以一世爲一塵，而佛氏亦以積塵成世界。吾嘗於日之過隙驗之，世何往非塵也？莊周以野馬塵埃爲生物之息相吹，又以爲天之蒼蒼非正色，下之視蒼蒼，正猶上之視相吹者。信斯言也，則雖九萬里之上，亦未見其果塵外，而吾安得塵外而居之？雖然，自其同者觀之，我且有塵外乎哉？自其不同者觀之，我獨且無塵外乎哉？終南，天下之名山也，盧藏用居之，則與朝市無異。四皓隱商山，商山乃近楚漢，跳兵走馬之地。由此言之，一念之靜，城市未嘗非塵外；一念之擾，山林正未得爲塵外」。余聞而異之。昔人固有風流醖藉，明珠白璧，驚動市人，而望塵遥拜。胸中之塵何如也？至神仙中人，往往鶉衣垢容，膚如敗革，日行於市，市人不識也。吾與復古游，復古溫然色笑，若庸衆然，不知其胸中謂我何如？然觀復古拳拳求余一言揭之壓外，余亦可以自賀矣。遂書其語爲記。復古朱氏，名遂初，號溪堂，好學而善爲詩。

梅間記

人不可不擇所處矣。莊嶽之間能齊語，洙泗之間有魯道。出入兵間則知兵，浮湛俗間則諧俗。播間者賤，河間者污，桑間者荒，屠間者俠。人不可不擇所處矣。吾友劉公麟屋于梅花之下，自號「梅間」。想見歲晚花時，如空江雪月，浩蕩宇宙，而君以清絶之姿，翩翩其間。奇哉！梅有君子之道四焉：其香也清；其色也貞；不屈於霜雪之中，節操古；不溷於桃李之場，標致高。是故以吟者尚其花，以用者尚其實。君朝夕周旋其間，所以薰其德者多矣。抑君周旋是間，必有以稱是梅也然後可。江南吟始于范蔚宗，而盛于林和靖，清風雅韻，置之暗香疎影間，宜無愧色。蔚宗大節羞梅多矣，折寄隴頭，正恐梅嗔君手汙吾香爾。梅間豈易居哉？語有之：「與善人居，如入芝蘭之室；與不善人居，如入鮑魚之肆。」世謂《離騷》不言梅，夫《離騷》焉往而非梅哉？「滋蘭樹蕙」、「畦留夷與揭車」、「扈江蘺與辟芷」，悉數之不能終其物。衆芳所在，是不謂之梅間哉？今公麟之居是間也，所與處者必雅人，必莊士，所往來必元方、康成之間，所談論，必子房、季札之間，雖無梅，而謂之梅間可也。使公麟所與處者或不然，雖庾嶺爲家，羅浮爲宫，即無異鮑魚之肆矣。夫人不可以不擇所處，尤不可以不擇所與哉！公麟天分高，年事妙，斂華就實，吾方有望焉。吾惟甚愛公麟，而後有是言也。

梅間後記

劉公麟作亭於居之東偏，環植以梅，牓曰「梅間」。梅之爲花，不與桃李爭春，而獨立於窮冬風雪之中。其孤高芳潔，有類乎君子之操。是梅間者，君子之林也。夫人之自修，未有以驗其進否也。惟立于衆君子之間，而後知自修之難也。是亭梅間，居是間者，必其孤高芳潔，肖是梅也而後可。苟無以肖是梅，則我之與梅不相似者，亦甚易見也。天荒歲老，霜月如江，君以修潔之姿立羣玉間，儼然衆君子之玉立乎其側。是梅爲君進德之助多矣！夫梅之未花也，人見其索然枯而已，不知其日夜之所息，皆所以爲後之花與實者也。《詩》不云乎？「山有嘉卉，侯栗侯梅，廢爲殘賊，莫知其由」。梅固美才也，使其未花之先而殘賊之，梅欲花得乎？夫惟毋害其日夜之所息，故能爲玉爲雪，皎然獨立於凝陰沍寒之中，以至成實而有用者，皆其終歲之所養也。公麟居是間，以是思之，則其所以待乎歲寒者，有當用其力者矣。公麟請余記之，余曰：「公麟，記之！」

寶慶堂記

以國之紀年名其私室，未之前聞也。吾於蕭氏之名堂也有感矣。蓋濟國之祖晉卿，以醫客丞相益國周文忠公門下，後從通直守瑞陽，牒爲職醫，有官稱。時節拜表，上壽襴幞，從諸公後。一醫士，起閭巷得此，亦足自慰矣。職醫居市南，作堂名「寶慶」，記歲月，感上恩也。又五十有二年，而濟國徙于市之西，作堂不敢易其舊名，鍾儀操土風意也。吾於子重有感矣。代之廢興，何國蔑有？抑凡今之宅宅田田，長子老孫，孰非涵煦百年之澤？而能知之、而能言之者鮮矣。學士大夫高臺深池、撞鐘舞女以樂其平生，其不負所事幾人？地下之朝燭，已非天上之賜金，無恙子孫、高馬達官，胥此焉出，而孰知其所自來？異時大扁穹碑，類無不鑱去紀年，如辟大禁。而閭閻白屋讀岐黃之書者，乃不忘其祖如此哉！吾於子重有感矣。濟國之醫也，不翅三世矣。其父舜舉嘗刲股愈其母疾，母九十六而終。濟國厚施薄取，如其先人，亦嘗急其父病，股刲焉。噫！可謂難也已。余觀自古醫家，惟徐文伯兄弟子孫，貴盛五世，其餘大倉公無子，扁鵲、華佗不良死，不聞有後。蓋倉公不爲人治病，病家怨之；扁鵲隨時變易其術以規利；華佗晚以醫爲悔，雖曹操召之尚不往。心源厚薄之感，良不爽哉！《易》曰「食舊德」，《書》曰「邁種德」。濟國今日之所食者，舊德也，又邁種之，則寶慶堂之慶，將愈遠矣。濟國請書之堂壁爲記。

及幼堂記

劉季恭業扁鵲入秦之術，而名其堂曰「及幼」，鄉人皆稱之曰「及幼」。及幼之子景雲與余善，余過景雲，及幼翁季恭飲我於及幼堂之上。余愛是翁恂恂焉篤實人也，忻然爲記之。人亦孰無幼幼之心哉？自往時士大夫以至田野委巷之人，朝營暮度，厚積多藏，腴田甲第，銅陵金穴，龍陽之橘，平泉之石，亦孰不欲以遺其子孫哉！誠使推此心以及人，即去仁不遠矣，奈何其不然也。於是有瘠人以肥己者，始欲爲吾子孫計，而百年之後，高臺忽傾，曲池忽平，嚮之瑤環瑜珥肌肉玉雪者，不垢形敝衣傭丐於人者鮮矣。吾嘗謂使曹操推哭倉舒之心，以及孔文舉二子，即孔文舉二子可以無死；使宋齊丘視讓皇百口如暮年所失一兒，亦何至貽「李家明紙鳶」之詩之笑哉！夫醫難，於幼者尤難，食焉而不能知其節也，啼焉而不能通其意也。古人云：「若保赤子，心誠求之。」赤子之所欲，未易求也，惟心誠可以求之。推是心以爲醫，則以醫師之任，兼保母之慈，自非恂恂篤實如季恭，鮮有不厭且倦，而孟浪試之者，厭倦之心起而孟浪之術試，則人之幼有不得其生者矣！彼於其子若孫，必不厭且倦也。若之何？其不肯推是心以及人也。左師觸聾有言：「丈夫愛幼子甚於婦人。」夫豈惟人？將天之愛其子也，亦於其幼者爲尤甚。人能推幼幼之心以及人之幼；天亦必推幼幼之心以及其幼，理之固然，無足疑者。吾觀季恭子孫，皆足興其家者，意者其天之所及也耶！故欣然爲之記。

亦政堂記

政伯自少時鬬雞、走狗、六博、蹴踘，以豪舉聞江湖。既老無復江湖意。客至則飲，飲則歌，如色衣中珠，本性終在。余特有所甚愛政伯者，與人言是非可否如破竹，人亦知其公直，皆心服無異詞。吾又有甚敬政伯者，政伯撫其弟諸孤，同爨二十年，吾每過政伯，諸少玉立，不知孰爲政伯子，孰爲姪也。人固有力厚於政伯者，學士大夫能言有政伯所不及者，聞政伯所爲，能盡無愧否乎？政伯質直，未嘗有所自號。諸公交政伯之久，余謂今世例以雅號行，雖政伯自謙，而朋友愛賢，後生敬老，不當爾也。夫子之言曰：惟孝友于兄弟，是亦爲政。古稱家齊而後國治，家正未易齊，家苟齊矣，推之於國而準爾。吾故名政伯所居之堂曰「亦政」，而爲之記。以記請於余者多矣，余不能作也，乃自爲政伯號而記之。佛言「非衆生請我發心，我自爲衆生作」。不請之友於余記亦政堂亦然。後之讀吾文者，知政伯有才不用爲可惜；而聞政伯之風者，不孝不友之習亦可以少變乎！

空同記

以一身立於空虛之中，所見無非空者，而儒者獨諱言空。諱言空，以釋氏言空故。吾言空，與釋氏異。釋氏以空爲無，吾以空爲有；釋氏以空爲虛，吾以空爲實。嘗試觀之：虚空之中，青天白日之皎然，而雷霆風雨忽焉彌滿。俄而忽焉彌滿者，卒歸於無有，而起視天地之間，山川草木，莫不津津焉有自得之色，而枝葉華實，各自靖獻。吾然後知太空至有也，至實也，而太空卒不自有、不自實。惟其不自有，所以能有；惟其不自實，所以至實。古之聖賢，其隱而未當世用也，退然若無能者。及其措之事業，遠可以爲萬世法。至於功成而去，油然無矜容。蓋世之所稱伊尹、太公之倫，使其不遇主見用，人亦以爲耕釣之末而已爾，而豈謂其有經世之抱負哉！後之君子，其未試也，沛然自以爲有餘。而其小有所成就也，哆然不啻至足。故其功名事業雖有出於人，其去太空也遠矣。吾友李希元，當其少年，蓋嘗有志於當世之故。而今則老矣，於是焉退而題其讀書之處曰「空同」。空同，正自有意也。人才以用乃見，而希元未用也。余懼來世將不知空同所以爲空同者，故爲之記。夫太空能爲雷雨，而世有七年之旱，則有制之者矣。而其於太空之體，正自何以益損？未知太空猶有所待乎吾文耶？希元得吾文，可以逌然而一笑也。

天覺記

言覺自伊尹始，伊尹曰：「予天民之先覺也，予將以斯道覺斯民也。」人非伊尹，誰敢以天民先覺自處？得民于伊尹之時，而受覺焉幸矣！雖然，伊尹不常有于天下，而民未嘗不覺，則天覺之也。

《詩》曰：「天之牖民。」使民必待伊尹而後覺，則民之不遇伊尹者，終不覺矣。孔孟拳拳焉以其覺民之道而筆之書，亦憂未覺之民不能常與吾身遇也。顔子在孔門最爲高弟，而夫子稱其不貳過，則顔子常過矣。過而不貳，則一過不害其爲顔子也。顔子之識，異乎凡民，夫子之覺，聖於伊尹，顔子一過而不貳焉宜也。此顔子之覺也。嘗竊怪夫鄭莊之念母，秦穆之誓師，馮婦之爲士，周處之折節，彼非有大聖賢焉爲之先後，而其愧悔之意，發之由衷，不可以已，是果誰爲之也？非天覺之而誰也！人人有天，則人人能覺，其未覺者，未遇天爾。人將曰：「吾遇天難，遇則覺，覺則賢，賢則聖，學者平日讀孔孟之書，不幸有一事之過，幸而一念之動，即遇天焉而覺之，是亦可以自賀矣」。清江聶燚昭仲告余曰：「先師霽野劉先生嘗字吾齋曰『天覺』，燚也未及請其説也，今又得事先生，先生爲我記之，燚將終身不忘焉。」因爲言天覺之説，燚唯唯。重爲告曰：天能覺子，不能使子無貳過，不貳在子。夫子稱顔子有不善，未嘗不知，知之未嘗復行。今子之覺也，知也，知而未嘗復行，斯謂之「不遠復」，斯可以「無祇悔，元吉」。燚乎，謹識之哉！

觀遠齋記

故相信國公草書「遠觀」二字，筆勢神俊，見者以爲飛仙化人作也。亂後，字既流落，故人顔子俞得之，易置爲「觀遠」，榜于其齋之楣。有問於予者曰：「遠觀、觀遠何如？」予曰：「遠觀，誠者，天之道也；觀遠，思誠者，人之道也。子俞之名齋，主於教子，故不曰遠觀，而曰觀遠也。」子俞屬余記觀遠，嘗試言之。莊周曰：「風憐目，目憐心。」夫風蓬蓬然而起也，其起也有漸，而至也有極，當其刁刁調調之末，亦有時而不能至矣。而吾登高而望，雖天際之遠，一舉目而至之，有不待起此至彼之漸也。然目力則誠遠於風矣。脱有一山之隔、一雲之礙，猶無見也。而吾心之爲心，前萬古之已往，後萬古之方來，六合之外，思之即至。雖離婁之目，萬此不能及矣。是故風之行遠，不如目之觀遠；目之觀遠，又不如心之觀遠也。上智觀于百世，中智觀于百年，又近者觀于十數年、四三年，而愚者不見於目前旦暮之間，豈不惑哉！當其目前旦暮之得志，大者鄒嶧之石，小者郿塢之金，豈不欲以誇一時而傳後代？而不知高明之士固已逌然而笑之。由今追迹其行事，盛衰反覆，史傳十數行耳。當其人得志時，豈謂一日之如此哉！而世之淺見之士，猶謂勢利之可貪而可以久，而欲折節改業以從彼者，皆可哀也。顔氏之子之讀書於此也，學而何所仕也，仕而何所爲也，能不來旁觀之笑乎？雖然，願諸君之觀於其遠也。仰而觀之天，去地八萬里之上，未必無意也。俯而觀之四方，萬里之廣，未必無人也。上而觀之已往，不知其何所始；下而觀之方來，不知其何所終也。故觀于其近而已，則世之人力誠若足以加乎天地，而觀於其遠，則不惟人事之得喪不足恃，雖天地猶不足恃也，而曾是目前旦暮之羨哉！且獨不見夫楣間之書此者，由世俗觀之，其人之所爲，謂之迂可也，謂之愚可也。而其筆墨猶能使人寶而藏之者，何豈惟斯！今將百世之後，陵谷易位，其書既雷霆取將。而望其碑，思其人者，愈久而方新也。士亦何可不爲久遠計哉？顔氏諸少多才，吾與子俞老矣，望諸少甚遠。

核齋記

余爲童子時，先生授之《易》，至《剥》上九「碩果不食」，先生曰：「五陽剥矣，而一陽獨存於上，譬之風霜剥落之餘，而碩大之果獨存，生意又寄於此。」某曰：「取果，人也，非風霜也，風霜固所以熟果也，果熟而人盡取之，明年未嘗無果。何故？」先生無以答，則曰：「童子嘗試言之。」某曰：「生意寄於碩果，此以果中之核言也，如以核，不得以風霜比之。以風霜比此，根喻也，非核喻也。風霜落葉而根無恙，來歲之生意自然如故。以風霜比者，根喻也。今夫果自有種以來，樹之伐者不知其幾，而留至於今者，核傳也。根止於一樹而已，核之生意又無窮也，此碩果之所以妙也。」先生可之。彭君仁聚讀昔之所曰「核齋」，因舉兒時與先生問答語告，核齋不覺一慨。君自世變來，所遭豈獨風霜剥落之比？雖然，君姑謹藏是核，俟其時而種之可也。昔者，吾夫子道不行於天下，而藏其核於六經。至秦，諸儒又取孔子所藏者而藏之屋壁，得不焚、不朽。至漢而後種之。其間老佛之徒蠹其果，而不能蝕其核。傳至於今，核無恙也。君謹藏之而已，非其時勿種，非其地勿種。（以上清文淵閣四庫全書本《青山集》卷四）

全元文卷三三六

趙　文　六

文昌閣記

文昌閣者，故丞相文公所書梓潼元皇帝君之閣也。梓潼神，相傳以爲士之貢舉隸焉，以故科舉士多奉之，而其祀始被於東南。予讀其化書，自言其或爲神，或爲人，凡七十有三化。他日，神又降，又言益二十一化爲九十四化。其爲神不可知，其爲人必世所謂忠臣孝子。其書所云如此，異甚。予嘗思之：通宇宙一氣耳。天地間正氣之所在，幽則爲鬼神，而明則復爲人。其爲人也，不爲忠臣，必爲孝子。雖越宇宙而一日，合聖賢而一人可也。吾夫子不語怪神，蓋欲學者道其常，而不溺於其變，知其所可知，而不必求其所不可知，而豈并與其理而無之哉？神以忠孝一念上通乎天，端受帝命，典司下土，遏惡揚善，何所不總？而天曹桂籍曰「隸攸司」，杳冥荒忽，似難致詰。然自唐以來，科舉取士，號稱得人，爲國名臣，前後相望，非神所相，人豈其能？往時科舉探籌，學校傳舍，士大夫致身貴富，卒負君父者亦多矣。夫獨于科舉學校將廢之際，則有傑人魁士迭生其間，譬之滄海欲竭而至寶横陳，以爲數百年崇重斯文之報。雖嶔崟歷落，可爲流涕，然天地得不壓不墜，人類得不盡死滅，尚賴有此。嗚呼！此豈偶然之故哉？至此而後，知神之功大矣。夫神豈惟能相之而出之，將是英英者未必非神之所化，而人莫之知也。由七十三化，廣而爲九十四化，吾意九十四化之後，又不知其幾化也。吾黨之士登斯閣者，試以是思之，則其所以視吾身者，有不容自薄者矣。而豈直區區科舉興廢之感而已哉！廬陵洞真觀道士蕭紹宣，始建閣於觀之左廡閣之下，爲堂曰「桂籍」。由閣之左爲複道，登仙珍閣，由仙珍登三元閣，由三元而西曰春雷閣，紆徐宛轉，步者如仙。閣之建，實景定癸亥云。今年春，予來洞真，紹宣拳拳請書其事于石。世既不復貢舉，而紹宣亦非有聲利之求者，其忠於事神，果何所爲哉！吾以此知人心果好德也。故樂爲之書，而并作迎神、送神之詞，曰：

君何爲兮跨白騾，儼冠帶兮仙之儒，跨君騾兮何所？蜀天昏兮愁杜宇，辛夷楣兮桂桷，胡不歸來兮君之閣？孰思兮在楣，若有人兮呵護之。告雷師兮勿余取，嗟東南兮惟此。一縷晨鐘兮暮皷，椒糈芬兮未極，日晻晻兮將夕。蜀山迎兮如雲，來不可見兮去不可聞，超埃風兮徙倚。我所思兮夫君。

融州使君竹所劉公祠堂記

祠堂古也，祠於家矣，而復祠於生平游息之地何？子孫之志也；其志何？傷之也。以是爲無所不用其情焉爾。蓋融州使君竹所劉公之歿於桂林也，子孫無所於葬，即桂林招魂，而葬其衣冠於鳳臺山，未知其魂之安否也。故祠之家，又祠之西溪。西溪，公生平游息之地也。漢之原廟議禮者猶非之，祠而復祠，不幾於原祠乎？君子哀其志焉爾。古之復者，於其平生游息之地，門館廄庫，無不致其禱，是祠也有復道焉。故君子哀其志焉爾。初，公之自融領義師赴桂林也，廣西經略使馬塈留公共爲城守計，公晝夜畢力。城且陷，公知必不免，取笏書其上云云。晨起登城，北面再拜，已以袍笏埋之。僕請行，公毅然曰：「我當死此，汝歸告我子若孫，吾家三世受國厚恩，吾得死所矣。」竟死烈焰中，悲夫！天地革命，吾廬陵死者三人焉。丞相文山公、太守竹所公、寳慶通判曾公如驥。曾公葬，文山公得骨於餘燼歸葬，劉公無所可葬，視文山更慘矣。然文山公子既死，子姪故山、泉石，皆籍于官，雖欲把茅以祠之得乎？融州無所可葬，獨平生游息處幸無恙。子孫歲時伏臘，猶能一龕朝夕奉祠公，此文山公之所無有也。死而死爾，亦何計乎他日之祠與否？而數之乘除，亦若有非偶然者，可感也。前代死事者，事平，得即祠其所，以及其鄉校，見謚「忠」、「烈」、「節」、「愍」。天命維新，異代死節之臣，爲頑、爲賊，誰能慨然揭大公至正之道以風厲天下！其子孫賢者，猶能幽憂隱痛，恨其先世之泯滅而無傳；其不令子孫至諱其事，而不敢道矣。由此言之，融州之有祠，復有祠，天之所以報融州者厚矣。公生平於文山公最相好，文山入湘，過公安城，傾倒連日。天下有事，各自靖獻。兩公握手九京，無復恨也。西溪在公所居西偏，江聲山色，烟鐘月艇，致有佳趣。春朝秋夕，魂兮歸來，尚見子孫詩書之盛，其亦足以自慰也。公名子薦，字貢伯，其世家居官，政事德業在家傳。予故於此獨志其子孫立祠之意云。

七逸畫記

集賢侍讀學士河東李公出守清江，政事之暇，日與方外友無心段道恮、石田李允一、石崖黄介然、海印竺世發、三會劉師復、青山趙某游，時時行江路，過瑞筠山觀竹，或訪百花洲、高平橋，看柳賦詩而歸。清江人謂之「七逸」，豫章黄珂爲之圖。有問於某者曰：「古之所謂逸民者，不必皆隱逸之士也。柳下惠以官則士師，以采則柳下，而夫子以逸民稱之，以其超然世俗之外也。晉竹林亦七賢也，而顔延年止詠五君，以山、王貴盛，不得與於斯。今集賢公能使六人者不知其爲貴盛之人也，而與之游，則必集賢公有以得此於六人也。」汲黯曰：『使大將軍有揖客，不愈重乎？』大將軍未重也，大將軍有揖客，乃足爲大將軍重耳。後之觀此圖者指而曰：『天下功名之士，出李公門者豈少哉？而有是六人焉，乃足爲集賢重也。』既以對客，復書其語，記七逸畫後，且用《桃花源記》例，爲詩以繫之云：

清江佳山水，勝日得遨遊。爲客安且閑，意行倦即休。使君豈無事？行散如我儔。麥熟雨及時，暫釋民饑憂。父老亦欣喜，使君得夷猶。古來山水樂，貴者不自由。旁扶與前儐，吏卒遮道周。魚鳥見我藏，亦有樂意不？使君得天趣，拄杖却從騶。六客喜相語，使君真我流。詩成亦偶然，或似韋蘇州。全勝山襄陽，醉倒習池頭。（以上清文淵閣四庫全書本《青山集》卷四）

葛仙壇記

武功距安成百里許，其山自萍鄉諸山蜿蜒而來，特起二峰曰「瀘」曰「瀟」。武功當二峰之中，高聳而員鋭；博大而頂平，號爲三奇。然二峰之水，皆出其麓，瀟水南流入於洞庭，瀘水東流匯於彭蠡，此吳楚所以分也。獨武功之水出於其頂，濆激潏瀑，池面如芙蕖，聞人語則愈出。池旁有石臼人跡，相傳爲葛仙煉丹池。葛仙名洪，晉勾漏令，學仙於此，丹成，往閣皂山去，此其遺跡也。其山初與瀘、瀟同名。晉時，有蜀人姓武者，夫婦南來，求修煉之所，夫止瀘、瀟，婦止西昌之武岡；後皆同日化去。故鄉人以武功名兹山，而呼岡爲武姥。至陳武帝時，侯景逼梁主於臺城，帝從始興人援，駐兵西昌，楚人歐陽頠由長沙率一軍間道赴義，夢仙者揖曰：「吾家西昌，而寓於此，公興師助順，當爲公先驅。」頠以報帝，曰：「此武功之讖也。」遂進兵下鄱陽，入金陵，平景。後受梁禪，即帝位，遣人齎香帛祀焉，遂更名武功。山南有大小二箕峰，亦員淨聳削可愛；其北爲雷巖，壁立萬仞，雲雨皆出其下。觀者側足倒視，毛髮盡聳。環四山之麓，凡五百餘里，多寒藤古木，陰鬱葱蒨。地產名藥奇禽，他所無者而此有之。壇處山巔，舊有石巖，後人磊石成之。每霜降木落，有金燈萬炬，浮空而下，旋繞壇界而去。豈仙人有時而聚會也歟？四方之士，聞其靈異，賫糧倍程禮謁，禱祀鮮弗應者。宋時貳令彭龜年以禱雨拜壇下，立應，書石爲紀；又信國文公之尊甫，嘗躬禖於此，後丞相生而有紫氣之兆，逮長魁天下，書「葛仙壇」三大字，以額茲山，昭靈貺也。然則武功之感應，古今相傳，非一日矣。予弱冠與同宗趙原陽羽士曾塵外遨遊，集雲行宮，觀瓊海白玉蟾真跡，留三日別去。今踰寒暑二十年奇，而進士劉雲章與同宗趙墤、邑儒周南瑞來約，以秋仲如期皆至。升壇禮畢，躋峰頂而望焉。是日小霽，極目吳楚，皆蒼茫雲靄間，渺焉莫辨。其亦乏孔顏之明，不然，則予衰也久矣。亭午將下，有道流迎謁言：「新創圖坪，甚整飭，候往棲焉。」詢之姓名，爲史谷蟾，其世蓋平章天澤之裔孫也。當元社既屋之後，聲光稍斂，故沉晦於此。然觀其風神道貌，信非凡品可及，葛仙之灑掃可繼矣。復爲留信宿，將別，指丞相所書壇額徵記，予不能辭，爲原茲山啓蹟之由，而書之於壁，俾來者考焉。

定光堂鐘銘

云何成此鐘？四大假合故。未鑄此鐘前，鐘聲竟何在？鐘成未叩擊，聲亦於何有？鐘有鳴不鳴，聞性則常在。人人有聞性，性復因聞往。聞性周法界，而我性不動。是以無不聞，而實無所聞。是名爲定光，亦由是定故。我願聞鐘人，普得一切度。欲證定光佛，當作如是觀。

歐陽氏藏易贊

嘗怪秦人焚滅典籍，而《易》獨存。或謂以卜筮存，非也。《易》之書幽贊於神明，意其所在，亦必有神明焉扶持之爾。吾鄉前輩學易先生歐陽叔子，平生自《易》外，無他嗜好。見《易》輒買之，不可買則借本，晝夜抄寫不倦。亂後，其子振祖遷徙無常，家具十喪七八，獨《易》無恙。吾然後知秦人焚書而《易》得免者，非獨以卜筮故也。叔子苦學無成，年六十有三以卒。生平嗜酒，好客，寫黄體絶工，手抄書雖累數十卷，首末一致。振祖之子紹、楚，皆能世其業。歐陽氏之《易》，其傳未艾也。作歐陽氏藏《易》贊，曰：

龍馬負圖，出於靈河。維《易》之初，後聖有作。以卜以筮，兹《易》之粗。《易》之所在，有神明焉。爲之儲胥，羲文周孔。三聖人者，以附以疏。秦人焚書，《易》獨得免。煨燼之餘，歐餘山陽。曰叔子父，鄉之先儒。藏《易》之多，遺其子孫。耕穫菑畬，昆明墨灰。彌滿六谷，此書屹如。咨爾後人，是振是紹。匵而藏諸，我作銘詩。以識其藏，東序河圖。於千萬年，若漢儒林，歐陽之書。

重修萬載縣學碑記

萬載在袁諸邑最僻遠，然其俗最質直近道。亦以僻遠，故有以教之，皆愛人易使。而縣學自比年荒雜弗治，饕者割據前廡，職員多取便城闕、山林士亦不屑居。兵後，户撤器空，殆同廢寺，游食其間，士俗莫辨。至元二十四年春，按察僉事樸隱趙公行部至邑，慨儒籍之不明而學政之不修也，鎮試覈士，選衆舉官，學有書聲，邑有儒服，而學宫敝陋，營葺繁費，無所從出，徒以得存空名爲幸。元貞元年四月，教諭安城尹君槐甫至，顧瞻歎曰：「是寧不在我？」先是戟門之東，西廡之北，地勢各闕，方隅以東民地，北官地也。君始盡得其地之屬於公私者，新修戟門七間，兩廡十有八間，端直軒豁，以至爐亭、齋廳，皆始創建，而講堂、祠堂、齋舍，莫不因其舊而新之。則又重修禮殿，增培學基。又曰：學以爲諸生講讀地。雖然，無以養之，則士且散。學故有土田，自宋末爲職事人潛鬻，且去其籍，歲收米五十七斛止。君經營再歲，悉得其質劑，一月之間，得逸租且過其半，租鈔視前比亦增倍十有奇，則以所復米鈔，新祭器與凡學之用器。分司官僉事公來，周視新學，且閲復田本末而嘉之。於是，槐甫書來請記，且曰：「凡是學之新，與夫學田之復，非我也，縣官主張力也，與吾同爲教諭者張君孟堅也。槐甫何力之有焉？」吾然後知君過人遠矣。自古守令必以教化爲先務，教化又以學校爲先務，今世守令知恤此者鮮矣。是邑大夫獨能於簿書期會之中，急詩書禮樂之化，此謂知本。一宜書學，學官所當修葺，書生徒手舉事，能者不矜，賢者不忌，以克有成，雖意氣號召，尚吾聖人綏來動和之，餘澤亦不易哉！二宜書役，不煩民，諸生之有力者相勸成其事，學成而民始知。三宜書某，既書其事，復諗於衆。曰：昔者，天造草昧之初，吾黨之士謂且無所於學矣。天涵地育嘉惠爾，多士乃惟時其設官教爾，乃惟時使臣按臨勉勵爾。諸生有籍爲儒，得免征徭，與民伍，異專其力於詩書，以待上之選舉，幸也。是邑又得賢大夫良師儒新爾、宫復爾。田爲教養計，凡若此者，將以何望學者邑之學也，其教也，邑之民皆與焉，非教於學之内而已也。士者民之秀，士有所教養而相率爲君子之歸，使邑有所矜式。是所以教一邑已，則又使鄰封聞者感動。興於禮樂，助成一代熙洽之化。士固有以一家一鄉變天下者，而況一邑之學乎！此上之人所望於士，而亦士分内事也。如其荒嬉不事，朝夕爭於尋常，以羞其上，此非上之人。所以崇重學校，宗主儒道之初意也。諸生咸願刻其語，俾勿壞。（以上清文淵閣四庫全書本《青山集》卷五）

向薌林祠記

臨江先賢祠，薌林向公與焉。迺大德戊戌河東李侯某以集賢侍讀學士出守，又於公所居百花洲祠之，是原祠也。其原祠何感也？按向公諱子諲，字伯共，鄆之須城人，丞相文簡公四世孫也。雖以椒房入仕，衆咸推其文學。靖康末，漕淮南時，張邦昌僭號嗜利，亡恥者靡然從之。公聞，下廬州麋其家屬。未幾，邦昌反正列於三公，公上疏引避，不得請。朝廷亦竟出邦昌長沙，以死江左。中興，公移帥長沙，長沙再失守。久之，公亦厭世紛，上疏引年，遂以户部侍郎致仕。過清江，愛其山水之勝家焉，園林爲一郡甲。御賜舟曰「泛宅」，公蕭然山水間者十五年，其出處本末如此。公平生大節槩可稱，又起戚里能以文墨自見，又能知難早退，可謂賢也。已議者多以長沙失守短公，獨陳去非詩，平生弔溫嶠不必下。張巡謂長沙之過，不足以掩公不附僞楚之義也。君子以爲確論。先是，宋高宗嘗書「薌林」二大字，賜公，公刻之石。公没後，傳四世。屋既燬，地他屬，惟碑以御書得存，穹然草莽間，未有過而睨之者。集賢公政事之暇，行視郭外，見而感之，芟蕪夷坎，作堂三間，繪而祠焉。夫異代之臣，於集賢公何有？徒以是邦賢者之故。過其舊隱摩挲亡國之遺，刻爲之屋而祠之。祠存則碑存，碑存則千歲之下，猶可以慨然而三嘆，故不得以學宫已有祀止也。祠既成，隸於學宫，且求其後奉祀焉。余於此事見集賢公，非獨政事過人，其風流蓋不可及矣。諸葛忠武侯没，蜀人欲祠之，後主不聽也，蓋久而後得祠，古人之立祠不輕也。如薌林生以后戚之故，富貴終身，没而得祠於學，又見祠於異代之賢，諸侯何其遇也！然余既記其事，賀薌林之遇，又爲之詞，使歌以祠公。詞曰：

公不歸兮花洲，渺雲際兮焉求？我之兮江上，宅不存兮，又何以爲舟？園田變而誰主兮，子孫散而某丘。獨穹碑之無語兮，立風雨其悠悠。彼書者何人兮，茅一間而亡繇。何先生之所遇兮，家既落而彌休。華堂兮渠渠，肴苾芬兮酒柔。靈歸來兮少留，與蘭鞠兮春秋。

臨江路高平橋碑記

出清江北郭，爲洪瑞驛塗，自寶慶院之前，達於山下。卑下沮洳，歲苦水患，水繇西南發源，西南高而東北下，水常聚東北，又江水自東北逆流入西南。每春夏積雨莽爲一壑者，幾三十里小舟日涉不能，數四舟至爭者指可掬，汎汎其逝者歲相屬。清江薪米仰北道，久雨且病涉，往來胥咨，非獨不便馳驛而已也。地故有木橋，水漲橋輒去，水退復修，水不已，修者且倦。河東李侯某以集賢學士來守邦，凡可以便民者無不爲慨然，念斯橋之不修，溺者之可痛，乃率其僚宰，躬自勸相作爲石橋，又築其路，高丈餘，長十里，以便往來。橋故名「高橋」，侯更名「高平橋」。侯之言曰：「涉險之道，不高不可，高而不平亦不可。高故遠害，平故無危。」吾於名橋，見侯之爲政矣。子産以乘輿濟人於溱洧，而不知徒杠之爲便。孟子譏其「惠而不知爲政」。又曰：「君子平其政行辟人可也。」橋不可不平，政尤不可不平也。橋高而不平，人溺；政高而不平，其溺人也。滋甚高而能平，侯其知爲政者歟？士大夫視官如驛，誰能爲斯民久遠計？其皇皇爲久遠計者，不過厚積多藏，以遺所不知何人。李侯居官，所以爲民者，如爲其子孫，自他人視之，一何自苦如此！是橋之作，水由大江入者，有長堤以捍之；由西南來者，開數竇以疏之，大爲民便。抑橋之與堤，歲與水，鬭一鬭則一敝，隨時修築在我後之人，後之人未必無如李侯之用心者。是役也爲工若干，費木石若干，董其役者彭某、錢某，余既記其事，復采民語，系之以詩。詩曰：

彼蒙者山，自天出泉。百二十里，合於大川。茫茫高橋，橋高地下，自東徂北，爲水所舍。使臣繫馬，恐悚愆期；行人倚擔，彷徨嗟咨。豈惟水濱，魚鼈窟宅。濕雲滿城，薪蘇道絶。李侯李父，思溺由己。作橋高平，實寓政理。長堤如龍，柳陰如雲，相彼柳矣，皆侯之勤。我憩其陰，勿折其條。於千萬年，守侯之橋。式歌且舞，歌舞太平。惠我賢侯，天子之仁。

袁州化成巖李衛公祠堂碑

古之豪傑之士，出而有爲於天下，非獨學問力也。蓋山水有助焉。《伊尹傳》説，呂望諸葛亮其人，皆起山林草野，其事業文章照映宇宙。意其山水之勝，必有以相發者。蓋恢奇詭特之觀，可以空俗眼；平遠閒曠之趣，可以洗世慮。豈不足以發胸中之奇，而爲經濟之用哉！而或者以爲山水之游觀止可以供賦詩飲酒之樂，而無與於世道則已。陋矣！天下一家，嘗思求古之豪傑隱居讀書之處，一一而登覽之，以振發其意氣，顧方塵埃汩没而未能比。來宜春，得從別駕孫侯登化成巖唐丞相李衛公讀書之所，覽其山水之勝，而爲之慨然感發，信吾言之不誣也。巖在郡治北二里，水石清，古山川城郭一舉目而盡，爲袁最奇觀。公自太和七年相文宗，明年十月罷相，又明年貶袁州長史，既至，得是巖居之，以爲讀書之所。每勝日獨遊，賦詩飲酒以自適。此其志慮賦詩飲酒而已哉！密窺訓注，所爲於岑壑間。天下事，公所以處之者熟矣。明年十一月，訓注敗，公徙滁州刺史，又以太子賓客分司東都，尋起爲浙西觀察使。武宗立，即召公相之。公相武宗六年，制馭遠人，削平澤潞，聾服三鎮，料敵制勝，動中事機，以至一時大典册、大號令，皆出公手。會昌之盛，號稱中興，蓋裴晉公嘗薦公才堪宰相，而公之功名殆有過於晉公者。論公相業、相文宗，不如相武宗。是雖所遭之時不同，所事之君亦異，要之，公相業光明俊偉，皆讀書化成巖以後事。由此言之，公之相業，巖亦不爲無助。蓋公少爲相門才子弟，一出爲公卿大夫，即擾擾於人間之是非，至於白首鯨波固可浩歎矣。計公生平，心事稍閑，得以用力於讀書，惟在化成巖時爲然。吾安得不謂化成巖關繫衛公之相業，唐會昌之世道哉！宋紹興間，尚書玉山、汪公應辰通守是邦，始立公祠於巖上。後百四十年爲大元元貞元年，孫侯以别駕來，首取郡學所刻公文集，補其遺缺，又慨祠屋之圮而一新之。巖之諸亭既咸葺治，又於山腰作亭，曰「更好」。繇「更好」延緣而上，爲「妙高亭」。又於别峰之巔作亭，曰「風雩大江」，前横春臺對峙。孫侯宦遊之暇，來拜公祠，攀高挹清，覽觀宇宙之大。侯之志，豈徒爲耳目之娛哉？不鄙謂予屬以祠記文。少讀公傳，慕公高才勁氣，願爲之執鞭而不可得，何幸得以文字，托公巖石以不朽，故竊贊公之相業，所以發迹於此巖者。以告夫士君子之來遊者，不可不以世道自勉也。既以告孫侯刻之巖石，復爲之辭，以侑公祀。衛公諱德裕，字文饒，趙人。孫侯名直淳，字説友，越人。辭曰：

公誰須兮倚空巖，仰雲烟兮俯江潭，紛眼前兮變怪亂。花雨兮毵毵，有青兮孱顔，有玉兮潺湲，於孺閔兮何怨？遺此時兮我閑，我閑兮奈何？讀我書兮，我詩以哦。方中道兮得路，儼振鷺兮委蛇，委蛇兮倏而分擾海。山峨峨兮雲杳杳，嗟若公兮何憾！横宇宙之事業兮，自古誰了？歸來兮歸來，化成兮公臺。泉與石兮可玩，非平泉兮何哉！人間倏忽兮千年，苟事往而憤消兮，心何往而非仙？歌余詞兮奠酒，公一笑兮超然。

廬陵洞真觀三清殿碑

天人之際難言矣，詩書所稱，曰天曰帝尤盛，若有心知，與人相似。然儒者因是有形體主宰之論，然不敢正言名號之。而道書所謂玉清、上清、太清云者，以爲出於氣之所結，而又有元始、玉宸、混元之號，混元則嘗生世而人矣。元始、玉宸亦人也耶？道無形也，而人之無不在也。而宫之道也者，其在於有無之間也耶？廬陵城南之有洞真觀也，道士羅日運實始基於淳熙之甲午，而居士劉安邵始建「三清殿」而像焉。又後三十有五年，道士周如椿撤瓦新之。又四十有八年，其徒郭宗仰又新之。又十九年癸未之冬，宗仰之徒蕭紹宣慨然念正殿之卑隘，曰：「吾棄家爲老氏，役我則何事？」琴費藥資，捐割靡愛，晝營夜度，如急寒饑。撤舊爲新，易卑爲峻，複殿軒突，寶蓋坡陁，棟宇神扶，位置天設，山靈川后，來相厥役，睟容天衣，莊嚴灑濯。精燗炫爛，日月晶明，星宿浮動，鸞皇笙磬，響透空碧。驂朱駕玄，揚霓導羽，烟霏霞融，冉冉來下。先是，道士郭若中、周如椿建法輪於殿後。歲久，内柱且朽，紹宣購材新之。至是因其架構聯絡綿亘，與殿爲一，靚淨玄閟引殿益深。殿宇既嚴，道氣日泰，鐘鼓清新，草木光悦，吉蠲祈福，四面麇至。洞真之建，於是爲盛。始景定四年冬，紹宣建文昌閣於左廡；其後十六年建仙珍閣於東。又四年，建春雷閣於西，而其他營葺，所以爲其徒講道之地者，不在是焉。紹宣之於道，可謂勤矣。紹宣數以殿記來請，且曰：「凡吾之爲此也，四方樂道之士，與吾若徒，實贊於成，微夫人之力不及此。」吾以此知紹宣之能集事也，系之以詩曰：

芸芸萬生，誰實生之？共惟昊天，我覆我私。象帝之先，生生我者。暄春凜秋，明晝晦夜。吾儕小人，飲食作息。生於自然，莫謝厥德。夔夔紹宣，曰道吾職。有嚴殿庭，敬共朝夕。敬共朝夕，皇念我人。人亦勞止，寧莫之聞。其始自今，道與之福。衣裳冠履，桑麻穀粟。玄都玉京，大有所宅。反觀吾心，不隔咫尺。存神守一，事我三清。三清在前，敢有弗誠。閟殿岌岌，萬古不滅。臣儀作詩，以諗來謁。（以上清文淵閣四庫全書本《青山集》卷五）

歐陽材甫墓誌銘

元貞丙申十一月丁酉，歐陽材甫卒。明年正月，余至玉溪往哭之。其隸之近於門者哭曰：「吾失主矣，吾無與撫我者矣！」入其庭，其族黨曰：「居隱死，族誰與主公議矣？誰與主禮文之會矣！」其姻戚哭曰：「吾急難，無所與謀矣！」其賓友哭相弔者曰：「無居隱，吾輩無與爲歡矣。」吾爲之一慟。迄既葬，其族弟太學進士嘉狀其言行，請於文曰：「吾兄之葬也，未有銘，先生嘗與吾兄遊，知嘉言不欺，賜之銘，先生猶有知也。」文不得辭，乃摭其實而書之。君諱杞，居隱，其晚年自號也。橫翠府君寬厚長者，然以過懦，故侮者狎至，門户將落。君年稍長，奮曰：「不可以是爲親，憂遇强暴亡賴者。」待之不少恕，乃稍自立。橫翠翁每語人曰：「吾不出山二十年，兒力也。」父没，有幼女未嫁，君爲相依，卒得所歸。後已有二女，資送不逮，歸妹遠甚，曰：「吾女何敢與父女比？」與弟友愛，不營私財。兒女長食指衆曰：「毋以是爲弟累。」爲人恂恂退遜，至見義，勇往無所畏。族有孤子戇愚，豪奴握其家橫甚，奴知不爲公議所容，誘愚主以庫，田歸富豪，倚爲援。族之能言者奴啖以利，不復言。君以孤子母白其狀，臺郡卒取奴父子與富豪者，奴俱置之法，還其舊物。富豪不能平，數假他事困君，君幾受禍不怨。乙亥秋，大兵既至，鄂、湘震，鄰境多辟地。君鄉有惡少，據白水嶺以禦人。君與嘉兄弟謀，率丁壯數百往捕之。盜驚，棄所掠走，召其主悉還之。初，橫翠翁有兄弟三，極友愛，其後分財，謾據已分爲業，不立文約，凡質劑，以兄弟之長者掌之。傳至君，掌券者以他人無可憑謀奪，君力争之。人謂君何驗？曰：「世守也，雖無券，祖宗之靈不可欺！」争者莫能奪。公初與弟分財亦如橫翠，臨没乃取契券，付弟與子分掌之。悲夫！風俗之壞，豈非圮族者爲之哉！世之執信文書之説，以聽訟者亦不可以不察也。君爲人安詳精密，好禮文，善談謔，早以應門不及學，然亦通大義，論事或援引書傳，皆中的；至處事暗合古道，蓋其天性然。玉溪湍流，常病涉，作橋夏潦輒漂去，君出巧思，橋得不壞，行者賴之。其子克承先志，亦作橋泉上，余名之「老人橋」云。君自寢疾，即一一處置家事。一日未旦，忽起趺坐，朗吟四句，撫掌一笑，視之瞑矣。其弟聞哭而來，復瞠目曰：「死生晝夜耳，何不達弟欲久如此邪？」再甦，經半日乃寂然而逝。君平生未嘗誦釋氏書，臨死乃有老禪，一生用工者所不及。蓋其爲人剛直斬截，胸中了無一事，故脱灑如此爾。生紹定辛卯九月乙未，得年六十有六。曾祖椿年，祖藻，父汝諧，横翠府君也；妣潘氏，娶陽氏，先二十三年終。二子，瑛、琮。女二，長適湯先辛；次適柳。孫男二，德元、雲孫。孫女一。以丁酉二月丁酉，葬所居鄉嶆下之北原，君所自卜也。君未没時，僕因穫誤刈甿稻一秉耳，甿以君故不敢問。君既聞且死，屬其子：「吾嘗誤刈某人禾一秉，可斗米償之，且謝之酒。」君没後，甿適至，其子如言與米酒而告之，甿大慟。君不留一事，類此安得不脱灑耶？銘曰：

族之義人，鄉之正士，墓有此銘，雖死不死。

蕭翼父墓誌銘

君諱貽孫，字翼父，蕭氏，世居廬陵膏澤鄉之横溪。曾祖仲信，祖廷父，父子炎，母某氏，娶易氏。君賦稟粹厚，居常無世俗急急意，惟詩書門户是力。與松江制幹蕭曾友善，同游京師，所交皆一時名人。親賓過從，談説亹亹，棋枰酒醆，歡洽竟日。居鄉一用忠信，歲五六月，減米以濟鄉饑，亦數有役於鄉都。官徵吏索，黽勉自竭，不以煩里旅，鄉人德之。生乙未三月二十八日，戊子六月十有六日歿於家。庚寅十有一月二十有二日，葬陽臺之西岙。易夫人生丙申八月六日，君歿後八年爲元貞乙未八月二十有四日考終。夫人賢淑恭順，治家勤儉。凡君延師教子，敦族睦鄰，夫人有助焉。子男四人，渙亨、咸亨、鼎亨、升亨。女一人，許適姚氏。孫男一，天成。孫女二，未行。諸孤以某年月日，奉夫人柩葬安塘之原。渙亨以書來請曰：「先君之葬也迫，未得乞銘當世大手筆。今吾母又棄背又葬，先生哀而賜之銘，不肖孤死且不朽。」余惟君夫婦之賢，宜享偕老之報，而君得年纔五十有四，夫人亦不過六十止。天之報施善人，非邪？然既没，鄉稱善人，子孫葬祭以禮，首丘相望，宛若舉案，爲善之報，信不爽矣。按後漢《梁鴻傳》孟光附見焉，竊取其義而合銘之曰：

伯鸞爲夫，德耀爲妻。我銘其藏，惟德之齊。安塘之原，陽臺之西。颯颯精靈，何必同棲。乾亥之山，巽己對之。兩丘則同，豈伊人爲？以利後人，昌其書詩。

胡君墓誌銘

吾銘定甫，何以其狀爲哉？吾與定甫交三十年，所見定甫如一日，惟恂恂信謹寡言笑，無疾詞遽色，和易不爲崖岸，不獨爲士者，不能不敬愛。里中童兒、婦女，無不稱胡先生定甫低徊往教不倦。諸子皆稟承之能，世其業。儒家儉素固宜，而親賓過從歲時聚會，亦適情中禮，未嘗刻意治生。晚年乃騄騄完美，以娱親、以畢婚嫁、以葺其先人廬，服食器用，整飭先塋，無不修治。尚有餘，自及其穴，而壽考以死。而其言行，皆可以傳子孫而化鄉里。嗟乎！爲人如定甫，可以没而無憾於地下矣。胡故大族，定甫斗升其間，亦復何有？然桑田滄海，變化朝暮，而定甫食其故書破硯以至今日，又非有强力雄辯可禦侮。或欺其懦，亦自處於懦不校更，借是以勗其子於學，欺者更爲君益。定甫力薄而厚於情，貌怯而勇於義。里有龔陂溉田數千畝，廢久，歲比不登，定甫率族之有力者築之，身奔走焉，雖寒暑不憚。陂成，鄉人舉酒相慶，欲生立君祠陂上，君固拒之。君生七歲而孤，奉母以孝聞，丞相文公爲書「慶綵堂」三大字。丞相憲江西檄召君，君笑曰：「此非吾志也。使吾飽煖以嬉，得以教子，志願畢矣。」丞相聞而嘉之，復爲書「勤有堂」三字，使其季手以贈君。君諱鼎，曾祖克義，祖峻有隱德。丙申，峒獠所至，焚蕩永陽爲甚，獨公廬得完，寇大書其門曰：「積善之家，此屋免燒。」寇去，鄉閭視之嗟異。父冠英，妣某氏，娶梁氏。子五人，居仁、居敬、居信、居明、居中。仁、明先卒。敬有文而謹飭似君，嘗從吾學。女五人，長適袁嗣宗，次適周崧，次適彭修，餘逝。孫男十，孫女十。生宋寶慶乙酉十月五日，大元元貞乙未四月丙申得疾，越七日翛然而逝，得年七十有一。先是，君手卜水南小江楊梅園，爲異時伉儷同穴之所，卓菴名息。辛卯，梁夫人没，葬焉。諸孤以八月庚申奉君柩合葬。居敬來請銘。乃銘之曰：

豐頰厖眉，粹宇長身。三十年前，潭上故人。潭水悠悠，變故日新。君豈巧歟？斯文方春。人愛其真，天憐其淳。生無障面之愧，殁無切齒之嗔。我銘其藏，不愧斯言。後千百年，爲谷爲陵。有讀吾文，尚求其墳。（以上文淵閣四庫全書本《青山集》卷六）

全元文卷三三七

趙文 七

黄雲龍墓誌銘

君義城黄氏諱雲龍，字君從，取山谷「養生四印」語，號四印翁。生嘉定庚辰，三歲而孤，繼母劉南城大夫諱良之女弟也。以君依外氏教養，君亦自力於學家事，惟二兄相繼逝，君撫其孤，室無私財，庖無異饌，諸姪繼成立，乃取先疇均之，使自爲業。卜築桂川之祖居，課督諸子，夜分不寐，月書季考，責其自試，寧不中，不求師友潛救爲欺。以是諸子皆能爲儒，按察使行部試士，成允居然穎拔；明允、仁允亦有名鄉校。君既歸舊隱，日與同好爲樂，橘中、梅下頽然天嬉。生平不事生業，室常罄如，然賓舊過從不見傴仄意。或有所求，亦無不滿意去。見好書，雖乏絶，亦解衣粥之，如不可已者，性厚重然，義所當爲浩然。不誘豪富侵先業，衆曰：「是不可與爭鋒。」君雍容求直卒得直，有犯其高祖塋者，鋭身爭之。雖繇此爲怨，家燬其廬不悔。噫，所謂勇者與！君於醫，尤妙解施病者藥。雖深夜叩門，應之不倦，爲産科書板行。四方歲饑，問糴者減直以售，惟自恨力不裕，所及不廣而已。聞葛仙翁煉度，可生死人，歲亦再行之。苟可濟物，無不爲也。晚從方外友將入玉笥山學道，而已病，然猶手集《易》傳，未半筆絶，丁亥正月六日殁。曾祖安漸，祖令猷，游楊誠齋、謝艮齋門。父平，妣劉氏。娶李氏，繼程又繼劉。子男三人，惟賢成允，齊賢、友賢，明允、仁允也。孫男一，孫女二。諸孤以至元己丑十二月丁酉，奉柩葬桂川之西園。惟賢來請銘，銘曰：

幼而孤，老而不能期頤，忍默平直埋於斯。

吴伯善墓誌銘

吾入閩收弟骨過臨川，故人鄧聞，詩以其友吴震孫來見，曰：「此吾州松峰君之子也。松峰俠士有義氣、喜賓客，尤喜援人於危。松峰殁十二年矣，今年十二月癸酉乃克葬。其孤將走廬陵乞銘先生，而適遇先生此來，此松峰平生急義報也。敢以狀聞先生銘，以勸世之好義者。」噫嘻！此太史公之所爲作傳，而以爲賢於季次原憲者也。吾奈何無銘。君諱應元，字善伯，家臨川之大黄橋，儀狀甚偉，昂然羣從間。對客談説古今，亹亹不倦。事親孝，與弟友愛。或以急告，雖不相識，亦鋭身赴之，蓋其心自以拯人於急爲己快事。一日見二士從七八人行，甚迅，君意其有急，使問焉。曰：「楊橋羅氏也，爲兵驅至此。」君曰：「是北谷先生族也，可無拯乎！」即舍藏之，二客獲全。北谷進賢，有文學，政事前輩也。月溪陳帥機當輸船鐵，及期不能辦，且得罪。急抵君曰：「帥機休矣。」黎明，陳復起叩君，君曰：「夜者已戒夫運鐵，當已至場所矣。」留權飲十日乃去。歲歉，傾囷以濟，乙亥丙子間鄉賴以庇。有司知君才，俾巡檢白干。白干當江浙要道，官軍過，見君區處得宜，皆垂鞭去。自他所，扶攜依君者數千人。君亦自負才氣，遇事迎刃解。理明氣直，無嚴責人，性剛不受物觸，雖挾氣力欲相壓，一折以理，不屈。嘗被誣繫獄，時樂安有巨猾亦在禁，實右誣者。猾方擁貲倚勢，喻君：「能遜我能爲君中解。」君大駡，唾且言曰：「我所恃理直，若何以罪我！世豈盡無天邪！爾爲惡毒人，天且殺爾，何暇憂我？」爲君迄得直。明年，其人果得罪殲焉。君少亦習舉子業，再試再不利，即棄去。延師誨子，諸子亦自奮有成。君雖負才殊，無仕進意。廉訪秋山余公與君生年月日時同，相好甚。余公入覲，邀君偕行，君以詩謝之。好賓客，江湖過從留數月，待之如始，至別則隨輕重爲禮，人人無不滿意。素不喜佛書，未死前兩月，忽就月屋華長老借經，手抄未竟卷，送還之，曰：「吾已得大意矣。」疾亟，諸公來問，猶整衣斂容起謝。客退，寂然逝。或謂君臨終略無顛倒散亂，蓋佛書力是，不然，天下唯鄙猥齷齪之人，而後有所貪戀，此顛倒散亂之所由生也。若豪傑磊落之士，如利刀割斷絲，一捩即已，何顛倒散亂之有？使君兩月前不借佛書，臨終萬無顛倒散亂理。君既逝，鄉里無貴賤、小大，不遠百里冒風雪來哭，甚哀。謂君死，鄉有急，無可恃也已。諸孤既得卜鄉之大原豊山，書其墓曰：「嗚呼！延陵松峰之墓。」余每愛《太史公序》，游俠抑揚開闔，理實甚重。而班固以爲譏，固庸人何足語此？況君無以武犯禁之過，有潔廉退讓之美！余既信聞詩言不欺，又親與震孫相從，知其篤實之士，非松峰無此子，故爲之書。曾祖廷傑，祖榮祖，父森，妣余氏。娶許氏，理家勤儉，督諸子以學，相君四十年，故君得以行其志，内助力也。男六人，震孫、福孫、順孫、艮孫、斌孫、壽孫。福前君卒，艮後君十年卒。孫男十二人，孫女十人。生己丑八月七日，没丁亥十一月二十六日，得年五十有九。今年爲大德戊戌，銘曰：

培塿之纍纍，峰爲之宗；草木之紛披，松矯其龍。我銘以傳之，何必鼎鐘！

南山居士李公墓誌銘

居士諱夢祥，字祥夫，李氏，繇臨川徙豐城。初，祖處士諱從。三子琚、琮、珝。琮贈尚書工部侍郎。琚生脩永，建寧節度推官。脩永生冕，朝散郎袁州軍事推官。又三世爲居士之曾大父杞，杞生光時，光時生鼎，號適安府君，娶饒氏，生居士。居士髫齓凝重，諸舅器之。給事中徐公往教饒氏，公從之學，穎悟忠恕，長舅仲龜遂婿之。庚申，鄉急防扞，邑大夫知公長者委重焉。公晨夜計畫，井里晏如。戊午，歲饑，官命勸分，公行之有法，活饑者甚衆。咸淳覈田，躬行阡陌，地高下、賦輕重悉均，人服公。歲發廩，視鄉直必損三之一以爲常，雖穀貴數倍，亦不二價。親戚孤女嫁之宗族之無後者，合祠之。僧舍捐租，以供香火之奉。一日公出，有瞰其廩負米以行者，僮見之遽以告，公戒：「勿言，言之彼蒙污終身，我寧避之。」又問僮：「負米者往乎？」曰：「往矣。」乃前。公既素寬厚好施，晚歲視身外物益無足吝惜。先是，鄉人有以田廬質錢者，諭使贖去，其不能贖者，直舉質劑歸之；又散田數百畝以班貧族。燕居不見怠惰之容，臧獲不聞呵詈之聲。對童稚一揖必敬，平生未嘗作一草字。年八十有五，猶篝燈看夾注、綴小楷，或達旦不寐。至元戊子始得末疾，明年己丑二月十有二日終，易簀精爽不亂。生嘉泰甲子十月十日，得年八十有六。公年七十四時，妻饒氏卒。子夔孫，先公十八年卒。女一人，適范平之，先公二十九年卒。孫克家，撫州學正。女二人，長適聶斗元，次幼。曾孫良翰，女二人。克家將以某年月日，奉柩葬於某原。余與克家定交臨川之墨池，謙厚樂易真肖公者。大德庚子，余自廬陵來，克家以居士墓銘屬余，余既敬受其狀。以居士平生諏於是鄉之善士，言居士賢德者人人同。又叩公遺事，則曰：「我能知公寬厚長者而已。」嗟夫！是所以爲李公也歟？今人有一小善，一日而震鄉里。居士既不好名，而忠信篤敬皆其庸言庸行，其減直以糶，自鄉人視之，亦居士家每歲常事，無可驚可喜，宜其莫之能言也歟！余升南山堂，見其端直軒豁，已知公心事。是鄉士多樸茂，鄉學詵詵，孰非公遺教餘澤，所謂目擊而道存矣。乃拜手而銘之曰：

我遊南山，忠厚之門。溫其德人，如春無痕。桃李自花，竟不能言。雖不能言，而我思存。春容渾龐，復於茲原。以固以安，福其後昆。後來者誰？下馬山樊。讀我銘詩，尊是達尊。

胡季從墓誌銘

吾猶及識胡觀洲先生，長身美髯，有文學，實爲丞相信國文公師。先生讀書刻苦，竟不一舉。於鄉以死，得年才六十。王考諱廷直，字信之，學者稱東軒先生，出其門者，皆爲一時聞人，秀峰其穎拔者。文公早從觀洲游，所詣已超越其後秀峰又以所得於東軒者授之。觀洲諱鑑，字季從，廬陵人。生庚辰，殁壬午，以其年十一月，葬所居里太霄觀右。死不時葬，有闕，越十有四年，爲元貞元年十二月二十七日，改葬吉水長橋茶焙炕之原，從遠祖妣黄夫人之兆。東軒初葬茶焙炕，葬三十八年亦改葬，從曾祖三承事祖妣顔夫人之兆。改葬之日如觀洲，其墓在觀洲左。觀洲娶劉氏，有子二人，祖范、臣清，臣清爲道士。女三人，孫男三人，景蘇、景黄、左生。二先生之改葬也。景蘇以父命奔走焉。景蘇有文而知義，挾册往教，非有餘者，至，盡解衣衾以葬，得寒疾幾死。又將畢力改葬其幾世祖主簿公。嗚呼！可以爲人孫矣。既葬，來乞銘，銘曰：

後千百年，樵童牧竪，躑躅而歌其原過者，尚知其爲宋伯夷之師之墳也。

梅峰居士揭公墓誌銘

揭氏，漢功臣安道侯定之後，侯始爲南海揭陽令，以邑氏揭陽，子孫或姓揭氏。唐末有諱經者，爲袁州刺史。五季之亂，祖稹繇盱徙居豐城之揭源，有以字行曰伯徹者，博覽强記，時號揭書廚，詼諧倜儻，東坡嘗稱之曰：「上方李太白不足，下比淳于髡有餘。」初，郢州教授諱商霖，潛心《易》學，紹興辛未，以易魁南省，揭氏易自郢州始。公諱高，字汝祥。曾祖諱尚賢，祖諱謙，迪功郎衡州司户參軍。父諱進夫，妣孫氏。公少刻意於學，求師取友率數百里外，連中解試亞選，試成均輒報罷。公奮曰：「我獨不能如郢州公舍賦而《易》乎！」更學《易》，試鄉校輒中。癸酉，以登仕試江西漕不利，而科舉亦已矣。革命初，所在不靖。一夕，有寇數百，縱火以劫，舉室倉皇伏莽。寇去公歸，省其家卒，遇其徒止焉。魁曰：「此善人，勿害。」得免。公曰：「見幾而作，不俟終日，吾幾死，愧《易》此言！」明日即移家出豐城。至元丁亥，又徙豫章城，即城中之杏花村，作樓數間，焚香讀《易》，飲酒賦詩，若將與世相忘。己丑四月四日得疾，即曰：「人生七十稱古稀，吾已過之，吾歸何憾？」戒二子曰：「和順齊門，毋求利達。」言訖而逝。爲人長厚，畏謹，事親睦族，待師交友，必盡其分。歲饑，發廩賙及鄰郡，居鄉凡事自處於弱，不與人爲爭，而人亦莫與之爭者。獨讀書教子二事，不遜他人。二子長，皆使遠出求師，二子亦自奮學成。雖科廢無以自見，至今門户屹然，詩書力也。生嘉定乙卯三月十日，得年七十有一。娶孫氏，子二人，津龍、以直。孫男五人，正孫獻時益祖生斗牛。孫女三，長適朝列大夫同邑范震；次許適廬陵文某，故丞相信公之猶子；幼昏同里聶氏。曾孫女一。某年月日津龍奉柩窆於某原，來請銘曰：「津龍之母葬，吾門公天慵熊先生賜之銘；若先君子又得先生銘，是吾母、吾父俱不朽，而津龍兄弟免於罪也。」文辭不獲，乃敬銘之曰：

八十六其父，八十八其母，八十一其婦，而公獨也否。名莫榮於善人，年莫長於有後，我作銘詩，刻示永久。《老子》云：「死而不亡者壽。」

李濟可墓誌銘

自深方來，言好客者，必曰李濟可。吾過深方，濟可時已得目病，杖而見我，出酒酌我。惟余之不小留，再約爲恨。予退私於諸君曰：「濟可歲人幾何？」曰：「百許石耳。」余驚曰：「是何以奉客？」曰：「濟可遇客，食云則食，酒云則酒，不足則解衣易之，浩歌大笑，不復作來日計，客留或歲餘不厭也。」予曰：「濟可誠不厭，亦良苦矣。」曰：「濟可無苦，濟可樂也；其無客，濟可苦也。」今世萬石君閩客過門，縮首窺屏若婦兒，然且顧且却，審量再三乃敢出，出而一飯已有德色。久留再至，則轑釜繼之矣。濟可貧而好客，難也！能使客不知濟可貧，而安於留，又難也。濟可爲人慷慨力義，事關宗族鄉閭，浩然以爲己任。世移慝作，帥鄉人出，力自保，鄉賴以安。尤喜爲厚德事，有聚衆欲燬君廬以亂，君聞備之，寇不能害。然遇君僮奴，輒縛責之。無何，官兵來討，請君招諭，君固辭不獲。人謂君可以報所嘗毒君者矣，君曰：「招諭吾職也，勸其人自新，爲之首於官。」其人獲免，踵門泣曰：「我實害公，公更生我。」繪君像祀焉。平居手不釋卷，老病猶日課一詩，歲乙酉年五十五，十二月八日没於家。諱元興，永新人。曾祖某，父某，妣某氏，配賀氏，先卒。子四人，參、甲、壬、癸，女二人，皆有行；孫三人。某年月日葬君某鄉，參來請銘，泣而言曰：「先君子得識先生，藉是求一言以葬，是先子不死而參死不憾也。」文既不得辭，乃銘之曰：

厚於義宜薄於富，虧其明不益其壽，命耶、數耶！曷窺其實，往安斯丘，尚裕爾後。

亡室胡氏墓誌銘

夫人胡氏諱懿恭，年二十歸於我。又二年癸亥，太夫人病殆甚，諄諄唯衣服是問。夫人泣曰：「母未有衣，我幸有嫁衣一篋，請悉以斂母。」即取衣一一白之母。母連日夜灼艾臍中無所知，然見所舉衣，復不忍盡用，曰：「我病久，爾衣食費且盡，留此時可易一食。」賴天之靈，母得復生。明年甲子，余以宋永名舉於鄉，丁卯更名宋吉舉；庚午又更名萬年舉。雖屢不第，然每舉，妯娌皆羨夫人，夫人亦甚自慰。癸酉，余弟宗彊舉。甲戌，余以弟入京試禮部，三月三日禮部牓出，余弟奏名。同日，余以京庠補太學生。其冬，江上急，兄弟歸拜二親，自後則無非亂離憂患之日矣。丙子遭母喪，後余弟死閩。庚辰，重遭先君喪，夫人食貧，辟纑織布，以衣以食。遇乏絶，彊無爲有，不使余知。待下有恩，撫諸子如一。爲余妻三十八年，未嘗見其一言一行之過。故雖其平時多病，余亦直信天理，謂君寬慈靜默，宜壽；恩勤鬻子，宜有末福。庶幾，婚嫁粗畢，得一日之安閑以償其艱，勤而不謂止此也。父舜舉，母劉氏。生辛丑九月二十三日，殁丁酉十一月二日，得年五十七。閏十二月庚申，葬趙山先曾祖、曾祖母合葬墓後辛戌山向乙辰。男八人，重厚平復初剛直淳深剛爲吾弟韶州仁化簿尉後，重後夫人没之二十三日而卒。女五人，長適劉元孫，餘未行。孫男六，立元、立義、立誠、立禮、立心、立極。孫女四。銘曰：

蘭之方春，揚揚其輝。時也奈何，隨秋草萎？雙雙者鵠，曷其孤飛。百歲之後，與子同歸。

康氏螺湖阡合葬墓誌

風水之説，不知起何時？或曰十三卦之制。作棺槨葬埋取諸大過，大過巽風，下兑澤上，風水之説或始此其然，豈其然乎？地以無風、無水爲吉，而世之言地者，曰風水舛益甚矣。聖經雖曰「卜宅兆而安厝」之説，不過相其土地之高燥、草木之茂盛，且辟五患而已。自俗師之説興，拘忌多，妄想廣，始有親死久而不得葬者。夫以葬親爲富貴之資，悖義已甚，其逆天理、壞心術尤莫甚於公位之説，幸而得地盡合其説。又或在數百里外，己則欲富貴而以親之遺骸遠竄廣莫之野，傳之數世，祭享不及，遂忘其處，哀哉！先儒著論闢世俗之説，理非不明，然自學士大夫已不能信而行之此。吾於康氏螺湖阡之合葬深服，吾友節翁慨然念遠葬且久，將有廢祀之憂，乃行營得地於太和州東北十里，曰「螺湖」。合六喪，以昭、穆葬之，祖念三承事，祖妣蕭二穴居中，虚其昭而以繼妣周爲穆，又昭兄層一，學士穆嫂鄭氏，又昭兄層七，學士亦虚其穆。蓋地之安者不遷，而遷者皆合於此，通爲一券臺，以便祭祀。葬之日爲大德丁酉閏臈庚午。節翁嘗從余學，爲人有志義，爲鄉人除橋蛟、山虎之害，其勇固宜。然節翁豈獨勇而已，不惑知也，親親仁也，一舉而三德近焉。余既書其事，爲世之葬法，復爲之銘曰：

是惟康氏螺湖之墳，尚利其子孫，以式其鄉人。

陳夫人墓誌銘

自吾與信道爲婚姻，升堂拜其母。信道母、吾母同生乙亥。吾每見信道母，未嘗不心念吾母以悲也。去年冬，信道喪母，正月上日，余往哭之，如吾母初亡。信道書來告葬期、屬吾銘。噫嘻！吾尚忍銘此母也。夫夫人陳氏，世爲吉永新登豐鄉開耀里人，嫁爲同里劉子直妻。子直質直君子，夫人儉勤相之，起家用裕。子直既逝，夫人經紀其家，如子直存時。世變來，先廬燬，生理盡，夫人隨其子辟地無寧居，迄能以其家存。己卯，長子死，信道、享道與其孤姪鼎足而居。爲備患計，子孫爭迎取養夫人，年幾八十，竹車往來，一子一孫間隨意所適，其不得迎養則時節效奇獻甘。夫人所至，弄孫自適，益清健如四五十者，青燈績麻一昔不廢。或笑之曰：「母豈不足於輕暖耶？」曰：「我性不能懶爾。」見貧者惻然念之，食必分焉。僮奴有過，細語切訓如其子孫；見人忿爭，教以孝悌。徽言懿宇，見者生喜。没之日，一鄉嗟悼垂涙，屠酤廢業者旬日。既未即得卜，柩菆於家，猝有盗過門，子孫戞懼，盗竟不入，人以爲夫人慈善之報。余惟《洪範·五福》以考終命爲福之終，而貴不與焉。異時，是邑大家命婦閨閣之奉，有百倍於夫人者矣，而不得三寸之桐、一抔之土者何限？求其子孫稍自立於此世，緦麻百夫簫鼓載道，言：「歸樂丘。」其不謂之難哉！若夫人者，五福兼之矣。夫人以嘉定乙亥正月二十八日生，至元壬辰十一月五日卒，得年七十有八。期年十一月壬申，葬近舍富平之原。子男三人，長必端，仲必信，季必泰，信道、享道也。女二人，孫男四人，元輔、元敬、震、雷。孫女六人，曾孫男七人，女三人。元孫男一人。銘曰：

大佛源大佛母，骨斯丘神淨土，萬子孫拜其下。我銘之以終古。

熊剛申墓誌銘

公諱昇，字剛申，熊氏，富州廣豐鄉瓘上里人。曾大父諱伯成，大父諱必先，父諱傑，母鍾氏，本生父諱櫄，母余氏。年三歲，以祖父母命，爲叔父後。公生有異稟，早歲與兄炎共學，濬發穎脱，見稱二難。甲子鄉舉，考官得其文，欣賞擬解前名矣。以策觸時忌，置乙榜前列，師論嗟惜。丁卯，伯仲偕舉潛藩恩試，上春官報罷，歸益自奮。甲戌，伯氏由江西混補升學，捷書至，喜如己得。曰：「吾年尚可爲也，而科舉畢矣。」然猶篤意教子，所聘必明。師堯峰陳先生煥明經士，公雅敬之。時鄉里流離轉徙，公爲堯峰作室，與相依，曰：「科舉已矣，勉爲我著書。」堯峰於六經自爲傳數萬言，公發之也。丙戌，與堯峰倡詩會，歲時會龍澤徐孺子論書處，一會至二百人，衣冠甚盛，觴詠率數日乃罷，飲食費皆我乎出。鄰郡聞之，爭求其韻賡和，願入社，其風流傾動一時。如此家居賓客往來無虛日，酬應靡倦，來者相從，棋枰詩卷，常食輒數十人。付萬事談笑間，而事無不理。雖排難解紛，亦但談笑了之。蓋公爲人慷慨有氣，遇事果決公正。性輕財重義，朋友貧而死者，親爲之斂葬。無居者，爲之築。寒者，解衣衣之。然皆無德色，歉然愧不能爲。朋友地有急難，奮然往救，雖重費不辭。嫁孤女之不能自存者。諸公貴人仕於其鄉，知公忠信皆爭取下，獄有疑多所請教。公緣是直冤者，生死者甚衆，然未嘗因以爲利，其游諸公間視如海漚。以故，遠近無不信服。母鍾夫人，妻余夫人之喪，弔者塞門，候三日不得修瓣香敬。其葬余夫人也，送者數千人。公事親盡道，於兄弟極友愛。壬辰春，寇猝瞰堂奧，父尚在卧，寇執拘以行，且欲殺，莫敢前。公曰：「豈有父在難，而子不救者乎！」即鋭身直前爲寇言：「爾輩不過欲財爾，吾財在此，爾復何須陳詞壯義？」寇亦爲動，臧獲之被俘者，皆得從其主俱歸。以公之才，使屑意仕宦，何官不可爲？顧易世來雅無宦情。至元十八年，江西省檄長瑞州西澗書院以重闈，高年伯氏遠宦不果就，翰林學士肯堂王公來江西定廣選，始至問公姓名，竟莫省所從來。王又託公族士朋來邀致，公報書言：「當此時，雖有蒲輪束帛之召，吾不能就也。」伯氏之在廣東也，母夫人常以瘴鄉爲戚。公詣省求差委出嶺，留旅邸兩月餘，忽得渴疾，歸益劇，竟卒。元貞乙未閏四月十六日也。後一日，本生母余夫人没。嗟夫！人生之痛，有痛於此者哉？子五人，曰坦、曰琦、曰雲、曰志、曰亮。琦爲族人清甫後，志養於伯氏，更名垣，隨宦南方，死。伯氏不忘初志，復子亮。吾觀此世昆弟之際，孰如君家？使死者復生，生者不愧矣！公没，子俱幼，賴老父經紀家事，日益長裕。伯氏匡公門户如公之存，諸子亦皆成立。又三年而公父没，娶余氏友松先生之子。友松居家授徒甚盛，公早歲受業友松，奇之，以女妻焉，先公七年卒。女二，長適黄膺；次適鄒公，遂鄒早失怙，蕩甚，生計爲空。或欲寒盟，公不可納，鄒於家，檢約如子，鄒亦感激成人，盡復舊業。孫女二。大德己亥十二月辛酉，坦等奉公柩葬所居鄉禮原之高科山。某於公伯氏提舉公同舍生也，提舉公使坦來請銘，某既託，舍家又愛坦修謹而有文，必能大公門户者，乃敬諾而銘之曰：

悲哉乎！剛申，爲母子五十一年而不能一日，命也。奈何吾將疇詰歸安？斯藏子孫其吉。

蕭笠山墓誌銘

元貞二年十二月庚子，笠山蕭申祿自翁卒。其月庚申，葬宜春縣東之良陂。别駕山陰孫侯直淳表其墓，曰「詩人蕭笠山之墓」。廬陵趙文爲文，列其墓上。嗚呼！後百千年，不知何人登斯丘而讀斯文者，笠山庶幾不死也。笠山世臨江新喻人，父瑩遷于吉，君復居新喻，徙居袁，新喻，故袁縣也。袁自鄭谷有詩名，其後王轂以《玉樹曲》傳。近年與余爲詩友者玉田蕭匯，皆宗唐，而君獨好怪澀。帝賓來，諸篇至讀之不可句，而得意處乃不可及。歲晚，余登化成巖，詩和者盈軸，君再和，一時吟人皆立其下風。然以其怪澀也，好君者甚少。君方卓然自信，所作幾千首，名《常棐》。君衣食之不暇問，惟刻《常棐》是急。得錢即送刻工家漆漆，惟恐不得後世名以死者，余甚哀之。今年春，余再過孫侯，侯悵然語我：「笠山死矣！死前四日，二詩自挽，且寄諸友。語皆曠遠清脱，視平時所作居然自在。蓋不暇於作爲，乃更工耳。」娶劉，繼李，繼湯。子一人開孫，孫男、女各二。君未死前一日，忽賦「霜天江閣若至無，謂者其葬良陂也」。江山景物一與詩語合，亦異矣。君之生也，有文在手曰「申」，故以申名。竟生丙申，死丙申。先是兄辛手文曰「辛」，亦生辛酉，死辛酉。云銘曰：

悲哉乎笠山！君以爲常，人以爲澀，何寒饑之不遑而詩是急？良陂之丘有表獨立，千年之後，狐嗥兔泣，知君詩者，尚其來葺。

熊仁山公及夫人余氏墓誌銘

熊氏，楚鬻熊後，自晉中丞遠始居豫章，其後或徙居豐城之廣豐鄉，自拏岡析居瓘上，分派南岡，昭、屈、景相望益蕃。而居瓘上者九世至元極，元極生伯成，伯成生必先，必先生櫝，字季榮，是爲吾循理同舍炎之父，曰仁山公。公夫人余氏，正信鄉銅湖里人，世業儒，禮漸義摩，女德多淑。太夫人柔質順道，爲族賢母，年九十八而終。公甫數歲，游鄉校博士試，以「華月照方池」詩有「四面碧琉璃」之句，一座奇賞。公夫人余氏諱慧英，太夫人姪也。曾祖俊，祖天與，父溢。夫人以姪從姑。時曾祖父母、祖父母皆高年，夫人養四親孝，處妯娌睦，慈幼惠下，一以姑夫人爲師。公早自樹立，應酬多端，夫人雞鳴盥縰，課僮媵耕織，時果蔬宿酒饌以待賓客，晚則服勤女紅，内外畢舉，家益用裕。公既累舉場屋不利，慨然即以功名事付兒輩，築精舍，聘碩師課二子炎、昇學。夫人相其内，待師盡禮。二子長，受業四方，歸必問所業，游必察所與，見二子所業寖長，眉有喜色。二子連科亞選，試橋門，又偕中潛藩恩試，偕試禮部，鄉人榮之。甲戌，炎繇江西混試補成均生，伉儷方以辛勤教子，小驗胥慶。時孫埴適生，埴，尚書省雷公之甥也。明年乙亥四月六日，公遽以疾終，得年厘六十止。未没前二日，周覽園池，若將與松菊別者。屬纊無他語，獨以不得終養阿嬭爲恨，蓋時太夫人年八十有八矣。嗟夫！天與忠厚之報、教子之驗，僅如此哉！公慈孝友愛，根於天性，而慷慨急義，明敏善斷。姻族有急，赴救如不及。里有爭，據理剖析，皆退聽無異辭。賓朋滿座，款酬靡倦。捐費築陂，減直發廩，爲善唯恐不足。没之日，聚而哭者日百十人。夫人居常躬服儉約，至聞姻黨之困，則推助唯恐後，以故克成公志。公没後，夫人事太夫人又十年，而太夫人卒。炎既終喪，自期耕綿上以奉菽水，夫人勉之仕。會臺省檄炎，分教靖安，繼攝邑令，又教瑞州書滿，蒙恩再任。自至元庚辰逮辛卯，夫人安輿往來，迎養凡十二年。所至邦侯僚友，敬聞高年，皆請升堂納拜，歲時奉觴上壽。夫人夙閑禮度，退莫不嘖嘖稱賢母，至慕其家法，願約婚諸孫。故居瓘山，丙戌買宅州城，夫人留家，督視完葺，一歲間瓦甓塗墍，煥然一新；花果竹樹，種植皆有法度。是不謂之才婦人哉！壬辰春，炎蒙恩得將仕郎、廣東儒學副提舉，以荒徼暑濕，難於將母，簡書有嚴，進退跋疐。夫人愀然曰：「兒奈何以私計妨公事？」炎既抵職，日費皆取給於家。夫人自料理，封識書問，必以毋侈用、毋苟取爲戒，炎不敢違。元貞乙未閏四月十有七日，夫人以疾終於家，得年七十有五，上距公之没二十年。公生嘉定丙子閏七月十有六日，夫人生嘉定辛巳正月十有八日。初，雷公將漕七閩，辟公建寧府建陽尉，又徵入幕，皆不果就。炎既升學，故事，升太學者，祖父母、父母錫初秩，時太夫人與公夫婦例得恩命將下而時事異矣。子二人，炎、昇也。昇爲公弟傑後孫。男二，埴、垣。垣，昇之第四子，炎以昇多子，爲子養。垣隨宦南方，得疾死。炎歸，復以昇第五子亮爲子。孫女二，長適同里涂震；次許適廣南梁京孫，未行，卒。炎念與梁父疇昔同宦，約婚不忍絶，以親戚黄氏之孤女婿之，嫁如己女。其友愛篤義如此，公夫婦之教也。曾孫女三。炎自聞余夫人訃歸，又被命同知英德州事，陳情所司，乞終襄事，三請乃獲命。先是，公稾葬故里西園，至是爲大德元年丁酉閏十二月庚申，遷奉大順鄉黄金橋留科山，而余夫人亦以是日窆箬岡雷塘山，相去兩舍而近。炎匍匐六十里負土，病憊，急遽不能請銘，自爲誌納諸壙。後四年，乃以告其同舍生趙某而請銘之。某既炎同舍，子親吾親也，不得辭，乃銘之曰：

熊氏其有子也齊，祿養則否。合銘以傳之，其齊者久。

彭紹先墓誌銘

有童子遮吾車拜道，左視其謁，孤子彭天聲也。泣而言曰：「父死一年葬有日，天聲不敢自乞銘先生，而屬諸客，客再返，先生再辭，天聲將拜先生於汶，請而得拜先生於此也。先生若又辭，天聲其不能退矣。」則又拜又泣。予嘉其志，且奇是童子也才。觀是童，其父之教可知已。乃敬受其行，述次第而書之。君諱應先，字紹先，家安成瀘水之南曰江南。曾祖慶雲，祖嗣祥，父光祖，母王氏。君堂從兄弟凡四十有八人，數世同居，其後源遠益分，君伯仲三人猶同居共爨。孟兄死，世事異，君與仲氏極力撐拄，既仲又死，君獨力饏門，時萑苻滿目，君砥柱中流。鄉人倚君以安，莫敢胥動有燬其廬，君拮據，經營不數年，輪奐如昨，培花、種竹，無亂離草草意。蓋其才於煩劇處之裕如也。襟抱爽朗，餐和飲粹，人人無不滿意。擇師教子期嚮高迴，對客談論英發，山經水訣靡不研究。最愛居之近曰輓江，曰吾百歲後復於此也。待宗族睦，處姻戚誼。歲儉罄所有以賑，交游有急，必爲之盡力。大書「依本分近人情」六字，爲座右箴。生宋嘉熙己亥六月十八日，没大元大德戊戌九月九日，凡四娶，初王氏，有女一人，適王道淵。繼趙氏、劉氏、歐陽氏，俱無子，以姪孫震亨爲子，即天聲也。二兄之子少失怙恃，君教育之，以至成立。君没，二姪相君家事，如君存時。嗟夫！豈非爲善之報哉？君之娶於劉氏、歐陽氏也，有周氏、朱氏之遺孤女，君一以己女嫁之，適彭廣聲。王吉孺其孤以大德三年十一月甲申，奉柩厝於輓江之原。余惟君數世友愛，一宜銘；屹立風濤中，迄全其家且芘其鄉，二宜銘。矧其孤童子能請銘。乃爲之銘曰：

升其階，想其怡怡也；入其齋，知其厚於師也；而況數千百年之過其鄉、登其丘，而讀其碑者乎！（以上清文淵閣四庫全書本《青山集》卷六　以上李仲祥點校）

全元文卷三三八

趙　淇

趙淇（一二三九——一三〇七），字元德，號平遠，又號太初，衡山（今湖南衡山）人，宋丞相葵子。宋末累官廣南東路發運使，至元十五年（一二七八）入覲，拜湖南宣慰使，二十二年致仕。大德十一年（一三〇七）卒，年六十九。追謚文惠（《道園學古録》有《趙文惠公神道碑》）。本書收趙淇文一篇。

寶慶路學興造記

漢史傳循吏，首文翁，咸不言其他錢穀、獄訟事，獨謂其興學校，教諸生明經、飭行、至意，蓋禮樂教化，所以爲政之本。有民社者，向道程功於兹，宣勤可不謂賢乎！湖南郡皆有學，其在邵者，乃濂溪先生所過化。先生默契道妙，倡明理學，夫子微旨遂以大彰。則於其奠祀、講誦之地，必務華煥修飭實始稱副。邵學凡五遷，宋癸卯春爲今宫牆。歲月寖久，弗更且敝。十一年二月，達魯花赤罕馬魯丁，實任提調，戾止校宫，與同知忻都府判王招孫，環顧周審，慨曰：「事若緩而實亟者，修殖是也。

不可當吾時而不新是圖，苟無以仰體朝廷右文崇化之意，奚以提調爲？」是春，創府治成，凡餘羨材物，悉歸之學。於是與教授劉秉彝議修，自儀門、欞星，闓明兩廡，鬩工輩翼奮張，時三月之爲也。先是，從祀皆繪於壁，亦既埃墨，不見嚴振。又曰：「今殿像已塑，獨不可列廡像乎？」乃倣十哲，爲像一百有四，居有龕，座有石，闌楹有軒楯冠衣藻華，鳴珮絢粲，礱斲精密，位置端肅。時則七月至十一月之爲也。祭有器，舊止刻鏤髹飾，久則壞，又不中度。侯倡捐己俸，諸賢皆樂助之，爲銅器二百餘。藏書有閣曰「尊經」。凜焉，弗治將壓，書帙散亡，名實不相得，乃飾其楹，乃隆其甍，乃周其牖若户。衰經史羣籍數千卷充入之，亦倡自侯，至僚佐掾史，章縫衿佩，率是來獻，時則夏秋之爲也。淇聞而嘆曰：「賢哉！郡侯之用心也。」凡以民事自諉者往往視吾道迂甚不切，間知尚儒不過理新一二牆屋止。今侯重學事若家事，門廡峻齊，重屋維固，於以使學者改化舊習，務新美。像塑從祀，秩序在庭，於以使學者景行洙泗，若有所親炙。敬承器範，而齊明洞屬於是焉。寓書實諸庋，而朝夕講貫於是焉，規其嘉惠學者亦至矣。侯有善譽，能阜康其民，觀其知本可敬矣。教授劉君，通敏有爲，克遂孚合，專志一力，迄用有成，乃與董役正録實道翁、何憲聿來徵記。欽惟詔旨丁寧，以學校爲風化之原，諸生被菁莪之澤，其亦蹈詠孳俛，使濂溪先生之流風餘韻，響然嗣音，而文翁之功不廢，可不大書之乎？遂不得辭。（清嘉慶二十五年《湖南通志》卷四五　李仲祥校點）

牟楷

牟楷，字仲裴，號九溪，黄巖（今浙江台州）人。因養母不仕，刻志正心誠意之學，家居教授，學者稱其爲静正先生。著作有《九書辯疑》、《河洛圖書説》、《春秋建正辨》、《深衣刊誤》、《定武成錯簡》、《管仲子糾辨》、《致中和議》、《桐葉封弟辯》、《四書疑義》。本書收牟楷文三篇。

内外服制通釋序

余聞雙峰先生服制有書舊矣，而嘗恨莫之見也。年幾耳順，先生之子大雅翁始編以示余，且俾題其首。余以晚學辭，不獲。遂爲之言曰：「美哉！是書其文公家禮之羽翼歟？」或曰：「喪服之制，家禮備矣。此書之作，不殆於贅乎哉！」余謂不然，家禮著其所當然，此釋其所以然也。孔子曰：「民可使由之，不可使知之。」徒由之而不求以知之，可乎哉？此先生之書所以作也。然禮有冠、昏、喪、祭，而此獨有取於喪，又何歟？禮之行，由於俗之厚，俗之厚，由於喪之重也。周公所以成周家忠厚之俗，亦惟喪祭之重而已。喪祭之重，民俗之厚也。民俗厚而後冠、昏之禮可行矣。噫！親喪固所自盡也，世降俗澆，齊斬且莫之盡，況期功乎。期功之正者且莫之盡，況若義若降若加者乎。噫！安得如先生者出而司風俗之柄，即是書而躬行之，且律天下之人盡行之，則變澆爲淳，有不難者矣。噫！後之人讀是書而昧於天理者，烏足以知先生之心哉！先生姓車氏，諱垓，字經臣，玉峰先生之季也。至元後己卯暢月。（一九三六年鉛印本《台州府志》卷六五）

車氏族譜跋

昔蘇老泉譜蘇氏族，止及於四世有服之親，而自高祖以上皆不之及，何其略也！今大雅翁之爲車氏譜也，則自始祖以下，至於身及其子若孫，凡十有三世，歷四百餘年，盡族之少長存亡，合五百餘人，並列於譜。支分派别，井井有條，若親若疏，若貧若賤，若文學，若德行，無不謹書而備錄之，又何其詳也！蓋老泉之譜，在於合四世之族，以示親親之殺，則不容於不略。大雅翁之譜，意在於序禮澤之遠，以示子孫之不忘，則不容於不詳。且使族之子弟觀於此者，其派系之遠近，分行之親疏，與夫興衰勞瘁之迹，一開卷而盡得之。又使見祖宗積累之深，而或有所感焉，見先世詩書之盛，而或有所勸焉，則譜不徒作，而有功於世族不少矣。余族與車氏族，世姻也。地相去不十里，又鄰壤也，故余少時，獲侍表叔平川先生，而於敬齊隘軒、韶溪玉蜂諸先輩之世德、世學，固已熟於耳而醉於心，實無待於譜而後知也。獨慨其譜之所以使人有感而有勸者，欲表而出之，以爲車氏子孫告，於是乎書。

河洛書總説

(一九三六年鉛印本《台州府志》卷七一)

《河圖》示人以陰陽五行之造化，凡天地五十有五之數，所以成變化而行鬼神者，實不外此。故四時行，百物生，而天道成者，《河圖》之功用也。《洛書》示人以尊卑上下之紀綱，凡后王君公大夫師長之所以經理國家天下者，實不外此。故君君臣臣、父父子子而人道成者，《洛書》之功用也。然《河圖》雖具陰陽五行之造化，而尊卑上下之情理存焉；《洛書》雖具尊卑上下之紀綱，而陰陽五行之妙用在焉。先儒所謂《圖》與《書》相爲經緯表裏者，如此而已。若謂《圖》即《書》，《書》即《圖》，《書》亦可以爲《易》，《圖》亦可以爲《範》，則一《圖》足矣，何以《書》爲？此恐非上天出《圖》、出《書》之本意也。或曰：「聖人之所以則之者，何也？」曰：「則《河圖》者，則其象而已；則《洛書》者，則其數而已。則其象者，□□□分奇偶之象以畫八卦而成《易》也。則其數者，□□□一至九之數以列九以列成範也。謂《易》亦有範之□□□有易之理可也謂圖□書已即圖□□□□□□□□之數與位皆三同而二異且□□□□□□書不可以槩論也《河圖》□□□□□□而□□行也故一六爲水而居北，北，水位也；二七爲火而居南，南，火位也；三八爲木而居東，東，木位也；四九爲金而居西，西，金位也；五十爲土而居中，中，土位也。此五方之定位，爲五行之所屬，亘古今之不可易者也。《易》所謂天一地二、天三地四、天五地六、天七地八、天九地十者，盡在是也。愚故曰：《河圖》示人以陰陽五行之造化也。至於《洛書》之位，則不可以《河圖》之位律之也。蓋《河圖》以陽附陰，以陰附陽，是乃陰陽對待之理；《洛書》以陽居四正，以陰居四維，是乃崇陽抑陰之義，二者之異其宜也。其三位之同者，亦偶然而同耳。書非取法於圖也，何異同之足言哉！然三位雖偶同，而其義則不同也。姑以中央之五論之，《河圖》之五，土也；《洛書》之五，君位也。中爲君者，乃天子居中御極之義也。九疇以五爲皇極，則《洛書》之五豈非君位哉？其餘一三七九之在四正者，亦皆君長尊顯之位也；其二四六八之在四維者，則爲臣庶卑下之位也。愚故曰：《洛書》示人以尊卑上下之紀綱也。愚嘗即此而推廣其義，以見天下之理無不備於是焉。以禮樂論之，則《河圖》爲樂，《洛書》爲禮；以仁義論之，則《河圖》爲仁，《洛書》爲義。又大而論之，凡聖人之所以發政施仁而哀矜鰥寡，欲使天下無一物不得其所者，皆《河圖》陰陽對待之理也。凡聖人之所以內中國而外遠方，近君子而退小人，先教化而後刑罰，皆《洛書》崇陽抑陰之義也。故《河圖》之義行，則君臣上下之情通，而上不至以虐其下；《洛書》之義行，則君臣上下之分明，而下不敢以陵其上，二者固當並行，而不可偏廢也。小而論之，治家者不明《河圖》之義，則必至於虐其僕妾，怒其妻子，而家道不和矣；不明《洛書》之義，則必至于主僕之分不立，尊卑之序乖亂，而家法不嚴矣。以是推之，何往而非此理哉！其在學者，深體而默識之耳。（清康熙三十八年《黄巖縣志》卷七　以上李仲祥點校）

虞薦發

虞薦發（一二三九——一三一六），字君瑞，丹陽（今江蘇丹陽）人（明洪武《無錫縣志》卷四）。宋末任寧國縣令。入元後寓居無錫，於縣學教授生徒。晚年號薇山老人。延祐三年（一三一六）卒，年七十八。

本書收虞薦發佚文一篇。

無錫州重建譙樓記

大德八年

古者兵車所次，必巢居於其上以觀敵。譙門之設，蓋昉諸此。考之史傳，已見於秦置郡縣時，其來遠矣。無錫古壯縣，今爲常之支郡。郡非縣比也，陞改初，郡治嘗一撤而新之，獨譙門仍舊貫，因陋就簡，人多議其未稱廼龍集。辛丑秋七月朔，海颶闖淮浙間，官署之漂毁者什九，以故併其陋且簡者一甓不復存。值年儉重於勞民。越再稔癸卯，州長帥乃僚相爲謀曰：「譙門，一郡政令所自出，而千里之觀望係焉，闕而不理過矣。然必桀其不縻於官，不漁於民，計乃善。」會州尹楊公以寬民急務入籲中朝，而長貳治辦。歲終，事填委，唯州倅杜公職專警捕就董焉。先是，鄰郡僝工土木，往往以田籍計畝而裒於民。吏弄滋張，侈大踰度，卒致徵呼旁午，人不堪之。杜公之佐郡敏而惠，乃召吏于庭，以謂譙門之役斷斷無他技，捐官吏半期之俸可得千五百緡，不給則輟公田以繼之而已爾。其度材於賈，傭夫於市，毋奪人，毋妨農。吏奉亦虔，既興既備，遂以是歲仲冬之七日始事，歲除而告成。於是近者悦，遠者來，行者議於道，更相告語，以爲郡府者，吾生聚事育之所倚賴，今獨諉之於官若吏，豈人情哉。一日，衆環堵於前，或貫而鏹，或觴而酒，俎而肉，衆未及言，而公遽謝之曰：「若輩欲何爲耶？是役也，吾官吏力足以辦，此溷汝爲也。」衆歡以入，輒委之吏舍而去，以緡計者七千五百有奇。吏因悉上送官，而用不匱矣。《大學》曰：「有諸己，而後求諸人。」《書》曰：「民情大可見。」皇衷烝彝千古不泯。謂民風之漓不足以觀感之者，厚誣吾民也。嚮使有一毫强拂於其間，則怨汝詈汝者至矣，况望其麾之而不去哉。昔孔門高弟有「何如斯可以從政」之問，吾夫子誨之以尊美而屏惡，因民所利而利之，擇可勞而勞之，美也不戒視成慢令，致期惡也。聖人之言嚴矣哉！□率以儒者之論多迂闊於事情。余觀錫山之政，非聖人之一驗歟。杜公徵余記興造之歲月，因以爲後之從政者之戒云。時大德八年歲在甲辰夏五旦日，郡人虞薦發記。（一九二七年《江蘇通志稿》　何本方點校）

姚　雲

姚雲，初名雲文，字聖瑞，一字若川，號江村。高安（今江西高安）人。宋咸淳四年（一二六八）進士。初調高郵尉，累官工、刑部架閣。入元授承直郎、撫建兩路儒學提舉。秩滿家居。著作有《江村遺稿》，已佚（《古今圖書集成·氏族典》）。本書收姚雲文七篇。

答潭學教授書

教授徵君足下：惟近世箋記鱗幅而異列，所以交於貴且長者，非野人宜蒙於時賢者也。以簡居敬用復於左右，幸執事察之。南國价藩，惟長沙定陶之孝、討逆之義、譙愍之節，炳然殺青，巍巍然融廩峙其專門道義之緒，盟府敵愾之勳，又融廩不得當其奇也。豪傑無文猶興，部使者宣布上指，察俗宏化，烝其髦士於博士文學，執事諸賢特膺斯選。夫以成均之宿彦，獻宣之象賢，淵源敷於教思，薰而化者可睹已。唐宋五百載，岳麓甲四書院爲孔教權輿，今文化陶，海内深被，始湘無疑。聲教覃流，氣類興起，四方孫篋，吾哀獨後耳。不謂謙光，遠貽手畢，專士儼幣，申之好辭，若不翅覿敬者，豈使者嘗欺之耶！主臣主臣。始僕由科舉玷科目，既墮乘徼，學殖益落，年來湛伏農牧，消削白日，應俗云云。類迫而後應，或嗜其鄙拙因謂近古，何可使子布見之。憲使先生身通文獻之統，獻納禁近，諮諏原隰，汲汲得賢。明道之寄胸，八九雲夢不蔕芥，猶不遺葑菲者，良梓收癭木，富賈居燕石，使名附家集，如杜醇焦千之輩耳，豈謂其誠有絶人者哉！諸公信郭許之鑒，略嫫瘤之醜，即欲引而進之前哲之道，若庶幾粗有益於講習者，豈自附於問褰從郯，不厭不倦之義乎！何陳誼之高也。味其言，愈益恫於懷者，五季幅裂，人文厖舛，穆、呂、蘇、尹數子取古文於蠹篋而補葺壞爛，歐陽復大倡之，晦蝕始明，蓋出乎其類者也。或人以擬長公，猶正色誚其失言，乃喻於蘇合與蜣丸乎。方今舒翹侍從之臣，辭命絢寓，縣爾雅一代之典，彼草躍露歌，何裨風霆哉！況立師之名，雖壓以孟、韓大賢，猶懼不能服議者之口，進瑣尾於龍門，不暴腮折䰇者寡矣，豈可槩世無知言者哉！此僕所以芒負汗浼而不敢承者也。雖然，少讀朱、張酬倡之作，慊然想見衡湘之秀，以不得及淹中稷下之門也。幸部使者不忘遠，謂之進而不進，是褻命也；岳君湘靈奇秀，迫目而不見，是自蔽也。自蔽，陋也；褻命，奸也。敢徼二過拜命之辱，束帛屝屨，資則疑於無處之餽。古人一雞黍期千里，豈必行贐。僕於疏翁神交久矣，不忍一牛車耶，肅使介以幣返，士者曰：「吾師之命，我有辭矣。若心却之，是委貺於野肆也，其何辭復於公？」所頓首固請，反復惟念。乃竊取受飧返錦之義而受貺焉，其幣金視諸故府。惟大賢察其誠款，使得從容辭受之中，則走也受賜多矣，是亦君子愛人以德之意也。意遠詞偏，惟執事亮之。（清文淵閣四庫全書本《天下同文集》卷二〇）

答疎齋書

雲承手諭，教督切至，文義爾雅，曠若復面，不異結駟過門耳提之也。焜燿側陋之望，拜命之辱，然不肖承賢責義有隱於懷者，用竭誠款，竊自通於左右。惟長沙望衡浸湘，秀毓異産，士涵呴儒澤，爲碩人元夫，服忠信殉節義者具如史。上稽古右文，柔遠明公勞使從而使之，既讀命奉職，慨然懷古良吏，庶幾往欽禮教華遠之指。乃筮吉，皮弁祭菜以禮敬，諸生奔走擯相，得未嘗有，甚盛甚休。又謂教民由學，必立之師，固宜旅耆俊植經師，如常于閩詹，韓于潮德，王于鄞醇，始稱尊異。今勤行禮，譔書具幣，涉江越楚，獨先一篠蕢之叟，得毋譁嘲恠玷初筵乎！往年鄭華子之使，傾蓋須臾語耳，其壅蔽樸愚已不自揜。是年冬，得篤疾，日口血不乾，如是三月不死，亟絶人事，屏書册，收召營魄而神明異於昔矣。及今見壺子者，未必不返走也。搢紳先生思其盛壯，猶以爲可教，重席束帛而求之，期以往哲講學之益。甚矣！君子之樂善而成美也。畫龍市駿，感厲隱約，自有當其招而往者，而僕非其人也，况師道廢而名不可居也久矣，有若代席致辱，鄹輿任道蒙患，况季世鲰生之鮮聞者乎！絳帳之謂尤重，其循牆揜耳而不敢唯唯也。昔魏侯致隱士禄萬，國人歌其恭敬，猶有踰牆而避者。屈穀獻瓠，嘲居士之厚不可割，堅不可盛，徒仰人而食，蓋有用之爲無用，名浮而實不隨者，君子諱之。愚瞽冒而弗忘，不可也。若明公逆其微詞婉讓，又甚不然矣。然僕徘徊而未忍自絶者，亦復思惟海内知己如明公者，幾見撰屨羸糧，不遠千里，疏達凝滯，固素所蓄積也。今英蕩之光，七百里之近，無遡洄涉阻之艱，人生幾何，會合彌重，寧以老病疏乎！劉夢得嘗言：蘇味道爲繡衣使者，宋廣平投梅花賦，由是延譽爲聞人，先後進相須理也。或疑廣平大雅，不應至此。石處士得書幣，不告妻子朋友，速於就道，韓子譏之。二賢所行，皆非僕所敢從者，亦非明公之所以望我者也。丈夫感知己，一諾必償，於再於三，敢以煩執事哉！伏惟明公以耆儒真學士居孔融李膺之任，誕敷文教，使南服知孔道與王化，遠邇聞風而興，不待期月可也，奚取於朽敝之器來教？侈於褒寵，厚於望待，恐翔而舞者，滋去人遠也。然盛意敢不拜，竊有近比：昔元晦自閩入湘，訪欽夫談辨踰月，今尚在長老之耳。僕視前修猶泰山一垤，無足比數，而明公文學師表當代，則或踰於欽夫者矣。此猶願密邇攻擊者也。春服既成，其自詣龍門之期乎！既見君子，樂且有儀，王倪之不答，盧敖之舉臂，孫阮之交嘯，皆道也。未既於言者，副墨具之，惟執事亮察而已。（以上清文淵閣四庫全書本《天下同文集》卷二〇）

韻府群玉序

至大三年

四聲韻出而小學湮矣，其音聲反切、清濁輕重之測通乎陰陽律呂之變、天地萬物之終始者，於道德性命之懿亦或有助也。至唐宋，監部之所刊定，則主於詞章之靡矣。於是，雕蟲之子角雌霓之細，兔宴之賞擅雞場之雋，帖括富於連珠，剽綴祕於碎金，則書淫傳癖之響幾絶。今陰氏兄弟研精鉤玄，掇韻繫事。蒐獵羣策，攻剔奇僻。牛渚犀燃，幽怪靡遁；驪山冢發，珍貝自獻。吾懼來學之日媮也。雖然，斲窗之荒速，果獵之酬對，抽毫未發，披本默契，如在紅羅梅屋與重光子遇角花月，一字之響登太清樓而間長睿諸人扣銅刻拂文璧之談辨，豈不快哉！昔人有玉池日浴，衆寶出之，又有遇異人授玉象如生者，羣玉樓有此乎？吾嘗與子爲池滌濯，匱韞以發新，瑩且以象，姑鎮此府，尚日幾其生玉子也。（明萬曆本《韻府群玉》卷首，清康熙本《韻府群玉》卷首）

正德書院記

蒙山界瑞、袁、臨三州，寶藏典焉，蓋天地精粹剛明之氣所融液也。天生五材以足民用，日用而能知者誰歟？凡人稟金氣以生者，其德爲義，爲剛果、爲明遠、爲好義之君子。出爲世用，可以正君定國，敵愾即戎。顧辱於物之寶而賢之，寶未著焉，何也？嗟夫！古之化民俗者其必繇學乎？學者，所以輔相裁成天地之德而立于正者也。於是，提舉陳侯以忠修學，淑人之意，庶乎可以見天地之心矣。先是，有居是官者日冀人侯孛蘭奚，廉而賢，不私貨衔，爰立書院，以正德名，鳩僝未即功，去。代爲是官者，黷貨罔衆，兇焰熾然，五縣爲炭，救死不贍，奚暇學！昔之渠渠者狐瞳蛾術之矣。侯，里人也，宦他州，若疚於懷，亟走闕下言狀：「臣死罪，臣世冒國恩，玆傷隸也，知空穴甚實，以民成民本也，地偏户瘠，固文母湯沐邑，赤子勿暴征。便幸如臣言，即課負毁家以輸。」在廷察其誠，奏特命君當道者復而墨，淫威欽謀，侯欣然曰：「吾爲兩宫爭黔首，代受炮烙之痛，苟以此重獲戾，願甘心焉。」既蒞事，悉行所言，綏靖大萬而常賦益無缺。於是，知民富可以教，大捐己貲修廢庠，聚黨士立師焉。耆耋咸嘆，俊士奮勵，交頌迭譽，相率來告於鄉之老。姚雲曰：「興書院前此矣，復興昉乎此。其未復也，敗屋如瘵，人立灌莽中焉。睹所謂書院者哉，今孔堂巍巍，靈光再存，室廈庖湢，櫛比以整。講有堂，燕有寢，釋有門。崇墉鍵筦，以戒不虞。五采焕然，毋佉官制。其春秋祼瓚有容，冠佩咸秩，器服不假。且曰是不給於養者，且益曰聘壽俊可以爲師者，必鄉評選，悉革俗學，庶士知聖緒文統之傳者遠也。吾徒州里之見也，抑此事非常有者，例《春秋》宜特書。子之文行遠矣，乞一言通諸四方可乎？」余謝焉，念關於吾儒教事重，不得終辭也，乃告之曰：人稟五行之精以生，生以五精爲用。金，四物之一，備用而非爲寶也。精氣爲物，秀於物者爲人，人之生知者鮮矣，未有不學而知，困而不學者〔一〕。學猶冶也〔二〕，金不冶，礦而已；人不學，樸而已。聖賢非異。冶也，因天地所生以養民者，聚之曰府。因其所養道之，以教爲事。正德者三事之綱領也，所以教也。蒙之地近寶，故民機巧而趨利，鄙於陋阨，故士塞而忠，其秉彝好德，何可泯哉！繼自今立先覺以覺後，致多聞直諒以輔仁。迪其良知，毋昏墊於利欲；博以文禮，毋瘠漬於固陋。正《大易》理財之辭，明《大學》爲利之義，必有傑然出爲世用者。且乾具四德，始元終貞，貞元相推，其行爲金爲義。六府地産也，必格物致知。立教之目四，德，天稟也，必盡性知天，克學之極，此古者門塾美化之所先，非正義之君子，孰察乎此。陳代爲著姓，諸大父氣義許交，多致天下豪雋，如齊諸田、魯朱家，綠槐紘壺，嚴泉營雪，事尚在長老之耳。固吾舊遊也，君復能崇儒興化以接鄉人於道，其源流遠矣。《傳》曰：「雖無德與女，式歌且舞。」陳氏之德，民歌舞之矣。古有隱君子，卻聘金謝楚，相畊於蒙山之陽者，今庶幾猶有斯人乎！吾安得友而共評之？（清康熙十二年《上高縣志》卷六，康熙五十七年《西江志》卷一六一）

〔一〕困而不學者：困而，據《西江志》補。　〔二〕學猶冶也：學，據《西江志》補。

惠政橋記　至元二十一年十一月

惠政門當新昌西郭，山溪介之，故爲舟梁以門名。暴澍潦起，溪別市斷，涉有溺者。寶慶乙酉，邑令趙公綸初作石址。後三年，李公從丘里之號〔一〕，更曰「太和橋」。蓋三十有一年，會蛟孽壞，又六年，鄉老姚君汝輔請于官，醵成之。越十有五載，燬于劫火，遺址巍然，行者未嘗不出涕也。議復者衆矣，何以不克成。至是，邑主掾羅思敬以義導施，厥民用勸，一志興事，橋卒以成。縱三百七十尺有奇，什九分之其一爲衡，上覆以屋，爲楹百有十六，跂翼聯絡，藻繪煥爛。凡致材萬三千，糜粟三千斛，幣金以萬計者二百六十而贏。勺受銖算，官不知役。始己卯迄癸未〔二〕，亘五年而後備，迺扁揭復名「惠政」。輿馬利往，廛市諜讙，相率謁記于高安姚雲。我聞太皡竅木絶港，堯樹橋木，西伯造梁。箋者謂：自天子至士有常等，民不得爲之。帝王共德也。鄭大夫濟人于溱洧，君子曰「惠不知政」，蓋謂乘輿之濟不如濟以政之博，或深求于輿梁徒杠之外，則濟人者非政與？他日嬴負鉅力，役石傳海，其民毒焉，夫豈知佚道之使民速于郵乎哉！昔錢積於縣〔三〕，官吏得出納之，後無繩稽者，故公役便。至元二十一年十有一月至日記。（清康熙五十七年《西江志》卷一六一，乾隆五十七年《新昌縣志》卷二一）

〔一〕李公從丘里之號：《新昌縣志》作「李公以制屋之從丘里之號」。〔二〕始己卯迄癸未：原作「始辛巳迄己卯」，據《新昌縣志》改。〔三〕昔錢積於縣，原脱，據《新昌縣志》補。

荷溪書堂記

新邑之荷舍，有宋處士李名希周者，號紹郊。先世累以宦業顯，處士淵源家學，砥厲舉子業，方弱冠，貫穿經史，工詞賦，膺郡邑貢。人方翹然望處士之有爲也，乃慨王室式微，大廈莫支，遂辭榮顯，放浪於山水詩酒間。一旦，慢然曰：「身將隱，焉用文之！而聖賢一脈不可斷。」於是，建書堂數十楹，聘邑之名士郭先生竹澗爲之師，倡明理學，以訓誨後人。且置附近義田一百餘畝，以贍四方來學之士。是以山谷耆老無不遣子孫就學，一時萬井喁然嚮風，鄉邑中有「義堂藜火」之號。余與竹澗契友也，一日造訪，見其書堂廣十畝，爲荷溪水口之鎮。周遭空曠，繡壤相錯，面挹桃峰，矗起霄漢間。荷池蕩漾於前，筆山屏其後，朝暉夕陰，心目皆爽。夜間燈光熒然，仰視樓上如明星。漏永人靜，書聲徹於里外。予信宿留之不能去，乃知邑之所謂「義堂藜火」者信不虚也。處士以雲至，即來賓如舊相識，與論道德文章，亹亹不倦，偶及滄桑，輒嗚咽不能語。余觀其風範，是誠有德而隱者耶！是雖隱其身而志猶存乎名教者耶！余每愧生平懷抱纍積而卒多未逮，登處士之堂，悲其志，尤服其公，處爲名儒，出爲名臣，余正樂得以觀其後。（清乾隆五十七年《新昌縣志》卷二一）

重建社壇記

先王建國域民，左祖而右社。定陰受陽，封土崇祀，所以親地道也。社，五土之祇而配以勾龍；稷，五穀之神而配以棄。樹之槐梓栗柏以棲田正。圭用二邸，服有絺冕，所以神地道也。三代之制，郡縣未異名，故縣社無所考，然自大社、王社、侯社之外，見于都鄙邱井之間，若州社置社者，則庶幾秦漢以來所謂縣社者也。春祈秋報，類戎鼓蝕，必集于社，故民之視聽一以服從，上之政化而無奸餽。即世遠義塞，有土者乃闢丈尋之間，浮土甃礫，若野肆于狐虺之囿，命之曰社，號焉而已。天地之和，小沴則老釋之居，汗走雨拜，不愛薌幣，龍鬼大厲，輿服晝遊，巫覡呦訛，詭汰踰僭，吏不敢問。天澤適至，則淫祠叢林，考宮釁鼓，貪天功而不疑，顧后土亡如也，何幸斯人而愚惑至此哉！抑執政化者無以牖民而聚敬耳。瑞之附郭曰高安，故有社，邇之爲政者數遷于縣郭之東西，無定域。祭日至，鹵莽即事，姑取辦治。神弗顧歆，凶瘥薦臻，襲故弗察，諉曰「不急」。今年春，部使者式閭而問禮焉，余復之曰：「國典孰有重于社稷者？而可野肆之邪滋？大不敬。」于是聞者赧而退，而縣之長貳佐史悸汗趺蹶，乃相地于縣之西偏，亢燥而潤厚，縱廣十丈，衡加有半。中立冢土爲三壇四壝，以祀勾龍、棄，旁以風雨神佑之。齋宿有館，位列有庭，繫牲有門，崇嚴有制。環以門廡，守以閽隸。外爲周垣，以尺計者二百五十，而汰工以夫計者六百五十，踰月而畢。食不官費，財不民給，俄丹倏堊，速于畫堵，行人徘徊，觀感未嘗不興起也。寬條適畊耘，不驚風雨，序至地載，神氣之應如此。至是，黨士耆老相率來言，請書之。辭不佞，請益堅，乃叙其本末以爲記。或謂役于農時，何居？余解之曰：《春秋》凡大役，必日書，時也，禮也。《禮》云：「唯爲社事，單出里；唯爲社田，國人畢作。」釋者謂事重在社。曰單曰畢者，餘夫盡出以從役也。社田猶爾，始社能勿役乎！社非臺囿比也，役非時乎？且夫上之觀風宣化者，不齊民以刑而齊以禮，下之布政者，後事之末而先化之，原皆希闊僅有之美，宜得書以爲勸，未敢以古之守社稷者詳之也。夫古之所謂社稷臣者何如耶！（清同治十年《高安縣志》卷二二一　以上王明澤點校）

全元文卷三三九

劉壎　一

劉壎(一二四〇——一三一九),字起潛,號水雲村(清龔望增《劉水村年譜》)。南豐州(今江西南豐)人。早年喪父,與母親依外家生活。依靠母親勤于婦工勞作,致送少年入塾讀書的束脩。勤于研習,有時讀至鷄鳴方息。長成工於詩駢,爲文流暢,漸有聲名。咸淳元年(一二六五)在盱州開館授學。六年,初涉科場。此後,因老母在堂,諸友邀試皆辭不赴,落落不偶半生。元貞元年(一二九五),五十五歲時被舉薦任建昌路學正。啓迪佳生,章程有序。大德四年(一三〇〇),纂《南豐州志》。至大二年(一三〇九),任延平路儒學教授。延祐六年卒。著作有《隱居通議》三十一卷、《水雲村泯稿》三十卷。輯得集外文一篇。本書所收劉壎文以清道光愛餘堂刊本《水雲村泯稿》爲底本,補以清文淵閣四庫全書本《水雲村稿》(以下簡稱文淵閣四庫本)、明天啓本《水雲村泯稿》(以下簡稱明天啓本)。校以清文淵閣四庫全書本、明天啓本。

漢高帝廟賦有引

豐西山水隈曲處多漢帝廟，廟像多古雅，里俗歲時致祭乞靈以爲常。按漢史帝生於豐，起於沛，戰於河南，都於秦雍，師行所至，多循江北。暮年以來，出師僅至於蘄，則大江以西，帝之馬足固未嘗辱。其後廟祀相望，無亦仁義公恕四百年默有以深入人心者，故世祀而弗忍忘與？吁，三代而降，政多以譎而不以正，庶幾無愧者，高帝爾。盛德必百世祀固宜。抑帝也仁明英武，度越後王，風起雲飛，威揚海內，千秋萬歲後，黍離麥秀，其遂棲神深山之孤廟，受野老隻雞豚蹏之祭邪。則千古英雄之志，有觸目而可悲者矣。乃引而爲之賦，曰：

陟山曲之坡陁兮，有古松之蟠屈。積楮鏹之紛披兮，見廟貌之突兀。蛛蟲絡兮頹檐，龍蛇繪兮敗壁。旒冕儼乎帝王，顧劍佩之侍側。始欲諗其何神，汔莫睹夫扁額。則見瓦礫飄風，階除落照，樵牧三五，偃蹇言笑。遂前詢夫故老，曰「此漢高帝之廟也」。於赫高皇神武天毓韜光振采，美石韞玉已。乃起豐、沛，王巴、蜀，戰河南，入函谷，眇西江之僻左，未嘗辱夫馬足。顧遺祠之何多，遍山隈與水曲，將非漢德深厚，漢澤悠長。皇天后土，鑒約法之三章，除苛解嬈，宜萬代烝嘗之不忘。嗟夫，芒碭二界，瑞采成龍，泗上一亭，天開帝宮。揮青萍於酒後，奪威斗於月中。時則霆迅電掣，霧滃風從，山石爲泐，草木失容。集士馬兮雲黑，列旗幟兮天紅。聲撼河、朔，勢赫川東，羣狡衆黠，束手鞠躬。

開炎祀之四百，後三十世而勿窮。其威靈可謂甚雄矣哉。方其定都咸秦，控引伊洛，函關鞏固，隴蜀盤錯，觀闕岧嶤，黼扆煇爍，萬方球珙，一統正朔。宴未央，朝長樂，千官舞蹈，六師羅絡，太常奏樂，上公執爵，祝帝壽之無疆，謂與天而相若。日月幾何，山川寂寥，長陵無樹，烟雨蕭蕭。彼寒食松楸之餒，竟無人兮爲澆。則迺棲神古廟，慰我黎兆，乘彼白雲，去來縹緲。蓋星弁牢落，而受農夫蠶婦之拜奠，象貌凄涼，而饗斗酒豚蹏之祭醮。何昔盛而今衰！俛仰悲歌，不覺爲之失笑也。秋清兮木彫，屋老兮瓦飄；石鑪燼兮烟斷，土像頽兮塌搖。日色薄兮嵐霧冥，鵂鶹鳴兮風怒號。憶蓊嬴而蹶項，氣蓋世而凌霄。噫而今果安在哉！令人魂斷而意消。或曰有隆有替，從古然矣，未煩博采陳編，汎引前事。姑以近於漢者言之，則前有始皇、二世，後有備、權、操、懿，莫不奮威逞雄，角力鬬智。或豪舉而席卷，或交爭而鼎峙，極意氣於一快，騁詭秘以萬計。第求子孫帝王之業，不悟世變輪迴之數。始焉肩摩轂擊，雲擾波沸，已而聲銷景没，縮首喪志。雄心斂於片木，霸氣沈於九地，蓋石火之熚乎易滅也，槿華之飄乎易墜也。其横騖絶出，聳動華夏，生平之誇豪竟不多，史官數葉之紙。信自古莫不皆然，徒以增志傷情於一喟。繇是觀之，威力氣勢排山倒河，窮貪極暴譏訕詆訶，然而莫能當數十年寒暑之鍛鍊，日月之消磨，雖合古今帝王之傑特，無奈此元化之密移何。瓊宮瑶臺，蕩爲浮煙飛埃矣，恩淺惠薄，豈復有遺廟之嵯峨。其仰視高帝，彌足增感。彼英靈有覺兮，寧不心恧而神瘥乎。天道人事，終有止法〔二〕，儻盛極而不反，則必遞遷而周匝。惟道德之迓續延洪，勝智勇之震讋凌壓。使當百僚朝會之赫奕，而坐念千秋廟祀之毁殘，知興廢之靡常，斂威力而勿殫，委歷數於代謝，置生靈於安閒。雖不幸運去物改，祚移鼎遷，抑感恩懷德，終謳思而永嘆。荒祠野祭，正以著人心之騰歡，而仁深澤厚，迺於是乎可觀。則睹斯廟也，且將莊敬思慕之不暇，尚忍譏其裸薦之酸寒乎？重凄慨而興懷，爰作賦以矢志。請無非其深文，期昭垂於永世。

〔一〕終有止法：法，文淵閣四庫本作「汔」。

壽文堂賦

大元革命初，兵禍頻仍，士學都廢，往往易節。獨劉水村翁確守素業如平時，故扁其讀書之室曰「壽文」，喜其文之猶壽也。

兩儀肇判，三才以分。爰有精粹，融而成文。蓋鍾秀於海嶽，宜交瑞於乾坤。其在天也，星宿羅絡，燿靈煇煥，霧湛烟霏之炳映，雲光霞彩之絢爛。其在地也，機杼縱橫，錦繡川原，峰巒之丹碧峙麗，江湖之漪縠淪漣。其在人也，精神志氣，經天緯地，大則綱常建立，禮樂粲賁〔一〕，宮廟朝市之位，官班祿爵之制。下至州邑以及閭里，莫不儀物黼黻，等威堂陛，有尊有卑，有都有鄙，有巨有細，有綱有紀，施諸政刑，秩然條理，郁郁彬彬，立厥統體。次則制詔坦明，號令傳宣，出絲綸而章日月，走風雷而動山川，悍將流涕而向化，癃老扶杖而爭先。又其次則奇人秀士忘餐失寐，雕鏤才情，討論經史，或賡歌以頌太平，或哀吟而慨興廢，或爭先聖之教於衰微，或著書以俟百世。其尤下者場屋聲華，音調委靡，獵科名，鈎富貴，是區區者最不足齒，然苟爲之，則亦斯文之一利也。顓、辛以前存而勿論，蓋自放勳登極之歲，暨乎德祐移鼎之年，以歷計凡三千六百三十有三矣，文脈未始一日而不傳。噫，河洛聿啓，世變運殊，元化粹精，久矣發舒。天矜其鑿，欲壽以愚，爾迺刊落其華燿，蹙迫其迂徐。翳黯其昭明，蕪薉其芳腴，舉數年之所嘗發揮，至是摧剝而焦枯。於是泊然反素，歸於太虛。意者猶六月之息，將復開斯文之初乎？盤桓康食幾十載，而餘諸君其思，非天壽吾文而何如！或者夙修日寡，新習改化，典籍寇讎，仁義土苴，彼有懷跖心而術孔業，立可家崇、愷而位王、謝。息我天黥，解我天劓，若夫沈痼書癖，天閼文氣，惟吾中年之朋侶，屈指東南而有幾。歲推月移，磨滅誰繼，則飛走同歸，卉木接趾，斯白日之行屍，而黄泉之愚鬼也。文且弗靈，壽乃在是，譬猶游方之士，志求登僊，周行萬里，出入霞烟，神氣瓠落，足力繭穿，覺其喪失之已多，乃塊守乎泉石之間，遺形骸而精固，收視聽而神全，翛然羽化，壽也後天。嗚呼，天不忍斯文之喪，以是開壽域而演真詮。予悟而喜，揭扁於楣，登斯堂者爲予繹之。

〔一〕禮樂粲賁：粲賁，明天啓本作「設施」。

觀雨賦有引

某歲夏旱，惔焚不可奈。一日步江皐納晚涼，乃忽風雲交作，雷雨踵至。予喜，諦觀，因嘆化機轉旋在呼吸間，一何易也。將紀以詩，客曰：「詩不如賦，賦亦古詩之流，且昔人未有因觀雨而作賦者，盍試爲焉。」予曰：「諾。」作觀雨賦。

鶉火序次，祝融張氛。垤鸛沈聲，疇龜露文。暑侵肌兮若蒸，氣塞膺兮如醺。予意憒憒，散策江村。冀受晚涼，消此黄昏。則見水涸沙壅，炎熇澒洞。睨千林以招風，嘅纖埃之不動。予益憒憒而眊瞢矣。盤薄頃之，西望高山，微雲冉冉，出如毬煙，蔽虧斜日，蕩漾瀲天。俄如縈縷，廣袤敷布。又如車輪，徑南以去。而南山之南，亦見奇峰騰驤，宛延如虯，如龍。又徑東以之北，忽蘋末之生風。俄而風威漸勁，雲氣彌黑，濃淡砌疊，如岡巒之横出，倒景晃燿，映天地而碧色。爾乃排空如城，倏忽流鈴，海光摇閃，捲水南溟。陰風雄號，牛馬悲鳴，撼枯木，揚飛塵。彼有浴川登岸，如鳬雁亂(二)，曳衣挾巾，狂走兀巖。似揮刃之欲逼，亟投家而鼠竄。予方徐登野亭，凴欄倚楹，觀霮䨴與洶湧，何瞬息而晦冥。乃見疏林低枝，聲戰敗屋，其著地者有如飛鏃，風益健而疾呼，雲挾雨於欲垂。列缺揮霍，霹靂轟飛。俄而風力寖息，西南轉值乎雲薄，則細密如線至，若雲屯正厚，建瓴決堰，又如水簾與飛練。是雨也，横嶂沿堤循山，截谿方直，或似乎屏障彎環，又類乎罘罳。惟驟雨乃始若是，蓋游雲有以幻之。瞻彼南山，白霧吐灑，飄風霏薄，與雨上下，眩奇呈秀，欻變忽化，天巧所到，雖妙筆而不能畫。雨沾衣單，冰凝露寒，於憒憒以頓清，忽翛翛而欲僊。則詠曰：「此天下之奇觀也。」余嘗喜登峰以觀雪月，喜卧石以觀雲霧，尤喜伊何臨江觀雨。嘗試思之：風雨雲雷，交戰竝集，神怪掀舞，魑魅爲泣。衆駭栗而無人色，我乃浩乎太虚以獨立。正於此觀天地之變，又何嫌乎好奇之癖。心志激壯，精神飛翩，劍槊舞，鉦鼓喧，如見夫赤壁走操，淝水殲堅，唐兵破夾寨之日，周師捷高平之年。山開石泐，河傾海翻，將非奇觀之尤傑然者邪？嗟夫，天地焦枯，金石俱靡，陂澤欲竭，黍苗已悴。斯人旦暮已矣，而昊旻至仁，忍遂涸棄，驕陽化霖，旱虐一洗。然則神工之轉旋，其易特反掌耳。海宇之大，黎庶之繁，一亭毒於蒼冥，寧俾暍死於是間。蓋窮則變通，大《易》之義，豈惟造化之仁，將亦理之所必至。吾因觀雨而悟夫天道陰陽之機，世道升降之際，則憮然而起曰：「如斯而已乎，一反掌之轉移亦甚易也。」

〔一〕如梟雁亂：文淵閣四庫本作「如梟雁亂羣」。

養生賦　至元二十七年

至元庚寅歲，秋暑熾甚，予患痢疾良苦，既小瘳，作《養生賦》以自警。

維炎歊之侵薄兮，幸苟免夫隕墜。委瘦骨於一席兮，亘中宵而不寐。展轉乏力，吐納短氣，蓋五臟六腑之鬱積，實九竅百骸之腴膩。窮日之力，抉而去之，故雖有存焉者寡矣。情思眇綿，支體廢捐，惟百念之頓清，見一真之湛然。則反而思之曰，羣生賦形，危淺脆弱。外而皮膚，内而筋膜。非金非石，易朘易削。肺肝有似乎羽輕，腸胃何殊乎紙薄。偶一息之不續，不崇朝臭腐而銷鑠。嗟夫，幻軀若是，其不足恃邪，而以此當天地之遷變，亦甚岌岌而不覺。其隆寒也，雪風墮指，霜硝裂齒，百川凝冰，陰毒入髓。其酷暑也，太空流火，山木焦燎，污池沸波，六合烘窖。吁，可畏已！乃以危淺脆弱之質，敵此毒烈慘酷之氣，孰勝孰負，可驚可悸。矧夫思慮糾結，憂樂摧折，噭呼損肝，勞苦傷骨。或疾鞭其神魂，或顛蕩其氣血。乃若醇醪沈酣，冶容駘喪，極口腹之無厭，竭精髓於一暢。是殆逃生於毒鴆血肉之中，寄命於猛虎齒牙之上也。寒暑迭衝，情欲夾攻，曾人生所息之幾何，乃欲以應夫無窮。將見如電光之閃忽，曷不爲老氏之守中。天地生化，父母保毓，蓋至貴者人身，難得者壽年，安忍以其至貴難得者棄之空緣乎？予既疾而獲痊，撫弱質而凜然，願清淨以養生，庶永壽而或僊。

翦韭賦

病痊以後，榛莽紛糾，閒步荒畦，猶見殘韭。命老圃以荷鍤，見隴塍之如舊，則乃除其蔽翳，芟其老醜，加灌溉於既枯，不崇朝而吐秀。時雨適至，生意滋茂。萬緣翠敷，千枝玉瘦。乃翦取而熟之，映冰瓷之滑溜。既愜予心，尤利薦酒。於是澤以醹醽，佐以老薑，凡調和其滋味，益助發其甘芳。蓋鬆脆而適口，復潔淨而清腸。更易爨而生燎，亦旨美之可嘗。時則腹疾新蘇，靈府通疏，方戒茹葷，惟許擷蔬。凜百物之多忌，惟一韭之是需。生意續而不斷，物性溫而無虞。每噍之而暢適，復何異乎膏腴。憶杜陵之夜雨，炊黃粱而與俱。嗟夫，非此韭風味之足嗜者乎？彼以二十七品而譏庾郎者，又奚恤於此徒！

延平新郡賦有引

延平，閩喉襟郡也。上則建安、汀、邵，順流而趨下，則興、福、漳、泉，溯流而會。古爲鎮，以延平名，厥後鎮陞爲路，至南唐始以劍名。至宋又謂西川有劍州，加南以別之。其得名之初，蓋曰晉雷華爲建安從事，佩其父煥所得豐城劍，經延平津，劍躍入水，華募善没者求之，不見劍而見雙龍焉，遂指爲張華所失之劍，亦會於此，而證以神物終合之說。然而非也，昔張茂先仕西晉，誅死於洛，終其身未嘗至閩，劍何由合？今則誣曰華禍將作，劍倏飛去，非誕妄傅會而然邪？或謂雙溪所匯，狀類交劍，此說近是。而郡人則相傳，謂劍非美名也，其字之偏旁從刃，從兩口三人，此名大爲不祥。往歲嘗易置郡扁，甫揭於譙，而市人忽鬭斃刃下者三，乃撤扁，汔今弗敢署，民實病之。至大、皇慶間，同知郡事赤盞公顯忠來，訝鼓樓無郡扁，詢諸耆老，耆老以實告，且曰：「厥今時平兵息，願去南劍名，復名延平，於以避俗忌，從民欲，可乎？」於是郡佐盞公以聞於上司，上司以聞於朝廷。延祐初元三月十有九日，顯允信陽韓侯顯保前已授南劍路總管矣，郡佐盞公時相以爲言，改授延平路總管。八月佩新符，牧雄藩，差穀布宣，封部丕聳，方將葺舊譙，揭新扁，用欽承天子之明命，以肅邦人之觀聽。郡文學掾盱南劉壎賦以美之曰：

於皇大元，有赫厥聲，嘉惠遠藩，申錫美名。猗與盛哉，允宜揚休命而彰威靈者也。眷惟延津，形勝天成，據七聚之要衝，控八閩之縱横，衍山峙秀，筆峰凝清。東望則谿灘石澗，勢若蛇縈，萬櫱順流，擁泊福城。西望則豐嶂層巒，螺髻引繩，遠瞰樵川，倚如坐屏。南望則千山奔馬，溯流欲升，亘乎三華，界彼臨汀。北望則芒芒坦塗，間以茂林，駟傳旁午，會於建寧。既提封之廣袤，亦生聚之繁興。臨以三品之總府，衛以萬卒之連營，闤闠羅星，車馬喧霆。垂楊蔭乎康莊，長橋跨乎清泠，寺鐘樓鼓，朝暮鏗鍧。此非昔日陳侯誨創闢於荒翳，張侯嚳捍患於紛紜者乎？毓人之英，由地之靈，則有續道統，闡聖學，如諸賢之屹山嶽；又有樹名節，攄忠鯁，如諸老之炳丹青。魁儒秀士，膺使名卿，前引後隨，佩玉振纓。獨怪夫郡額之弗稱，致啓乎羣喙之譏評。何以言之，夫樹屏建侯，職重宅生，萬姓之所具瞻，一扁詎容或輕？固宜寓公正寬平之意，副休養生息之情。奈何點畫意象之間，乃露鋒刃斬刻之形，殺機隱隱，羣心兢兢，至驟起胥戕之兆，而占者謂字體之宜更也。彼西川以劍名者，乃其銛峰峻壁之克肖，而是邦亦名以劍，且祖夫晉説之不經。若爾則爲世道慮，爲生民矜，可不順衆志、思小懲乎？爰有郡佐，披襟建明，聞於臺司，達於彤庭。乃出綸綍，命鈞衡，其以南劍易以延平。於是置郵傳命，一札萬里，導迎聖恩，滌濯俗忌。時則顯允韓侯，誕膺眷倚，指是邦而集牧，候臨遣於殿陛，奉巽命以啓行，佩金印而戾止。仲秋之月，玉宇澂霽，差穀旦以宣藩，出新令而布治。胥吏羅拜，僚屬環跪，簫鼓喧迎，旌戟擁衛。府寺改觀，山川助喜，風動乎五色，雲封乎四履。而又延平之名方新，適與延祐之元相比，無亦氣數之前定，匪繇人謀之擬議邪？嗟夫，名則美矣，實亦宜爾。儻敷政之失中，雖易名而何謂？故乃玩平之字，繹平之義，其於政化，大哉關繫。蓋嘗青鐙繼晷，考諸漢史，吳公之爲河南賢守，也曰治平第一，宣帝之稱良二千石也，曰政平訟理。因知古人治郡，惟平則美，毋謂名已改而實可棄也。且權衡不平，則輕重殽；波瀾不平，則舟楫廢。況夫千里宅牧之權，五馬金章之貴，據案執筆，生民命脈所寄者乎！是宜守醇悶，敦簡易，酌柔剛，戒偏滯，勿私喜怒，勿違律例。吏胥當戢也，弗戢，則舞文弄法而平者陂；豪猾當懲也，弗懲，則弱肉强食而平者躓；讒諂當察也，弗察，則變白易黑而平者圮矣。故聽訟主乎平，則無理者不敢以貨餌；折獄主乎平，則無辜者不至於寃死〔一〕。一平廣布，萬善斯備，萬善所感，諸福畢萃。由是而貫幽明，息沴戾，雨暘和調，黍稌豐峙。斯時也，渤海之牛犢勤耕，潁川之鳳凰呈瑞。政績著聞，重加褒璽。詎止爲公爲卿，宜孫宜子，且邦本所關，國祚亦受祉矣！儻或昧持平之道，虧和平之味，私蔽乎公，以非易是，虐用鞭笞，弗飭簠簋，華邨多吠夜之犬，石壕有捉人之吏。將見不平其鳴，喁喁沸沸，勃鬱哽塞，乖氣召沴，則否德而祿，殃咎奚避？是故因頌進規，式警有位。爲政不陂，太平萬歲。

〔一〕則無辜者不至於寃死：至，原作「致」，據文淵閣四庫本改。

迎春賦　延祐二年

仰天運之周流兮，殆有似乎環循。悵殘臘之垂盡兮，又將迓夫新春。千山積雪，八荒屯雲。正寒氣之侵肌，俄洪造之轉鈞。歲于易而逢卯，月律轉而建寅。爾乃丹鳳頒歷，土牛祀神。蓋四時之更端，而萬象之維新。若夫風日酣美，燕鶯嬌媚，亭館歡聲，畦隴生意。園林粲其錦鋪，笙簫喧而鼎沸。此則游人之樂，自迎春始也。東作居期，犁鉏如市，夫耕婦饁，兒嬉女侍。社鼓鼕鼕，秧歌娓娓〔一〕。此則農人之樂，自迎春始也。晨曦初升，春誦勤止，坐對聖賢，心醉經史。講明政化之原，沈酣義理之味，此則士學之樂，自迎春始也。嗟夫，一歲之首，四德之元，芒芒大化，旋轉乾坤。極而必反，寒而必溫。世俗徒見夫時序之改，君子獨惜夫日月之奔。此所以有感於迎而爲之銷魂也與。援筆成賦，孰識其故，春風已知，入我窗户。

〔一〕秧歌娓娓：娓娓，明天啓本作「[illegible]」。

閱武賦

縹渺浩蕩，灝氣凄爽，千騎翼而外圍，萬卒聚而内嚮。牝牡互列，方圓殊狀，神旗豹尾，祟牙虎帳，戈甲明鋭，旌戟鮮强，傍羅偏裨，中立大將，部勒既定，沈聲息響。飛一騎之傳呼，紛諸軍而勇往。乃左乃右，或下或上，試攻伐擊刺之技，嚴坐作進退之象。陳法合乎孫武，陰謀本乎吕望。紀律嚴整，氣色激壯，俄申令而校藝，乃拔尤而行賞。矢欲破的，槊欲穿鑹，或揮刃而略陳，或説劍而抵掌，莫不驍勇矜奮，趫捷縱放。砲飛空而星流，旍莽野而塵漲。風雲會合，烏鳥悲愴。欻飛鏑之命中，翹萬首而齊仰。已乃卷旆鳴鉦，解嚴休兵。奏角兮振揚殺氣，伐鼓兮激暢軍聲。步騎徐行〔一〕，按甲歸營，我士無譁，惟聞馬鳴。咺市人而擁觀，羡軍容之精明，恭天命以征討，必靖亂而致平。客有誨予者曰：子之譚戎講武偉矣，抑嘗思右武之流弊否乎？大凡備不設弃，勝貴能持，天道惡殺，國宜畜威。儻佳兵而不已，必生靈之難支。故當軫荆棘凶年之戒，宜勿犯不仁焦爛之譏。且子獨不見夫邇日江鄉之苦兵者乎？一聞過師麏奔鴻飛，踰岡越巘，竄伏顛隮。荷甑釜而負衣橐，攜幼穉而扶老羸。或風雨而雪霜，競號嘑於寒饑。井竈無烟，况聞犬雞。蓋其引避之不亟，則虜略淫污而罔遺。悍卒紛其肆暴，主將僞爲不知。分甘是務，誰卹創痍！故乃粟空於廩，魚竭於池。或不幸而相遭，必執縛而鞭笞。其遇敵也，率奪氣而怯戰；其賊民也，反攘臂而怒馳。逮軍行而民還，則生業之已墮。既盡壞其器具，且不存於門籬。歲如此者數四，歎雖生其奚爲？斯窮黷之貽害，雖傳聞而已悲。嗟夫，仁以爲城，義以爲池，循吏布於郡國，良將鎮乎邊陲，輕刑薄斂，除暴禁非，四民樂業，五兵何施？是以歸馬華山而天下一，干羽兩階而有苗歸。至是則《春秋》之閲武，特以示弛兵忘戰之危，而道德禮樂之化，自可固子孫帝王之基。天子有道，守在四夷。老子曰：「兵者不祥之器，不得已而用之。」

〔一〕步騎徐行：徐行，文淵閣四庫本作「序行」。

雲間賦爲吉士蕭某作。蕭自號雲間，求予賦。

吉士蕭子來盱豐，託雲間以自表，而徵詞於水雲村之病翁。翁爲之言曰：

夫雲也者，天地間神化之尤者也。而其氣生於坎宮，出於山川，行乎大空，翕忽聚散，渺縹鬱蓊。其發舒也，膚寸而滿六合；其變幻也，蒼白而異始終。其附乎日，則晃漾遠邇；其乘乎風，則飛揚西東。凝而雨露，則萬物資以潤澤；藏乎穴洞，則窅然莫睹其蹤。爲慶爲祥，匪電匪虹。雲之神化若此也。而子寓意於雲之間，得非慕昔者之陸士龍乎？抑子聞之士，龍之爲士龍，一雲間也，僧住半間，雲半間，亦雲之間也，子將奚從？以予觀子，閒靜守默，如雲之未離乎崆峒〔一〕；傑出卓立，如雲之特見乎奇峰。留情於詩，雲態悠悠；寄興於琴，雲意溶溶。是將養其資成其德，從龍於雲中矣。

宜足當「雲間」二字之封。若予也，固樂與雲相從〔二〕，但其荒村淺水〔三〕，游氛薄靄，又安望雲間之下風。雖然有一於此，子方壯，吾且老，各安其分爾，又何計乎窮通。方將蛻吾形、凝吾神，飄然上泝太清之濛濛。斯時也，子其雲間乎，我其雲間乎？同乎，異乎，盍應之曰：「將無同。」然則孰究其所終。姑舉絃而揮之，目雲邊之飛鴻。（以上清道光愛餘堂刊本《水雲村泯稿》卷一）

〔一〕如雲之未離乎崆峒：崆峒，明天啓本作「坎洞」。〔二〕固樂與雲相從：相從，明天啓本作「沉浮」。
〔三〕但其荒村淺水：但，明天啓本無此字。

壽節賀表

宋景定元年正月五日

獻歲發春，挺生真主，與天齊壽，恭祝聖人。矧臨啓運之年，有衍興王之慶。恭惟剛健中正，神武聰明。三紀四方無虞，丕暢久成之化；九夷八蠻通道，克開底定之勳。適虹電之交煇，等乾坤而同永。臣分藩有守，造闕無繇，藝祖開創於庚申，願恢令緒；帝舜誕彌於甲子，期邁修齡。穆陵生於甲子故云。

謝賜曆日表　宋景定五年

仰觀天文，協用五紀，以爲民極，賚及萬方。蒙帝力以何知，表人時之敬授。恭惟誠參化育，道妙裁成。膺曆數以在躬，契合六十年之興運；察璣衡而齊政，環循三百載之太平。正朔誕頒，車書咸被。臣職司勸課，志在布宣云云。

紹陵誕嗣賀表　宋咸淳四年十月一日

乾萬物之資始，式開有道之長；震一索而得男，丕衍無疆之福。甸區嘉賴，宗社奠安。恭惟德澤延洪，仁恩涵育。忠厚成其福祿，克底蒸民之生；孝弟通於神明，宜接千歲之統。告朔適當於良月，流虹遂應於前星。臣老佚里居，遠欣邦慶。二十九得皇子，同符先漢之頌歌；億萬年敬天休，永邁成周之曆數。

賀太后

德合重坤，仰貽謀而翼子；祥開索震，爰受祉而抱孫。宸扆來朝，慈闈增喜。恭惟得天久照，應地無疆。壽考萬年，用介福於王母；本支百世，肆遺休於後人。遙知問寢之歡，坐享含飴之樂。臣身棲南畝，心戀東朝，誦太任《思齊》之詩，於昭積慶；效湯孫《猗那》之頌，式衍丕基。

賀皇后

宮闈雍穆，肇美螽繩，廟社靈長，篤生岐嶷。仰離明之繼照，表坤厚之含光。恭惟如月之常，配天其澤。審官賢佐，君子助成化育之功；帥嬪御祠，高禖協應誕彌之瑞。凡皇祚綿於百世，由化基本諸二南。臣幸佚餘年，欣逢慶事。祝帝堯之多子，有偉貽謀；頌太姒之嗣音，永言齊壽。

正旦賀表

宋咸淳六年

歲協祝犁，頌九州之正朔；帝臨垂拱，朝萬國之衣冠。自天降康，與民更始。恭惟日新盛德，春育函生。六年受五服之朝，混同文軌；一氣轉八荒之壽，增壯山河。適當黄道之中，宜處青陽之左。臣歸田身老，戀闕心存。王春受漢京之圖，莫陪正杖；吉月布周邦之治，第仰寬書。

正旦賀太后[一]

月正元日，尊臨南面之居；天下一家，同致東朝之慶。慈顔有喜，景福無疆。恭惟與物爲春，後天不老。龍樓戒曉，日膺問寢之儀；雉扇開雲，歲舉奉觴之典。九重稱賀，萬國具瞻。臣歸老邱園，馳神禁闕。四時成歲，欣逢交泰之期；五色補天，端賴重坤之助。

〔一〕題名據文意代擬。

正旦賀皇后[一]

王者大一統，式迎泰道之亨；太極有兩儀，允賴坤元之載。歡騰柏頌，喜溢椒塗。恭惟化基二南，仁育萬物。正位乎内助，宣太皡之春；申命自天均，迓元正之福。對龍杓之易次，仰鳳闕之受朝。臣昔侍西清，今安南畝。想紫禁烟華之繞，莫綴班聯；瞻黄道日月之明，遥依魏闕。

〔一〕題名據文意代擬。

壽節賀表　至元二十五年八月二十八日

乾統天而乘六龍，光臨率土；兑正秋而説萬物，瑞應流虹。聖明挺生，遐邇胥慶。欽惟寬仁撫世，神武興邦。如月之恒，日之升，同符久照；際天所覆，地所載，咸入洪圖。福鎮關河，壽齊箕翼。臣分藩有守，望闕無繇。致嵩嶽之三呼，第瞻北極；指軍峰之萬仞，遥祝南山。

又　至元二十六年

乾元御極，運應河清。兑正司秋，節逢電繞。萬年介福，四海均歡。欽惟光嶽儲神，箕翼同壽。爲天地立心，生民立命，共樂治平；凡日月所照，人力所通，悉陶化育。祥開誕聖，慶衍齊天。臣忝牧一州，恭瞻九陛。歸美報上，莫親奉於玉巵；以忠事君，尚遠稽於金鑑。

登極賀表 至元三十一年四月

天子君萬邦，適符曆數；皇極斂五福，誕覆幅員。華夏歡聲，乾坤喜氣。欽惟與天同大，如日方升。聰明睿知以獨尊，登九五位；朝覲謳歌之竝集，得億兆心。宗社安於泰山，詔令聳乎率土。丕昭祖訓，光御皇圖。臣叨守外藩，遥瞻中禁。又逢聖主，逾殫美報之忠；嘉與遠氓，共樂升平之治。

又 萬户府

明帝御邦，嗣累朝之丕緒；黎民有主，藹萬國之歡聲。廟社奠安，乾坤開霽。欽惟純粹中正，睿哲文明。鍾三光五嶽之英，天姿特異；爲六軍兆姓之主，神器有歸。奉烈祖之聖謨，膺皇躬之景命，時乘龍御，光紹鴻基。臣濫職柳營，馳神楓陛。爰飭《采薇》之戍，謹守封疆；敬歌《天保》之章，願綏福壽。

壽節賀表　至元三十一年九月五日

虹電流煇，適應九秋之候；乾坤齊壽，有開萬歲之期。瑞氣烟熅，頌聲洋溢。欽惟睿知神武，博厚高明。天日英姿，鍾太極兩儀之全氣；風雷嘉會，協六軍萬姓之歡心。當新政之御圖，紀良辰之毓聖，誕彌厥月，長發其祥。臣分牧南邦，馳誠北闕。瞻蓬萊之五色，阻綴賀班；效嵩嶽之三呼，遥申善頌。

又　萬户府

龍飛御極，甫新一統之權；虹流介祥，咸仰九重之慶。歡騰薄海，瑞靄層霄。欽惟載纘武功，誕敷文德。撫軍監國，久符重煇重暈之占；應天順人，善繼同軌同文之治。茂介秋高之候，有開帝出之辰。臣縻職柳營，馳神楓陛。千官朝賀，遥瞻漢殿之班；萬旅歡呼，共上莊椿之祝。（以上清道光愛餘堂刊本《水雲村泯稿》卷一五）

全元文卷三四〇

劉壎　二

正旦賀表　元貞元年

歲頒寶曆，大一統以爲元；春度玉墀，喜萬年之介壽。和熏海岱，喜溢乾坤。欽惟德與日新，仁同天覆。車書混一，睿知足以有臨；正朔昭明，華夏罔不率俾。儉勤遵夫祖訓，愛敬説於親闈。茂對青陽，益臻洪福。臣職分藩服，心戀闕庭。膺貢受圖，雖阻陪於朝會；行慶施惠，願衹布於恩言。

又　萬户府

東風轉律，又新萬物之煇；南面受朝，茂介九重之慶。聖明臨御，華夏瞻依。欽惟稟睿自天，性仁繼祖。修車馬，備器械，八紘丕震於皇威；開黄道，拜紫宸，百辟共推其神武。當持盈守成之世，逢考圖數貢之辰。壽祉駢臻，基圖鞏固。臣屬縻軍務，阻綴廷班。詩詠《采薇》，恪謹封疆之戍；春融細柳，常懷雨露之恩。

壽節賀表 總統所

華衮天臨，喜親逢於明主；方袍雲集，咸恭祝於聖人。運應六龍之乘，生同一佛之出。欽惟慧通山海，福比河沙。累劫萬行圓成，爲世界主；大地衆生歸仰，居人中尊。當秋高氣清之時，紀電繞虹流之節。壽齊箕翼，慶溢乾坤。臣祇率梵徒，遥瞻宸御。真詮五千卷，敬繙貝多葉以披宣；睿算億萬年，願比須彌山而長久。

又 九月五日

虹渚紀祥，九五適符於令節；象筵啓教，億兆齊藹於頌聲。飛龍御天，生佛見世。欽惟獲無量福，居不動尊。因果圓成，作大地山河之主；智慧廣大，爲當時人天之師。先囊萸四日之期，應曇華千年之瑞。光騰箕翼，喜溢乾坤。臣寄蹟南邦，傾心北闕。領苾芻衆，敬宣覺帝之真詮；繞蓮華臺，齊祝聖皇之上壽。

登寶位賀表　大德十一年

六龍在御，初臨南面之朝；萬象維新，咸拱北辰之照。皇圖鞏固，甸宇欣愉。欽惟淵懿聰明，睿知神武。鍾三光五嶽之全氣，繼祖嫡傳；得六軍萬姓之歡心，受天寶命。孝愛首尊於慈極，寬仁誕布於東方。臚謳歌朝覲之歸，副宗廟社稷之託。臣忝紆郡紱，恭被詔綸。歷數在躬，所願跨商周之世；福威惟辟，何幸逢堯舜之君。

太后册寶賀箋　大德十一年

神授寶册，正萬國之母儀；帝奉玉卮，開億年之聖壽。宮闈喜氣，穹壤歡欣。欽惟道協媧皇，德高文母。如天之運，定大策於禁中；挾日以升，福羣黎於宇内。既措安於神器，宜誕受於鴻名。盛典煇煌，慈顔忻懌。臣縻身南服，稽首東朝。擁佑有功，永享九重之侍養；對勷無斁，共欣千載之會逢。

東宫受寶賀箋

帝臨玉扆，新膺昕陛之朝；天授寶符，首正春宫之位。慶綿宗祐，歡動甸區。敬惟機神英明，性質仁厚。娱侍太母，藹和氣於宫幃；擁戴聖皇，著殊勳於社稷。宸眷篤怡怡之好，淵衷定繼繼之謀。瑞協龍潛，祥開燕翼。某身縻支壘，心溯賀庭。重光重暉，喜羣情之有屬；同文同軌，占大曆之無疆。

尊號賀表

至大二年四月

南面視朝，敞玉宸而臨御；東宫考禮，焕寶册以推尊。仁洽萬方，歡騰八表。欽惟德配天地，孝通神明。得位、得禄、得名，光昭烈祖；重光、重輪、重潤，敷佑後人。履端誕受於徽稱，涣號遄頒於慶賜。聖朝創見，縟典增煇。臣忝守偏城，欽承明詔。進官一列，喜均被於隆恩；祝壽萬年，願常熙於鴻號。

壽節賀表　至大二年七月

律轉青商，適金行之肇序；位尊皇極，紀電繞之呈祥。福祿駢臻，朝野胥慶。欽惟聰明作后，寬惠愛人。天下同軌同文，新崇徽號；王言如綸如綍，誕播洪恩。勤問寢於龍樓，永貽謀於燕翼。式逢瑞節，丕衍耆齡。臣分牧南邦，馳神北闕。三呼祝壽，阻親奉於玉巵；百拜盡恭，願常瞻於丹扆。

東宮生日賀箋　三月三日

瑞啓龍潛，光應斗樞之繞；歡均鰲掖，時當天氣之新。福祿駢臻，朝野胥慶。敬惟英明冠世，神武安邦。贊一日萬幾之權，允熙庶績；慕二帝三王之學，博采羣書。欣際昌辰，益隆壽祉。某等屬縻州壘，阻綴庭班。遙祝千齡，衍本支而益茂；恭陳百拜，仰華鄂之相煇。

延祐丁巳肆赦謝表　延祐四年

立愛惟親，特厚宗藩之眷；宥過無大，誕均甸宇之恩。詔下九霄，歡騰八表。欽惟堯仁濟衆，舜德好生。追懷棣鄂之華，忍遺厥後；曲軫茅封之貴，弗麗于刑。憐其詿誤之情，錫以虧除之澤。宏敷曠蕩，溥及隱微。臣職謹布宣，心同欣躍。雷雨作解，同熙一氣之春；日月照臨，永衍萬年之福。

（以上清道光愛餘堂刊本《水雲村泯稿》卷一五）

代包尚書申省乞朝假狀　宋咸淳二年

昨準尚書省劄子云云，給假一月，候滿前來供職者，恩旨薦頒，孤哀增感。伏念某棲遲暮景，眷戀明時，清朝未忍於棄捐，優詔僅蒙於予告。恩綸稠疊，寧忘魏闕之思；藥裹纏綿，靡遂漢廷之侍。今者年益加大，病殊未瘳，雖出入庭户以猶艱，豈奔走道塗而無苦？輒陳私悃，俛念顛危，欲望公朝特賜敷奏，更與給假一月，少需煖淑，庶便老癃，實拜鈞造生全之賜。

代申省乞蠲租免糴狀　宋咸淳四年

咸淳戊辰夏，鄉邑水災，遠近艱糴，人心洶洶。予日慮寇禍，六月初，遷避建昌城中。未久，果聞嘯略四起。八月八日，賊破邑。大焚略而去。是時朝旨下江西運司，於諸郡和糴米數十萬碩，頒降官誥、度牒、銀、楮四色爲糴本。數内建昌合糴三萬餘碩，南豐與焉。予聞之惻然曰：

「邑虚矣，何堪重糴乎？」即思以救之。適雲舍趙公必岊新注雩都宰歸，亦寓盱城，居相鄰，因約其同謁鄉達尊包樞相恢、陳尚書宗禮、曾侍郎穎茂、黄侍郎萬石、易安撫士英，請爲聯銜列上於朝，祈免糴，又祈蠲租。諸老俱然之。陳公命予亟具稿以進。即備公劄，聞於賈平章似道。未幾，尚書省劄下，盡從所請，租糴兩免，次年春夏，遂免艱食云。

某等跧伏田里，囿身化鈞，自安其愚，詎容妄有陳述？兹以事變出於鄉里，事體關於朝廷，冒昧籲呼，仰祈鈞鑒。某等生長建昌，竊惟本郡山多田少，素非富饒，而南豐一帶，又接閩、贛，民俗慓悍，輕生習兵。纔遇水旱，無聊輒嘯聚稱戈，負固挺亂，致上煩於有司。今年春夏以來，積雨霖淫，谿澗漲溢。至四月乙巳大水，五月壬戌又水，拔屋宇，衝田疇，蓋四縣皆然。而南豐則平原出水，災變尤甚，東西彌望，莽爲沙邱，牛畜種植，多没巨浸，廩儲溼腐，告糴孔艱。於是强民結聚者四起，州郡爲之調兵鎮壓，遣榜招諭而後定。曾幾何日，被水者修補廬舍未就，葺理縣市未成，忽八月初，本縣管下峽村賊首維動天等，聚集兇徒，焚劫鄉落，竟以初八日辰時，掩襲不備，長驅破縣，虜略財貨、婦女，殺死宗室王民。本縣無兵無城，徒手受寇。邑廨、市肆，悉盡於烟焰之中；生靈老少，多斃於賊刃之下。僅得尉卒數輩，短兵巷戰，而寡不敵衆，莫遏其鋒。賊勢既張，好亂者衆，邑距郡不四舍，朝發莫至，蕩無隄防，近城居民率竄城内。傍連贛撫屬邑，如寧都、宜黄，無不震動。弱者徙家遠遁，强者團結自防。州郡始調廂禁寨兵，結約隅總邱應祿、胥廣、趙集義兵，攻圍賊洞，幸擒元惡，已正典刑，同黨羣兇，或逃或捕。既而憲司軍馬踵至，雖可少安，然郭内則瓦礫蕩然，莫居無所，諸鄉則例受寇燬，茅葦相連，生者骨肉流離，死者肝腦塗地，甚可痛也。某等竊念南豐自紹定己丑廖寇兵火之餘，凡二十年，創痍僅起，而寶祐戊午之張寇起，焚蕩劫略，一夕爲虚。郡家急於繭絲，草草收拾，甫及十年，痛猶未定，而羅寇繼起。四十餘年，三經殘破，寒厓赤子，斬然無一縷生意。秋成納稼，民食所關，而始以洪水之漂流，繼以兇饑之焚略，又繼以軍馬之蹂踐，西疇刈穫，能有幾何？况邑之宿儲空於水，鄉之積貯空於劫，市井之生聚空於火。疾痛呼天，安得不仰祈一分之寬乎？共惟寬大之朝，仁恩旁達，元勳當國，澤及隱微，凡州縣兵荒，每拜存撫。今南豐水、盜、兵、火交逼沓至，尤宜興憐。欲望公朝曲垂軫念，特降旨揮行下建昌軍，將南豐民户二税蠲免一年。其本軍和糴米年例，四縣總計三萬餘石，併乞劄下江西轉運司行下本郡，將南豐一縣今年合糴之數，特與除豁，令運司收回糴本，庶幾寬恩所被，民力獲紓，亦見本朝仁遠之意。愚望鈞慈，亟賜報可，某等當與下邑黎庶，永戴洪恩。干犯鈞嚴下情，不勝俛伏俟命之至。咸淳四年十月日，右武大夫、閤門宣贊舍人、主管華州雲臺觀易士英，朝散郎、集英殿修譔黄萬石，通奉大夫、寶章閣待制曾穎茂，華文閣直學士、太中大夫陳宗禮，資政殿學士、通奉大夫致仕包恢劄子。　是年十一月，尚書省劄子下建昌軍，仰將南豐縣民户咸淳四年夏、秋二税蠲免一年外，仍劄江西轉運司行下本軍，將南豐縣咸淳四年和糴米照數蠲免，收回糴本，併劄送包資政等官。准此。

代中省爲陳參政請謚狀

竊惟聖經存節惠之文，清朝有錫謚之典，所以旌别淑慝，昭示來今。倘非依賴於鈞陶，何以煇光於泉壤。伏念先君樞參資政，年垂七秩，歷仕兩朝，清介方嚴，不混流俗。平生勁直之節，著在朝廷；簡靜之政，行於郡國。爲學官，因冬雷上疏，語侵大臣，鄭丞相惡之，而斥爲宰屬。因陳四大願，歷詆時事，丁大全惡之，而又斥。景定更化，天日清明，起散地，乘軺傳，觀風嶺海，一道肅清。中間雖以詩語爲御史虞慮所誣，徙居二水。而元宰當國，察其非辜，曾不踰年，尋叨擢用，由庶僚而登言路，由言路而升從班，彈擊不避貴權，論思必主正大。一時忠言讜議，以之爲首；端人雅士，以之爲宗。出帥羊城，以清約洗貪風，以安靖鎮遠俗，至今南人歌思靡忘。暨登廟堂，守正不變，雖莫究大用，而天下善類識與不識，翕然以名節稱之。其持身處事，治家居官，皎皎無毫髮磨玷。至若讀書講道，勤苦自厲，則壯老猶一日也。公朝爲之贈官加賻，恩全始終，亦既哀榮無憾矣。永惟墓草已宿，壹惠未章，不肖孤零丁待盡，弗克顯揚，深懼先君名實與草木俱腐，無以贖不孝罪，謹繕寫行狀一帙，叩首百拜以請。欲望朝廷俛賜矜念，或蒙特達密啓，徑降恩旨，爲易其名。或蒙下之有司，從公議謚。豈惟不肖孤誓報洪恩，九原有知，亦將永永戴德其無斁。某冒犯鈞嚴下情，不勝俛伏俟命之至。

呈州轉申廉訪分司救荒狀　大德十年

大德十年丙午歲春夏間，江浙大饑，吾邦與鄰郡皆然，景象惡甚。予不能安，條其事上於郡，適分司官至，因以聞。

竊惟民間或有疾苦，學校所當開陳。本州歸附三十餘年，多遇豐歲，民各安生，亦曾間有艱糴之時，然止是小歉，不至大傷。惟有今年，凶荒獨甚，豈非歲在丙午，自古以爲厄會耶？即今饑民充塞道塗，沿門乞食，扶老攜幼，氣命如絲，菜色雷腹，行步顛倒，一邨一保之間，兒嗁婦哭，所不忍聞。蓋緣此州本是窮原去處，山多田少，地狹民貧，雖遇豐年，猶有不給。自大德四年以來，連年不熟，罕有積儲，至七年、八年，則旱損其半，九年，則蟲傷尤多。民户輸糧、還債之外，所存無幾。上年臘月，農家多已無飯度歲矣。苦捱至春，又遇雪凍。閏月以後，淫雨連綿。至於三月二十一日夜半，西鄉峰嶺等處山水發洪，衝田拔屋，莽爲沙邱，如秧如麥，俱已蕩盡，沿河一帶，彌望蕭然。常年猶有鄰境可以通融，今則鄰路俱荒，四境斗絶。常年猶有蔬菜可以助食，今則久雨寖淫，蔬菜腐死。常年猶有客船運米，可以接續，今則州民前往下江販運，多被龍興、撫、建闌遏，不許到州。常年米碩，價止中統鈔一十兩，糴户猶曰艱難，今則價值日增，倍而又倍，且又夾雜水溼、沙糠，春簸之餘，一斗僅得七升而已。以此展計，每碩乃成三十兩之上。小民久困，鈔從何來？以至將屋宇、園畬、絲麻、衣服、牛犁、器具，甚至貓犬等物，俱已典賣應急。自春至夏，歷日滋久，蓋亦罄竭矣。且糧多之户，不免猶有缺食者，耕農之家，困乏可知。弱者忍饑待盡，强者率衆開倉。或有百十爲羣，突入大家，升堂入廚，需求飯食，必待烹豬給酒，醉飽乃去。既曰饑民，誰敢抵拒？亦且數衆，叫囂震驚，以此税户亦不安居，往往搬移回避。景象殊惡，蓋三十年所未見也。居是邦者，凜凜度日，幸蒙省府矜卹，累次發糶官糧。倘非得此賑饑，則餓死久矣。又奉榜文，委官勸糶，伏睹辭意哀矜懇切，洞察民病，百姓見榜，歡聲如雷，以至感極而泣。然官倉所糶，每户多者五斗，少者一二斗而止。略計人口不同，大槩僅充五日之食。所食既盡，又只忍饑。今纔五月上旬，相去秋成尚遠，兼本州山深地寒，止宜晚禾，惟有近郭鄉邨，略種早稻。通計十分之内，早稻止有三分，各濟本鄉，何能普及。近爲大水衝田之後，補插稻秧，比常年栽插之時，甚爲遲緩，恐至七月，纔見收刈，況又未卜有收無收。凡人一不食則饑，再不食則困，三不食則餓且死，豈能空腹忍死，待秋熟乎？至如遠邨，止種晚禾，直到秋冬之交，然後成熟，似此饑荒正長。委計利害，今則未論秋後，且慮目前，若不多方措置，不惟餓死者衆，亦恐别生事端，倍費有司處置。伏見本州官糧，除已糶出及存留年終支持外，尚有餘賸。乞行照勘數目，接續發糶，拘錢還官。仍乞申覆省府，乞於糧多路分轉撥萬石，償運前來接濟，亦是損有餘補不足之意。就乞行下龍興、撫、建諸路，放行米船，毋得阻遏。均是江西地面，一般饑民，何忍妄分彼我，瘠魯肥杞也。其有富户蓄米待價，固是愚而無知，不卹禍敗，理宜督勒，隨時平糶，庶免後患，可保家業。至若姦民不畏官法，乘時放强，鼓動惡少，不問物主，擅取倉禾，此風亦不可長。所宜折其萌芽，合無多出榜文，嚴加禁治。嘗聞古人救荒有法，凡禁治，閉糴之户，强糴之民，必將二事竝行，蓋以安富恤貧，不至偏負。如某所陳，似涉激切，然事急不暇徐行，心痛不及緩聲。如言可采，早望定奪，實一州生靈之幸。伏乞照詳施行。是年省府節節行下糶糧，又專官親臨賑濟孤貧者，分遣郡官下鄉勸諭大家減價發糶。郡侯聶公伯達，名從政，懇惻奉承，秋毫無擾，貧富安之。又勸農競種蕎麥，爲明年續食計，所收甚廣。暨丁未歲，民得麥續食，不復有饑。由是兩歲雖歉，而獲免溝壑者，皆公家全活力也。

建請改葬鄉賢游澧州狀

竊惟尊禮先賢，國家之令典；建明議事，學校之公言。伏見《南豐志》該載先賢數内，有故澧州太守游大夫，諱少游，文學政事，爲時名臣。亡殁之後，已行埋葬，經今百年。昨因至元己丑、庚寅間，兵寇擾攘，將本官墳墓發掘，破棺取物，衆皆見其金紫儼然，顔貌如生，衣服俱被剥去，屍體棄於道傍。子孫凋零，無人收瘞。鄰近憐其裸露，就將浮土略爲掩藏，不復再行正葬。今則又歷年深，雨水寖淫，牛畜踐踏，此去日久，必復暴露矣。生前既是品官，身後豈宜如此？本處亦有善人，肯爲出力遷葬，卻爲未曾聞官，由此未敢輕動。本官原葬新城耆，接連玉泉地面，有玉泉耆儒人黄貢元，名猶方，讀書知禮，樂爲義事。謂宜委之此人，倡率鄉里仁人義士及游門宗親，協力維持，製造棺衾，將本官遺骸裝斂入棺，加以釘線灰漆，如法封閉，結砌墳穴，用石蓋壓，務令完牢。仍於墓前鐫石，明書

「澧州太守游公之墓」，致祭安奉，以表先賢。則澤及朽骨，風厲薄俗，誠州郡之美事也。

講究堤備湖寇事宜狀

竊詳江海湖泊，水面闊遠，蘆葦阻深，致有盜賊出没，從古不免，而近年爲尤甚。剽劫商旅，損傷官員，非止掩其資財，又且占其妻子，尋踪無處，生死銜寃。今者李某所陳，件件皆實，原其事理，蓋緣賊船盤據水中，巡尉遠在岸上，追捕縣隔，力無所施。又賊船、民船混雜波心，雖有智者，不能辨認。爲今之計，謂宜别立水路巡捕司，驗地面遠近，節節置立，使聲勢相接，首擊尾應，給以官船，日夜巡哨。其有雇覓民船裝載者，宜依李某所陳，令本人經官告給印信、勘合及用火印烙船，參照相同，見得某處、某人管下附籍船户，如此明白。若或船無火印及無勘合，即是賊船。顯然彰露自無所容，而水盜因可弭矣。至如船居之户，規避差發，則宜印烙其船，及依土居粉壁例，置立粉版，開寫户貫、人口，官爲置籍，時常點視。非止官府得以役使，而奸盜不致窩藏。此又一舉而兩利也。其要在乎講之周密，行之堅决，又須嚴立法，禁堤防巡捕司與賊交通之弊。庶可戢水盜，護良民，惟執事者實圖利之，生靈幸甚！（以上清道光愛餘堂刊本《水雲村泯稿》卷一四）

答諶桂舟論銘文書　至元二十二年

某辱賜書，賜輓章，意厚甚，哀感彌甚。某幼孤，事先母四十年。天怒其不能盡孝，一旦奪之，煢煢疇依，痛毒酸楚。既葬，既小祥，思親之淚未乾，罪逆媿悔弗釋也。人事俱廢，不特取疏先生。先生哀憐愁苦，勤勤惠綏，不孝孤曷克當？謹忍泣叩首以謝。高文下教，若以某爲可與於斯文者，益佩深情。承欲爲鄧尉作銘，此意尤古。闡幽垂遠，固朋友責。故舊凋零，中年增感，某亦嘗欲爲三數知己發揮平生。恨學淺筆力弱，未能爲。先生幸慨然爲之。或辱教某以共爲，或互相爲，冀萬一或有傳也。某固不善爲，倘先生教之，或能爲。毋問其傳不傳，要亦盡吾心愈於不爲耳。竊嘗謂古今文籍以來凡數千百載，聖哲豪英凡數千萬人，聲蹟磨滅，富貴湮没，所建立操挾，乃無一足恃。恃者，數行之銘，託之金石。歲月悠長，土草翳蝕，石泐字漫，乃亦復不足恃。恃者，文學之士錄之書册，昭垂不朽。世無千年之石，而有千年之書，故乃世代寖遠，聖哲豪英猶可仿佛知其心，想其人者以此。近世韓、歐、曾、王，多爲人作銘章，雖其名甚微，其銘刻已湮没，而後世閱其集，猶知有其人者亦以此。鉅人碩士，藴抱瑰特，不忍隨世浮沈，刮滌振迅以自舒展，或出意氣立事業，皇皇焉爲民彝世教計，期以久傳者，又恃有此也。傳不傳不足計，顧命之曰「人與鳥獸異矣」。爲其有足傳也，槩曰不傳。不力於善，爲鬼蜮，爲梟獍，爲狐鼠，爲虎狼，爲天地蠹，爲生民賊，諉以堯舜亦死，桀紂亦死，取快瞬息，甘爲愚鬼莫之恤，是莊、列氏怪誕陷人心之説。吾聖賢位天地，福生靈，意不如是，此《春秋》作而亂臣賊子懼也。天地無全功，能生人，不能使斯人之有傳，傳者以文章耳。文章造化當與天地造化分功，文章在世間，顧可少哉！熏天炙手，翕赫震動，曾不能當數十年日月之運，寒暑之變。炊糧未熟，夢已覺矣。回視平生，竟何所得？想見千載英魂，亦自一笑。惟陳編墨蹟，炳然如見爾。則文章在世間，乃誠不可少矣！而託文章以傳者，又必其人德義志節無忝銘筆，乃幸或恃以傳。韓、歐、曾、王節行配古人，德業著當世，世託之傳者以此也，乃亦不獨文章也。近世陋俗，以名位求文章，不揣其本，署銜位，列名氏，直寸晷矜寵，終不傳也。則又不若山林枯槁德義志節之士，大公至正，誅奸發潛，如是而爲之銘，乃足恃以必傳也。夫其富貴權力之不足恃，而賴金石以傳；金石不足恃，而賴書册以傳，必傳矣；顧非德義志節有足恃，文章亦不傳也。噫，其難哉！噫，其難哉！某自少從諸老學爲銘章，老矣而無成。今先生志乎是，而德義志節高隱山林，乃適與某之言合，而某亦山林枯槁也，故願相從以成其學焉。哀疚中不作他文，近爲人銘二墓，未知有合於盛意否也。故因復書以請正焉。某叩首再拜。

内幅

近世銘筆，推永嘉葉氏爲宗。某少之時，因諸公宗尚，嘗熟復焉。十數年來，深味其文，乃有不大愜於予心者，往往崇華藻而乏高古，不免止是近世文字爾。若夫獨步千古，方駕班馬，則愚謂止當推昌黎一老，而繼之以南豐先生而已。尊見以爲何如？

回宜川黄親書　至元二十二年

某罪罰痛毒中，辱展親甚寵，止哀，讀來教數四，何謙勤也。古人於所自出，每篤叙焉而不忍遺，班班書傳詩歌間。熏然其慈，謂不復見，今也乃幸於仁親見之。昔我先老姑之適順伯氏也，是生尊夫人，以歸於尊公，而執事生焉。義至厚也。某生也晚，幼也孤，不獲侍先老姑，其於執事，又以異縣而不獲親。某則愧矣，書焉先之？意繾綣甚。蓋今世以爲迂闊不切，而高明娓娓，若不能以寧，豈其詩書同原，風味自别？某不惟愧也，感慨係之。盛心古誼已可想見，清材敏識，固應不羣。以仁義培其根原，以事物鍊其智識，惟不失其良，貴與造物游。雖緼袍環堵，自然常伸於萬物之上，豈必紆青拖紫，號當世公卿而後爲貴？要之，政亦何足貴也。拔起西江萬灘中，共垂不朽，吾親勉之。某也未五歲而爲先君所棄，事先母踰四十年，不能盡孝，天遽奪之。倏越期祥，哀痛澈骨，恨不即相從地下！屬有三兒，二甫冠，一垂髫，閉門味書，老意轉拙。疇昔獲交海内魁奇鴻儁，固自負風雲萬里之氣，今則心堂堂而髮種種矣。蒼蒼倘私我，更幾年住世間，或可有以藉手見古人。不然，自分與草木俱朽而已。雖未能見君子以寫我心，幸因復書而得以論心，猶未若覿面情話爲慰此心也。賤累辱問多感，併此附謝。因書來，忽憶先母談笑間有時述先姑及尊夫人令德，歷歷在耳，乃今言不可聞，俱化而爲士矣。執筆愴然，淚墮而廢。不備。

答友人論時文書

客中薦承訪問，良懌；繼承時文新作下教，尤懌。今承惠書徵贈言，則某媿懼，不復能懌矣。文固文，而時非時，君何情而猶工之不置，愚又何説爲君贈邪？念君意厚不可負，亟細讀盡卷，瞻麗如雲，敷空圓熟，如丸應手，儼然景定、咸淳程度。儻國不亡，科目不廢，挾此鼓行，芥拾青紫，惜也賈用不售。蓋特可曰舉業，而不可曰時文矣。愚竊有以廣君意，夫士稟虛靈清貴之性，當務高明光大之學。然爲昔之士，沈薶於卑近而不獲超卓於高遠者，蓋宋朝束縛天下英俊，使歸於一塗，非工時文，無以發身而行志，雖有明智之材，雄傑之士，亦必折抑而局於此。不爲此，不名爲士，不得齒薦紳大夫。是以皇皇焉竭蹶以趨，白頭黄册，翡翠蘭苕，至有終老而不識高明之境者，可哀也。今幸科目廢，時文無用，是殆天賜讀書歲月矣。尋求聖賢旨趣，洗濯厥心，先立其大，豈不油油然有顔曾自得之樂？顧復沈汩於此，則宋人拾鄭人之遺契，而曰「吾富可待」者也。而又有重可哀者，《南唐書》載金陵被圍，亡在旦夕，後主猶命伍喬於圍城中放進士孫確等三十八人及第，史臣反覆哀痛，謂其不識事勢。每讀，使人殆無以爲懷。而比歲襄圍六年，如火益熱，即使刮絶浮虛，壹意救國，猶恐不莊。士大夫沈痼積習，君亡之不卹，而時文乃不可一日廢也。痛念癸酉之春，樊城暴骨，殺氣蔽天，樊陷而襄已失矣。壯士大馬如雲，輕舟利楫如神，敵已刻日渡江呑東南，我方放解試，明年春又放省試，朝士惟談某經義好，某賦佳，舉吾國之精神、工力壹萃於文，而家國則置度外。是夏，又放類試，至秋參注。甫畢，而陽羅血戰，浮屍蔽江。未幾，上流失守，國隨以亡，乃與南唐無異。悲夫！愛文而不愛國，卹士類之不得試，而不卹廟社之爲墟！由是言之，斯文也，在今日爲背時之文，在當日爲亡國之具，夫安忍言之！今君之言曰：「吾非樂爲時文也，吾平生長技止是，舍是無以自見，且無以應庠序之季考也。」此言逾可悲耳！學以明理，文以載道，其妙在乎自得，豈爲衒友朋，較短長計哉！誠不得已而應課試，姑用君所已能，正亦自足，奚必自苦而求深？求深而擅場，正不過三數人中取一魁亞，正復何可語人？人亦誰復推重？吾儕一等，俱非妙齡壯齒，此去日減一日，歲月幾何，不於聖賢高明光大之趣求得一二，乃汩汩焉爲是不切於用者，以迷其本心，益可哀也已，異時將書以示後曰「有時文幾十篇行於世」，則可乎？君姑卷懷而從事於上上者，愚將觀其進焉。不宣。

與趙儀可書　至元二十六年

某生長江西僻左處，五十無聞劍炊矛淅，媿不與孤竹臞僊、東海高士翛然六合塵埃之外，顧忍慚苟生爲天壤間棄物，目眵頭白，行且謝世緣而同太虛矣。獨斯文盛心，曾未塵土，每睹海内奇傑灑灑可人意，輒篤嗜若飴蜜然。至嗜之甚，則必博詢其人之年貌與其志節，以想見其爲人。其人居遠而不得見，則或倚危闌、登高峰，目極飛雲以寄其一日之思。而又甚者，即雖素昧，或通尺書焉以納交。噫，地老天荒，今夕何夕，甚哉，若是其迂也！或曰：「是奚迂？天理民彝之正然爾」。某所以冒焉致𠱾執事之意，蓋如此。日社友陳君南居之歸自鷺洲也，衝風雨，過我水雲村中。某迎問之曰：「是行見異人乎？」曰：「見之。」「誰也？」曰某人某人，而執事居其一。又問：「得異書乎？」曰：「得之。」發其篋，得《青山初稿》一帙以示。時暮，田已夜色，亟篝鐙熏香以讀。讀一二，惟恐其盡一讀，竟又反覆讀至夜分，讀不忍休。不覺瞿然語諸兒曰：「是古心老子復出耶？何甚似也！」士登古心之門者多，而文之似者蓋寡，往往高自標致，無鹽效顰，正未必優孟之於叔敖也。執事之文，則似之矣。夫文似他人，未足貴，似古心，乃有貴於他人者，是豈易與俗言？且近世以文鳴，何可勝算？簡潔華贍，典雅雄豪，雖各極其天分之所到，人自名家，而古心乃爲獨不可及者，以味勝也。雍容委蛇，豐潤暢達，不磔裂，不奧澀，時有斷厓崩湍，點染呈露，終不礙河奔澤匯之勢。雖其奔逸超絶處，正如天驥籋雲，横視無際，而其歸沈鬱，倡歎雋永，牙頰何其旨也！今執事之文，抑揚開闔，縈紆起伏，清不浮，奇不怪，簡不失之碎，深不失之艱，是皆不必論，其所以尤可愛者，亦以味勝也。新意坌湧，姿態百出，而沈涵吐吞。一節三致意，讀者有無窮之思。甚矣，其似古心也。某甚敬甚慕，甚恨未一識，故介南居致𠱾焉。昔歐、曾、蘇、黄皆不遠千里以文字相師友。此事今無，執事其或振之也。新著想益富，便中希寄。不宣。

與陳中方教授書

某從地上望百尺樓，突兀霄漢，幾年於兹，恨不獲一攀附。比者，夏五宗濂爲容，不自意得進皐比左右，慷慨意氣，促膝傾懷。走也何自辱此，豈坐上之嘉小異故耶？病且還山，惜不再詣。欽企重欽企，斯文黯鬱久矣。名儒碩師，模楷盱庠，如臨淮入汾陽軍中，旗幟營壘俱變精采，流風餘韻及我鄰封，咸願與講下章縫均承教育。秋堂風露，弦誦益清，坐使潤泉如在洙泗。某重拜稽首。某弊車朽稾，爲天壤間棄物，慨想平生與海内豪俊游，所志謂何，五十無聞，乃困躓歷落之如許，雖其心堂堂，而髮種種矣。惟進學求道一念，與時俱長；亦惟見賢思齊一念，與時俱長。甚願立下風，請所以教，顧末之能。適友朋過從，謂將布武堂下，敬乘便奉書，寫別後懷仰心。西風欺人，意度蕭颯，不佞願聞金石一語以自壯。（以上清道光愛餘堂刊本《水雲村泯稿》卷一一）

全元文卷三四一

劉壎 三

答陳將軍求諶先生銘文書 大德二年

某冗阻造詣實深懷賢。桂舟先生神游物表，寖遠寖忘，誰復動死生交情之念？獨執事哀憐苦心，欲志其墓。此宜孝子慈孫之所汲汲，而執事先焉。聞者曰：足厲薄俗，真古義士矣。此宜屬之大手筆，乃下采於區區廢惰之人，聞者又曰：託非其人矣。永惟執事相愛之厚，老先生相知之深，俱有不可辭者。抑承命半載，不及下筆，非慢也，一則以老先生乃江右大詩人，二則以金石文一字關書法，又俱有不敢輕者。近方脱稿，敬以上呈。其間不止爲老先生發揚，且爲唐、宋二代詩家統紀略存大槩，未知果可拈出否？昔歐陽公作《范文正公神道碑》及《尹師魯墓志》，竝招物議，王荆公銘錢公輔母夫人亦然。彼二公，皆大賢名筆也，猶所不免，況僕乎？儻招浮議，惟在高明察之。歐公有曰：「此文所以慰吾亡友耳，豈卹小子輩哉！」不宣。

與朴齋黄宰書

某託斯文綢繆之好，踰三十年，道同而言莫違，心親而迹罔間，所謂景仁兄弟也，姓不同耳。書館分席，文場共鐙，每一追思，如墮夢境。昔若彼其密，今若是其疏也何居？逸少有云「感慨係之」矣。比者，兩辱書，兩具答，往往皆江湖遞送，能無浮沈否？即辰春暖，伏審亨塗，有相台履，多福雅學，盛名宜列華要。屬拘近制，聊此斜飛。伏聞省臺諸賢，交誦名德，將有攜上崢嶸者，其集烏乘驄，快我心目。某衰朽踰六，静味更深，獨嗜學一念，至老不衰，亦不自覺其無所用也。竄伏深密，顧景凄然，每思乘興一訪知己，又若有物尼之者。學生來洪敬上起居問，併叙渴心，我輩所欲劇談者，不勝道也。説與傍人都不會，杖藜攜酒看芝山。紙盡且已，愧不宣展。

通臧廉使書

大德五年

時維孟春，草木生意。恭惟廉使相公魯山先生，正直所格，神明翕扶，台候履端多福。去秋上狀後，遄往寧都逼臘纔歸，歸而會憲甫知州，言相公榮被除音，移節名部。浙民何幸，吾江西之民何不幸也。輒成拙詩，前寓贊揚，後寓依戀，伏希電燭。惟是札覆之請，上累鈞陶，蓋日夕俟之。天下偉人，斯文宗主，舍是何所依歸者？第恐吏舍有望，無力計置，全藉相公維持，恃以無恐。憲甫知州，仲春授代，此時或追送至洪。首岡俛伏階墀以謝。不宣。

再通臧廉使書

月正三日，李舍人行，嘗附拙詩以進。越三日，憲甫知州出示珍染，乃知相公軫記孤寒，已爲人選。何修何飾，如取如攜，「此生恩未報，他日目不瞑」，謹誦此語以謝。區區前任爲例革，故短少月日，若接補滿考，本自不須再行札覆。第去歲嘗諜之省房，則曰「前度札覆文書，未爲盡善，恐入選有駁，須要重行札覆相應六字完備方穩」。有此疑慮，是以冒昧攀祈而不知止。今賴相公維持，入選無駁，何幸！何幸！然再三細思，終須過此一關。實欲乘今明使者在司，特達成就，即目合用即用，否則存留起咨。失今不圖，異日寧復有愛士如珠若明公者乎？閒冷蕭條，出門如礙，既不能奔競計置，惟杖盛心古道，曲成不遺爾。去冬鈔到儒選名字，惟袁之萍鄉州、瑞之新昌州二正今猶未差，恐有機便，望相公於内造就一處，則斛期近，而士習純，或可藏拙，待滿爲告咨地。相公其圖利之，敢肅拜以請。年時不肖嘗以屬之理問白公，得報云「候文書到選，當爲出力」，繼又聞參政尚公廉正不阿，憐才重道。二君子皆相公所望厚，儁星聚次及之，尤幸。平生淪落，晚遇諸賢，子犯曰「天賜也」。敢重拜以請。

通李左丞書

即辰麥秋清潤，恭惟左丞相公龍川先生牙纛所臨，神明擁祐鈞候，動履多福。某墮身流水郵中，安閒守分，何日非雲庇所及也。年時里商來汴，嘗附拙詩。轉眼一春，益勤穹仰。相公德望勳名，朝家倚重，宣威布政，驅馳靡寧。繼今以往，必判中書，不然，其由鄂而還洪乎？西江士民引領望之。某累年困頓，不能奮飛。近者，魯山廉使到州，一見懽然，特加愛念，許爲出力造就。親索一宗文字去後，隨蒙分付，省中入選。正商量間，而此先生移節浙東，事機相左，又成渺茫。幸今相公造化在手，儻念門牆桃李之舊，宛轉鈞播，拔之泥塗，不負大恩，有如皦日。今因程府便，謹奉此上候起居，復有拙詩一章，敢塵電覽。江鄂相近，甚欲一詣省下參拜，少叙渴心。雖行止非人所能，然此念未嘗一日忘也。浩有欲言，别容嗣狀。不宣。

通趙桂陽書

惟使治在湖湘深處，而鄉邦又在江西僻左處，兩地懸絶，夫是以尺書弗獲時至左右也。永懷取疏，其顙有泚。一日，耕樂翁過我共談，乃知天杪歸颿，已駐雲浦；胥覿有日，迎風躍如。伏惟老手作郡，敏健精明，戢奸如束濕，救弊如沃焦。民曰：「太守百年幾見。」而或謂惸嫠之所安者，非譁猾之所便也。雖然，愛民一意，從滿腔惻隱中流出，是謂上不負天子，下不負所學。杖通天之肺腑，行大地之風波，夫焉往而不自適？彼造物者，豈亦若世間盲人哉！六月一息，七日來復矣，其盛氣以需。某孱知心四十年，如老兄弟誼，當走數百里，圖快睹以濯鬱陶。門巷清寒，貧病交阻，亟墨此紙，畀兒輩以候前驅。明公將暫還獨樂按行華竹乎？抑將舍廬陵而居穎，棄眉山而居常乎？環召匪遙，壽福三祝。謹上狀。

通問浙東臧廉使書

大德九年

廉使魯山先生閣下：自使星移躔，江浙道遠，屢欲修敬亡繇也。嘗於有司榜文間，知澂清所至，神奸埽空，爲之贊歎不已，又爲之引領，以望重臨。蓋江西父老皆然，非特區區然也。新秋漸涼，伏惟正直有相，台候多福。某杜門著書，蓋羈窮愁困之所不赦，前載獨荷鈞陶爲致賤名姓上於省，去載已獲咨上於朝，今春已入於選，未知銓注之何時。儻霑一命，即水木本原，壹出相公所成就。無可以報，報以清苦自厲，不辱師門而已。竊嘗自謂平居無營，或藜糝不繼，或緼袍不完，然且噤齘苦忍以俟命。若果得一受勑教授，月俸廩粟，視州判丞簿不大相遠，足可養廉，吾將守冰檗以保名節，其尚求多於造物乎？某有一親友，欲圖進身，未有其機，敢恃師門愛厚，輒以籍貫具呈，干大造爲立根脚文書。乞從所轄諸府，取一保解，就告體察完備，移牒區用，可乎？盛傳使節陞除江右荆湖，果爾尤便，當令斯人隨馬足就鈞陶也。有貲由徑者，大率結貪濁之奥援；無力發身者，止得投公廉之主人。惟明公哀寒畯之湮淪，爲開前程，俾得自見，是公成就無上功德。贊歎何窮？不勝歸懇之至。不宣。

與劉國瑞書

春中辱訪，甚恨匆匆。承許午節重來，何爲爽約也？豈非進學之志稍倦耶？韓子曰：業精於勤，切戒倦惰。象山陸文安公曰：我這裏是刀鋸鼎鑊底學問。富哉言乎！蓋必如是，乃能打透牢關，徑到悟境。若是半間半界，乍前乍卻，恐終無所益也。博參碩師詳擇勝友，毋以目前小見自足，而求進高明光大之域，其庶乎！詩文數册，久留左右，早望發還爲妙。不久入盱，足下何時來州，若得會面數日，更佳也。

答胡教授書附來書　大德八年

來書云：長孺之來盱也，蓋嘗數承過顧，又示以所爲文章，雖知其有意於古，然未敢以爲絶異於衆人也。夏五月，家僮自錢塘來，持故人雪澗陳丈書至，具言爲令南豐時，與執事甚有交誼，而其績文操行，衆無所有。某然後瞿然不足於心，以爲前此知執事者淺也。作教授窮僻之邦，言語不爲當路所識察，然何以爲執事道？第今者又病，更數日即滿告期，行且去此，徒負故人丁寧意，慚恧而已。而雪澗老且病，餘日長短不可知，某與其同産弟張養蒙爲友，其拳拳之情，不可不令執事知。謹以其書一緘二幅納去，旦夕即遣人還浙，幸以手書報，併示元書也。病憊草草，餘惟以吾道盡珍重理。不宣。

某弊車朽索，爲天壤間棄物，鄰翁社友，或不相聞。忽枉謙勤，示以雪澗公翰墨，别四十年，隔千數百里，猶拳拳於棠陰之一介士，古道顔色，已不可及。執事申以專函，增其光價，是與人爲善者也，滋不可及。恭惟盛心，有感無斁。追思澗翁之始至，僕旅進退於廣衆中，樸訥韜潛，無敢自異。不意此翁何以得九方皐之法，拔躋上賓。是時邑政清肅，威嚴若神，雖同寮上寓，非公謁，毋敢進。獨某以斯文見親，重如兄弟。然冰雪相看，始終亡間，以迄於今。世已易而眷不衰。侯嬴曰：人固未易知，知人亦未易，安得不愴然思，悠然感也！元緘歸璧，獨留内幅，永以爲寶。時閱其字，如見其人。就有一緘，附往聲謝。使介復來，更得其數字，尤慰。猝猝奉酬，容待皐比以謝。謹上狀。不宣。

通問雪澗陳提舉書并錄來書

雪澗與胡石塘書云：處久仰恃，襟度宏開，輒忘僭躐，直布忱悃，未言先懼。治下南豐郡，有儒人劉兄，名壎，佳士也。四十餘年不見之矣，今亦不知其人尚無恙否？曾出仕否？處久壬戌、癸亥間試令南豐時，每與文字交，此兄筆端俊甚。與之周旋兩年餘，未嘗有分毫事相干撓，此最爲難得，至今敬之。嗣是各景東西，兩下不相知，無從訪問生死。兹幸老先生典教此邦，處久可藉是徼福通名，以匄餘波之及。處久不勝大願，願先生以區區之請，多爲詢問其人安在，處久以其年推之，恐亦踰耳順矣。或此士尚在，乞從路學賜一公檄，下之所屬，招之使來，先生試憑几扣之，恐亦不在籍、湜之下。特賜提撕振拔之造，處久拜惠，實同他時。其人或不如僕所舉，甘受欺謾之罪，不勝惶悚之至。甲辰五月到盱庠，六月轉至此。

召使提舉雪澗先生閣下：壎昔幸甚，以墨氓事君侯，三生何緣(一)？辱盼絶異。雖日月如流，閲世已隔，每一念及，便覺神馳赤城霞霧間。然自明公班授鹽城時，獲一交書，書不再寄。久而閲邸報，見盛名與菊泉大司馬聯璧，欲寄賀書，終不可寄。蓋天旋極折，矛淅劍炊，出萬死得一生，雖相邇猶不相聞，况浙水江雲，渺隔如許邪？近歲間，有方外自浙來者，首以門牆爲問，問亦多不能對。惟今夏有宣城沈德載自杭來，亟以此問，其人云熟游溫臺，似能言陳侍郎府第事。至詢及雪澗昆弟動履，復不能對。於是倚危闌，望長空，凄然悵歎者久之。乃不意石塘廣文忽以書至，緘示親札，見而驚，驚而喜，喜極而又悲。賀知己之無恙，辱念舊之不忘，光風霽月，飛動翰墨間。持玩數四，猶明恕堂侍坐時。顧天壤棄物與俗背馳，比鄰同社鮮有問子桑者。明公四十年之别，千數百里之隔，歲寒心事，不遺琴堂一舊客，且憂其泥塗，期洗濯而振拔之，蓋始望所不及也。或謂當於古人中求，抑求之於古，正未有也。感激盛心，没齒不朽。恭惟貞元朝士，既壽且康，鳩杖蒲輪，會有溫詔。第不審丙子以來，曾爲時出否，亦止高卧看兒戲否，宅府安靖否，莊産有增無虧否，蘭玉有幾，年今幾，孫枝有幾，年今幾，有仕者否，有在京者否。令弟舊爲臨安税官者，今在官否。菊泉公康寧，有佳子弟否，盛幹如尹、如盧，俱存否。尚願聞之，慰此懷舊。若壎則風饕雪虐、鼎烹鑪鍛之餘，一不成而萬有餘喪。使滌其創痍，假之羽翼，豈不略可自見於世？抑今世所共爲者，或不能爲，或不可爲，不敢爲，且不忍爲，故亦惟安於無爲。惜也，心堂堂而髮種種矣。甲子别後，至丙寅春，宏齋先生入政府，約與俱，以母老辭。其年秋，丹山先生鎮虎城，道南豐，復約與俱，又固辭。戊辰秋，邑以寇燬，移家盱城。永嘉木使君天駿實客之，矩齋曾西清、竹谿易瓊帥交相延致。庚午科舉，忝魁亞榜，決意明年赴京補，期見明公於輦下。有旨分試江西，竟不果來。是時後林李漕使邀往湖湘，而南郡潘使君起予又邀入閩，兩辭之。已而木使君起饒州，中山陳先生漕江西，俱招致，亦兩辭之。獨與菊山趙使君周旋於建昌者兩年，便養也。甲戌荷留遠曾公與蒙川劉尚書易牒，俾壎試胄闈，值母病，又不果行。乙亥春，客趙撫州，依制使黄端明，賜以官屋一區，器具咸備。其冬，盱、撫危急，拔家還豐，劫奪一空，僅以身免。丙子七月，邑有變，北師屠燎無遺，幸而免。甲申，母亡。己丑，長子亡。庚寅，汀寇延蔓逼州，又幸而免。去年冬，拙婦亡。何災難愁苦無寧歲若是也，命矣夫！今存者二子三孫，闔門百指，山田數畝，雖豐歲猶不足，兩喪未葬，百憂熏心。六十五翁，更復何道？閉門著書，堅忍清苦而已。所幸平生粗識趨向，未爲鄉論所貶，而時僚之賢而相知者，率溫存而禮敬之。歲在甲午，州庠缺官，當路不以爲不才，强使承乏。既幸善解，累歲退休。前年，廉使臧公巡部訪問，哀其陸沈，慨然爲致咨，保於朝廷。已入選，未卜銓注之何時。然使獲一教官正，亦不滿知道者一笑。賤迹出處，大略如此。明公有問，故及其私。石塘云有杭便然且急，故信筆作家人語，不修詞，急故也。願言以道自壽，丕衍期頤。嗣有便郵，尚冀雲煙一幅以自慰。不宣備。

〔一〕三生何緣：此句原脱，據明天啓本補。

再與胡教授書

二十七日纔領所還尺牘，亟加補完。同日轉發，未知猶及使介之便否。萬一不及，計華翰中亦必道甫問訊意矣。州里某人士也，秀美而文，且熟吏事，往年操數寸管隸臺下，監察者以爲能，擬署憲史廣東。廣東使者義齋公之道金陵也，嘗納拜焉。今將南游，而四顧傍皇，既無曹邱生爲之揚名，又無鄭當時爲之推轂。事濟否，未可知。明公雅厚義齋公，而春風如海，愛士如珠，又人士所依賴。不揆冒昧，爲此兄請。伏惟一槭九鼎，弊帚千金，使此士稍遂始願，是執事有大造於西也。此兄盛年好修，家粗溫飽，當不至迷繆以誤推獎。二碑委教甚寵，乃知大手筆世自有人，而士類所以斂衽名下，誠有以也。李密見秦王，安得不服？他日當摳衣而請焉。

與程學士書

竊惟主斯文之齊盟，必屬之當世之宗工。明公大名振乎海宇，鴻名行乎中朝，蓋南北人士，倚以爲吾道元氣者，執文盟之牛耳，微公其誰歸！某今者不揆淺陋，著一二書以傳遠，而懼其未足傳也，各欲干明公印正。謹錄所以著書之意，副幅具在。雖其書浩博，未潰於成，然念明公趨朝之日近，懼書成而不獲薦閶於左右，且無以得公之印正也。不得公之印正，何以重吾書？是以敢三肅而請焉。人間萬境萬事，猶槿華石火煜煜，俄頃間不可拊玩，惟斯文長幅，或可千載不朽耳。僕以千載望明公，明公忍不與壎共千載乎？或謂子單人匹士也，其爲若此也幾陵節。抑太史公謂虞卿非窮愁不能著書自見於世。陋哉，斯言！知道者所鄙笑。著書垂世，乃論窮達乎？四書行世，如日月，豈珥貂衣衮者之爲邪？壎不佞，願閶金石一語以自壯。不宣。

與胡教授書

惟奎躔移次之日久，騶從市糴，得無艱乎？雖耿介絶俗，固有以自處。而使從者同其清苦，則鬱鬱於我土地者，某之所以顔忸怩而心不寧也。薄奉餼廩，助徒御之一炊，而非以爲執事獻，且區區之私，非取諸學，高明在所勿疑。蘧伯玉恥獨爲君子，僕敢拜手以請。

迓蕭學正書　大德九年

某幸甚，壬辰歲獲遂初識於洪；繼幸甚，壬寅歲獲遂再見於盱。蓋挹光霽，聆博約之日舊矣。今復大幸，皐比巍嶷重我鄉校。而不才適承乏，得以護紅篆，率青衿以待君子至，非機緣之厚邪！恭惟英濟之才，深醇之學，山城何所，乃屈範模？將非天啓良會，使窮陋之學舍，零落之儒風，從是而一大更新乎？夜者東望，奎光燭天，若近在吾百里間者。竊意前茅其將壓境，喜而不寐，亟裁尺牘，授閽隸疾驅以俟馬首。心香引領，公來勿遲。已飭諸生洗濯神觀，祗迓州東門外。伏祈委照。

通李左丞書　大德十年

左丞相公龍川先生，去冬欲詣參謁，陳兄傳奉鈞旨，云往湖口，慮成背馳，遂止。開年卧疾，又未能動。僅數百里間，一見之難如此，更遠其又何如？重可歎也！春寒伏審，鈞候多福。令器監丞，必已超遷；次令器萬户，必已回任。相公新除，必有成命矣。敝州時僚幸多賢，民間安靖。昨自相公撫治以來，田里宴然，盜賊不作，十七八年於兹矣。然生齒日繁，田收有限，雖當豐歲，猶有散食於外方者。大德四年至今，連歲不熟，蓄積俱空。上年蟲傷特甚，截長補短，僅及半收。輸官之餘，所存能幾？新年雨雪連凍，市無可糴，鄉邨尤艱。且窮原之地，舟楫不通，春耕在邇，秋成正遙。待哺嗷嗷，景象蕭索。見已告州申省，乞行開倉賑糶。惟是下情未由上通，耆老百姓知壎素出門牆，懇求呈告，不勝大願。願相公興念舊嘗親臨整治之地，百姓懷恩靡忘，早晚省官會次，乞賜鼎言，爲民請命。左右司官，當該省掾，併丐不惜一語贊決。早與行下糶糧賑饑，使民命獲全，免致溝壑流離之苦，且以潛消意外之虞。是相公有再造於豐也。因倉官齎文解赴省，仰恃鈞愛，僭達民情不宣。

與永嘉葉教授書　大德十年

某開從諸公後講論斯文統緒，知水心公家學有傳。縉紳左次，雅欲立下風，考問乾淳文獻。而遲莫囚山，未獲布武於堂下，殊慊也。清才雅望，範模盱庠，臯比談經，多士德色，餘波及鄰而不自知。何時親承，霑此教雨。某家盱南水雲之邨，名迹湮微，無以自通於時彥。適有瑣瀆，不敢以未面爲嫌，而介吾友趙君以請於下執事曰：往景定、咸淳間，東浙之英有宰吾邑者，相知厚，凡二人焉。其一天台陳德可，即思道張學士同産兄也。别四十年不相聞，心常思之。前年忽蒙令代石塘公爲轉致其書，念舊甚勤。甫具報，而聞陳公仙去，殊用悵惋。其一平陽楊山立也。别亦踰三十年不見聞，思之如思陳，而亦無繇問訊。今者乃知與執事同里也，聯姻也，某不勝欣幸，幸假便以致書焉。一緘奉納，倘有專使，丐爲傳郵。他日更得其回字，尤幸。干聒匆遽，非所宜言，然交游情也，諒不爲罪。稍涼入盱，當趨講席以謝。

與胡石塘書

願挹光霽，有如渴饑。都騎經從，滿期親炙，而偵伺不謹，乃不知夜度崑崙，爲之悵歎無及。伏承志在康濟，靡憚暑行，此其視饑由己之思，溯千古而與之合。世固有在其位不謀其政，肥瘠秦越獨何心乎？如公賢勞，使我心敬，深以弗獲一見爲恨。敢奉尺書問安？併謝不及候迎罪。

又與胡石塘書

伏審神龍護舟，祥鸞棲枳，誼當走百里以餞。衰晚棲遲，不能以筋力爲禮，謹奉書以慶以別。蘭玉留後，當數有郵便，期時貢安問，亦望毋愛片幅，相溫存也。承問僕所著書，大槩放正宗例。然正宗止乎唐，今則專主宋以接乎唐者也。獨惜山州屢經兵燬，咸無藏書，故心雖勤而事不就。年時嘗寫與曾兄德進，欲於城南尋斗室，假羣書，日夜翻閱去取，度三兩月便可了事。而蹉跎至今，竟未能動。且筆札浩博，非募書手不濟。又所選文字，有關繫朝綱國政者，必須略載當時事蹟首尾，以示千載。自謂此書若成，則三百一十七年間，元臣故老鉅儒雅士鴻文大筆雲合星聚，粲然不朽於宇宙間。或者世道之小補也。東望紫氣，神情黯然，願以道自珍，倚膺特召。不宣。

彭正心提舉曾月厓教授祠祀學宮請陪位書

嘗聞古有鄉先生者，其存則人咸師尊之，其歿則祀於學，禮也。先丈某官，令德雅望，允爲達尊，掌教鄉校，具有勞績，而祠祀未舉，是爲缺禮。壎承乏攝官，爰修曠典。擬以二月朔旦爲先丈某官設位於州學之西廡，歲時祠焉。夫古人制此禮以待鄉賢，蓋慮世代悠遠，人事不齊，惟託之學校，庶克永久。宣聖廟祀，萬世不廢，即鄉達尊祠祀，亦賴以不廢。然則此舉關係重矣，豈止尋常瓣香卮酒，斯須之敬而已。今者豫告有文，煩爲焚白於家廟，神靈有知，庶其來格。至日，薄奠奉安，敢屈昆季陪位。諒孝子慈孫所樂聞。伏希照亮。

與丹徒陳教授書

僕家江西，君宦浙右，信風馬牛不相及也，然世好交情，則與君有甚。舊者，孔、李千載猶敘通家，況親承尊翁之訓教，而忍自外於象賢乎？請陳如左：昔景定壬戌、癸亥間，尊翁雪澗先生之宰吾豐也，壎實受壓焉。邑士如雲，無一可其意者，獨壎以斯文受異知。其意氣孚協，形迹兩忘，蓋平生未有也。別四十年，隔二千里，嘗相思不相聞，輒爲之悽愴不自已。忽甲辰夏五，建昌教授胡汲仲轉示尊公癸卯歲所賜書，訪問生死，哀憐沈浮，不啻若骨肉然。壎讀而感，感而悲，即具箋幅，託胡教轉附入杭，亦既久矣。一旦，忽以書還，具言尊公已仙，益爲之悽愴不自已。又久之，乃克奉書自通於執事，而就以郡志所刊尊公題名及政績呈納，蓋乙巳年事。今者胡教報云：其子至杭，已將所附書託劉聲之攜至赤城，聲之報以足下已赴丹徒新任，屬之守舍者轉附，未知達聽覽否也。適有朋友便舟過京口，念此良便不可失，敬修此書，重申鄙悃大槩，俛叩前書之到否。乃若心所欲言，已具前緘，不贅也。六十老叟，光景寖頹，知此生機緣，能獲與執事一見，細論再世情好否，又重爲之悽愴也。有便寄書，餘惟珍重。不宣。後此兄回書乃丹陽，非丹徒也。

内幅

南豐先生曾文定公有弟文肅公布，嘗爲右相，出判潤州，既薨後，不復歸里，留葬京口二百年矣。煩爲博詢葬何鄉邨，墳墓存否，其家子孫田宅猶有世守者否，敢望詳報。如有後裔，宜與之言南豐先生位下子孫久已零散，有別位僅存其一，亦甚凄涼。惟累世墳墓、菴寺儼然無恙，歲時官爲修祭不廢也。南豐文集曰《元豐類稿》，郡守新刊甚整。謾知。

賀承旨陳内翰書

内幅　薦友　至大四年

内翰承旨相公閣下：春中展敬菴墅，辱留款意甚勤，光霽傾懷，談到太極。昔之親承諸老也，嘗若此，四十年來無此樂矣，乃始復見於公，安得不躍躍自幸。山房有約，尤感不遺。擬自洪歸，即陪杖屨。乃不意抵洪而病，病且劇，滯留玄妙凡七旬。復不擬銀信鼎來，聞命就道，當台斗小駐洪泮時，僕正委頓中，欲力疾一謁，弗克，欲奉字一問，亦弗克，又安得不鬱鬱自悼也。兹審龕坡導旨，麟筆續經，眷注彌隆，弼諧有待，不勝欣贊之至。江西自南豐公被異顧，典五朝史事，踰二百年無繼者，今明公獨當之。平園公由承旨登政府，踰百年亦無繼者，今明公將又當之。疊是二美，重我鄉邦。壎雖耄昏，尚期書盛事，垂不朽。兹值端便，亟奉此書，爲斯文大亨貞賀，又爲吾道有依託賀也。

内幅　薦友

壎久安蕭閒，官境無夢，延平闕到，迫使之官。雖精力粗支，而舊學都廢，安能出新意與諸生談經析理乎？徒以閩地差暖，稍便衰殘爾。荷令器少尹爲我差聲，將以菊後馳驛，梅前眂龜，輒有片言，或足爲明公助。伏承獨受簡知，提綱史籍，甚盛事也。然昔之開建史局者，往往妙選時才以自助，溫公修《通鑑》，則有劉道原、范淳夫諸人；元豐修五朝史，則有陳後山、邢和叔諸人。竇祐修高、孝、光、寧四朝史，則有建昌張平齊與僕族兄劉信翁諸人。蓋不惟集衆思成鉅典，而亦因是獎拔一二人才，於以廣豈芑之澤，此昔賢愛君盛心也。古今異宜，固不相襲，而近睹睿旨，其間一語亦及於此，即未嘗不與古合。有如公門桃李，夾袋姓名，南金北珠，隨取隨有，孰敢議其無人？獨以山林耳目所接，則前輩不存，後進不競，其堪是選者寡矣。史非他文比也，彼或沈錮於程文，流連於吟咏，馳騁於小小文辭，安足語此？昔人論六經，謂《尚書》、《春秋》，經也，實史也，則史豈易言？歐陽公《新唐書》，世猶議其不及於《舊》。南豐公《禿禿記》，何愧遷、固？《顔魯公祠堂記》、《道山亭記》，真史筆也，及夫太祖皇帝總叙，則與裕陵聖頌不契矣，史豈易言？姑舍是即所知聞，略評時材，可乎？草廬玉霄已（下缺）相若，不堪靴霜待漏矣。若（下缺）寧海主簿胡汲仲，博洽不羣，史學尤僅，今所罕見。夫史者，所以明夫治天下之道，垂憲於後世，曾南豐嘗謂：唐虞之世，豈特任政者皆天成哲士，蓋執簡操筆，亦聖人之徒也。史豈易言？書生好論事，老矣習氣不除，故論薦至此。幸毋曰子誠齊人也。抑又歎景逼崦嵫，且固寒喘，非復田光盛壯時。使減我數年，少操觚翰從諸賢後，則識馬周於逆旅，攜浩然於禁中，豈無一知己者。今已矣，尚何言！尚何言！引筆姑止是。勿罪。（以上清道光愛餘堂刊本《水雲村泯稿》卷一一）

通謝丞相

上丞相印，早從緑野之游；隨使者車，來問洪鈞之轉。行矣肅章服而進，期於瞻繡袞之光。齋心通名，頓首納摯，某官真古人傑，爲今名臣。以《魯論》致太平，復邁管、蕭之匹；用《周官》立法度，上媲伊、吕之間。揆路三年，盤石四履，正歷階而趨宰輔，欲平地而作神僊。遂挂神武之衣冠，甘樂清時之鐘鼓。減聲伎，省騶從，未數唐人之清；居鼎鼐，無樓臺，儼若寇公之儉。於惟名德，簡在淵衷，時咸思西蜀之英，公復從東山而起。寬夫百許歲，重來軍國之平章；君實九分人，寧忍園林之獨樂？某忝聯宗籍，浪竊世科。閉户讀書，亦既蹈寒餓之水火；研朱點易，頗欲窺廣大之乾坤。適飛輓之眷知，以畫諾而辟置。幸際洛社耆英之會，輒修韓門弟子之恭。念昔先人，曾是相國之客；迄至今日，誰憐中散之孤？歸誠三台，邀福再世。華竹秀而野，將窺五畝之園；風雨安如山，終庇萬間之廈。瞻依匪遠，歸倚彌深。

通楊提舉

掩袂壚亭，曾共聽於夜雨；分符侯甸，喜采映於福星。遥瞻禮樂之光，願託蕃宣之庇。某官三湘奇氣，四海高風。志在《春秋》，學問傳素王之正；名若日月，器能兼諸子之長。以嚴明爲涖政之規模，以莊肅爲飭躬之本領。翩雙鳧之入覲，儼丹鳳之來儀。粲粲道州之聲，汪洋楚水；皇皇周原之望，洗濯瘴烟。且將接太微之躔，乃復屈澤國之節。我聞在昔，人亦有言：謂關西之畏四知，宜司食貨；若龜山之救一半，合在朝廷。然時方急於諏詢，故政姑煩於豈弟。載嘉醒聵，有偉將明。競傳斂散之適宜，屬無患矣；亦曰澂清之竦聽，職有利哉？惟中朝方啓於太平，恐外服難淹於顯用。激西江之斗水，已聞盛積於腐紅；朝北極之一星，遄見人聯於荷紫。某力微心在，志廣才疏。奏《上林》、《子虚》之篇，激昂已倦；聽貞元供奉之曲，感慨徒多。身還黄葉之邨，夢斷紫薇之省。敢謂清朝之垂念，俾分巨屏以承流，既體統之相維，豈禮文之敢缺？贛石三百里，所願息於歎愁；廣廈千萬間，終有祈於覆燾。其所謂敬，不在斯文。（以上清道光愛餘堂刊本《水雲村泯稿》卷九）

全元文卷三四二

劉壎 四

通謝都大

暉騰鑄冶，兼提數路之權；職忝題輿，遠藉萬間之庇。久願締交，而微介紹；今欲備數，而效走趨；誰爲先容，殆有默相。某官鍾靈台嶽，挺秀相門。季方難弟，元方難兄，允謂一時之傑；太傅在前，少傅在後，相承數葉之芳。獨推左戚之賢，最著右□之政。凝香而森畫戟，藹黄龍循吏之稱；入省而紩青綾，偉貞元朝士之望。惟時議政，重在豐財。子母相權，每病阜通之無策；君相共簡，咸欣斡運之有人。暫違立玉之班，往課流泉之績。文閣峻遷於寓直，使軺廣統於提封。方日鼓於洪鑪，遄山積於朽貫。生財有道，行彰坏冶之勳；播物無垠，式廣鈞陶之業。某素無宦譜，頗讀儒書。一科不補於辛勤，老將至矣；半世殆成於流落，命亦安之。適了邑勞，遂佐郡事。翠浪玉虹之佳處，似有宿緣；紅蓮緑幕之舊游，已成陳蹟。雖自喜經從之熟，若爲彼觀聽之新。尚獲私於帡幪，庶其免於顛沛。鐵九州而鑄錯，第懷躍冶之羞；丹一點而成金，願溥在鎔之惠。

通趙大帥月山

開元帥府，於昭鈇鉞之威；隨使者車，密邇旌幢之蔭。雖號分臺而隸事，實均列屬以受容。遙瞻邃嚴，敬叙歸嚮。某官機神明鑑，文武威風。蚤振江淮之名，丹心如月；生稟岷峨之氣，定力如山。指麾已失於蕭、曹，比擬自謙於管、樂。龍節英蕩，鎮真、揚之提封；燕寢清香，壯金、焦之形勢。乃陞華於邃閣，乃導旨於機庭。適長江風寒之區，方嚴裹蹟；若要地雲屯之戍，宜重中權。資詩書禮樂以折衝，覺營壘旌旗之改觀。洗足入船，上岸擊客，從容制敵之規；釃酒臨江，横槊賦詩，燕適巡邊之樂。鼓角歡亮，波濤肅清。羌人服趙將軍，永絶羽書之警；遼吏畏司馬相，歡迎繡衮之歸。某筮仕無奇，承家不競。乘下澤，御款段，每自安於平生；叫閶闔，呈琅玕，覺難諧於當世。頃幸邑灘之涉，謾尋計幕之游。顧黄華之在原，何資畫諾？適紅牙之開閫，喜近照臨。諒不忍於壑鄰，尚或私於鈞播。詣大府而受約束，溯風悵隔於一江；裹章服而謁上官，何日獲瞻於六纛。第嚴修飭，遙聽指呼。

通徐提刑

褰帷入境，聳瞻直指之威；贊幕充員，謬主將輸之畫。實幸相維於體統，敢云各異於司存。矧再世以辱知，輒三薰而修敬。某官瑰偉宿望，卓犖通材。抱送麒麟，生全光嶽之正氣；巍登龍虎，早垂宇宙之大名。踐歇華資，培植雅器。凝清香，森畫戟，藹然循吏之稱；開黄道，拜紫宸，藉甚望郎之譽。密勿漢廷之侍，侵尋雎棗之聯。適當錢楮之相權，皁通是尚；深軫官民之交病，緩急失中。肆命儒英，丕宣帝旨。殘以寬，慢以猛，持平允協於權宜；下適重，上適輕，執法畢伸於寃枉。不待效埋輪之舉，自足彰持斧之尊。小試澂清，遄歸獻納。日麗崆峒，風酣章貢，姑暫駐於翠軺；雪殘鳷鵲，雲近蓬萊，已催朝於紫禁。某故家薄宦，平世凡材。昔我先君，雅締陳、雷之好；惟予伯父，復陪溫、石之游。不圖冰幕之贅僚，又隸霜臺而受察，豈造物曲憐其流落，亦機緣適契於會逢。恪共走趨，惠祈涵育。孔融叙膺門之好，願私敬故之恩；重耳徼楚國之波，尚溥及鄰之潤。誓鞭鈍質，祗服明條。

通史提舉 繩祖，號學齋

六轡觀風，共仰學齋之望；一官贊畫，濫陪計幕之招。雖各異於司存，亦均聯於體統。某官五史名家，四蜀奇氣。益州自蠶叢而後，於今幾年；臨邛從鶴山以來，惟公再見。堂堂人物，表表聲猷，聯太微之積星，出澤國之蕩節。春頒秋斂，奏報不待於申寅；左粥右饘，喧呼了無於庚癸。於此見真儒之政，夫豈若俗吏之爲？遹觀長材，因感時事：天地中間，莫不順紛，南北以來同；國家閒暇及是時，宜中外之有託。以仁義之澤，塤篪羣有；以道德之威，泰華四維。豈繫重名，不列要任。宋三百載，方啓重於太平；蜀第一流，盍遂登於顯用。某生聯屬籍，壯忝世科。閉户讀書，坐閱十年之光景；研朱點易，欲窺三聖之精微。詎期星使之禮羅，亟上天朝之奏剡，使易彼以就此，將舍舊而圖新。遂令海霞島霧之緣，轉作山雨浦雲之興。有嚴告至，願枉受客，楚材而晉實用之〔一〕，盍歸坱圠；秦弟則吾不愛也，諒蔑町畦。行赴臺參，先修函摯。

〔一〕楚材而晉實用之：實，原脱，據明天啓本補。

通趙府判

昔拜龍門，曾近尚書之台斗；今隨牡轡，獲依别駕之屏星。一見如平生之歡，相與篤再世之契。論心幸甚，舞手躍然。某官珪璋名流，詩書道味。凜清白操，不沾紈綺之塵；爲文章家，自是衣冠之秀。恭惟先正，夙號儒宗。德望名聲，獨冠端平之諸老；言論風旨，卓爲元祐之全人。由學妙於極先，故名高於世表，人仰善政，知王氏之必興；天昌忠良，果臧孫之有後。是生世德，丕闡先猷，維今朝野之昇平，將爲禮樂之制作，有如公等，宜在帝傍。孤鶩落霞之邊，暫分風月；金雀觚棱而上，行曳星辰。將宏試於經綸，用丕昭於風烈。某十年濩落，一第沈淪，林下讀書，覺難甘於小隱；牀頭有《易》，差未至於全貧。詎期星使之禮羅，忽上天朝之剡辟。俾司畫諾，適近照臨。惟吾翁而翁，曾共論於莫逆；今兄子猶子，諒未忍於棄捐。尚借餘波，庶全末路。我雖異事，覬聞藥石之規；豈無他人，願廣木枝之庇？

通黄提刑

繡衣出使，新風采於大江以西；油幕從軍，望顔色於崇臺之下。幸末路遭逢之巧，在洪鈞陶鑄之中。銜袖不文，摳衣而進。某官大名揭乎日月，直節凛於冰霜。爲天地立心，實本經綸之有學；使鬼神破膽，咸知操履之無瑕。偉哉三館之英儲，信是四明之瑞稟。紬書金匱，抗疏玉階。陳孟氏仁義之言，不負所學；嚴昌黎佛老之辨，欲正人心。引裾力冀於回天，拂袖勇移於分月。端被十行之寵，來行千里之春。富文忠大活饑民，恩深青社；狄梁公盡除淫祀，聲動河南。使華兼領於千倉，帝意灼知其五善。乃若春朝之元會，□然天筆之恩言。謂吾民以食養生，固資斂散，惟本朝以仁立國，尤重平反。申命諏詢，丕昭欽恤，於粲崆峒之日，不移益部之星。然而時變彌艱，事功何限？峴山雲黯，京觀未築於鯨鯢；蜀道天高，介胄久生於蟣蝨。欲折此虜，須用真儒。甘泉論思，會趣登於顯用；天章條奏，願重致於太平。某晚出單人，早親諸老。半生迂拙，欲潛窺往聖之精微；末第沈冥，已消盡少年之意氣。錦正慚於學製，琴迺使之改調。比及三年，齊瓜之告熟久矣；今既數月，庾梅之獻笑隨之。辟代已上於秦函，稟命實承於閫檄。惠徼夏庇，謹候臺參。一道之瞻福星，出處幸均於臨照；百穀之仰膏雨，始終端藉於生成。儻略等威，尚私裁鑒。

通徐資相

碧幢列屬，誰爲東道之主人；綠野棲賢，賴有南州之高士。昔投身於化冶，今頓首於師門。不虛此行，敢恭所事大資相公，四海典型之老，兩朝文獻之儒。偉節清風，叔向古稱於遺直；全名盛福，李昉見謂之善人。固宜顯銀臺批勅之權，當玉堂揮翰之選。豈特鴻文鉅筆，一時鼓舞於風雷；每鬪梗論危言，千載燀光於日月。抗疏破限田之議，騰章折閹竪之奸。天爲動容，人皆吐舌。至今談者，咸仰鳳凰之朝鳴；想在當時，能息鰭鰌之晝舞。薦紳模寫，汗簡流傳。雖申公老成，舉世方推其華皓；而疏傳止足，浮言莫得而磷緇。亟挂衣冠，甘安杖履。然而不有君子，何以慰望治之心？所謂伊人，詎容袖調元之手。帝方注想，公盍遄歸。矧思青宮羽翼之勞，宜正黄閣股肱之任。獨樂園花竹之趣，固適雅懷；天章閣筆札之陳，乃關世運。亟其來只，毋或浩然。

通鎮江守趙總領

帝命王人，就臨重鎮，官稱内史，遥附屬城。執贄有嚴，修辭以進。某官兩朝開基之業，一家忠義之傳。文武威風，西平有子，機神明鑒，南嶽鍾靈。若稽元勳，疇似先正。總八州而作都督，屢殄狂胡；率三軍以定中原，期摅宿忿。載旗常而孔偉，辭袞繡而弗居。有鼎彝未了之功，留塤篪後來之秀。器能是似，善慶彌長。古風蕭蕭，久無此魁壘鴻碩之望；世德繼繼，乃萃爲倜儻奇偉之豪。四海仰冰壺之名，一時如泰山之重。其仕郡國，則稱循吏；其立班行，則謂端人。犨公伏治辦之能，當寧倚幹方之略。六師餽餉，賴周使臣。千里宣蕃，爲漢刺史，眷南徐之巨鎮，號東土之雄藩。自本朝建總臺，實受江淮之財賦；以名家兼郡紱，密護京師之本根。相望廣陵城，一水之間；尚想信國公，千古之烈。宜恢偉績，增焕先猷，豈惟表裏於山河，終藉經綸於社稷。

通繆吉州

大藩易鎮，仰韋寢之凝清；底幕服勞，依儉池而泛緑。以宦路驅馳之始，在化鈞陶鑄之中。遭逢甚奇，歸倚惟謹。某官接永嘉諸老之派，在咸淳君子之流。真實身心，寒露清冰之淩厲；光明政事，秋霜烈日之肅嚴。聲華甚都，步武孔碩。曉趨閶闔，方陪花禁之朝；日遠長安，遽請竹符而去。試觀汝川邇日之政，允爲江右列郡之魁。治狀既上於清朝，恩旨俾遷於巨屏。雲間旛蓋，移來白鷺之洲；雨外犁簑，欣聽黄龍之詔。方開藩之伊始，屬艱糴之隱憂。富者擁紅腐而坐觀，貧者擷烏昧而假息。解劍指廩，矧春夏之方交；炊沙作糜，恐朝昏之不保。賴有仁牧，蘇此疲氓。聞道涂之誦傳，謂規畫之精密。文潞公置糴場一十八所，惠及成都；富丞相活饑民九十萬餘，功高青社。仰明公救灾之政，得前賢濟物之心。共惟神明，遹求俊乂。謂結輩治郡國，固可蘇春陵之氓；謂長孺在朝廷，始足奪淮南之氣。趣登禁近，共贊昇平。某鐙火半窗，齏鹽六館，仕未能信，乃俾著從事之衫；誰適爲容，竊幸入大夫之幕。念平生耻同於俗子，兹一旦獲事於吏師，誓冰檗以求知，望風霜之見赦。推官理事不倦，嘗景慕於昔賢；太守决郡如神，尚庇存於下吏。

通趙制置

大閫宣威，屈金猊坐；偏州假守，依玉麟符。念先世嘗事於名門，喜今日復歸於化冶。歸心台斗，頓首韜和。某官文武威風，機神明鑒。有大力量，實鍾南嶽之靈；號真英豪，允謂西平之子。功名赫奕，忠孝光明。自端平和戰以來，至開慶艱危之際，寬先皇之宵旰，多召父之勳勞。軍入洛陽，雪列聖在天之憤；威行沙漠，折諸戎猾夏之心。屬峴首未靖於風塵，而江面頗嚴於熢燧。金陵江南佳麗，關上顧憂；使君天下英雄，賴公臨鎮。感激受詔，慷慨建牙，總數路之賦輿，授諸將之節制。延州有小范，西賊膽破於歌謠；江上用魏公，兀朮色動於花押。號令嚴肅，氣色精明。方將輸治法而出征謀，亦且儆國人而討軍實。深溝高壘，繩聯而珠貫；壯士犬馬，雲集而蝟興。丕建駿功，於昭先烈。百年父老，爭誇小忠獻之威風，三世祖孫，行繼大申公之相業。

通淮東制使李端相

宣威舊鎮，丕昭斧鉞之光；分牧屬城，遥借旌幢之蔭。昔嘗忝走趨之列，今仍依節制之尊。敢以一箋，徹於六纛。某官天人風采，王佐規模。出隻手以扶乾坤，成功不有；嘘寸膚而起海岱，潤物無聲。身繫國家之重輕，名動關河之遠邇。任兼將相，而愛善類若圭璧；身居邊境，而惜民力如體膚。兩晉以來，惟羊祜在仁人之目；三代而下，獨孔明用王者之師。頃從渚宫，暫愒洛社，屬燧燧徹乎江上，而氈裘徧於淮南。上興拊髀之思，公重致身之義。朔方將士，想子儀之重來；西夏羌胡，懼希文之忽至。感激受詔，慷慨渡江。大幕府之宏開，平山堂之增重。嘗聞昔日，廣陵坐鎮者十年；其在當時，淮上不驚於一矢。今復借福力之鎮壓，果又見邊塵之肅清。方將輸治法出征謀，開誠心，布公道，無日不討軍實而申儆，迨天之未陰雨而綢繆，相視時機，恢復疆宇。

通呂保相

崇臺督餉，兼隆鈇鉞之權；凋壘承流，媿負麾符之寄。疇昔仰威名之重，乃今竊庇覆之私。遥望旌幢，肅陳竿牘。某官名滿九牧，氣蓋三軍。傳六韜書，能答箠於羌虜；佩四將印，欲纓繫於單于。自結髮以從軍，每枕戈而待敵。百戰百勝，志洗天河之甲兵，七縱七擒，聲震江淮之草木。登壇受節，杖鉞督師。首巴蜀，脅荆襄，所至捐軀而自効；腦餘吾，髓沙漠，誓不與賊以俱生。頃者平瀘之功，與夫援鄂之勇，書之史策，紀於太常，將入贊於機廷，尚出臨於統府！豈風寒數處，正欠蔽遮！而天險一江，實資守禦。非藉老熊當道之勢，孰折狒貍飛渡之謀！肆勞元勳，誕膺重寄。竝授諸將之節制，兼總數道之賦輿；屹萬里之長城，增九鼎於吾國。自西陵至白帝，咸無羽檄之驚。若蜀道上青天，亦遂農桑之慶。行鷹揚於鋭旅，即虎視於中原！人思子儀若父兄，直取神州赤縣之舊；天生李晟爲社稷，峻陟斗樞黄道之間。某簪槖故家，衣冠末緒，摩盾草檄，屢隨出塞之行，説劍論兵，漫愛從軍之樂。兹忝分於陋郡，幸遂隸於私門；雖方嚴邊鄙之防，諒亦念民社之責。給餽餉而不絶，尚少寬程督之威；安田里而無愁，當勉竭拊摩之力。

通交代鄒通判

展驥足爲別駕，將催花底之朝；遺鯉魚有素書，來促瓜時之代。結好允期於奕世，納交本自於通家。爰致報函，肅迎都騎。某官寬裕有君子之德，通練擅能吏之名。慶元倫魁故家，宛其文獻；武陽山水勝處，鍾此材猷。通籍明光之庭，奏最河陽之縣。集玉京騎麟鳳，宜著祖鞭；汎仙槎問斗牛，乃題陳坐。春臺四境，沂海一歌。比者以長吏之賢，居然行太守之事。興弊補廢，適承凋瘵之餘；醒瞶膏萎，頓復升平之觀。行且被絲綸而朝矣，何遽拂衣袖而去之。厥今日月清明，六龍在御，風雲際會，羣鳳來儀。雖雅懷固在於愛山，恐優詔未容於專壑。神明佐郡，諒深父老之思；剛正立朝，行慶公侯之復。

通許船場

刳木爲舟，有偉董臨之績；載書入幕，謬陪畫諾之遊。誼重同寅，禮恭先甲。某官志在利涉，才若順流。扣舷高歌，不逐浮波而上下；轉柁有力，欲平大勢之重輕。興念故家旌陽之仙，來訪古洪督府之勝。時維海宇，未靖濤瀾。野渡而横孤舟，孰爲撑柱？江河而亡維楫，寧勿淪胥。行疇治艦之庸，丕顯濟川之業。所願聽渡江之擊，相與觀越河之焚。連檣五千雙，已辦舳艫之銜尾；破賊八十萬，要令帆艫之飛烟。某身世轉蓬，利名輕葉。牽輓不上，如撐果老之鐵船；積壓空多，不過米家之書卷。素昧藏蜸之志，率常載月而歸。誰畀招旌，俾參輓畫。獨我從事，正望中流之得壺；及爾同僚，毋若共舟之敵國。行將繫纜，即遂摳衣。

通謝廣西帥胡都承

桂府价藩，方重宸旒之南顧；棠陰舊部，徑煩牙纛之西行。新受隆知，冒申私賀。某官辟歷手段，光霽胸襟。特立獨行，鬼神亦爲之破膽；大公至正，天地實賴以立心。四海仰石壁之名，一時如泰山之重。孔明制夷人之變，允謂知兵；無忌輔晉室之興，咸云似舅。蓋衡嶽獨鍾於正氣，宜長沙多出乎偉人。觀所至之設施，見平生之聚辨。比下青冥之鉞，來臨黄木之灣。隸節度二十二州，仰鄭尚書之威德；焚淫祠千七百所，偉狄梁公之英明。海浪頓清，瘴雲不翳。適五筦謀詩書之帥，衆切去思；惟九重知文武之才，就資移鎮。自東徂西而靡憚，由近及遠而翕乎。將士歡迎，喜我公之未老；兒童歌舞，誇吾父之重來。仁氣前驅，威聲丕聳。元戎啓行十乘，小煩鎮於帶響；宰相禮絶百僚，行見催於繡袞。某苦無奇骨，空有壯心。説劍論兵，漫愛從軍之樂；摩盾草檄，屢隨出塞之行。嘗力戰以全蜀城，亦偏師而當胡騎。幸逃萬死，已老半生。薦假寵以試州，俄纏悲於陟屺。三年枕凷，身待盡於邱園；一旦援琴，恩許依於香火。忽有來於吉語，辱下采於孤蹤。念方辭西閫之招，似難赴南轅之役。冒致箋題以謝，遙瞻旌節有嚴。顧闒某辭曹，雖莫效馳驅之事；然蕭何薦信，終不忘特達之恩。敬在下風，以竢他日。

賀包尚書除學士知平江府兼淮浙發運使

從雍輟班，臨吴疊組，曳尚書履，方資顧問於清朝；佩太守符，仍總轉輸於諸道。帝屈儒臣之重，民欣舊牧之來。輔藩增雄，國計頓裕。某官學臻聖處，名滿世間。《中庸》九經，爲國家本原甚正；《論語》一半，治天下績用彌彰。講明禹稷之事爲，鄙夷管晏之功利。獨殿諸老，以覺斯民。持藻鑑，上星辰，茂著立朝之績；濟巨川，作霖雨，思宏澤物之功。適時有餽糧之憂，以公當督餫之寄。搴華嫣閣，宅牧蘇臺。蓋將用周典以阜民，詎止如漢人之給餉。矧是重來之城郭，允宜潤及乎京師。顧東南之民力竭矣，孰與賜一分之寬？今天下之大老歸之，願毋急十年之蓄。某辱出師門，欣傳帝詔。敢因私賀，輒述公言。

賀包尚書除端明樞密

峻陞紫殿，密運洪樞。來大老於海濱，丕聳華夷之望；用真儒於天下，誕和朝野之瞻。兵本尊强，廟謨宏遠。某官擔當宇宙力量，掀揭日月聲名。有孝肅公剛方，得大臣體；由象山翁傳授，爲學者師。兩朝咸仰其儀型，八座獨高於獻納。淮南憚汲長孺，頓寢奸謀；江右有王茂洪，何憂世事。蓋踐履素，根於誠實，宜觀聽易，見於感孚。方聖明臨御之初，聿新治化；念耆舊凋零之後，尚有老成。播告大廷，超陞樞府。人望翕服，皆酌酒而賀范韓；天聲奮彰，可制梃而撻秦楚。然而國脈未壯，時弊日滋。進取良難，固無復神州陸沈之責；太平自叱，或者咎江沱宴安之非。況救楮之策已窮，而通財之務尤急。仰惟魁壘之壽俊，必有經濟之遠圖。成長治建久安，初不出四書之外；荷美名都縝號，會當躋三代之隆。某辱在門牆，欣傳綸綍。洪鈞轉一氣，所願入於化鑪；黄麻似六經，尚竦聽於宣布。

賀鄧侍郎除待制宮觀賜金帶

辭榮荷橐，均秩蕊宮。花底退朝，寵畀環金之飾；松階候對，寖聯鳴玉之班。偉聖主之優賢，許從臣之請老。某官稟天地中和之氣，襲聖賢誠明之傳。若范忠宣，一生祇用二字；如司馬相，三代而後一人。循良播重湖以南，清節照普天之下。頃興思於宣室，遄趣對於延英。從容九陛之前，密勿四幾之奏。華光勸講，嘗啓沃於帝聰；吏部典銓，妙裁量於人品。論思未究，決去何輕？甘辭天上之班聯，歸作山中之法從。詔札密封於泥紫，服章光映乎腰黄。緑野午橋，月伴尋仙之棹；青山流水，春迷宴壽之堂。方將苦節以養高，且復觀頤而自樂。園林窮勝事，入京、洛九老之圖；丹青憶老臣，踵申、潞二公之拜。某莫迎歸騎，敬走賀郵不善。惟恐端明知正期覆錦言；仁相從先生後，願在執鞭。

賀曾侍郎三除隆興兼轉運使

三錫綸函，重臨繡部。甘泉上雍，世瞻筆橐之尊；南浦西山，習見節麾之熟。藩條誕布，使指有光。某官魁從嫡傳，公台偉器。有偉踐敭，無屢贊述。思昔先正拂衣，不附於權門；至今清名垂旒，猶簡於公衮，荷囊遂復於家氈。蚤仕承平之世，諳練典章；薦更煩劇之司，兼該流略。執筆密裨於世胄。適寇盜馮陵於江右，歎士民疲敝於兵間。疇咨尹漕之良，往綏凋瘵；歷數在朝之列，孰可鎮臨。肆起耆英，俾安黎庶，邃殿峻陛於論譔，价藩就督於轉輸。雖園林勝事，鐘鼓清時，方適午橋之樂；然宮殿微風，旌旗暖日，已嚴卯詔之頒。煩騆度於周原，喜馬諳於舊路。昔閱道重來於蜀郡，人羡棠陰；又魏公三判於相臺，衆誇枌社。如公此出，視古略同。所希布寬大之書，亦冀攬澂清之轡。激西江，活涸鮒，共仰台府之尊嚴；集北斗，騎麒麟，即侍禁廷之密勿。某短檠鐙火，太學齋鹽，羣試別頭，深懼有司之見棄；偶逢具眼，乃超諸子以先登。莫鑽刺於旁蹊，尚陸沈於債邑。風波之所激射，湯火之所煎熬，殆哉岌乎，慨其歎矣。兹幸二天之可恃，庶期百里之小安。誓竭庸材，恪遵明訓。

賀曾運副除寶章閣待制陞轉運使

峻陞次對，仍總轉輸。立西清法從之班，光華維舊；鎮南昌都督之府，號令重新。益彰台治之尊，式表使名之正。某官傳家文獻，經世材猷。數端平諸老之餘，誰其存者？負貞元朝士之望，公獨巋然。歷歷孔多，設施有偉。都司學宰相，密裨贊於鈞樞；吏部掌銓衡，蚤翱翔於禁橐。燕適園林之勝，優游香火之緣。俄九重之興思，侈三錫而出命。鹿轓凤駕，指朱簾畫棟之間；牡轡載馳，自太清紫霄而下。福星所照，和氣如春。適兹滿歲之期，特畀進班之命。寶儲上映於奎壁，超陟松階；龍光仍射於斗牛，倍添棠景。第恐聯飛於綈綠，又將催侍於赭黄。聽文德之麻，亟正一相處中之任；續宣靖之譜，遹駿兩朝定策之勳。某喜聽褒綸，莫趨賀廡。地方千里江山，又借於照臨；我獨二天風雨，端祈於庇覆。

賀張侍郎宫觀

恩榮銀信，班峻琳宫。人亦有言，何損仲尼日月；公歸無所，盍依漢祖風雲？瞻碌紙之飛來，表清衷之簡記。某官人品第一，學問函三。有王佐才，在廷無出其右；真宰相器，非道不陳於前。方曉夢之聽朝雞，忽浮雲之變蒼狗。文潞本無嫌於質肅，顧於我以何加？元積實自憎於晉公，姑待天之少定。暫卷班於碧落，且尋勝於清時。遄興宣室之思，誕畀真庭之禄。行催劍履，入覲觚棱。君王問長卿，衮歸不遠；中國相司馬，環召繼來。某欲趁庭趨，恨拘官守。芙蓉隔楊柳之路，問訊無從；江梅託桃李之場，生成有望。心期所及，手筆莫殫。

賀吴提刑

起家拜詔，出節詳刑。禮樂遺皇華，風采自生於牡轡；兵衛森畫戟，先聲已振於虎城。既就第以建臺，即起涂而行部。某官康廬閒氣，洙泗正傳。數我朝自韓、吕以來，故多名族；獨諸吴如王、謝之盛，世有偉人。積正心誠意之工夫，裕尊主庇民之功業。政事造化，學問發皇。何未聞廊廟之登，竟復擁節麾而出？維上所屬，望公甚深。謂一夫不獲予之辜，惟良折獄；若終身可行曰其恕，有德惟刑。是資丹筆之春，以廣紫雲之訓。併鎮臨於統境，兼節制於連營。天落絲綸，晝行錦繡。褰帷以廣視聽，想父老之聚觀；登車而志澂清，聞吏民之聳動。豈惟萬物之吐氣，遂令千里之宅生。山爲翠浪，水作玉虹，式布宣於寬大；花入紫微，柳連青鎖，行趣召於禁嚴。遂以《中庸》、《大學》之書，入贊慶曆、元祐之治。某銀津冷派，鐵硯寒生。十年讀書，不可謂無心於學；一行作吏，竟莫能换骨而仙。徒慨慕乎古人，頗見憐於諸老。爲饑所迫，試令此來，湯火既極於煎熬，瘡痍又難於摩拊。幸逢繡斧之直指，法當弩矢以前驅。往拜崇臺，有隨柳傍花之樂；願傳心印，使吟風弄月而歸。仰止高山，有如白水。

賀印安撫除樞密都承旨江西帥

顯奉明綸，宏開大閫。天樞維斗，班通霄漢之間；軍聲如雷，歡動江淮之表。帥垣既建，敵膽自寒。某官儒而知兵，仁必有勇。二難兄弟，真爲萬里長城；一時公卿，不恃千羣武騎。慷慨赴功名之會，笑談清邊鄙之塵。遹觀厥成，卓有所立。方敵兵之飛渡，致鄂渚之重圍。環而攻之，直有靴鐵趯倒之意；確不拔也，誰收隻輪弗反之功。惟内有賢牧，以固軍民之情；惟外有膚使，以趣水陸之陳。翕貔貅之賈勇，息鴻雁之哀鳴。韓愈傳宣，遂解深州之難；李回督戰，立成三鎮之勳。由今而觀，視古何媿？上蓬萊殿，宜侍翠華黄屋之傍；駐琵琶亭，猶坐碧油紅旆之下。遙導機廷之旨，誕增帥府之光。豈但爲第二層之規模，要當立上一著之根本。必如陶侍中之機鑒，必如羊荆州之綏懷，必收人心，必壯形勢。總十國而爲連帥，方重事權；率三軍而定中原，式觀遠略。某嘗蒙軫念，欣隸走趨。吾皇皇欲何之，自甘流滯；視耿耿者尚在，未忍沈冥。觀鈇鉞之遥臨，屬櫜鞬而請事。殺賊奴，取金印，顧雖非天下之奇；摩盾鼻，草檄書，政可説軍中之樂。第陳忱悃，敢略佞諛。

賀李都大

輟班立玉，持節鑄金。贊會計於版曹，增暉郎宿；主皐通於圜府，又焕使星。昔辱出於師門，今忝陪於辯幕。摳衣前賀，銜袖具陳。某官兩朝文獻之英，四海典型之老。斗牛寶氣，所稟得造化之清；鳳凰羽儀[一]，其出爲國家之瑞。顧前輩凋零之甚矣，獨後林突兀以障之。固嘗裨贊鈞衡，綜釐國政；亦且參陪幕府，諳練戎幾。歷麾節者幾遷，佚園林兮累歲。疏傳止足，浮言莫得而磷緇；申公老成，舉世獨高其華皓[二]。天固留之；爲耆壽俊；國亦幸哉，有魁傑儒。比馳原隰之六絲，往訪瀟湘之八景。動搖山嶽，衆方仰於丹韶；慶會風雲，恩趣還於粉署。維時議政，重在豐財。子母相權，每病變通之無策；君相交擇，共欣斡運之有人。暫辭襆被之榮，俾諫流錢之績[三]。雖申昔命，實表殊恩。觀日鼓於洪鑪，岀山積於朽貫。然不有君子，何以慰望治之心；所謂伊人，豈能袖調元之手〔四〕。於惟夙望，素穆具瞻。誦周訪落之詩，屬更圖於新政；聽唐供奉之曲，矧寖少於舊臣。上方疇咨，史有故實。炭陰陽，銅萬物，式彰坯冶之勳；霖旱歲，舟巨川，行廣鈞陶之業。某夙嘗嚴事，羞更重陳。交大雅大忠，辱深諒平生之素；念小慙小好，尚未明力學之方。甘安鉛槧以校書，乃綴銅曹而贊畫。當某戒書册祇戎之日，適公持英蕩出使之時。若有天焉，孰爲地者？故園桃李，自欣春色之重來；晚節柏松，誓共歲寒而不改。第嚴修飭，祗服馳驅。（以上清道光愛餘堂刊本《水雲村泯稿》卷九）

〔一〕鳳凰羽儀：羽儀，明天啓本作「景星」。　〔二〕「疏傳止足」至「其華皓」凡二十二字，原脱，據明天啓本補。　〔三〕「維時議政」至「流錢之績」四十二字，原脱，據明天啓本補。　〔四〕「然不有君子」至「調元之手」共二十三字，原脱，據明天啓本補。

全元文卷三四三

劉壎 五

賀李提舉

皇華司庾，紫氣隨車。一道瞻爲福之星，光聯東壁；六月遇可書之雨，潤溥西江。念昔忝於侍朝，幸今依於屬部。具嚴削牘，往候建臺。某官六館儒宗，九霄奎宿。廬山高幾千仞，挺生人物之英；太白後三百年，遠紹文章之派。不入洛、蜀諸賢之黨與(一)，宛有乾、淳大老之典刑(二)。共惟名流，夙載華問。青藜照夜，已鄰碧落星辰；皂蓋行春，乃賦蒼州烟雨。試數近日循良之牧，孰如當世慈惠之師。治狀既徹宸旒，恩旨遂遷蕩節。馳一乘傳，風行江右山川；求千斯倉，歡動田間父老。時和已協入境之始，年登可卜攬轡之餘。斂散適宜，澂清有偉。然時事正難於經濟，而清朝方倚於弼諧。爲提舉而活饑民，固願繼紫陽之政績；位宰相而識大體，盍亟恢文靖之家聲。丕闡儒猷，式扶世運。某耕閒有味，起廢無心。爲南豐香而一來，森兵何樂；負東籬菊而再出，食檗粗甘。歡傳駕牡之新，憶共聽雞之舊。服在趨走，惠徼庇存。消田里歎愁，當勉效民庸之課；聞山嶽搖動，終尚希使指之寬。

〔一〕不入洛蜀諸賢之黨與：「與」，原脱，據明天啓本補。〔二〕宛有乾淳大老之典刑：「典刑」，原作「風」，據明天啓本改。

又

肅擁皇華，來詢紅腐。東壁之星主圖籍，曾是望郎；西江之水活斗升，新迎膚使。曩幸接同朝之步武，今恪恭屬部之等威。搴帷所臨，騎屋爭睹。某官璧水儒英之傑出，廬山仙侣之重來。先朝重李昉曰善人，典型是似；前輩稱文靖爲名相，學術可傳。仰平生抱負之不凡，信所學宏深而有用。謂時賢多持論者，徒言窺姚姒，逮莊騷；若吾儒不知政焉，何必引夔龍，陳堯舜。是以甫班學館，則去而佐嶽；纔登祕邸，則出以典藩。流略兼該，體用備具。帝深嘉於郡最，詔特畀乎使華。蓋江右當千里旱之餘，地力瘁矣；彼田閒無三年蓄之恃，民命伊何？上屢顧憂，妙選諏度，惟明指固莫先於斂散，而先聲則尤繫於激揚。晦翁爲浙右之行，式觀偉績；張相自京西而召，丕對殊褒。遂挾豐年，歸報明主。某逴離輦轂，困躓林邱。洛髓凄涼，永矣斷人生之樂；土草饕餮，居然忘塵世之思。清朝未忍於棄捐，便郡仍叨於闕決。絶歎贄員之落莫，忽欣行部之照臨。記嘗陪漢闕之衣冠，幸今事周原之絲轡。非敢恃舊知而攀附，正深虞新令之森嚴。拄笏看山，其敢效晉人之放；飲酒按事，終尚希冀部之寬。

賀安撫盧尚書

起鎮价藩，宏開大閫。班高入座，本北斗喉舌之司；權重十連，臨南昌襟帶之地。忝佐偏城而受察，敢干記府以通名。某官其學爲諸儒之宗，所立在勝流之目。嚴霜烈日，中涵天地之和；威鳳祥麟，出作東南之瑞。標準一世，羽儀兩朝，凡聞梅坡之名，真若泰山之重。識其小者，僅誇餘事之文章；見而知之，當考平生之節概。揮毫瑣闥，曳履禁班，可繼袁高李藩之風，能典伯夷、后夔之事。謂且踐台斗而上矣，胡遽卷霖雨而去之。然嘉謀嘉猷，上方思於啓沃；而至清至直，衆咸惜其退閒。誕頒絲綸，俾立牙纛。接衡廬，分翼軫，歡迎仁牧之來；説禮樂，敦詩書，丕聳元戎之令。惟是時事之艱棘，正藉儒術之經綸。歐陽修何處得來，式觀謀斷；慕容恪爲憂方大，有賴折衝。聽笳鼓之歸來，步璣衡而直上。某苦無奇節，薄有虚名。綴慈恩塔上之題，怳疑隔世；廁貞元朝士之列，已是中年。明時未忍於棄捐，便郡仍叨於闕決。堪嗟淹滯，喜際照臨。輒自布其腹心，敢僭希於羽翼。共月千里，誰憐吏隱之寂寥；得廈萬間，終託帥垣之寬大。

賀鍾運使

觀風駕牡，練日滌龜。自江以西，咸仰澂清之略；從天而下，有隆飛輓之權。昔嘗忝於走趨，今復私於臨照。是嚴削牘，以賀建臺。某官有憤世嫉邪之心，有學道愛人之政。節操冰檗，直欲障流俗之瀾；號令風霜，端足落奸諛之膽。頃辭緊路，來守偏城。聽斷精明，吏饕摧折，拊摩切至，民氣發舒。其敏足以劃劇而撥煩，其廉足以律貪而起懦。條教肅，而大姓不得以朘貧弱；繩束急，而羣譁不得以賊善良。以至弛鹽禁以便民，出帑藏以惠士。凡此異政，俱可大書。帝嘉渤海、穎川之庸，峻遷蕩節；公辭淮右、湘南之役，甘遁里門。兹移奎壁之躔，來莅斗牛之野，雖無心於浪出，奈有旨以趣行。必將酌緩急以通轉輸，權有無而通糴餉。聳動一道，激昂羣心。畫棟鳴鑾，方歡迎於膚使；紅雲立鵠，會入箴於侍臣。某涉世似癡，信書成誤。壯年意氣，欲驅馳天地之間；中歲功名，覺沈墮塵埃之境。

賀費總領除將作監 號潔堂

峻陞繕監，巍建總臺。幹江淮之賦淵，連營給足；寬東南之民力，數道歡呼。厚隷照臨，僭陳慶幸。某官天西瑞氣，斗北大名。老泉論事，而比賈生精通世務；師魯知兵，而從魏國諳練戎機。所立煥乎前規，其學根於絜矩。固嘗更迭麾節，談笑鐙棋。山嶽動搖，應東國福星之見；川雲飛泳，喜西山爽氣之回。朝武寢穹，使華有燿，適鋒鏑之未靖，覺調食之孔艱。萬竈雲屯，炊沙之飽難恃；千金日費，破釜之策何時？軍聲欲解於鞠藭，王事少煩於苞栩。爰領外農之寄，仍遷大匠之班。王人所臨，邊兵咸喜。劉宴畫笏算鞭之智，亦可行乎；陳恕題版押字之規，正優爲爾。但使木牛之相踵，會看鐵騎之如飛。隨笳鼓以歸來，步樞衡而穩上。某夙懷奮厲，竊歎棲遲。有味扶犂，頗自適寬閒之野；無心懷綬，乃强臨凋陋之邦。兹幸事於通儒，諒俛矜於拙守。湟中之粟萬斛，願寬程督之威；杜陵之厦千間，終賴覆全之賜。

賀孫提刑

衣繡祥刑，褰帷問俗。青綾夜直，方催北闕之朝；丹筆春流，丕暢西江之福。風霜高節，原隰光華。某官端厚而高明，疏通而詳練，出塵標韻，磅礴於玉京十二樓之間；滿腹精神，流動於鑑湖三百頃之上。才望夙推於俊偉，文章是特其緒餘。踐敭華資，培植遠器，貳郡歌騰於沂海，立朝班峻於太微。自請漢符，肯臨藩國。清香衛戟，御屏侈循吏之書；紫界宫牆，優詔趣望郎之入。乃就頒於使節，俾巍建於刑臺。蓋惟江右憔悴之氓，居多茹枉；須賴天下端直之彦，庶可洗冤。六轡所臨，十城丕聳。必將奉宣聖旨，慰懌民情，振風采以戢奸貪，嚴教條以束豪猾。威棱既肅，刑政自平。毋使一夫之向隅，當令萬物之吐氣。風酣章貢，姑少駐於翠軺；雲近蓬萊，端催登於紫禁。某奮身寒苦，與俗酸鹹。憶當年鵷鷺之行，恍疑隔世；負終身烏鳥之養，空抱餘悲。清朝未忍於棄捐，使郡仍叨於佐貳。堪嗟淹滯，喜際照臨。輒自布其腹心，敢僭希於羽翼。深慚不競，負濂溪夫子之家聲；所願前趨，師泰山先生之正學。

賀建昌魏守轉官因任

恩來褒璽，名在御屏。河南治平之聲，冠於列郡；膠東勞來之賞，賁自九霄。既遷文品之崇，式表藩條之煥。某官儒雅飭吏，平易近民。生貴游家，無塵柄唾壺之習；凜清白操，有囊螢雪案之功。倦熏畫省之香，來領紅泉之勝。掃空吏蠹，勸課農桑。二千石惟良，浸以詩書之澤；十萬户受福，藹然田里之春。乃增秩以示恩，仍凝香而因任。關中既留蕭相，喜遂所依；朝廷深知弱翁，行聞有召。即繇選表，入陟論思。某欣聽除綸，阻趨賀廡。天子明見萬里，共贊先皇之知人；刺史入爲三公，願繼漢朝之盛事。

賀魏建昌改知袁州

疏恩曉殿，移鎮春臺。碧澗銅陵，正藹袴襦之詠；紫泥金印，又催旌旆之行。地望彌崇，事權增重。某官謙以自牧，和而不流。笏比甘棠，克增光於祖烈；國非喬木，蓋有謂於世臣。由省府之握蘭，來盱城而分竹。民依愛日，吏立薄冰，方兹蹈德而詠仁，何期以大而易小。雖仍飲西江之水，覺難親北斗之光。羣兒迎細侯，尚想無邊之風月；二州爭杜老，莫留有脚之陽春。第弱翁深得於見知，恐寇恂未容於久借。不煩席煖，又拜詔溫。森戟凝香，更布宣於寬大；簪筆持槖，遄峻陟於禁嚴。某莫造賓閤，敬修賀幅。鵾鵬運海，悵難逐於扶搖；犬馬戀軒，終尚祈於顧盼。

賀錢建昌除直祕閣

課績名城，通班邃閣。圖書寓直於東壁，朝武寢高；旌麾留鎮於南盱，藩維增重。詔鴉翻濕，寢燕凝香。某官寬以有容，威而不猛。發奸若趙廣漢，吏莫能欺；擊强如諸葛豐，民有所恃。桑麻千里，襦袴萬家，微而殘疾疲癃，舉無歎息愁恨。民曰太守，器能真當世之少雙；帝有恩言，政事爲所部之第一。峻遷中秘，式表外庸。金闕碧門，遥接蓬萊之雲氣，楓林楚水，遄聞長樂之鐘聲。某欣聽褒綸，阻趨賀廡。宣室已思賈誼，雖喜見於席前；河内願借寇恂，幸姑遲於璽召。

賀方寺丞除知建昌

覲天子所，佩太守符。衣冠拜紫宸，親奉九重之問；兵衛森畫戟，試行千里之春。竊自賀於照臨，實不勝其幸會。歡迎五馬，遠致雙魚。某官文獻相承，風流是似，引夔龍，陳堯舜，嘗吐露於昌言；窺姚姒，逮莊騷，克表章於世學。竊觀新史，歷載名臣。當端平間，豁陰氣而開日月；偉鐵菴老，攄鯁論以抗雷霆。由平生言論而觀，皆斯世綱常所繫。歷陳幾疏，獨奮孤忠。四方傳誦其奏篇，萬代深嘉其名節。是生令德，丕闡先猷。適時盱母之江，遹資良牧；儀圖召父之政，疇若端人。將出擁於旌麾，先入瞻於旒扆。得循吏，布郡國，有同漢室之盛時；詔刺史，至京師，爰舉唐朝之故事。想見殿廷之對，務求田里之安。仁聲載馳，羣聽丕聳。兒童候郭伋，雖共欣皂蓋之來；君王問長卿，恐留侍紅雲之側。某昔曾拜履，今喜開藩。竢及境以前迎，豫飭函而往賀。作中和之歌頌，已沸歡謠；宣寬大之詔書，式觀新政。

賀段南安移鎮建昌號鏡心

朱轓移鎮，紫氣隨車。襦袴騰歌，春意滿梅花之國；旌麾改觀，恩光新竹使之符。棲身幸在於爲僚，頓首敢恭於執摯。某官本領端厚，材具恢宏。心如明鏡之當空，奸邪惕若；家有怒笏之傳世，忠義凜然。其學則根乎典謨，其政則行乎江浙。蚤合鵷行之綴，洊勞梟鳥之飛。夙聞諸老公言，雅敬大賢偉節。謂顧凱之爲劇邑宰，勇於愛民；謂富鄭公當新法行，剛不奉詔。一端甚美，千載可書。劃天日之開明，儼風雲之際會。意且近積星而上矣，何遽遠層霄而去之。乃奉十行寬大之書，而播千里治平之政。發奸擿伏，峒落震驚，醒聵膏萎，田里欣暢。德化既深於横浦，仁聲轉入於盱江。竊惟聖朝，豈不望明公之入；言念凋壘，正渴思賢牧之來。姑煩汲汲以拊摩，寧使徐徐而朝覲。會有政績，大書貞觀屏風；遄近清光，親給天章筆札。

賀建昌柴通判

入朝天闕，出擁星屏。乘柯山雲靄而來，光生朱轂；分盱水風月之半，喜動畫堂。自欣列屬以爲僚，敢僭代庖而護篆，棲身庇覆，頓首候迎。某官志業昭融，器能恢偉。筆端有口，吐五千書傳之香；胸次無塵，鍾萬疊谿山之秀。簪黻暉煌於奕世，塤篪倡和於明時。垂鬢試中書堂，盈箱盡讀；唾手取進士第，揮翰如飛。定當寘臺閣之間，乃薦勞州縣之内。既飛鳧之直上，猶展驥之平遷。信知儒者安行之規，不爲世俗速化之舉。盰爲文壘，故自存曾、李之書；公駕別車，端足佐龔、黄之政。然時事正艱於經濟，而清朝方急於招來。言觀溫綸，靡待煖席。某奮身良苦，爲學亦迂。每嗟勛業之棲遲，濫魁晚榜；空閱年華之晼晚，來坐寒氈。適逢闕決之虚，强任攝承之責。方虞躐等，竊喜戒嚴。敢敬贄於箋函〔一〕，冀亟驅於騶從。遥瞻紫氣，行當奉印綬而還；願挹春風，諒許侍屏篁之坐。

（以上清道光愛餘堂刊本《水雲村泯稿》卷九）

〔一〕敢敬贄於箋函：贄，原作「摯」，據明天啓本改。

代友上太守求辟

凝蘇州燕寢之香，承流有偉；對藍田鶩行之立，居攝何庸。昔未契於登龍，兹僭希於附驥。遂修小楷，以叩大鈞。某空抱古心，素無奇骨。少時鐙火，頗睥睨於文場；壯日塵埃，竟低徊於俗轍。值豕蛇之蹂躪，隨鴻雁之流離。命也奈何，心之憂矣。國破而山河在，歎身寄於異鄉；城是而人民非，空夢懷乎故宇。一行作吏，再轉爲丞。聞之諸老誨言，厲以古人事業。我心匪石，惟履正以奉公；衆口鑠金，乃爲法而受惡。肺肝洞見，頰舌難爭，幸有爲推轂之謀，俾來試代庖之技。吾斯未信，若將驚曲於傷弓；人亦有言，詎可因噎而廢食。方重西江涸轍之苦，敬爲南豐瓣香而來。見交朋競相勉以新圖，謂前政已不該於舊職。昉茲虛席，曷勿改弦。雖太守不可干，無容出位，然真王何用假，妄欲正名。惠冀陶鎔，就加剡奏。舍皇甫而取居易，抑又何嫌；薦文舉而辟慈明，亦知無靳。輒忘自售，遂爾長鳴。判府以世偉人，爲郡良牧。半符分竹，奉行寬大之書；四境耕桑，鼓舞治平之政。相業將傳於衣鉢，民歌已沸於袴襦。方恢夾帒之儲，尤軫同袍之念。尚私造化，施及么微。失一老兵，得一老兵，儻成身之有望；遇以國士，報以國士，誓没齒以無忘。

混補中太學謝運使　宋咸淳六年

雪案窮經，幾嘆平沈於場屋；星臺校士，例蒙薦送於橋門。被明君樂育之仁，由脣使吹噓之力。摳衣以謝，銜袖惟恭。某陋巷簞瓢，窮年鐙火。數寸管，盈尺紙，久無當世之知；六國印，二頃田，每慨古人之志。雖嘗充賓而觀國，未能換骨以成僊。鼓瑟於好竽之時，不諧已甚；戴笠於乘車之側，見棄宜然。屬當以喜以懼之年，豈無爲養爲貧之志。然功名路左，何啻隔弱水而望蓬萊；且幽憂昧深，安得夢鈞天而游帝所。我之懷矣，命也奈何！適公朝之議，欲廣羣才；舉京師之試，悉歸諸道。既省買珠之費，孰無獻玉之思？來從姑山，直上滕閣。第知小敵怯，大敵勇；何懼萬人傑，千人英。

咸疑寒谷之黍遲，忽覺冷灰之豆爆。讙馳榜帖，喜動庭闈。禮儀三百，威儀三千，且不孤於家學；初是什三，終是什五，姑勿恤於浮言。意其遂顯揚之心，是以有僥踰之幸。孫業鼓篋，即爲帝學之諸生；教子明經，差慰高堂之二老。不妨奇特穩趁，扶搖都運侍郎。武城名家，甘泉法從。晝錦行部，薦增枌社之光；昕陛疇庸，寵畀松階之峻。共惟先正，有偉清名。魁躔尚見於煇煌，世宦克宣於久大。兹煩勸駕，遄趣歸班，致令桑梓之微，亦玷菁莪之數。孰云朽腐，忽爾神奇。某敢不騰踴天庠，激昂風節。舉膰叱六館士，慨想何蕃之忠；弄筆貽三子羞，敢負盱江之訓！時盱江中混補者三名。

謝廟堂給假

元宰施恩，曲憐羈困，孤生銜恤，暫釋縶維。還家遂負土之情，出命由轉鈞之造。惠均存没，感極高深。伏念某志攀龍鱗，福輕蟬翼。强支衰冷門户，頗思激昂；欣際清明朝廷，薦叨啓擬。忽自天而擿禍，誠無地以訴冤。集□騰章，披襟受責。方風濤飛千仞而上，殆性命寄半縷之間。所幸天王聖明，公卿篤厚。顧朝綱關係，雖重違霜簡之言；及造化斡回，止近徙春臺之境。然受譴固非荒遠難居之所，而抱痛則異尋常負戾之人。當其雷霆震驚，聞者爲之落膽；俄而滫髓凄斷，愴然幾致隕身。禍機交迫乎一時，逆境真成於萬狀。使至此極，不如無生。几筵長辭，舉室皆爲掩泣；衰絰赴貶，行路莫不興哀。回首三年，冥心一默。蚍蜉援絶，分永棄於纍囚；烏鳥情鍾，痛未安於卜兆。

流涕歎青山之遠，撫膺嗟素韠之終。恭惟廟堂，寬繩束以待謫籍；載在裡赦，許謁告以葬親喪。陳情甫徹於六符，予假汔寬於三月。方將披荆榛而營冢隧，植松檟以蔽阡原。遼東之鶴來歸，渾疑夢裏；巴西之麑獲放，永戴恩私。惟公所施，與宋無極。茲蓋大丞相身佩軍國，手運乾坤。以仁厚贊威福之權，延洪社稷；以忠義立勛名之本，昭揭旂常。每興憫於流人，俾自全於盛世。謂御史執國法，寧無風霜肅殺之威；而大臣育人材，當廣天地發生之德。俾克襄於大事，獲暫反於故鄉。某永誓糜捐，重伸歸倚。所冀寬慈之量，就施解縱之仁。當此生中，儻未答成身之賜；盡未來世，亦必酬造物之恩。此語或誣，彼蒼可鑒。

謝雷安撫辟充帥參

依夫子宮牆，夙歸化治；陪元戎幕府，允出禮羅。甫被命於鈞天，亟攄忱於恩地。卵翼其造，手額知歸。某崛起單平，勇思植立。韓王謂道理最大，服膺是言；晉人云州縣徒勞，强顔以仕。居常奮厲，求實職業，深恥矯亢，竊虚名聲。然而問劍抵掌之雄，固慙馬武；當走檄飛書之任，亦媿枚皋。比分平沈於常科，忽巧逢於元造。殷勤説項，特達薦韓。内而翱翔學省之班，出則關決山水之郡。解綬而歸故里，盍杜門而理舊書。念人生盛時，豈忍自同於草木；况士遇知己，亦欲少報於絲毫。既著主家衣裳，豈傍誰人門户？方將九頓首而請，已施一舉手之仁。天落除書，俾陪鈇鉞；地居元幕，堪賦鐙棋。

謝吳提刑特薦

四牡勞使臣之功，將催召駕；一鶚騰薦士之表，猥及别軍。軒然特異之知，偉甚不求之獲。允謂奇事，可無謝言？共惟明台，實號澂按之任；凡我屬部，以受薦舉爲榮。欲旌别以報聖明，宜簡拔而得奇俊。顧如某者，何若人哉？老色漸分，已消盡英雄之氣；壯心未已，欲獨垂天地之間。覽流涕太息之疏而傷懷，愛抱膝長嘯之吟而抵掌。謂苟可以及物，初何拘於擇官。起從空山，來佐偏壘。訪麻姑、方平舊隱，玩泰伯、子固遺文。閉户讀書，奚暇計寒餓之水火；研朱點《易》，頗欲窺廣大之乾坤。諸老深諒其持躬，當路開委之決事。奉三尺法，每思特立以獨行；寓一分寬，幸免羣嘲而衆怒。頃荷崇臺之出檄，俾行鄰境以慮囚。鄉人好惡何如，兩難於處；天下道理最大，壹斷以公。第求不負於平亭，何敢僭希於賞識。行部獨懸清鑒，騰章靡棄凡材。決獄中情，公過褒矣；遇事能斷，僕敢當哉。鏘然韶鈞之鳴，過於鼎呂之重。兹蓋提刑祕閣，五雲絢采，萬壑淩清。詳讞多功，玉節駐斗牛之分；陶鎔有造，金丹换雞犬之僊。似俛念於湮沈，故特加乎披拂。慨然推轂，光此題輿，某敢不祗佩隆知，益堅素履。幸入古靈之稿，足重此生；不叛韓子之門，請觀他日。

上呂都大求舉

鎔臺天近，寶光上應斗間；辯幕地遥，金躍願歸冶内。幸在六路提封之數，敢私一陶播物之恩。冒然叫呼，冀於造就。竊惟士皆欲附名世，人必有待先容。元獻知遇希文，端自沂公之汲引；歐陽獎進介甫，亦由子固之推揚。氣類一時，風流千載。乃若説項既無旁譟，薦韓又乏裏言。不自陳之，其誰知者？某素短奇譎，空持拙迂。讀聖人書，頗亦識其大者；登進士第，乃以困而得之。每嗟萬物之皆塵，當思一命之及物。入芙蓉府，孜孜備竭忠勞；問桃李蹊，落落渾無生意。當路雖加之刮目，選坑豈易以騰身。洪惟崇臺，所統幾半天下；凡我屬部，相與求人彀中。矧薦額素寬，宜癡心有望。因念襲奉秋風之檄，嘗幸獲親霽月之暉。官燭風簾，尚憶夜堂星聚；寶儲玉節，或憐幽谷黍遲。雖隔龍豬，妄希鷙鶚。都大寶謨典型，諸老經濟通儒。入登農扈之司，月班清峻；出總圜府之任，駟傳光華。宸旒渴想老成，筆橐將還嚴近。尤篤同袍之好，常恢推轂之仁。遂及我私，願竊有請。亦既在鳶飛魚躍之内，所願附牛溲馬勃之餘。呂公爲相善用人，儻垂恩而柬拔；何蕃正色不從亂，誓盡節以報酬。籲天而言，指日以竢。

再舉謝段知軍

朝廷右文，聿求奇士；郡國論秀，又及陳人。秋風姑慰其寂寥，春色頓回於顦顇。雖非差事，敢廢謝言？某起從單寒，妄慕高遠。更生晝觀書，夜觀象，心實憂時；武惠左執印，右執戈，志期用世。雖嘗充賓而觀國，未能換骨以成僊。念壯夫工篆刻之詞，聊復爾耳；以科舉妨義理之學，豈所欲哉？揭元龍百尺之樓，聚鄴侯三萬之軸。交韻人勝士，競勉以千載而自期；游名山大川，亦深思一試之可厭。徒以親年逾邁，己志未伸，從容隨戰蟻之塵，忼慨動落鵰之興。漢將軍出塞漠，幸爾成功；唐學士登瀛洲，居然充數。喚醒十年舊夢，擴開萬里修程。疏景暗香，問逋僊之無恙；紅塵紫陌，笑劉郎之又來。雖曰僥踰，詎非奇特。判府真循良守，爲君子儒。平易近民，四境相安而成俗；忠信勸士，一榜多見其得人。明揚韋布之精神，勇赴衣冠之期會。某敢不力懲奔北，期趁圖南。竊慕昔人，謂溫飽非平生之志；所冀他日，願功名成遠大之猷。恥循囁嚅，姑陳梗槩。

謝監試通判 舊座主

聖主搜賢，擇新進士；魁儒護試，得舊門生。昔未嘗造請於公庭，今亦非稱謝於私室。漫循彝典，用摯斐文。某起從犁鉏，誤學書劍。撫六經陳蹟，厥有深思；爭一時虛名，每成自笑。早游場屋，嘗辱鑑衡。方執鞭屬櫜而前，自分禹門之鯤化；及棄甲曳兵而走，竟作宋都之鷁飛。盍歸來乎短檠，可奈何兮長鋏。以科舉妨義理之學，夫豈本心；如壯夫工篆刻之詞，亦懷媿色。適別車之來蒞，喜廣廈之可依。子來見我乎，豈不願親於皐坐？人言可畏也，第當力戒於瓜田。所恃堂下見蔑之心，不訝庭中無愈之蹟。

謝州郡勸糴差充僉幕

倒廩應公家之急，幸逭嚴誅；走檄假議幕之榮，猥叨華獎。增户門之煇映，動閭里之傳誇。頓首凝香，箋心銜袖。某深居山澤，薄有田園。頗慕少游稱善人，故每奉太守都吏之條教；莫效魯連爲國士，故惟聽里胥亭長之指呼。思先世創業之孔艱，凡平日奉公之尤謹。有來使命，謂乏軍儲，俾爲實粟之圖，以繼汎舟之役。人非卜式，焉得輸財而助邊？世乏子文，孰肯毁家而紓國？況旴南當千里旱而後，彼田閒無三年蓄之存，寧有積倉，可供公廩？然而良二千石，藹然如召父之慈；福十萬家，樂只歌岑君之化。當酌緩急通融之誼，式昭公私體恤之心。順流而東，非有萬艘連檣之獻；從天而下，遽膺一紙十部之頒。俾由民伍之卑，徑齒議曹之末。惟通有無於上下之際，本皆職分當然；若論施報於官民之間，殆似等威不辨。固知忠信所以勸士，然而名器不可假人。雖則浮雲，寧非奇事？判府諸王孫之貴介郡，刺史之循良來臨。小有洞天，成渤海、潁川之化；重見太平，官府如元康、地節之間。偶當郡計橥底之餘，深軫軍食乏興之慮。命之輸粟，褒以泛蓮。某祇服寵光，永銘恩紀。清香畫戟，如今足庇於震凌；茅屋蒼苔，從此甘安於耕鑿。

混補試中謝運使陳吏部

雪案耀儒，低徊場屋；星臺膺使，吹送橋門。借桃李之恩光，采菲葑之下體。摳衣往謝，銜袖具陳。於惟我朝，度越前代。六館突兀，率聚養於英豪；三舍選掄，多貯儲於公輔。十四聖流傳美意，幾千人成就大名。逢明主之右文，闢賢關而升俊。十行下詔，數路得人。宜求博達經世之儒，何取椎魯不文之士。如某者，風霜容頓，鐙火夢孤。壯志激昂，頗亦自矜寸管；流年婉娩，居然坐閱千飄。精神疲敝於三日之文，意氣銷沈於四詩之學。蹋秋槐其已屢，折僊桂以何艱。竊嘗泣黃卷而問天，悔不負綠蓑而耕雨。傷嗟垂翅，羞縮中眉。適公朝之議，欲廣羣材；舉成均之試，悉歸諸道。既省買珠之費，孰無獻玉之思？扁舟下盱母之江，斗酒上滕王之閣。挾書囊而賈勇，整文陣以前驅。弄翰操觚，頗識詩人興致之遠；造車合轍，敢期有司裁鑒之精。正憐寒谷黍遲，忽覺冷灰豆爆。便辭下土，徑到鈞天。矧叔姪之竝游，尤朋儕之共賞。太學生辭家射策，誰啓亨機？清詔使攬轡登車，實司文柄。風雷變化，星斗光芒。都運吏部，三山魁傑之儒，四海耆英之老。號佳吏部，蓋嘗集北斗而騎麐；爲健監司，方且邀西江而活鮒。追憶當年鼓篋，許令此士傳衣。俾小草之出山，同菁莪之在沚。某敢不摩厲風操，騰踔天庠。念騎省故家，雖粗習文章小技；入古靈薦稿，尚勉思節誼大閑。

賀宰執正旦

三朝元會，將回青籥之春；四近輔臣，獨侍紅雲之表。協扶熙運，丕輯蕃禧。某官氣鍾陽和，名揭晝日。謀王體，斷國論，蚤簡宸衷；究皇儀，展帝容，獨持政柄。親被銀罌之賜，永觀金鼎之調。某行即解麾，及逢換歷。千林有喜，竊自歎於歲寒；一氣轉鈞，尚密回乎生意。

賀侍從正旦

風轉青旗，歲又逢於作噩；雲連紫禁，班獨峻乎文昌。偉魁傑人，膺熾昌福。某官胸中太極，筆底陽春，金龠玉珂，密聯芳於法從；銀罌翠琯，親拜賜於君王。巍步星辰，早施霖雨。某解麾將代，換歷有慚。芙蓉不向於東風，自憐顦顇；江梅願依於朝露，尚借發生。

回太守惠壽詞

露電餘年，寧復久生之羨；宮商雅韻，寵貽初度之褒。借衛戟垂光，添門弧喜色。判府儒雅飾吏，平易近民。鳳凰行集於穎川，歡傳召璽；龜鶴相期於壽域，特製新腔。句麗陽春，氣增晚暮。蕭蕭白髮，忽聞正始之音；寂寂紅牙，難品清平之調。某第瞻凝燕，莫致續貂。少太公二年，自知耄矣；頌魯侯千歲，還以報之。彌積感衷，曷抒謝語。

謝郡宴致語

一牛横笛，方欣受許子之廛；千騎專城，乃辱設穆生之醴。荷君侯寵遇，覺樵牧傳誇。判府東陽文章之家，西京循良之吏。秩中二千石，試皂蓋之行春；胸有百萬兵，報紅旗之破賊。既肅清狐兔，亦安集雁鴻。適帶裘整暇之時，宜尊俎從容之樂。謂古者存問遺老，蓋敬高年；謂諸侯不臣寓公，特加異禮。肆啓黄堂之宴，倍添白髮之光。揮哲匠雄文，託伶公俳語。從太守游而樂，欣聆歌管之和均；笑山翁醉似泥，不覺綸巾之傾倒。

賀錢守生辰

天開瑞節，月紀誕辰。八千歲爲春，式占遐筭；十萬户受福，丕藹歡聲。適又對於垂弧，行人躋於持橐。某僭陳頌語，阻綴賀班。欲永歌之，恐難入紅牙之拍；爲此詩者，願常觀綠鬢之新。（以上清道光愛餘堂刊本《水雲村泯稿》卷一〇）

全元文卷三四四

劉壎　六

回黄堂長投獻

捧檄録囚，暫寓絃歌之治；峨冠枉駕，遽同翰墨之盟。便相忘一見之初，真不啻三生之遇。有文相接，陳誼甚高。堂長豐骨昂藏，詞華奇怪。宜州太史之裔，必昌於詩；南豐先生之鄉，忽有此士。諒欲黼黻乎王度，奚爲領袖於湖庠。嬉笑怒駡，皆成文章，何軒騰之小晚；趦趄囁嚅，羞處污穢，信抱負之不凡。見諸公咸稱之，謂一第特溷耳。孤鐙窗下，毋忘黄卷討論；羣玉峰間，曾掌丹鉛點勘。某朅來折獄，虚枉貽緘。相遇邂逅而子偕臧，知爲善士；多有平反而毋必喜，自愧古人。雖即言還，尚圖往謝。

謝陳總領惠壽詞

年華向晚，凝頑戀駒隙之陰；韻語生春，流麗援鶴山之譜。交情無斁，初度有光。總領户部魁儒，嫡傳玉人雅望。書破萬卷，每鑄出偉詞；文成一家，獨埽空衆作。游戲小有丹霞之境，歸來甘泉上雍之班。興念陳人，適臨生旦。度尊前白雪，溜亮宫商；翦水上紅雲，淋漓翰墨。華哉短韻，期以長年。某方檮山川，莫垂弧矢。傳來樂府，雖難期銅狄之齡；流入教坊，應可品玉簫之調。

通判回諸縣賀滿考

共千里月，愧莫積於年勞；飛五朵雲，辱過褒其歲最。蒙成幸矣，稱賀宜乎。每惟遲鈍之踪，深負平生之寄。湯火交迫，第懷玩愒之羞；泉石自佳，寧有嘯詠之樂。蹉跎累日，僥倖及期，敢圖宰邑之賢，特軫同僚之誼。念司馬青衫老去，幸免曠瘝；辱諫議白絹飛來，曲相獎飾。九頓圭誦，一意篆銘。第既忝郡股肱，正自賴公羽翼。動桃園松菊之興，尚遠成期；借潘縣桃李之春，允資寅協。

招陳總領會

夙幸登門，每壓懸榻。天下士惟陳正字，信足當涪翁之言；山中友勸老東坡，久欲效黄人之飲。兹卜月圓之夕，正逢秋立之期，汎掃行窩，款延都騎。願振飛霞之珮，庶聆屑玉之談。

回羅檢閲求書入京自作

猥荷深情，寵貽妙語。志在千里，喜將賦子長之游；文成一家，初何待孔融之薦。意者游戲翰墨，居然寵畀琳瑯。檢閲昭諫詩材，公遠僊韻。城南鐙火，頗聞警悟於昨非；筆下波瀾，時見流傳於近作。破除湖海豪氣，親炙文章巨公。然且自憐虞翻之屯，恨無知己；蓋有爭説項斯之善，惜未逢時。乃今不憚山川阻修，而欲往觀京闕壯麗。脱穎而出，諸公定放一頭；揮翰如飛，即日會逢具眼。某素加心敬，苦恨力微。竊欣有志之竟成，敢不以言而爲贈。辭家好去，未須動莊舄之吟；得意歸來，定見佩蘇秦之印。薄相從臾〔一〕，未寫綢繆。

〔一〕薄相從臾：從臾，明天啓本作「慫恿」。

賀翁中書知贛州 自作

誕膺溫詔，出鎮巨藩。岳牧用詞人，輟紅藥蒼苔之步；兒童迎太守，回玉虹翠浪之春。千里宅生，萬物吐氣。某欣聞滌篆，莫遂拜庭，顧比孱於貽箋，且重扆於致饋。敢因慶語，就控謝衷。送司業酒錢，自驚暴富；依杜陵夏屋，猶賴庇寒。

代謝送物赴試

浪游南浦，正怯望洋；送上西雝，猥扆借潤。璀粲餞行之貺，殷勤助課之言。拜嘉堪醉於瀲紅，賈勇無愁於曳白。第慚不振，恐負相期。仰天大笑出門，吾無患矣；入學孫業鼓篋，君其許之。感戢未央，敷陳曷既。

代賀趙京尹生辰

銅陵石磴之地清，實鍾間氣；玉露金風之秋早，喜際誕辰。爰集懽聲，肅陳善頌。某官斗間瑞彩，天上靈根。都民騰前趙之歌，尚思神政；詩人詠保魯之壽，永重宗盟。春動綵庭，恩來紫禁。某幸依仁里，盍詣慶閎。屬方倚於藥爐，遂莫扶於壽斝。進長生曲，雖媿非白雪之音；祝不老僊，願永見朱顏之潤。

代送車新昌赴任

鼎來迓騎，趣駕飛鳧。花影一簾，坐想彈琴而治；芝亭百里，又傳製錦之新。靡待政成，即聞詔召。某莫陳祖宴，輒貢賮儀。因緬想乎舊游，悵已成於陳蹟。媿無遺愛，顧揚秕之懷羞；儻有餘情，尚匿瑕之是望。

代鄒倅任滿經從招會

海沂歌滿行，趣篷鶒。泉潤地佳，小煩駐馬。方欲少叙子孫之好，詎容弗盡賓主之情。輒擬詰朝，僭邀卜晝。作文字飲，雖無楚舞勸酬；待老成人，定有蕭規授受。願言臨賁，用篤交承。

代回鄉舉諸貢元

獨提健筆，偉新刃之發硎；勇奪薦書，儼輕車之就道。盛傳秋捷，大慰旦評。某人經明行修，聲飛實茂。品流高勝，信紅泉碧澗所鍾；意氣豪雄，以黄榜緑袍自許。已看横鶚，會應識龜。某忝此分麾，幸哉勸駕。辱峨冠而枉顧，驚衡袖之暗投。希夷謂天地間無全名，所願力培於遠業；挺之云科舉外有理學，幸毋自足於斯文。相期者深，是所以報。

代回漕魁趙主簿投謝

名芳鏤牒，偉甚仇棲。文壓鎖廳，居然禰薦。喜報冰臺魁捷，祥開天陛臚傳。判簿學入機深，文多神變。被飛龍新渥，早列簪纓；慕題雁榮觀，克勤筆硯。若昔名父，嘗奪儒科。景運又逢戊年，世胄定登甲榜。重書淡墨，真同遼鶴歸來，穩趁飛黄，行見溟鵾直上。某猥蒙臨訪，虚辱謙詞云云。

代鄒連州經從招會

解組价藩，還錦鄉社。旌麾臨寵，荷不遺先世之交；尊俎獻勤，僭欲叙通家之好。輒以翊日，迎於下風。舉酒細論，值桂花競放；聯鑣枉顧，瞻棣鄂相輝。

代回黄堂長賀冬

陽回緹室，有開吾道之亨；春入書幃，丕衍斯文之福。聿來華翰，如挹高標。某人雄辨生風，老柯橵雪。少年能賦，翦裁天上之色雲；晚節耽書，組織胸中之繡線。對灰飛於葭管，看恩下於蒲輪。某欣承慶言，倍感高誼。何當會面，共浮竹葉之觴；姑此寫心，爲寄梅花之驛。

代知縣再任招客同官

久矣賦歸，居然因任。重上八節灘之險，拊髀自憐；空懷五斗米之羞，脱身無計。欲徼福於寅協，期聽誨之丁寧。爰卜明朝，欲修小集，非敢飾豆觴之宴，蓋覬聞藥石之規。

又上寄居

再鼓聽逾淡，已無高山流水之音；萬閒顔俱歡，又託凌雨震風之庇。輒涓翊日，祗屈飛霞。非欲事於虚文，蓋圖商乎實政。技止此耳，孰憐重涉於峻灘；忠勿誨乎，尚俾早離於沸鼎。

又小寄居

水益深，火益熱，欲脱去而不能；鑑之明，衡之平，於聽斷乎何取？徒賴鳴珂之貴，或憐沸鼎之難。敢敬布其腹心，願相爲於羽翼。輒涓明日，祗屈飛霞。

又士友

智窮力竭，不堪面具再呈；政拙心勞，那得戲衫善脱。所幸鄒魯之俗，居多董賈之賢。必有忠規，裨此實政。輒涓翊日，祗屈飛霞。

代回魁星醮請拈香

問秋風消息，已愧陳人；挹杓宿光芒，願陪勝彦。肅拜裁雲之翰，欣聞涓日之期。當展敬於夜壇，冀聯題於春榜。步虚聲裏，豫占來歲臚傳；集英殿前，共吒今朝魁讖。

賀娶婦自作

慶襲鯉庭，吉諧鳳卜。孔雀屏，芙蓉褥，輝煌花夕門闌；鸕鷀杓，鸚鵡杯，爛縵椿闈風月。欣逢好事，薄貢賀儀。

賀端午日生辰自作

節臨重午，日紀生申。蒲艾浮香，正值錦標之揭；桑蓬襲喜，式增寶牒之暉。凡與照臨，孰不欣快？僭陳微禮，仰祝修齡。齊國之生孟嘗，恰逢是日；漢朝之誕胡傅，願見同年。

摯魯山臧廉使自作

繡衣行部，親風采於大江以西；素服拜庭，望顔色於崇臺之下。積久願瞻英槩，投老始契奇逢。若有數存，敢以文摯。某官孟氏剛直之氣，孔門宏毅之材。豎硬脊梁，擔當宇宙；具法眼藏，區別正邪。四海魯山之名，萬仞喬嶽之望。自居廉察，每志澂清。廣漢發摘如神，小民氣壯；葛豐刺舉不避，大吏膽寒。比福星重臨，即陰氛頓豁。雖蝯驚鶴怨，不遂閒散；而狐號鼪舞，稍知伏藏。方且竭蹶暑行，宣朝廷之欽恤；振揚秋肅，消田里之歎愁。萬口一談，百年幾見。惟天地中間莫不順，兹惟極治之朝；然國家閒暇及是時，猶有可陳之事。若偏州下邑僻處，尤疽根弊蠹多端。儻明公問俗不遺，則他日更僕以對。沈痼非常劑能瘉，賴遇神醫；敗局有妙著可尋，正看國手。此書生好論事之癖，恃君侯有容物之懷。太平之期，當今允宜。建萬世之策，真儒之用；無敵會見，垂千載之芳。某場屋陳蹤，山林薄命。所學甚苦，偏參名輩大老之間；於道無聞，竟墮文人曲士之數。目昏頭白，心在力微。有時自擊缺壺，未忍遽甘墮甑。備員鄉校授篆人間；遁迹里門，著書自遣。乃幸迎於華使，真是識於偉人。三生結來，有披霧睹天之快；一語提醒，便吟風弄月而歸。儻借春暉，足誇晚遇。

養子啓代秋麓叔父作

江梅無實，照孤景以自憐；偲桂有香，分一根而何幸？敢通吉語，願踐初盟。恭惟簪纓世家，實毓階庭叠秀。咸稱麒麐抱送之瑞，卓爾不凡；竊慕螟蛉速肖之功，冒焉有請。儻異口遂親傳之望，亦均受無别愛之憎。三生因緣，雖他人即如同姓；一家慶幸，謂此兒當興吾宗。奉幣而請，致書以告。

謝春谷學正惠壽詞自作

年華踰六，衰頽隱流水之邨；韻語無雙，妙麗協滿江之譜。感宗盟意厚，惜初度日非。恭惟某官，正學爲師，多情愛友。書破萬卷，每自鑄偉詞；文成一家，獨埽空衆作。游戲南盱軍峰之境，歸來東觀石渠之班。興念陳人，强推生旦。度尊前白雪，溜亮宫商；翦水上紅雲，淋漓翰墨。我辰安在，君意故長。某駭突如其來如，欲福我兮壽我。傳來樂府，何期銅狄之齡；流入教坊，可品玉簫之調。薄言酬謝，惠冀鑒融。

代回夏友蘭 程同知

某誤被國恩，冒沾世賞。山城分月，媿弗稱於題輿；蓺苑揮雲，辱遠貽於褒衮。如見諫議之面，足知君子之心。某官機鑒不凡，器能自許。與人爲善，粟萬斛以救饑；取友必端，蘭九畹而自媚。襟度湖海，名聲朝廷。謂宜騰翔霄漢之班，横金取貴；然且宴適園林之趣，懷玉久淹。獨崇篤交情，特鋪張慶語。紅光照室，白璧入懷。某謹藏襲篋中，容奉呈膝下。秩六百石，顧闕決之無長；廈千萬間，尚庇全之有望。未殫感謝，且冀照融。

回黄蕖屋求復職 皇慶元年

居廣文舍，杜門歎佳客之稀；迎長者車，衛袖增老夫之重。麗詞唾玉，高義斷金，蕖屋徵君龍首，華宗龜山正學。筆鋒銛利，粲雙劍神光；腹笥豐盈，藴九峰秀氣。正厲看花之志，俄興離黍之悲。抱膝芹西，斂元龍湖海之氣；著書蕖畔，樂淵明田園之居。蓋嘗窺編摩鈔纂之文，固知爲博洽專勤之士。昔來游庠序，期私淑佩衿，鋪張紙上之云云，吐露胸中之鬱鬱。然作闕實由舊政，其責備何豫後人？事已久而難追，時不利兮奚怨？况一飯先書籍，皆前定而靡待求；雖五斗不折腰，儻有分則將亦獲。少安毋躁，其終必還。某徒虚辱雄文，曷恭酬嘉惠。率爾而對，語焉不詳。謂羊叔子鴆人，孰云知我？就謝仁祖索食，當亦憐君。安得無情，尚圖見意。（以上清道光愛餘堂刊本《水雲村泯稿》卷一〇）

陳文定公奏議序

故資政殿學士、守僉書樞密院事、兼權參知政事、致仕贈開府儀同三司、謚文定陳公，諱宗禮，字立之。初試淳祐殿廷，時理皇在御二十年，頗事酣宴。公對策極言，人主不當徇逸樂，忘憂勤，上嘉剴切，擢寘魁三。厥後，歷學館，陞郎闈，屢以忠鯁聞。逮事度皇，由憲府瑣闈以至履班彈劾封駁，風采凛凛。晚登二府，甫兩月，薨於位。公之出處本末如此，公自韋布即以名節自厲，嚴介絶俗，授徒自給，外杜門蕭然，不輕以一武詣人。蓋凍餧自守如後山，静重難合如了翁也。進列貴仕，則素履靡渝，丹心彌壯，其有德有言者歟？予閲公諫稿盡卷，率醇潔勁正，嚴整條暢，而原流經術，通達國體，莫不利害洞悉，詞理俱到，有攖鱗逆耳之旨，拊心疾呼之辭，忠君愛國，油然其味者也。嘗聞先哲士大夫之言曰：「近世論諫，惟公爲冠。」予亦竊比之包孝肅、劉元城輩人，斯論殆不可易。公之仕，在淳祐甲辰至寳祐戊午間。是時右相丁大全狂戾恣肆，威炎熏灼，世以「風子」目之，無敢嬰觸。然特推敬公，召爲尚書郎兼丞相掾，意將引以自重。公進朝，乃首疏之，其曰「鳳隱麟潛，蛇蟠蚓結」者，指丁也。且以四大願陳於上，天顔開納。而丁盛怒，嗾臺劾斥歸田。方大全威脅朝野，百喙俱喑，惟公奮不避禍，白發其奸。縉紳歡傳，以爲朝陽之鳴。蓋自是直聲著矣。明年而滸黄渡武昌圍，詔竄大全貴州以死。公遂登用，識不識咸曰：「此當時正人也。」而責《春秋》之備者，且曰：「公素尚風節，層巓鐵壁，晚輕一出，白璧微瑕。」抑不思大賢爲國，出處以道。咸淳中，賈似道久柄國，國勢岌岌矣。仇視端直，寄命憸回，校「風丁」無大異常。獨憚公方嚴，居然禮。敬公多遠引高卧，每以不能致公自歉。一旦聞公翻然治任，語兩浙部使者趙德茂以公出，故喜動顔面，其欽重若此也。天假公年，共政而久處，摩厲規正之，似道必爲公動，則救敗局，回危機，將宗社生靈實嘉賴焉。不然，公平生清約高簡，浮雲利禄，閒居掃地，焚香而坐。顧以七十日居政府爲足以浼公，過矣，過矣。公所著詩文甚富，今某獨裒其奏議若干卷，將刊以行世。知所先也，俾予序之。昔李序韓，蘇序歐，皆其門人。予，公門下士也，故述其大略焉。欲觀公者，是集見之。公家南豐之千綏，學者尊稱曰千峰先生云。

朱陸合轍序

有宋乾道、淳熙間，金世宗仁厚，不用兵，復修舊好，故大定二十九年，東南賴以休息。國家閒暇，文事聿興，儒先森聚，理學炳明，襟佩雲從，接關洛而通洙、泗則東萊吕成公興於浙，南軒張宣公起於湘，建安朱子、金谿陸子則角立傑出，號大宗師者也。朱陸之學，本領實同，門户小異。故陸學主於超卓，直指本心，而晦翁以近禪爲疑，朱學主於著書，由下學以造上達，而象山翁又以支離少之。門分户别，伐異黨同，末流乃至交排互詆，嘩競如仇敵。遂令千古聖學之意，滋鬱弗章矣。當是時，克堂包公崛起盱江，出入二宗師門下。其子樞密宏齋先生親侍講貫，每謂二家宗旨，券契闔合，流俗自相矛盾。至哉言乎！顧踵襲成俗，趨附貶駁，或者高朱而抑陸，私心迷謬，寖失和平。同里雲卧吳先生汝一病之，考朱子書凡言論旨趣與陸子同者爲一編，題曰《篔天》。銷磨黨偏，摭抉瞖瞶，學者各宗其説，門户雖小異，本領無不同也。夫人惟一心，心惟一理，羣聖相授，繼天立極，開物成務，何莫由斯？孔子曰「性相近也」，孟子曰「先聖後聖」，若合符節，豈至於學能獨異乎？追懷景定辛酉歲，親炙雲卧先生，得聞梗槩。咸淳丙寅歲，宏翁以尚書造朝，約予與諸老往辭。先生進予坐側，警誨娓娓，亦及兹事。抉去藩籬，少正卑滯。當時馳心科舉文字之間，弗克叩擊。及今科舉文字念絶，思見鴻碩，考德問業，諸老亦既棄濁世而游太虚。先哲弗作，晚節無聞，爲之惆悵。自悼不聰，乃取象翁文集手鈔焉。且復取晦翁語録，摘其推尊文安者，著於篇端，以詔來世。會而通之，水中之月即天上之月也，蜀日越雪，何爲者？故更名其集曰《朱陸合轍》云。

禁題絶句序

至元二十一年

有律詩而後有絶句，絶句至宋而後尚禁體，其法以不露題字爲工，以能融題意爲妙，蓋舉子業之餘習也。世之以文會友者，或用此以驗才思工拙，謂之義試詩。其爲説曰：體物精切者，詩家一藝也。於是搜幽抉祕，窮極鍛鍊。其天巧所到，精工敏妙，有令人賞好不倦者，真文人樂事也歟！舊時編萃至多，亂離之後，頗多散逸。乃日隨所有，遴其佳者，時課一題，以訓吾兒。由是精思，儻能觸類而長，則通一畢萬，寧不愈於飽食終日，無所用心者邪？夫束字二十有八，而景色彰表，律呂協和，局於摹擬而能超，疲於締構而能靈，殆亦難矣。雖然，是特兒童小技，而非詩之極致也。賡歌昉於舜廷，至三百篇以來，跨漢魏，歷晉唐，以迄於宋，以詩名家者亡慮千百。其正派單傳，上接《風》《雅》，下逮漢唐，宋惟涪翁，集厥大成，冠冕千古，而淵深廣博，自成一家。嗚呼，至是而後可言詩之極致矣。善乎，劉玉淵之言曰：淵明詩之佛，太白詩之僊，少陵僊佛備，山谷可僊可佛，而儼然以六經禮樂臨之。蓋論詩之極致矣。學詩不以杜、黄爲宗，豈所謂識其大者？且懼吾兒溺於末俗之淺陋以爲極致也，故因槩舉其大者使進焉，甲申夏五序。

新編七言律詩序

至元二十四年

七言近體，肇基盛唐，應虞韶協漢律不傳之妙，風韻掩映千古，花萼夾城。漢文有道「病中送客」、「秦地山河」等篇，意旨高騫，音節遒麗。宋三百年，理學接洙泗，文章追秦漢，視此若不屑爲。然桃李春風，弓刀行色，猶堪並轡分鑣。近世詩宗數大家，拔出風塵，各擅體致，皆自出機軸。則工古有人，工絶句有人，而桂舟諶氏律體尤精，咸謂唐律中興焉。故知此道在天地間，未易能，亦未嘗絶。夫律，聖人制作之初，測陰陽，定清濁，應高下，和神人，一累黍不中，不曰律。詩亦如之。彼範圍五十六字爾，清麗或病格力之卑浮，沈鬱類困語言之鈎棘，亦一累黍不中，不曰律。故雖未嘗絶，亦未易能。然熟讀妙品，自有悟入。選古今律詩若干首，置几案間，日取諷咏之，儻私我百年，或有見優孟意，是叔敖復生，未可知也。分前後卷，前卷俱古人，首以唐賢，後卷俱今人，首以桂舟氏。吁，蜀之日，越之雪，定乎未定也。逮時久論定矣，必復有如杜、劉、許、李真詩人者出，而興「恨不同時」之言，然惜不令封德彝輩見之耳。丁亥莫春序。

新編絶句序

至元二十四年

詩至律，難矣，至絶句，尤難矣，至五言絶句，又大難矣。辭彌寡，意彌深，格彌嚴，味彌遠。豈比夫大篇長歌，可以浩蕩縱横，衍之而多者。唐人翻空幻奇，首變律絶，獨步一時。廣寒霓裳，節拍餘韻，飄落人間，猶挾青冥浩邈之響。後世乃以社鼓漁榔，欲追僊韻，千古吟魂，應爲之竊笑矣。詩至於唐，光岳英靈之氣爲之匯聚，發爲風雅，殆千年一瑞世。爲律，爲絶，又爲五言絶，去唐愈遠，而光景如新。歐、蘇、黄、陳諸大家，不以不古廢其篇什品詣，殆未易言。世俗士下此數百級，乃或卑之。昔人天然秀發，得獨自高。僕學詩數十年，心地汙焉，媿無一語，彷彿望唐，見其愈簡而愈難也。選絶句若干首，置几案間，日取「柴門静掩」、「天風獨清」、「老鶴梳翎」、「晴花迎露」等篇，一諷誦之。楚冠南音，翁倡兒和，想千古吟魂，亦復爲之竊笑於地下，聞詩聲而問：「子何所得者？」則將應之曰：「一洲蘆荻殘風月，自作深林不語僧。」丁亥季春序。

青山文集序

至元二十六年六月

陳君南翁歸自廬陵之州庠，示余文一帙，題曰《青山初稿》，蓋吉士趙君儀可所著也。趙君往以舉文鳴於世，雖心久知君，獨未識君。於是閲其記文序跋數十篇，往日所鯁，戛未能言，君乃盡言之，欣然有會於予心。天表雲際，想見其人，雖未識也，更深於識之矣。手自鈔竟，南翁俾序論之。夫今世無所謂工於文章者，然文章未始絶於今世，視昔第甚少耳。惟甚少，故能工之也。即如往日右文，天宇開霽，窮閻之子，垂巷之士，挾典册從師略解，會率競拈摘拾翦裁，揚揚里閭，自謂能文。信甚蕃也，工者幾何？今是事校昔固寥絶矣，間有工者，往往霜摧雪剥，鼎亨鑪鍛之餘，羈困窮愁，槁頂枯鬢，且堅忍清苦，翛然神情，自謂上帝所賦予者獨厚，蓋所得甚艱且特，甚貴異也，誠不忍棄。其靈明犖，卓與一時瑣瑣相馳騖，寧甘澹泊，非人所堪，絶無怨尤，固守古道，力争斯文於衰微，而著先王之所以宗傳，照燿羣疑，冰雪衆醉。若人者，天之景星慶雲，地之醴泉芝草，老氏之飛僊，釋氏之曇華，非歟？故曰惟甚少，故能工之也。予讀趙君之文，甚工而鮮儷以此。蓋君所著，體裁豐茂，新意川赴，撫事感愴，時有千古之憤。故其意緒潛藏，旨趣沈鬱。予嘗評其風味，在近世絶似江古心先生，真可志韓、歐，溯班、馬。是語正未必可君意，顧予能無厚望哉！文也將墜地矣，盟壇荒寒，誰執牛耳？宋文章之盛，歐、曾、王、蘇四大家名天下，獨蘇出眉山，餘三子皆吾江西人。則文脈之繫江西也重。盛則必衰，將奈何？趙君與予俱家江西，將能無感乎？願與南翁商之。君名文，字儀可，嘗試成均，爲天下所推重。今退隱廬陵云。己丑歲六月序。

雪崖吟稿序

今世雖合百千人與之友，往往挾巧競詐，貌敬背憎，其知心而相得者，弗常有也。誠有之，又或風鐙水漚，意長日短，睽離淪歿繼之。自予少壯，取友四方，老矣，知心而相得者不乏，天地爲鑪，銷鎔就盡。僅存如雪崖易君，與予定交久，號知心相得，年小於我，逝乃先我。使思心成結，壹鬱而無誰語？不悲傷得邪？君家南城之竹由。辛卯秋，約予渡谿賞桂，因共載山行，歷訪盱城耆舊。衝霧人雲，穿幽透深，竟日如行畫屏中。是游也極歡，將別，則爲盟曰：「幸俱蕭閒，歲一會聚，若是綢繆也。」今年夏，君歸自洪，復約予城北論文。甫半月，嬰疾，僅數日而卒。悲夫！交游緣也，此會乃爲此別乎？君未病時，授予近吟曰：「爲我料簡可存者，作《辛卯壬辰詩序》。」未及序，而君死。雖死，安忍忘之。君將家景胄也，磊落英發，勇決遷善。其於朋友，誠以義合，有所匡正，詞意竭盡。其論古今成敗，南北離合，援引辨駁，議論特出，卓卓超人意。至其詩，則能抑而入理，醇雅圓熟，一不作怪宕豪險語，藹然風人趣味也。其爲文章，充暢閎遂，即漢魏氣骨，晉宋風度，唐宋格法，當奄有以集大成。惜哉，不逮矣。憶嘗與君登峰遠眺，竹樹晚涼，星河夜横，君索予説詩，予爲言杜黄音響，又爲言陶、柳風味，又爲溯江沱汝墳之舊，《生民》、《瓜瓞》之遺，又爲極論天地根原、生人性情。語未竟，君歎曰：「旨哉！敢不勉。」噫，方將與君獨立事外，終其説，踐其言，今已矣。良友淪謝，白髮煢然，寧復有知心如斯人者，良用淒愴云。辛卯集料簡共五十四首，詞一闋；壬辰歲十五首，其《和平山翁》，蓋絶筆也。君諱仲信，號雪崖，仕宋爲武節大夫。

重題雪崖吟稿序

雪崖俾序時，嘗有言曰：「毋徒序吾詩，序吾父子交情，庶有考也。」今既序其詩於前矣，忍不述君喬梓交情之本末。君驍衛大將軍士英子也。初，將軍以戎功入仕，勳立江淮，名動蜀廣，意氣傾一時，士無不願登龍者。及得見少傅，又無不意滿。君固早有譽聞，繼其家聲。咸淳間，予避地盱城。一日，於故人趙撫州坐上識將軍，將軍顧予論時事，一語契愜，謂予有當世志，良喜。詰朝，亟邀予共論，滋喜，特爲知己，不繇紹介。予感將軍意良深也。將軍之入城府也，必訪予。或約予細語，慷慨家國，神會意合，率夜分不能休，特相親重。蓋定交始此，其後，將軍金陵之卒，予哭焉。葬於松原，予又哭焉。海枯塵揚，冰雪斷道，俊傑之士，多不復爲時出。予方韜閟掩抑，常恐聲景落人間，不相聞問，亦既久矣。會庚寅春，寇起汀畲，支黨漫溢，遂震驚我豈。今宰相龍川公來討賊，君以客從。予岌岌危懼，悶不自聊，兵前遇君，執手歡甚。君入則陪帥，出則詣吾廬，圍棋賦詩，歷歷談世事，又談世外事，遂相與游石僊，禮冷真。踰月解兵，乃散去。其復密又始此。君喬梓交情，本末蓋如此也。嗚呼，已矣，序成而君不復見矣。自《伐木》、《停雲》之不歌而友道薄，君獨篤金蘭之雅，乃復止於此。已矣，又何言，因志其意。

金剛經解序

大德元年

《金剛經》，佛書骨髓也。達摩西來，始傳中土，訓釋凡數百家，而淺者滯卑近，不契經意；深者騖高虛，適負經旨。其有如普覺、如純陽諸大宗師卓卓超詣蓋寡，乃復有一種葛藤話，屋下架屋，牀上疊牀，井底窺天，窗外窺景，使覽者惘然，滋益障礙。瞿曇氏梯航羣迷，願人人作佛，意不孤邪。吁，不自通人，孰祛其蔽吾州里有居士，曰靜菴劉君元璋，以儒會釋，根器不凡。隱處雲靄蒼翠間，澂寂妙悟，直證本心。嘗曰：「西方聖人説經救世，本自正大，本自明白。注家或以奇奧泥之，多背真乘，不見實相。」於是攷覈古今訓釋，采其與佛意合者，而削其不合者，參以己意，別爲直解。一日，示予徵序。予讀焉，句分字析，刃游縷解，持正見，執中道，淺不卑近，深不高虛，八窗玲瓏，見者開悟。

其出新意處，雖間用舉子言議，而大綱領則與經意無異。且復總以一語曰：「離相明心，見本有性。」嗚呼，盡矣！儻遂梓行，廣布三千大千界中，遠傳百萬億劫後，咸見本地風光，超升正覺，此功德應如經中所説，傳於身命七寶，布施恒河沙界者，可敬也已！可敬也已！予自幼知讀孔氏書，未知學佛，年且踰五，日汩客塵，往往認六如爲真實，了不覺流浪之可哀。君獨精悟如此，足敵生死。予不惟自羞，且自悼，乃堪爲君作序邪？抑予聞别傳宗旨，貴在性命雙圓，則身外生身，親爲佛子曰性。君已得之，顯露經注曰：「命未必不得也，能如是顯露否？一圭四真，重關密意。」君如不祕，我請面參。歲在丁酉，彌陀生日，南豐水雲村散人序。（以上清道光愛餘堂刊本《水雲村泯稿》卷五）

全元文卷三四五

劉　壎　七

無名先生藏山詩稿序

先生無姓氏，亦莫知何許人。或曰世家徐，避亂徙江南年孰鄉之西里。所居淺村中，委巷孤廬，面江背市，得水雲勝處，花竹夾徑，蕭閒無營。勸之仕，不應；詢其志，則笑曰：「吾將俟時者。」間爲詩，詩不求甚工，亦不示人，顧時時不輟手，曰：「詩以吟咏情性，非以求時人知也。」彙常所吟詩數十葉，鐍置山寶幽絶處藏焉，曰：「陵谷變遷，詩出乃當有知我者。」衆笑其迂。嘗得良金刀及漢之大剛卯佩之，人莫測其旨。又以土爲器類，鍾然，熏以火，和以笛，間吹之，則村中草樹禽鳥皆搖曳飛舞，曰：「是謂黄鍾動而萬物潛起者矣。」果自以其竅鳴，倡和者莫不求之，人亦終莫測。後轉徙無常，居不定處，僅僅故老相傳如此。國朝右文，詔郡國購遺書，適有野人耕山中，得所函詩上之。下博士校論，編次篇目，由是其詩始大行於世。然亦莫得其人之姓氏爵里，故題曰《無名先生藏山詩稿》云。

贈黄道人序

樵郡黄道人，以地理術名。自盱造吾門，予奇之，爲淪茗談龍穴大旨。未竟，一丹士自外至，再淪茗，細語移晷，頗及燒煉點化事，丹士不應。予卒然問：「風水事有之乎？」丹士曰：「山中若有王侯地，何不歸家葬祖宗？」道人凝然。又問：「點化事有之乎？」丹士曰：「道人若有燒金術，何不燒金養自身？」於是道人奮然大言曰：「噫，誤矣！未論風水點化事，安得言無？」予曰：「何如？」道人曰：「我十有七歲即知此，今四十有七矣。頃侍舅氏出入賈平章門下，目擊方士造作曰句庚，曰點茆，曰澆淋，曰慘製。賈公面試無不成，予竊學亦無不成。顧利有多寡，術有真僞耳？安得言無？」予曰：「多寡之數，真僞之辨，可得聞乎？」道人曰：「句庚利博，點茆次之，澆淋本三而利一，或不及一，慘製勿復道，此多寡之數也。真術不傳，邂逅至人得之者，深祕而自養。間有宿緣契遇，即傳而不售，售即非真也。神化祕訣，造化妙用，豈若百工技蓺可輕傳，市區貨物可求售邪？是殆江湖騙局耳！請言情狀：彼有平日知其人之好奇也，則先結一同志者游談誘致，佯若效忠，名曰布水。及誘之而中也，則先試其術之半以取信，然後徼其重賂，卜日傳授。曰我元傳亦若是也，名曰整本。則又傾銀以爲母，厚貲以市藥、爐炭、器具、酒殽、縑帛，日費不可勝計。及究其效，則或有首而無尾，或屢作而輒敗。日引月長，産蕩家破矣，可憐哉。予近寓盱城，日見十數輩，羣來如狂，競談燒煉。亦有知吾之能此而乞傳者，飲以酒，餌以財，予竊鄙笑，是何言之易也。而盱之人有乍學未精，相承繆種，急於取償，及用『整本』『布水』之策焉，張機設穽，陷人不少。若是者，天刑人禍所不貸，甚可懼也！我則異於是，我雖能此，不傳也。苟得人可傳邪，以心傳不以利傳也。此真僞之辨也。」予起拜曰：「道人語真實，不愧天，不誤人，可敬已。」請序其言，以表道人之德。道人又曰：「世間常業，自足致財，顧命何如耳？毋拘燒煉，勞且費，又多敗闕。命苟應富，商賈貿易利更廣也。」嗚呼！斯言尤真實矣。故併序之。彼有以爐火誘利而陷人者，聞之宜愧死也已，宜愧死也已。

哀鑑題辭

古今天下凡幾變，而史牒紀載未嘗一日忘。聰勤雲擾，河洛邱虛。五季兵爭，血肉糜潰。然當時事實千載如見，迺至帷幄詭祕，宮壼隱微，亦復大書。炳丹青是孰與筆之邪。蓋雖運祚遷革，官守缺廢，而山阿澗隈，雅人則士，執南董之筆，以賞忠誅逆者，自不隨世以磨滅。其事核，其言公，異時聖王有作，治定職舉，搜討舊聞，於以備成一代之史，往往或取諸此。此所以雖當亂世，而山林載筆常秩如也。平陸成江，置我叢棘，避鋒鏑，竄林藪，傷神亂離，歆泣興替，深懼時移物改，事失其傳。佗日列之策書有失實者，即千載懲勸，將安所示。於是以德景耳目睹記，列書之名曰「哀鑑」，藏諸名山焉。有問子所以名書者，可得聞與？則將應之曰：子知之乎？傾覆在所哀也，播越在所痛也，忠臣義士宜表顯，而叛臣逆賊宜誅斥也。百世而下，猶將爲我悠然思、愴然感也，故名「哀鑑」。則又申之曰：子觀吾書哀乎否乎？哀矣。鑑乎否乎？吾不忍重言矣。嘗思古人所已言乎，唐人曰：「後人哀之而不知鑑之，則後人復哀後人矣。」嗚呼！後人不復哀後人乎？故名哀鑑。歲丙子月小春，沛里胄德祐民書於水雲村，是爲《哀鑑》題辭。

南豐郡志序目 大德四年

序建置沿革，曰：古者帝王御極，則必建邦立邑，體國經野，因山川疆域而奠畫之。虞夏書載：肇十有二州，別九州，此其初也。三代之制，王畿千里，公侯而下國五等。秦罷封建，易置諸郡。漢因之，國皆爲郡。至隋廢郡置州。唐世天下俱爲州，分諸道以統焉。宋因之，易道曰路，蓋以路統郡，以郡統縣，以縣統鄉，此其槩也。南北混一後，復易路曰道，道置行省，以統諸路，而以各郡爲路立總管府，路有上中下之分，以統府州司。縣州亦有上中下之分，以統諸縣，或無縣可統，則止爲州以親民。其不隸於路總管府，而直達行省者，江之南惟五，而南豐居其一焉。攷建置沿革之由，與封域界限之別，備列於左。

序郭内門坊曰：郡邑之建，非必皆有雉堞樓櫓以爲固也。亦必門關有啓閉，坊陌有經緯，然後官與民得寧居焉。

序版籍户計曰：古制，歲使守令上郡縣户口之數，以視登耗而行殿最，蓋周官司民版之遺意也。宋慶元中，南豐户二萬三千二百有奇。開慶己未，覈户數合主客凡四萬九千三百有奇。咸淳寇燬，生齒浸減，逮至元歸附初，兵火屢作，其後撫治雖久，生聚未復，户之存者二萬餘爾。十九年，陞邑爲州，被旨以户萬有二千撥屬謁里干大王，餘悉係官。至二十六年，又鈔數行，户計乃定。今以大德四年所管户計總數載於後，併其名項列之。

序風土物産曰：昔爲九邱之書者，凡土地所生，風氣所宜，俱備載之。後之圖經實取則焉。按舊志，南豐居江西上游，其風氣溫厚和平。其土田衍沃，無毒霧瘴烟之虞，無機鬼袤僻之祀。其民務本力穡，其女勤於織紝。其爲士者崇義理，工文章。曾朱以來，人材輩出。其俗冠婚喪祭，雖貧不廢禮薦。更世變習氣改化，然遺風舊俗猶有存者，蓋風土之美然也。其物産則隨地所生，品列於後。

序税糧曰：古者藏富於民，以厚邦本。貢賦十分而取一，以給軍國而已，不敢加焉，故什一天下之中制也。宋咸淳中，南豐行自實法，凡有田者各書其户之頃畝，租收實數悉上於官，以爲版籍。時則苗糧以一萬二千七百二十七碩爲定額。歸附初兵燬交至，簿書煨燼。今本州除水馬站鋪兵祇候及寺觀免糧外，常年徵收正租一萬二千八十八碩九斗零，官租糧二千三百一十八石二斗零。

序課程曰：税務之初立也，課額輕甚。今踰二紀，有增無減。然偏州僻壤，地狹民貧，且巨商舟車之所不至，而闗市之征彌積彌重，故民間常以爲病。鄉坊民户或有逃亡，課額弗除，責辦䝉納，故當役者尤以爲病。儻仁人君子念增課之無已，哀民力之寖殫，慷慨建明，思所以輕之，寬一分則民受一分之賜矣。今取大德三年課額書焉。

序州治公宇曰：州邑之有治寺以出政令，以親吏民，以行大聘賀、大燕饗，尊且嚴也。若是，豈游觀地比哉。南豐州治即古縣治也云云。

序學校曰：自古天子諸侯皆有學。夏曰重屋，殷曰瞽宗，周曰辟雍，此天子之學也。夏曰廣宗，殷曰世室，周曰泮宮，此諸侯之學也。三代盛世，政與教竝行，故官府與學校竝建。周衰學廢，子衿刺矣。然鄭校議政，子産師之，是猶以學士之言爲可師也。因馘獻泮，魯人頌之，是國政必繇於學也。侯邦有學，顧不重歟。宋初州縣建文宣王廟，而學則惟汴睢洛有之。慶曆四年，始詔郡邑皆立學。

序倉庫站驛院寨橋渡曰：一郡之立猶一家，然常所取具，缺一不可。故有廩，有帑，有關征之所，有驛傳之司。乃至有室廬以養老，有舟梁以利涉，有屯戍以防患，而後官不勞而民不病。豐之爲郡也雖新，然歷政多賢。歲修月補，凡所宜備秩秩可書焉。

序州境山川曰：南豐古隸豫章，班固志地理，凡郡國必盡紀其山川。至豫章郡，又著錄「盱水所出西北至南昌入湖漢，則是邦之山與川。」其載述從來遠矣。今南豐之山，莫高大於軍峰，號江南絕頂。若盱川則發原於廣昌之血木嶺，歷建撫下豫章，而合於九江也。是以推表山川分爲二類，山之類曰峰、曰岡、曰嶺、曰石、曰巖、曰砦；水之類曰潭、曰湖、曰池、曰井、曰泉、曰陂，細大不遺備載焉。

序壇廟祠墓曰：書紀望山川徧羣神，史載祠太一、五畤祠金馬、碧雞神等。國有祠祀，其來尚矣。唐宋以來，通天子諸侯之祭，惟社稷與夫子。其次，各郡邑有能禦大菑捍大患、著功於生民者，祀焉。山川能出雲致雨，潤澤民物者，祀焉。至若先代賢哲身歿名存，後人思之，或立之祠，或表其墓，所以厚俗而厲世也。南豐昔爲邑，今爲州，其祀社稷有壇，祀夫子有廟，新制祀三皇亦有廟。自是而降，凡列祀典必載，凡鄉賢之祠墓亦具載如舊志。

序僧寺曰：浮屠氏之教，昉自西域。其居有招提蘭若之名，寺則未聞也。東漢入中國，尊奉其教者置之鴻臚寺。寺實官府，自是僧廬以寺名日大以肆。梁武帝有同泰、龍華之號，後魏高祖有永明、思遠之名。其宏侈鉅麗，至與宫闕匹敵，官府殆不足以擬矣。至世宗永平以來，州郡寺凡萬三千有餘，僧尼至十萬七千七百餘人。正光而後，四方多故，民避徭役，去而爲僧尼且二百萬人，寺至三萬餘所，何其盛也。至唐又寖盛，武宗英明，厭而斥之。會昌五年，毁寺四千六百及提若四萬餘，廢僧尼二十六萬五百人。未幾，宣宗即位，漸以興復，歷五代至宋不能改也。歸附後，滋益盛矣，豐一州耳，寺院相望多唐代所建置，兹具載之，附以菴堂焉。其寺廢而名存者别書。

序道觀曰：老氏之居大曰宫，次曰觀，弗詳所始。始見於史，則魏太武爲道士，寇謙之造静輪宫。唐太宗爲王遠知作太清宫。歷代以來，其教不逮釋氏之爲盛，然宋初有玉清昭應宫，至以宰相兼使領。其後廣置宫觀使、提舉、主管等官，别爲禄秩，以優待士大夫之閒退者，遂得與王官均列品從，則僧寺所無也。南豐道觀十數而已，昔未嘗列於祠官而又多微，宜不足比隆釋氏矣。惟其簡静蕭閒，頗於清淨之教稱，視彼則或勝焉。

序州官年表曰：三代分國建侯，秦隳封建，置郡守，漢更曰太守，唐易郡爲州，改太守曰刺史，宋又改曰知軍州事。雖稱謂不同，而布政教安邦國，均古諸侯之任也。新制：南豐爲下州，州衙門爲五品，設州官五員。掌印監治者曰宣差，執筆判署者曰知州，皆宣授。其品從五，其服紫。次有佐，曰二同知、曰判官。皆勅授同知，其品從七，其服緋。判官其品正八，其服緑。祿俸以職爲差，是爲圓座官。夫郡雖蕞爾，然上無總府之統攝，下無司縣之間阻，予奪刑賞得以顓決，爲郡而舒且逸，宜莫如是州也。朝廷選牧守，擇佐貳，承流宣化，責固重矣。而又祿廩優厚，權位尊嚴，生靈休戚繫焉。精白以承休德，豈弟以作民父母，可一日不知思乎？孰賢孰否，千載有攷，作州官年表。

序首領官題名曰：州有吏目，猶省有左右司，路有經歷司，是謂首領官。上則參決一郡政事，下則檢覈六曹案牘，職居襟喉，蓋不輕已。或長貳議政弗當，則首領官得以據理執法而爭，爭至三不從，得以據理執法，直達於左右司。定制也，南豐設吏目一員，不置副，責彌重矣。職是者思之否乎，列其名自陞州始。

序鎮守軍官曰：自古邦邑必有師旅之屯，巡徼之司，所以衛生民，威不軌也。豐昔爲縣而隸建昌，今爲州而鄰建昌。建昌立萬户府，豐則分立鎮守千户所，其猶隸之云爾。至元二十九年，新創寨軍萬户府於南豐，連營相望，氣勢重大。元貞初元，移其府以鎮吉之龍泉，由是仍初制，止設千户所以守。若巡警城郭，則有捕盗司焉。官以州判官兼領，兵以弓手當差。常與鎮守之軍交參巡夜，州民所恃以安也。軍官更替不常，故姓氏不備載。姑志其目，捕盗司官則互見州官年表云。

序儒學官曰：三代之盛，政教竝舉，蓋言政不及教，非治之善。朝廷以神武壹四海，紀綱肅，法度彰，首汲汲於文教。於是郡縣儒學俱設官，而詩書禮樂焕然近古矣。累奉詔旨，申飭教養作成人材，以備選用，意至勤也。豐陞州初，州學官稱教授。至元二十八年，頒降印信，其文亦曰儒學教授。三十年，援下州例，惟設學正，受省府劄命管領學事，猶教授也。儒之隸於學者三十有一户，視佗邦爲最寡。作興而增益之，殆有望於後之郡長貳與郡博士矣。考學官題名列於左。

序司屬官曰：郡有司屬，其目不一，其職亦不一。或受命於朝，或受差於省與州，或三十月而代，或一歲再歲而更。氏名繁夥，弗能悉也。存其目備覽焉。

序僧道官曰：前代於二教亦或錫師號，假官稱，往往隆以浮榮而已。牒訴賞罰，壹取決於有司，猶民庶也。近制始歧而異之，俾自相統屬，官得自選，刑政得自專。惟事關於民，乃用約會法外。是則有司無所與，符移往復，視州邑之品從而與之齊。蓋待以客禮，然隸焉而爲其下者，或困於誅求矣。

序前縣官題名曰：縣爲州矣，世異事殊。前縣官之姓名，宜不必存而存之，示不忘也。秦碑漢刻剝落刓缺之餘，有載姓名其間，好古者猶撫玩寶藏之弗置。矧嘗官兹土，親臨吏民，豈無涓滴之澤，流潤無窮，其忍遺之。且其仕是邦也，亦豈不覬其名之傳遠邪。而尤有難忘者焉，如經帥謝公逵之嚴察，尚書趙公以夫之儒雅，常博葉公夢得之鎮静，二楊有興弊起廢之長，一陳有摧姦抉蠹之績，而永嘉黄公侅孫之廉平愛民，天台陳公處久之清嚴肅物，又其近世傑出。蓋宿儒故老耳目之所睹記，見於歌思而未忘者，法宜特書且示勸焉。

序前進士題名曰：取士之法，莫善於周矣。考其德行道藝，興其賢者能者，豈後世科目詞章之謂。漢以數路得人爲盛，有賢良、明經、孝弟、孝廉諸科，又有光禄辟士四科，意猶近古不以文取也。唐設科，有秀才、明經、俊士、進士四者之目，有明法、明字、明筭之科，而進士爲獨貴。雖不古矣，猶用兼采時望之法，不專以文取也。宋沿唐制，貴進士。昔人所謂三歲下詔，與郊見天地之禮，均萬乘臨軒，與策拜公孤之儀等。然糊名校蓺，壹決於文章而已。南豐進士白曾密公始，三百年間登是選者，彬彬焉。世易科廢，宜不必存而猶存之，爲是邦存古云爾。其名登某榜，仕至某官，各書其下。或傳聞所遺，則闕以待。

序名宦政績曰：歐陽公《跋周府君紀功碑》曰：此君檢漢書無之，今碑石闕不見其名，後求得全本，乃知府君名憬。嗟夫，若歐陽公者用心亦賢矣。齊魯有大臣，史失其名。古今英賢磨滅何限，豈惟周府君邪。南豐名宦如游君簡之功德，可以廟食百世，而見遺於史氏，則前史遺落，可勝數哉。舊廳壁嘗有記，然記姓名耳，政績無可考。流風善政没而不書，奚以寄甘棠之思。後之君子，其有書之者，請自兹始。

序釋者徒曰：古者民相忘於道術，生死禍福之念不入其中。《詩》云：「民之質矣，日用飲食。」暨於叔世高明者，厭世之溷濁而入釋氏，猶所謂知者過之，非利之也。又其後生死禍福之念，先有怵於中曰生死事大，殆利而爲之矣。惟夫性識慧定，形神無滯，不與物往，不與物來，去住虛空，無所縶繫，然後地水風火，有不能壞與。

序方外士曰：世之言僊者，類以荒唐病之。惟《南華經》云：「姑射神人，能使物無疵厲，而年穀其說近理。蓋天下事未有遺理而能濟者，彼方遁跡山林，葆精練神，出入生死，以身度脱，若非聖賢之常道，真積力久，嘘吸變化，陰陽合體，度人濟物，亦未始無是心也。昔有學僊者，從師授以點金法，慮其誤，五百年後人推是心也，去聖賢何遠哉。

序前代制誥曰：三代訓誥見於《書》，漢唐制誥載之史，所以涣大號、詔來世也。宋沿唐舊，一命以上皆有恩言，或以能取，或以道崇，或以功顯，得什一於千百，尚有可攷者焉，書之存古也。

序里中遺事曰：劉向《説苑》，蓋類事而作也。南豐先生爲文，以引之，以向之，包括古今錯綜事實，其書不可廢也。此篇特志州里之遺事耳，不敢略，亦不敢誣，姑以備缺遺而已。（以上清道光愛餘堂刊本《水雲村泯稿》卷五）

家藏太宗御書賜盧多遜

太宗皇帝御書「敦樸爲天下先」六字，遒勁藴藉，雖工書者莫及。且立國之初，便以敦樸爲務，蓋知所先後矣。宗社命脈由此出，彼盧多遜何足以知之。

度皇御批

「令旨：付藏一：所有陳世崇詩文稿都好，可再簡幾首來。在來日定要，千萬千萬。四月五日辰初批付陳藏一。御押。」

恭惟度宗皇帝聖學緝熙，垂衣而治，爲咸淳太平天子者十年。此其在東宮時令旨也。盛年濬躍，無園囿狗馬博塞之娛，獨汲汲斯文，豈漢唐末世昏主所及？蓋列聖相承，以右文爲家法然爾。宸豪飛動，羹牆如見，萬世其永寶之。惜也不遇園綺羽翼，乃下訪藏一父子之卑陋；不遇伊、呂、周、召爲輔，乃仰成於亡國之似道。嗚呼，悲夫！

跋安子文丙楊子淵巨源誅吳曦矯詔

詔曰：「敕門下，惟干戈，省厥躬。朕既昧聖賢之戒，雖犬馬識其主爾，乃甘夷虜之臣，邦有常刑，罪在弗赦。太尉、昭信軍節度使、利州西路安撫使、興州駐劄御前諸軍都統制、四川宣撫使兼陝西河東路招撫使吳曦，早馮世祿，久綴朝班。以其爲三朝忠孝之家，必無反側，故授以四川宣招之柄，俾究設施。乃陰結於裔夷，遂竊窺於神器。將士成功而吝賞，搢紳獻議而弗從。

委棄四州，焚燒積聚，迫脅多士，列置官僚。僭名號以自居，裂衣冠而不恥。既挾戎狄，而背君父；且盜疆土，以予寇讎。靜言思之，孰可忍也。彼敢效敬塘、劉豫之作，朕寧無絳侯曲逆之臣？自奏報之忽來，即寢食之俱廢，痛心疾首，拊髀噬臍。不圖家賊之難防，遂使蕭牆之遺患。尚賴祖宗德澤之未泯，與夫軍民心志之未離。況今江南諸軍，已著平淮之勳業，眷兹坤維列郡，寧無思漢之謳吟。想皆左袒以爲劉，咸思舉笏而擊泚。隨軍轉運安丙，可特權四川宣撫使、陝西河東路招撫使，招集義士，誅戮叛臣。有能仗義以奮呼，即與旌忠而顯擢。王封節鉞，次第褒嘉；庫藏金貲，盡皆錫予。於戲！趙奢之有趙括，猶止殺身；霍光之有霍雲，豈期滅族！慨歎勳庸之後，尚存涵愛之仁。吴曦一門，凡附於逆黨者竝皆誅戮，其餘脅從，置之不問。除已命帥分兵西討外，故兹密詔，想宜知悉。

右安丙、楊巨源誅逆曦矯詔也。建紹中興，二吴有大功於蜀，蜀賴以存者百餘年。曦以世將，墜厥勳名。是時朝廷無事，邊隅解兵，遽聞警報，俱失措。巨源，益昌人，以右選爲忠州管下合江之倉官，密與丙謀舉義。此詔蓋彭子申所草。竟用合江倉印，誅翦逆儔，再造四蜀。廟堂方議西討，而捷書至矣。朝野動色，夸頌雋功，丙由是擅動名，極富貴，以終其身。此舉實自巨源發之，乃嵩爲讒疾所殺。然區區一倉官，能作如許事，信奇特哉。細讀此詔，至今凜凜有生氣。

題李翰林像

錦袍玉色，神游八極，真崑閬蓬瀛中人。落月照梁，誠非虚語。醉眼一視，殊有傲睨萬物態，似是金鑾灑墨，命力士脱靴時貌也。

跋顔平原帖

魯公筆法妙今古，戲作草楷，俱自成妍。今觀此帖，凛有生意，豈忠義梗梗，散入翰墨，故與天地相長久邪！其怒筆處，令人毛髮俱竦，想見呵叱李希烈、臨死不屈時氣象。

題干禄字書

晉以前字書醇樸，至右軍首出新意，盡變古體，如神龍駿馬，超妙入神。故千載而下，以王書爲第一。歷六朝而爲隋唐，書學日靡，穠纖競勝。魯公出而救之，盡本古意，一變至道，如純金美玉，見者貴尚。故千載而下，又以顔書配王書，俱爲第一。書家謂數百年間，質文相救，惟此二賢而已。然魯公之屋漏痕，即右軍之錐畫沙，同出一法，各極其工。是故欲學王，請自顔入。

跋石洲詩卷

宋景定五年

余嘗從耕桑隴上，見耋穉追隨，熙熙然鼓腹以游。又嘗經叢市別村，遇元宵鐙火，鼓吹歌舞，每恨真趣佳景，無能模寫。今閲石洲詩卷，風味何甚似也。富哉詩乎！石洲不自李杜，更求贈言。余生幾年，猶未知學詩也，何言？抑嘗聞之師曰：詩不易作，亦不可苟作。且當使胸中有數百卷書，韻度不俗，乃可下筆。子歸，試取六經子史精讀之，又取諸傳記、百家雜説博讀之，又取騷、選、陶、韋、柳與李、杜盛唐諸作，國朝黄、陳諸作熟讀之。山谷先生所謂用一事，如軍中之令；置一字，如關門之鍵。涵泳變化，優孟似叔敖矣。子若然吾言，士别三日，更當刮目。否則，請謝曰卿自用卿法云。

九皋蒼山詩選後

九皋、蒼山兩詩翁，生同時，學同志，吟同調者也。皋之詩少於山而工過之。其清峻不塵，大略相似，而風骨勁峭，興味沈鬱，則龍翁鐵笛似勝湘靈鼓瑟，知音試共評何如？

跋阮子良孤嵐集 至元二十一年

流水村中，秋風落木，無聊賴時讀阮君《孤嵐》絶句，如初月出雲，新篁解籜，明潤不塵，可與言詩已矣。由是而之焉，軼四靈，軋半山，並唐人無難也。余尤愛其集中句，如《中秋》云：「今年看月依前好，一片清光總屬誰？」《聞鶯》云：「清音不改平生調，似笑南人學北音。」嗚呼，是又未易與俗言，可爲痛哭流涕者此也。甲申仲秋跋。

題古心文後

古心先生江文忠公，文章名節重前朝。淳祐中，彈擊風生，號真御史。今讀其文，想其人，正自凜然。故吏部侍郎矩齋曾公嘗語予：「昔丞都昌日公新擢第，授池陽教授。歸里識之，軒然魁碩，氣蓋一時，嘗廣坐劇飲，大醉吐卧茵席上。已而醒，醒復引滿縱談也。」曾公稱：「子遠豪士，豪士。」噫，是固偉然者，而今已矣。予幼獨酷好公時文，每見一篇，熟玩不釋，夢寐猶記。今見公古文，尤喜手鈔焉。要之，萬世不朽者不在是。乙亥，鄱陷，公誼不辱，自投池以死，遠近忠之。蓋近年進士爲宰相，能守節作全人者二人焉。潔然清流而不汙者公也，毅然朔庭而不屈者文山公也。安得聯二公之文而題之曰「宋朝大忠集」。丙戌八月十有八日謹題。

書南居陳君丁亥集後

天地爲鑪，金石竝流，時南居詩伯以《丁亥集》示展。讀覺清風徐來，怳然坐我水僊府也。風雅宗旨，古今世變，君皆探賾造微，妙入梱域，故爲古爲律，愈多愈工。獨嘗以用兵觀詩：淮陰，漢大將，以背水一戰傳；公瑾，江東豪傑，以赤壁一捷傳；謝安石，風流宰相，以淮淝一勝傳。傳者不以多也，中其肯綮，以是收名定價有餘。若項羽之百戰百勝，陳慶之之四十七戰皆捷。究其所就，視前二三子何如？衆皆羨君之詩多而工，僕獨願見君之詩工而少也。世有識者，當曰「雍之言然」。

題曾厚可詠春集

擺脱江湖窠臼，接續大曆、元和氣脈，前十數篇無可擬議，近後間有涉俗境者，恐當删去，使少而精乃善。昔雲舍、桂舟論詩，時僕嘗得周旋其間，當日二公若見此編，亦當與君分席。

雪笠詩跋

雪笠翁曾元伯，詩精麗妥帖，各當其體，而樂府尤工。琢句如長吉，鎔意如飛卿，殆駸駸逼籍建，校今同社，夫誰與敵？輒爲料簡，令兒輩鈔焉。而元伯方徵予詩，共評予曰：古體乎，唐律乎，抑樂府乎？古也，律也，予雖不武，猶能出偏師，陳平原，爲魚麗鵝鸛之勢，與君相當。否則短兵接戰，未知鹿死誰手。樂府也，予有深溝高壘，偃旗仆鼓而已，君當上馬掀髯，搖手曰：「不戰而屈人兵矣。」因相與一笑，而還其帙。

南居五志跋

日予觀《南居四志》，羨其詩工且多。別纔半年，又觀《五志》，則彌工彌多，彌可羨。予自別君，埃氛滃結，清趣枯落，强吟不上十數篇，甚矣吾衰也。抑君航南浦，帆螺川，皐比鷺洲水竹間，江雲送迎，山霏映罩，宜詩思如百川之赴海。若予者，乃且龜縮蓬茨下，日惟見咫尺天，與熟面谿山草樹，顧吟思何許得來？因念《史記》一部在天下名山大川，非誕妄也。韓將軍多多益辦，彼不過能將十萬者，非特羨爾，且將媿之。卷錦以還，敬志。歲月己丑五晦。

李梅谿燕臺吟跋

梅谿詩秀句層出，不染塵土，更豎風骨，使沈著痛快，味深以長，則騷壇百級，人人左次讓先登矣。然其人極高誼憐才，居然有湖海襟度，雖微詩，猶將使人愛重之不已，况吟筆如許哉！今客燕雲，彌使人遠想竟日。

月厓吟月稿跋

月厓范君去非，被服寶璐，雲行太虛，俊穎勝特，宛若晉宋間人。宏齋包公嘗稱其精神如鸞鶴，風韻如飛僊。與予爲文字友十餘年，死别且二十餘年。思其人，味其詩，古體肖古，唐體逼唐，清麗圓活，言言冰雪，今世以詩鳴者，咺啾聒耳，何曾有似吾故人者。噫，芒芒九原，愛莫起之。歲在癸巳孟陬月，歸自鍾陵，杜門謝客，因閲《吟月稿》書之，猶想玉立翛然如在其左右。（以上清道光愛餘堂刊本《水雲村泯稿》卷七）

全元文卷三四六

劉　壎　八

跋朱梅邊西湖欸乃集

日落雲昏，西窗翦燭，玩梅邊《欸乃集》，正似出湧金門，行湖光山色間，柔風媚日，畫船細柳，開元事分明在眼。展轉三復，情致流麗，句律妥熟，奕奕有富貴氣，非三家村中夫子語，蓋治世之音如此。視唐人挑野菜，摘山柴，氣味萬萬，獨惜未見夔州以後作也。噫，此士落江湖，熟思令人瘦。

琴泉詩稿跋

扁舟載愁，寒水四碧，予晝卧白雲堆中，正恨無可人共語，臨川鄧德光以《琴泉集》來，意特快甚。客謂德光灑落人也，喜接四方豪俊，鬡尾三尺，雲根一泓，日陶寫得天趣，宜其詩和平無暴氣，清醇無險語。儻更振纓濯塵，入悟境，奪活機，世間好語，盡當奄有。少陵曰：「讀書破萬卷，下筆如有神。」天風雁翎，新句頻寄。

畫梅跋

寒梢凍蘂，居然奪真華光，補之復生，不能敵也。一客從外來，徵予判斷，予曰：「形神俱妙，只欠香耳。」客笑曰：「此語雖癡，此畫妙矣。」

象山語類題辭

象山先生陸文安公《語録》一册、《遺訓》二册，門弟子各爲編次，語多複出。幼兒爲倣晦翁《語類》，分門鈔纂，然後複出者乃盡見而删之，始稍可觀。壎三肅而歎曰：「先生真天人也，單辭片語，洗凡破陋，其英悟超卓，足與孟配。顧其學不如朱學之盛行者，蓋先生不壽，文公則高年；先生簡易不著書，文公則多述作；先生門人不大顯，朱門則多達官羽翼。其教是以若不逮，而究其實踐，則天高日精，千古獨步。文公有言，江南未有人如陸子靜，八字著腳，誠哉是言！今世道更時好泯，公論且定矣。陸氏之學將大明於世，彼埋頭書册，尋行數墨，尚襲故説，以詆先哲，則蚍蜉撼樹，井蛙觀天者爾。嗚呼，悲夫！」

題曾留遠作陳遂初墓誌後

管幼安避漢末之亂，渡海居遼東三十七年乃歸，歸而隱於田廬，不受魏命，年八十四而歿，史稱之。遂初陳公，亦避亂安南，竟客死，不得歸，哀哉！公爲太常寺主簿時，輪對一疏，譏切當國，賈似道惡之，棄官去。當時已稱重名節。曾公雖與之俱避地，然大節殊不及，殆似老、韓同傳。

題趙大年小景

此大年趙氏所作小景也，秋蘆雁集，雪柳鵲棲，雖縑素故暗，野意依然。大家公子，多才藝可愛哉。玩斯畫，懷斯人，想斯時，爲之凄然廢卷。

劉春谷行稿跋　大德六年

讀春谷文，瞻蔚中奇崛錯出，如陳列平原，魚麗偃月，部勒嚴整，乃時出奇兵，張兩翼繞出匈奴後。讀春谷詩，新意湊集，而氣脈端正，上接《風》、《雅》，如鈞天廣樂，故是儷家節拍。至八音諧處，真可令鳳儀而獸舞。予幸三年宮槐泮藻間，日常快讀，讀竟，予輒謝曰：「退三舍服矣。」其行也索予評，予就徵所未見，君出《行稿》使讀，且笑曰：「賣菜乎，求多也。」予曰：「不然，旌節吾自有之，直要長安本色耳。」因復一笑而書之，大德壬寅菊節跋。

題楊妃齒痛圖

「昭陽殿裏一齒痛，馬嵬坡下一身痛，漁陽鼙鼓天下痛。」昔人以此評「太真齒疼」。予愛其語俊，拈出共賞。良工善丹青者，能併後二痛，總作一圖，垂鑒萬世，即此圖不朽。

題懶繡圖

畫長院靜，孤倚繡牀，放下金鍼支頤似病，此畫手堪入妙品。抑予嘗寶一圖，曰「伏女授書、孟母斷機」，又一圖曰「木蘭代戍、凝妻斷臂」，今亡矣，未知校此孰勝也。客謂予毋多言，且爲此圖賦詩：「手托香腮倚繡牀，一庭綠蔭映紅窗。停鍼脈脈知何意，欲刺鸞皇怕見雙。」

屯田員外郎劉公勅黄後跋 大德七年一月

七世族祖屯田員外郎廿四府君㙉，江樓居士八府君次子也。景祐五年三月，仁皇御殿親試舉人，賜呂溱等及第出身，公在其中。宋制，士人登科即授勅牒，以厚黄紙書之，名曰「勅黄」，然後赴部銓注，給誥授官，自是脱韋布而列簪紳矣。昭陵以乾興元年壬戌歲二月即位，明年改元天聖，至是年戊寅，距登極甫十有六年，宋極治時也。公於是時擢科入仕，榮慶可知。范蜀公鎮，是歲爲禮部第一人，殿廷賜第在七十九名，實第二甲，尤爲一榜之重。是月也，王、陳二相隨、堯佐同政，押勅者首相張鄧公士、遜章郇公得象也。三參政不可考，程疑諱琳。是年十一月庚戌，帝郊見天地，改元寶元，而元昊僭號，西事蝟興。自此爲康定，爲慶曆、皇祐，爲至和、嘉祐，雖韓、范、杜、富進用，而擾擾多故，不得如景祐太平時矣。中渠宗人七一兄，世藏此牒踰二百年，雖敝弗失，此家寶也。出以示壎，輒加補完而歸之。追想盛時，宛轉淒斷。大德癸卯孟春謹跋。

宣德郎致仕劉公轉通直郎誥跋 大德七年一月

屯田公四子：長曰六府君溉，不仕；次曰八府君湜，皇祐五年癸巳歲三月鄭獬榜進士，仕爲南劍州都曹；又次曰二十府君洵，終儒林郎、新建縣主簿；幼曰廿一府君況，通直公也，元祐六年馬涓榜，授穎州文學，八年爲寧德縣簿尉，崇寧中爲泰寧縣主簿，久之，誥授寧德縣令，以宣德郎致仕。大觀二年，徽皇恭受八寶，敷恩四海，轉通直郎致仕，此其誥也。中渠宗人七一兄，於通直公爲七世孫，藏其家寶，薦歷世變不失，殊可喜。誥綾高闊八寸，長近七尺，白色小花紋，精瑩如新，字畫印色，亦猶煥然，背以皮紙，護以褐綾。有脱落處爲黏綴而歸之。通直公父子兄弟聯翩祿仕，可想當時門户之盛。昔嘗拜其遺像，朱衣象簡，凜凜如生。葬於中渠，堂封猶突兀，蓋昔所謂南莊者也。因併志之。大德癸卯孟春謹跋，以示我宗盟之後來者。

又跋

宋制：中書造命，門下審駁，尚書奉行。故中書省有舍人，主書黄行告詞，苟命有不當，即不書，謂之繳黄。舍人書行矣，然後過門下。省有給事中，主讀黄，苟命有不當，雖已書亦繳駁，謂之留黄。蓋以維持紀綱，杜絶僥濫也。故今誥中有三節，初曰造命，則書名皆中書省官；次曰過中，則書名皆門下省官；又次曰告行，則書名皆尚書省官。至是乃爲成命。其付出者，左司郎中，即尚書省屬官，猶古之丞相掾也。其時又有三省同奉聖旨之法，此則命出即行，無復論駁。意謂三省官同在榻前，事有難行，一時議定矣。因閲此誥，併記舊家典故如。此宣德郎後改宣教郎，蓋論者謂汴都有宣德門，臣子宜避，故易之。

題友人詩稿

凡作詩，天分穎脱，加以篤學，無不超然與古人並。君資質既不凡，又自六經以來至諸子百家，晝研覃，夜鈔纂，融究通暢，宜下筆有神如此。若僕則老且病，卷旗櫜弓久矣。君盛年壯志，其亟進師，築三受降城，使凡學者投戈面縛。僕雖憊，猶思洗濯團華舊袍，提偏師從大將旗鼓後。君如許我，即賈餘勇，期折馘摩壘。否則，三揖而退，曰：「朔方老將風流在，不取河西古堡城。」

送法帖與曾原青就跋

法帖五帙，頗古雅，或曰絳也。景定中，龍興通守雲洞趙公時奚以獻矩齋侍郎曾公，趙蓋虚齋端明以夫之子，精字學，有古風。卷中朱字，其親筆也。侍郎公知予嗜古帖，轉以見畀，藏之四十年，今以授其姪孫原青，得所歸矣。君家所有更贈君，其永寶之，連城璧勿換也。

跋平遠檮稿　大德八年十一月

寒雲愁慘中，掩關擁罏，聞剝啄，亟倒屣。一客下馬，氣吐如虹，乃吾宗平遠公以《檮稿》示。快展疾讀，如玉壺冰露，不受纖塵，如千峰峭立，雲光霞彩，絢爛五色。最妙處擺脱窠臼，自作標致。江西詩國，不爲兄築將壇乎？前輩有識詩人於庫務中者，今亦寧無？顧鬱鬱不愜，飄然棄去，自此詩當大進，深入理窟。異日寄示《續稿》，僕應反走，兄應一笑，曰：「季咸已被壺邱壓倒矣。」大德甲辰仲冬。聊記歲月，且當雲萍。

題盜馬圖

右《盜馬圖》，盜者七人，馬有十五匹，追者四人，人騎馬一匹，人馬態度俱精妙有意，惜不著何人筆爾。沙場渺莽，千蹶踶跂，何可邇？此婾兒善奪而去，若素所控馭，無一逸者，奇已。然不知追襲踵至，又不知描畫，詒羞至今也。其縶之，捽之，迫而墜之，情狀皇窘，正似可憐而亦無足念者。世有乘駿擁騶，魁岸貴倨，而有爲亦若是，眂此卷，將無同？安得名筆出新意，作神品曰「婾兒在此」。

再題代

黄雲白草間，追風瞥電之狀，居然飛動心目，其襲逐搏執處，意態更活，豈畫師前生嘗在其隊伍中，故神會天得，落筆逼真耶？雖然，昔有勸人勿習畫馬者，謂恐墮驢胎馬腹中去，况盗乃三戒之首，可留情乎？若見斯人，當唤醒曰：「急須改藝，休誤他生。」

南豐朱氏族譜序 大德九年

南豐故多文獻家，曾、朱爲盛。曾自沂、密至文定公叔季，下逮金谿一派，貴胄蟬聯，如昔韓、吕。朱亦筆槖麾節，赫奕明世，雖視曾差劣，其在於今，朱氏雲來，猶習詩書，别利善，如近世道山翁耆艾典型，爲里模楷。其子德升更秀立傑出，世其家聲。閲所著世家本末，志在光昭，足以動孝子慈孫之念。名家望族，流潤遺芳，有不在乎禄爵田宅，而清風古氣，自有一種令人貴重者。豈光禄公種德深長，故賢子孫彌遠彌不乏歟。嗟夫，光禄公以二千五百之錢，而能易數代之富貴，又能易代代之賢子孫，朱文公云「天人之際，不隔毫釐」，誠哉是言！記余少時行郭西門外，見巨木一株，蔽匝江滸，好事者版書釘之，曰「朱光禄陰德樹」，正其捐貲活命之地。而海桑既易，樹久不存。每過其所，未嘗不徘徊想歎，以寄無窮之思，而仰朱氏之世德也。因併志以補闕。大德乙巳歲日南至。

跋王清觀所畫姚玉像併詞　大德十一年

王郎妙人，貌麗質，填新腔爲「姚華出色」，諸才子鏗金戛玉從之。天風何來，醒我病目，便如坐花前聽檀板。因憶景定間，老照爲盱城諸名妓寫真成軸，號「花間僊集」。予時年少，與秋潭、月觀、月厓、月林共賦焉。今非用此故事乎？觀獵心情，筆翩翩復欲下，顧夕陽在山，慨然而廢，未能免俗。聊附氏名寄語王郎，幸勿笑曰：「汝非西州皇甫規，何爲恥不入黨？」大德丁未夏五。

跋王清觀題洞賓醉桃源像

邯鄲夢裏武陵谿，春色醉冥迷。㝵壓帽檐欹，謾贏得，紅塵滿衣。　青蛇飛起，黃龍喝住，纔是酒醒時。和露飲刀圭，待月滿，長空鶴歸。〈太常引〉

此詞斲冰積雪，不翅如自回僊口中出，王郎真妙筆也。持此見解，亦可學僊。

題五忠侯禮文後

大德十一年六月

予里世事五忠侯甚謹，然莫詳所始也。相傳侯發靈於南安之五昌峰。初有義兄弟五人，剛正雄勇，俱以忠死。死有靈，邦人祠於古樟下，稱曰「樟槎五郎」，又或稱曰「五殤」。南豐古未有廟，宋慶曆間，邑宰周公燮家所嚴事，爲建廟於河東之張公巖。時未受封，泛稱曰「五昌威烈侯」。靈響赫奕，常見虎跡。淳熙乙酉秋旱，邑宰陳公隆禮迎侯至公庭，雨四日，周浹，爲新其祠。邑士彭紀爲文，刻碑焉。其後又分靈於西理坊之江濱。嘉定中，始賜廟額曰「靈顯」。久之，始頒「五忠」之封。又久之，始加「五昭」之封。開慶乙未歲，先舅揭公明叔客南安，拜其祖廟，錄封誥以歸。然後知五侯俱有姓名，有姓周名安邦者，有姓劉名安世者，於今不記其全矣。咸淳戊辰歲五月，洪水決堤，西理之祠濱江漂蕩。壬申、癸酉間，徙祠於安禪寺之右，今祠是也。歲以六月十九日爲忠嘉侯生辰，咸修慶典，而文詞缺。州有禮佛會，嘗邀五侯爲監壇。會友吳居士以予居密邇，求予文莊嚴。予侵尋稀年，才盡筆弱，既不能發揚明神之威烈，又懼無以副居士之盛心，勉綴蕪詞爲一章，命吾兒麟瑞書以授居士。佛會千載而不廢，廟祀百世而永存，斯文與之相長久矣。又記丙子年爲侯作籤五十首，以應士民之卜祝。屢經世變，籤不復存，里人欲予修理而未能，何里人汲汲於此乎？并載於此，以寄一歎。

大德丁未六月十有八日，書於水村道院。

跋戴崧牛　大德十一年

戴牛品入神妙，然世遠難得真。此卷縑素故暗，四牛二童，幾不可辨。及凝視遠覽，居然有趣。似春林烟霧冥濛，無限意度，殆真蹟邪？昧者病其深晦，乃不知此畫天趣正在蒼茫杳靄中，可以神會，難與俗言也。謂予不信，請質之九方皐。大德丁未歲，爲傅君跋所藏卷末，系以詩曰：「誰貌春欄觳觫閑，模糊難認色犁班。庖丁成佛田單老，飽卧輕烟薄霧間。」

羅季文詩跋

北窗秋靜，發故篋，得蔡忠襄字書一幅，明潤婉熟，筆意可人。正愛玩不忍置，忽季文以《吟稿》示，亟讀盡卷，亦明潤婉熟，趣味甚似。此日何日，乃二美適相遭如此？明日閱書評，又見書家最重「屋漏痕」、「鐵鈎鎖」，推爲「顔筋柳骨」，即君謨筆意〔一〕，未是止泊處。噫，此特學書法耳，而以語季文，則將曰：「吾於解牛得養生焉。」

〔一〕即君謨筆意：謨，原作「謀」，據文淵閣四庫本改。

傅庭茂詩跋

庭茂詩和平醞藉，雲間靄潤，雖未潰於成，而已識雅人深致。評者俱謂乃祖通守公六義正傳，流芳至此，信哉！憶咸淳間，從矩齋武城侯夜宴於來薰亭，聽通守公與雲舍趙撫州説詩，槩以讀書爲本領，其言深嚴微婉，具有節度，而於尋常容易者無取焉。君家所有更贈君，敢舉此語。庭茂宜猛進深造，以鈎其玄，會見擺脱窠臼，超入悟境。

侯誠翁清嘯集跋

誠翁爲人溫柔敦厚，有詩人資質，爲詩清麗激壯，合詩家律度。閲《清嘯集》，星煇霧靄，醒人心眼，而古體更有風味。至若賦獨孤琴臺，序甘克俊詩，則造詣益深，餘子落下風矣。誠翁，吾同里也，同庠也，又世契也，而見君集獨晚，烏得無媿？抑予老氣鼓不作，願爲深林不語僧久矣。君如不棄，尚時起予，不然，請謝曰：「無人爲覓昭華管，自捲秋蘆片葉吹。」

跋道堂壁間詩

「門前盡日走黃塵，夜叩山房寄此身。在太極先元有道，除神僊外少閒人。沙填方石千年夢，水繞南臺幾度春。縱得桑田誰解守，海枯塵起更傷神。」右至大戊申元夕後四日，霽景清酣，詣南山訪友，信步陟巘，愒玉虚寮，見壁題此詩，風味可人，因記而鈔之。不著姓氏，友曰：「某人作也。」顧某人者，邨中一譁民，乃吟筆如許。故曰：「不以人廢言。」

宿南臺道院跋〔一〕

「門前滿眼是黃塵，夜叩山房寄此身。在太極先元有道，除神僊外少閒人。沙填方石千年讖，水到南臺幾度春。縱得金丹真不死，海枯塵起更傷神。」記十年前，閒步到南臺僊宅，見壁間新題一首，不著姓名，興致高遠，句律清雅，恨不知爲何人所作，又不見其他作。春賞翫桃園，邂逅危誠可，出示吟卷，首篇即前所題，始知出翁老筆。余愛慕已十年矣，捧讀盡卷。余北面欲和翁首篇，而筆秃墨殘，誠難對壘，因一笑，效歐公語曰「且教退之獨步」云。

〔一〕題名據文意擬。

官文翁所作性命論跋

性命雙圓之妙，大明一録，披剥見髓。萊山官兄，靜徹妙悟，融二教而爲之評。圭堂復生，一笑首肯。然二圭四真，重關密意，從何下手，盍爲我言之。今世妙齡俊秀，無不蒙頭塞耳，鑽入汙泥中，尋死窟。子獨超然自拔，求脱杻械，所謂百花鬧處松千尺，羣鳥聲中鳳一鳴。抑細玩評論，似傷浮虛，刊削就實，乃善。近見王月田一詩談性命，簡實可愛，他日當録寄爲一助。

跋吴貫道所藏鄧月巢與吴雲卧書

月巢、雲卧二先生，俱昔江西詩伯也。月巢沖澹閒雅，雲卧簡潔清修，而詩各如其人焉。予生晚，猶幸獲親二吟翁，而月巢奬愛之尤深。夕陽在山，風吹海立，安得復見鄉邦有如斯人者！貫道示予此幅，懷舊凄然，猶想風流，老淚一灑。

跋吳雲卧與包文肅公薦士書

雲卧翁清高簡澹，翛然如蓬閬間人。學問精深，爲包門高第弟子，文肅公特敬異之。此書真淳篤實，見前輩風範，而拳拳薦士意，尤足厲俗矣。計此書當是寶祐戊午春，公以祕閣修撰爲江西轉運副使兼守隆興，其夏以事歸里云。

徐孝子詩卷跋

建安徐氏子和，幼有至性，嘗刲股愈二親疾，以是得孝子名，時賢爲詩文美之。是誠可美也，而或疑於聖門毁傷之戒戾，予曰：「事安可執一律論邪？《孝經》所謂毁傷，意其爲鬭很違父母者言，非必爲忘身救親者言也。親疾委頓，命縣絲髮，醫弗痊，禱弗應，爲子者驚憂震慄，旁皇窘束，不獲已而出此。庶幾仗一念之誠，延一旦之命，而遑恤其他？天地鬼神，猶爲之感格，回生起死，如鼓應枹。誰忍復以毁傷議之？其得孝子名固宜。」或又曰：「爲是事者，天知、地知、鬼神知，然不必求人知。」

楊則陽覆瓿集跋

延祐元年八月

則陽楊君，臨汝名士也。里居與吾盱壤接，猶台雁然。予故知君，未識君，識君乃在劍谿上，相看俱老色矣。恨見晚也，出所著《覆瓿集》示予。予快睹疾讀。其文如廣長舌談微妙法，橫説竪説，奔霆卷海，而理趣特深。其詩如老將持重之師，營壘部伍，各按節度，而時出奇兵，邀截取勝。執此以往，繅藉圭璧，薦之清廟宜矣。顧曰「覆瓿」，竊所未喻，擬起吾家歆於九原而詰之。延祐甲寅仲秋。

黄蕖屋補玉樓記跋

延祐元年三月

記玉樓事，唐人寓言爾。黄君爲文，以補缺寓之。寓也辭清意遠，真若登丹霄而與之遇良工，心獨苦哉。然反覆玩閲，辭有勝處，更刊落鎔鍊，峻潔峭緊，即神聚氣完，又盡善也。贊以詩曰：「白玉樓成記不傳，至今人惜錦囊僊。羡君獨步蕭臺境，攜取瓊章下九天。」

文丞相家傳跋　延祐元年三月

舊鈔《文丞相紀年》一帙，正與此同。今藁屋此編，比舊加詳，豈當時相從兵間，目其事，不忍遺，從而附益之邪？丞相至公血誠，貫金石而耀日月，居然與張、許二顔分席。追數仗節死義之年，倏閲三十有三矣。昔人有云「中原之於晉，日遠日忘」，思之令人隕涕。恃以不朽，賴存此編。其廣傳之，使忠臣義士流芳千古，非民彝世教一助乎？噫，可哀也已！延祐甲寅三月晦題。

跋曹忠達公守汴奇策　延祐二年九月

宋靖康中，金再入寇，既渡河，御史中丞曹公輔奏謂：「去歲，虜寨城外西北，地勢卑下，不知決水灌之，最失策。今宜分城中兵數萬，出據東南，劄連珠寨以接外援，候虜營西北，引水以灌，必獲利。」欽宗以爲然。宰相唐恪曰：「水可決，兵留爲根本，不可出。」公曰：「兵留城中，用兵之死法爾。」恪堅持不出兵，反先決水灌西北，而東南乃無兵，竟被虜據，遂絶外援，以致亡國。悲夫！曹公之策，奇策也，奸臣誤國，顛倒妄施，可勝誅哉！公字載德，南劍沙縣人。龜山楊文靖公時志墓，書此事，足以發千古之憤。志又書：汴失守後，虜再邀上出郊議，未決。宰相何㮚奏事，出云：「車駕翼日出郊。」公遽云：「虜意不可測，此行恐與前日不同。」㮚厲聲詬公。公又率馮澥同説，蓋謂澥爲㮚同鄉，且齒長，冀幸一聽，㮚不從。及駕幸虜營，帝果北狩。然則二相廟謨若是，棄君賣國，俱姦臣也。後百世忠義士，猶宜奮筆誅之。時公僉書樞密院事爾，詎能奪宰相之議。或謂此時駕欲不出亦不可得，蓋事勢潰決至此，已無可爲者。其失在不用公之初議，出兵據東南，引水灌西北，此爲誤國之大者。延祐乙卯九月晦日，書其家傳後，以寄三歎。

梅湖道人墨梅跋

自和靖香影句傳天下，遂令梅增萬世重，乃知西湖寒碧，是此華成名處。今老傴濡豪吮墨，爲此花寫真，而以梅湖自號，蓋是本色。展卷一覽，粲粲萬玉，神采逼真，只形色緇素别爾。客復徵予下一轉語，予無語，祇朗吟曰：「近來黑白無分曉，墨作梅花賣得行。」

題范蠡泛湖圖

老范霸越沼吳，功存宗社，蓋一代智士也。世論率謂有大勳勞，宜享大富貴，顧乃慮及烏喙，翩其鴻冥，不旋踵棄鍾鼎等敝屣，何太早計邪？噫，以功名自見易，以功名自終難，古今功臣弗令終，正坐挾勳咨權，不思勇退。倘此老亦然，即黄金之鑄，將易爲屬鏤之賜，焉得智？《易》曰「知幾其神乎」，蠡也得之，老子曰「功成名遂身退」，蠡又得之。展卷快睹，神采如生，故爲之賦詩曰：「霸越功成早見幾，春風一舸泛鴟夷。丹青半幅人千載，勝似黄金鑄就時。」

趙宗丞奏稿跋

大宗正丞白雲先生趙公崇嶓，忠鯁如漢更生，詞華如唐太白，幼嘗挹其光霽，蓬瀛崑閬中人品也。記寶祐乙卯歲，犬馬齒甫十有六，時朝野推公奏牘切直，願見弗獲。厥後臨汝侯高安公從容出示，屢見之。今雲居翁卓舉濟美，重加緹襲，又悉取陛對封事，鈔纂弗遺，復使愚得見，而垂白已望八矣。慨鄉哲之益遠，幸遺稿之僅存，直氣稜稜，重我哽咽。不覺形之永歌，且語翁曰：「此君家隋珠、和璧也，非君不能存此，惟君之曾元能永寶此，後或有編前代直臣傳者，將采諸此。」其詩曰：「六十年前夢渺茫，宗臣諫稿墨猶香。夕陽影落腸空斷，門掩東風看海棠。」

曾從道詩跋

年時閲曾君思道詩，愛其珠明玉鏘，心目爲快。今又閲金昆從道詩，覺《元豐稿》更勝《曲阜集》。

何曾氏羣從多材藝也？荆花葳蕤，重我吟社。細讀五古佳處，造詣似韋；七古佳處，部勒似韓杜，律雖小劣，句亦多佳。雖則云然，予更有肘後爲君助，混合陶、韋、柳三家，以昌其五古；孰復少陵諸大篇，以昌其七古；則又取法少陵五律，以昌其五律；取牧、錫、渾、滄諸作，以昌其七律。如登華嶽，不止於中峰寺解包駐錫，必登絶頂，望見滄海日出處，不亦善夫！屬有遠役，無暇劇談，他日歸來，畀我新句。

題淵明漉酒圖

「若復不快飲，空負頭上巾。」達論也。然亦何至用巾漉酒，不避汙垢漬蔑邪？韻人勝士，託此寓高致，乃認爲真，即癡人聽説夢耳。微茫杳靄中，露頂運臂，急酒之狀宛然。一展卷知是名筆，動人醉興，舌本流津。

濟川吟稿跋

吾州諶氏多詩人，有《南窗澹稿》，有《桂舟遺稿》，今又有《濟川欸乃集》，盛哉！南窗興致雅澹，不尚雕鏤；桂舟功力精深，妙入梱域。濟川兼二體而時出之，且徧游南北名山洞府，與偎官貴神默會紫霞翠霧中，故新吟更挾清氣。唐宋詩人山出棋置，率一鳴即已。今獨諶三世有集，豈非盛哉！予生晚，不逮識南窗老詩伯，幸識桂舟翁。其與予講評毛、鄭《詩》，必上溯江沱汝墳，下逮匪風下泉，探索深旨，神情傾豁。今老矣，詩已束閣。讀《濟川集》，灑然曰：「周禮盡在魯矣。」

題陸生貴山吟稿

延祐三年七月

《貴山性情集》，韻度清而句律妥，鎔鍊所到，無欠無餘。予客閩久，罕見善吟若此，問何人，曰：「尤谿陸某也。」問何在，曰：「年甫二十有五，殁已三載矣。」悲夫，不及半面也。靈葩異卉，不耐風日，此李長吉、邢淳夫輩所以令人悲憤慨惜者乎！生兒難，兒能詩尤難，詩工而壽永又大難。吾意憐才，覽卷欲淚。延祐丙辰孟秋，陳子正出此集，因志數語，聊慰九原魂。如有知，當曰：「幸逢身後知音，更勝生前識面。」

蜀江圖跋

右潁川德英父所藏《蜀江圖》也。廣僅半尺，修踰四丈，西起威州，東迄江陵，跨十有八郡。其間山川、城壘、人物、聚落、僊宮、梵宇，風颿浪舶，歷歷在眼，真奇筆也。憶少日閱輿地志，極愛西州風景形勢，雅欲溯巫峽，闞劍關，周視古英雄爭戰處，略慰胸中之奇。顧蹉跎浸老，付來生矣。展玩傷懷，因寄一歎，併賦之：「誰挈坤維入畫圖，東西川合匯荆湖。金湯夾岸提封接，玉帛連檣貢賦輸。劍閣幾煩豪傑夢，錦城曾是帝王都。如今混一兵氛息，聞道烟花漸似吳。」

讀曾丹潭夢吉家譜名申，本里人，徵職。

余家宅西里，與先哲曾南豐先生子固南軒相距數武。自江樓居士以來，與諸曾世講有婚媾之好焉。一日，夢吉、元吉昆季步余水雲深處，敘寒暄，道今故已，出世譜視余曰：「此我祖文昭子開先生元豐所手編，而從祖文肅所參訂者也。追惟遭罹衰亂，分崩蕩析，園廬荒廢，舊業蕭條，獨是編出入必俱，巋然靈光。某等紹承無狀，藉此少逭不孝之罪。公其爲我序而存之，俾我子孫世有攷焉。」予三薰沐讀之，則見編輯犂然，整比有紀。至「存獻」一錄，悉當代名公鉅卿之作，披對不覺起敬。顧謂曾君曰：「斯譜之存，人事乎，天道邪？夫以有宋仁厚之澤，垂三百年，大經細目，綢繆曲盡，非有浚削也。一旦風飈慘動，半壁誰撐？豈無文武大吏張、韓、岳、陸之儔，效命賈勇，九死不回，乃竟弗能留祥興之社之不屋，何也？豈非皇穹易嚮，人力無如何哉？公家哲祖父既謹緘縢，固扃鐍力，豈盡軼諸君子上，而用能保全永世者，天贊之矣。余居同里閈，知公家世以忠孝長厚相傳，繩繩勿替。間嘗一再展文昭祠下，精爽昭回，與谿光相映發，祖德孫謀，真可爲百世祚。天之默相曾氏，豈有量也。」

既書其尾，并錄展墓詩遺之。（以上清道光愛餘堂刊本《水雲村泯稿》卷七）

全元文卷三四七

劉壎　九

記夢　至元二十三年

丙戌歲，秋孟暑甚。一日晝困假寐，夢偃仰小榻上，氣奄奄欲死，傍若有言者曰：「死矣。」已乃氣果絶而死。死時亦無所苦，惟覺神意飄飄然，如行雲，如飛烟，騰上太虚間。不知晝夜明晦，不見山川、人物、鬼神形狀，不食而不饑，不飲而不渴，不扇而不熱，不衣而不寒，鴻濛汗漫，蕩漾寥廓，而亦無附麗倚著者。久之，忽爽然自悟曰：「此其死邪？」於是小立於無人之境，而凝想乎平生：自襁鞠父母之懷，而至於總丱，至於冠且婚，且生子，而且將老矣。其間若仰事俯育，幹蠱承家，親師取友，讀書作文，運智謀，競名利，其瑣瑣者，若求田問舍，蓄書備器，日用飲食，貿遷有無，又若經涉亂離，酬應世故，生死聚散，哀樂憂懼，百種千態，意必有一足恃以爲長且久者。乃今口欲一言而不能發，手欲一探而無可伸，平生積累，竟無尺寸絲毫相與始終，即不知四十年營營役役，所成何事，卒亦何所得。乃且併吾之五官四體，不得自爲之主邪？顧今之飛揚升降，乘雲御風，若存若亡，無聲無色者，又安知不日久日消，浸以磨滅。而人事紛紛，正徒苦爾。因一笑而覺，記所夢如此。度他日真死，不過如此，而世人之生死，必且皆如此。

汀寇鍾明亮事略

大德二年四月

初，明亮之首亂也，汀州草間匹夫爾。非有權位號召，世資馮藉，奮臂山澤，一呼數萬衆，斬刈剽敚，飄蕩震汹，蹂江、閩數郡之地，動江閩浙三省之兵。貴臣重將裨校士馬，因是物故者甚衆。連城累邑，公私供億，耗費者甚侈，師之所經，寇之所及，男女老穉被執僇，貲財廬舍離蕩燬者甚多。上煩廟堂應接，諸省奔赴，竭數載之力，僅得明亮至軍前一面。而詐降無實，傲睨反覆，氣凌威鑠，未嘗獲一交鋒決勝，明亮竟偃然得保首領以歿。既歿，衆猶畏服，止奉一木主爾。藉其虚聲餘烈，尚能統御所部，不即降潰。彼何道以臻此？此之謂盜亦有道者歟？幸明亮非有英略霸圖，止於作賊，不過殺人民，驅牛畜，擁子女，坐金玉堆中，假息林藪。又幸國方盛强，兵力翕合，故能摩以歲月，待賊自斃。倘若前古末造，幹弱不支，復加他釁，策應弗及，則曼溢胚胎如赤眉、黄巾、僊芝、黄巢之亂，未可知也。有脱身賊中者，具言明亮有威風，多智略，得操縱譎詐之術，似非田野農夫比。然殘忍嗜殺，異於人類。其祭鬼，常取孕婦，刳剔爲笑樂。被其虜殺者，皆淫刑屠割，號呼徹天，極痛楚而後得死。

每言必殺人，則人始不敢近，而其衆固可全也。迹其所爲，直盜賊之雄耳。元兇鉅惡，腥聞昊穹，顧幸佚罰，曾不及顯正刑誅，寸臠縷膾以謝諸郡荼毒之民，大可恨也！南豐壤接閩贛，適當兵衝，至元丙戌以來，閱歷六寒暑，震撼萬狀。雖城市幸完，然軍馬經從，無歲無之。至其急也，則無日無之。加以捶繫淫濫，驚擾需求，比屋俱弊，邨落殆有甚焉。粟空於廩，魚竭於池，犬、雞、疏、果俱不得有。視寇虐特不殺而已。雩都、石城、瑞金、建寧諸邑，則兵寇兼至，禍尤慘烈。至於庚寅，四面蠭起，明亮、邱元之外，贛、吉有謝主簿、劉六十，樂安有盧大老，南豐有雷艾江之徒，乘時響應。俱煩省官親提重兵，隨處逐捕，賊雖終敗，而受禍衆矣。予聞故老道州里舊事，謂豐於宋爲上縣，炎、紹南渡，承平百年，民不識兵，繁庶鉅麗甲江右。逮紹、定己丑、庚寅間，劇盜廖十六、廖雲、廖雷輩起廣昌，閩寇劉四官輩又薦食汀、劍、邵武諸郡，久而益熾，出犯我江西。己丑歲十月十有六日，廖寇由廣昌來犯西門，王宰日宣備禦無策，斥候不嚴。賊已入關，至三聖堂前，一跛僧猶問曰：「賊在何處？」俄被一刀死，人始知賊至，居民奔潰。幸其僅留一夕即去，且不縱火，故逃竄不前者，或伏匿得全。上司調江州兵百屯安禪寺戍守，十有二月，又調馮將一軍至，屯西門。甫解器械衣裝，小愒。十三日，寇猝至石背，舞皮纖，張青蓋，持木扉以蔽矢石。馮亟前迎拒，而軍遠來疲乏，未熟地利，復衆寡不敵，馮被殺，所部奔潰多死。寇長驅入郭，是時，居民恃有軍來無恐，逃者多還，而不虞寇至也，由是死者無數。火官府、民廬幾盡。數日乃去，攻建昌。明年，王宰以失守罪被劾罷，選南城楊尉應廉來蒞邑。楊，廬陵人也，號才能吏。招集流逋，以漸興補，遠邇賴之。朝命御前諸軍副都統制夏訓、武友諒將池司步騎至，又命蔡將某將荆湖步騎至，又命張總管旺將江西步兵至，進屯廣昌。賊遁松梓山，池司兵攻破之。時又起復陳工部韓知南劍州，兼福建提刑、江西招捕之職，犄角平寇。陳公有威名，多方略，招致廖寇，俱隸戲下。賊衆被官軍剿滅者，不勝計，亂遂以平。而陳招捕之名，滿東南矣。楊宰應接軍務，撫摩創痍，爲尹六年，百廢具舉，輯荒殘爲繁庶，化阢隉爲安平。自是豐復爲壯邑二十餘年。雖嘉熙庚子有上石謝八屠之亂，淳祐乙巳有廣昌符五十之亂，淳祐辛亥有新城闕社之亂，然禍不至邑，邑得以全。逮寶祐戊午歲，新城李尉復來攝邑，郡吏賴青臨之，督月解錢帛峻甚。青紅由帖，徵催束濕，加以大家三譚、二趙苛虐，諸佃咸不堪命。攀龍耆有張半天何白眉者，嘯聚起木瓜山石牛洞。五月二十日餔時，率百衆寇邑。首吏余璋急斷浮橋，賊愒永東，官民賴此得逃。逮昏，賊始渡，留一夕，焚譚之廬，延燎城隍廟一帶居肆。明日乃歸巢，諸司調撫贛旗馬軍合寨尉卒進討，擒其魁渠，赴建昌凌遲梟令。繼治激變，罪李權宰，以刻罷，二趙徙潮、惠州，家屬分徙劍、邵，没其貲以贍軍，三譚罰米贖罪，賴青杖脊黥配，死郡獄，妻子徙外邑，亦没其貲。逮咸淳戊辰夏，諸鄉水災乏食，始則發廩刦禾，終則嘯聚弄兵。永福作善者，有羅動天、詹花五者，率羣兇起峽邨。八月八日清晨，以百餘衆破邑，駐半日，焚治寺、民居、市肆，殺略而去。諸司又調兵討平之，魁渠俱凌遲伏誅。治失守罪，縣令楊從政曄以刻罷，首吏歐實死郡獄。甫七年，逮德祐乙亥歲十有二月，江西諸郡受兵，大勢震擾，尉寨兇卒乘時略邑，而賊首陳捷、江七龍輩起中和保，則擁衆刦邨落。是時南北未一，有司招安之，假以虛名，使散其衆。明年丙子歲七月初，吴制置浚即廣昌開閫府，聚兵興復，諸邑咸應。

陳捷爲制置司都統制，率鄉丁戍南豐，江七龍從之。八日晨興，有北兵七百、馬三百自建昌掩至，陳、江拒於東郊，大敗走，其死於兵刃者甚衆，士民之不及避者死尤衆，横屍路衢，府寺、民廬、壓肆一炬幾盡。自有邑以來，兵火菑患無甚於此，承平遺蹟，埽地盡矣。纔十餘年，生聚未復，而鍾、邱相挺又如此，距紹定己丑、庚寅整六十載，其間禍亂相仍，肝腦塗地，令人心酸，有不忍言者。何吾豐生靈獨不幸至是哉？因紀明亮事，併載故實，痛定思痛，歷歷眼前，後賢覽觀尚憮然而三歎也。大德戊戌歲四月上吉，聊述事略，而其詳則具於《嘉禾禦寇錄》云。

鄉飲酒議

大德十年閏正月

按古禮，冠、婚、喪、祭，有射、有燕、有聘、有鄉飲酒。今射、燕、聘廢已久矣。冠禮間有行者，然甚少。婚與喪、祭雖不廢，然不盡如古。其準古盡合，惟行鄉飲則必謹焉。三代之禮，僅存止此，可歎亦可喜也。鄉飲酒始於周，以鄉大夫主其禮，故曰鄉。《周禮》天子六鄉。鄭司農云：「百里内爲六鄉，外爲六遂。」司徒職云：「五家爲比，五比爲閭，四閭爲族，五族爲黨，五黨爲州，五州爲鄉。」則州爲二千五百家，鄉爲一萬二千五百家也。曰鄉大夫每鄉置卿一人，其次每州中大夫一人爲州長，其次每黨下大夫一人爲黨正。又其次每族上士一人爲族師，又其次中士一人爲閭胥，又其次下士一人爲比長，而鄉大夫則總之者也。諸侯三鄉，卿二鄉，大夫一鄉，各有鄉大夫。天子、諸侯之鄉則君其國，有其地也。大夫士非國君，未知鄉在何所。

鄉有鄉學。鄭司農云：「鄉大夫飲賓於庠序，尊賢養老。」謂在學也。鄉則三年一飲，州則一年再飲，黨則一年一飲。凡鄉學，取致仕在鄉之中大夫爲父師，取致仕之士爲少師，處於學中，名曰「鄉先生」，以教鄉中之人。每年入學，三年業成，升於君。若天子之鄉，則升學士於天子，諸侯之鄉，則升學士於諸侯。凡升必用正月。將升，必先爲鄉飲之禮。鄉大夫與鄉先生謀諸學最賢者，使爲賓，次者使爲介，次者使爲衆。賓，鄉大夫爲主人，與之飲酒，而後升之。故《周禮》鄉大夫職云：「三年則大比，攷其德行道藝，而興賢者、能者，鄉老及鄉大夫帥其吏與其衆寡，以禮禮賓之。」蓋古者年七十而致仕，老於鄉里，其爲父師、少師而教於學也，常知鄉人之賢者，是以鄉大夫就而謀之，以爲賓介。將獻其賢能，則與之飲酒，故鄉則三年一飲也。然鄉飲禮有四，若養老賓賢者特二事耳；其三則春秋習射，因而飲之，以州長爲主人，故州則一年再飲也；其四則國於大蠟祭，而黨中於學飲酒，黨正爲主人，故黨則一年一飲也。俱謂之鄉飲酒。鄉學以庠序之制有室，州黨學曰序，無室也。

立賓以象天，立主以象地，設介僎以象日月，立三賓以象三光。三讓以象月之三日而成魄，四面而坐，以象四時。故鄉大夫選其老而賢者立爲三賓，而立介以輔賓，立僎以輔主。三賓之外，年高者爲衆賓。六十者坐，五十者立。六十者三豆，七十者四豆，八十者五豆，九十者六豆。

主人親造三賓者之家，速賓及介，而衆賓自從之。主人拜迎賓介於庠門之外，而衆賓自入。三揖而後至階，三讓以賓升。主人盥洗揚觶，賓與主人升堂。主人北面再拜於阼階之上，曰「拜至」拜訖，洗爵而升。賓再拜於西階之上，曰「拜洗」。拜訖，賓又拜於西階之上，以受爵，曰「拜受」。主人拜於阼階之上，以送爵，曰「拜送」。賓飲酒既盡，而復拜曰「拜既」。然惟待三賓則然，介之禮省，衆賓又省。主人尊賓，故坐賓於西北，而坐介於西南。謂天地嚴凝之氣始於西南，而盛於西北，體天地尊嚴之氣以表賓之尊嚴也。主人坐於東南，而坐僎於東北。謂天地溫厚之氣始於東北，而盛於東南，體天地之盛德，以見主之仁厚也。故曰：「四面之坐，象四時也。」其禮則有祭薦、祭酒、嚌肺、啐酒、卒觶、致實之目。其樂則有升歌、笙入、閒歌、合樂之節。其官則有司正之職。其儀則有賓酬主，主酬介，介酬衆賓之序。而終之以沃洗，又終之以説屨、升堂、飲酒無算，然後賓出而主人拜送，爲禮之終序矣。蓋鄉飲之初，皆立而行禮，未徹俎，故未説屨，及旅酬、沃洗既畢，降階而説屨，徹俎而坐堂，行爵無數，至暮而不廢事，故經曰：「節文終遂，安燕而不亂也。」黨正飲酒，則一國若狂，無不醉矣。

樂歌之節，其始則樂工入，升堂，歌《鹿鳴》、《四牡》、《皇皇者華》，每一篇而一終，謂之升歌三終。其次吹笙之人入，於堂下奏《南陔》、《白華》、《華黍》，每一篇而一終，謂之笙入三終。其次笙歌既畢，而堂上與堂下更代而歌，堂上先歌《魚麗》，則堂下笙《由庚》，堂上歌《南有嘉魚》，則堂下笙《崇邱》，堂上又歌《南山有臺》，則堂下笙《由儀》，謂之閒歌三終。閒者，代也，謂一歌則一吹也。其末則堂上下歌、瑟及笙竝作，若工歌《關雎》，則笙吹《鵲巢》合之，若工歌《葛覃》，則笙吹《采蘩》合之，若工歌《卷耳》，則笙吹《采蘋》合之，謂之合樂三終。然後樂工告之樂正，樂正告之賓，曰：「樂備。」工遂下堂而出。乃立司正，謂樂既備，賓欲去，爲有懈惰，故主人使相禮者一人爲司正以監之，將留賓而行旅酬也。其用詩之意，則《嘉魚》者取其以禮下賢者，賢者纍蔓而歸之，與之燕樂也。《山臺》者取其愛友賢，爲邦家之基，民之父母，既欲其身之壽，又欲其名德之長也。《由庚》、《崇邱》、《由儀》今亡，未詳其義。愚謂必亦取其萬物得宜，如《魚麗》萬物盛多，爲太平之世，可以待賓而興禮樂也。賓必南鄉，介必東鄉，主人必居東方，謂獻酬之際，主人將西，賓將南，而介則矙其間也。矙音間，廁之間。

竊詳鄉飲大旨，主於尚齒尊賢，以厚風俗，以明政教而已。古人歲歲行之以爲常，後世間一行之以爲異，即見今之不如古矣。淳祐丙午歲，建昌嘗一行之，時則郡守王公侑爲主人。今六十年再逢丙午，部使者始令再行之，其難如此。宜乎尚齒尊賢之風不接於耳目，而民俗日媮也。孔子曰：「吾觀於鄉，而知王道之易易也。」夫王道大矣，夫子乃因觀於鄉飲，而知其爲易，何邪？孟子曰：「堯舜之道，孝悌而已矣。」二帝之道，猶不過於孝弟，况王道乎？宜乎以此爲易易也。鄉大夫三年一獻，賢能先與之飲酒，則宋代鄉舉鹿鳴宴，蓋鄉飲之遺意，而其廢又三十年，并此意不復得見矣。古人制爲此禮，法天地，象日月、三光、四時，至詳且重，亦有過於煩縟者，則拜至、拜洗、拜送、拜既之類是也。謂宜於親速賓介，迎拜於門，三揖讓，升堂之後，稍節其拜，則簡而不倦矣。且今一舉禮，其費甚夥，有司以爲病，不知古人歲舉此禮，費當何取？當考。大德丙午歲閏正月間，盱庠奉憲令將以姑洗行鄉飲因攷古而議其略，若其詳則見本義。

策問[一]

一

問：《易》曰：「積善有餘慶，積不善有餘殃。」《書》曰：「天道福善禍淫。」又曰：「作善降祥，作不善降殃。」聖經以善惡判禍福，理也，先儒謂其言兼報應，何也？《大學》曰：「貨悖而入者亦悖而出。」理歟，亦報應歟？報應，釋老之説也，聖賢不廢歟？有曰：「報應，若有神司之者，纖微必察，誅賞不違。」何冥冥之擾擾也？此殆以人事擬天道，固不足論。或曰：禍福無不自己求之者。惠迪吉，從逆凶，惟景響，人自爲之。天理順逆之分，即人事吉凶之判是矣。而亦有爲善未必福，爲惡未必禍者，何居？或曰：善惡未熟爾，熟即驗矣。審如是，顔子之善不熟乎，何其夭且貧也？盜跖之惡不熟乎，何其壽且富也？不寧惟是，鄧攸棄其子而全兒之子，亦可謂篤於善矣，無兒之悲，使人流涕。張湯、杜周酷虐，何可當也，而俱有良子，爵位尊顯，至建武杜氏爵乃獨絶。史謂蹟其福胙，元功儒林之後莫能及，蓋訝之矣！善惡之驗竟如此，此君子所以憤天道之無知，撫遺編而浩歎也。羣疑滿腹，願從諸君質之。

二

問：古者，仕進之塗蓋非一矣。周以鄉舉里選爲正塗，至漢則孝廉、賢良、明經，唐宋則詞章、科目皆正塗也。然其間有以貲進者，雖由徑，亦多通顯，何歟？輸財助邊，納粟應令，猶爲有說，進瓜果人亦官之，何義歟？宋待進納者最有節，不過假以浮名，使由場屋特優其取予，差易進身爾，不使驟入流品也。非公私兩利者歟？無亦曰多田翁捐所餘數百斛，計直幾何，即獲與正塗常選齒，不褻吾名器歟？一蹴而躐升，則彼之賢勞鞅掌積日累月者，得毋觖望？且寒畯乏資者，復何由升歟？自古奔走才能、鼓舞豪俊惟名器爾，昔有以官頗易得，人思僥倖爲世道憂者，非以其輕名器歟，懼其輕加裁制，焉將以抑奔競也。或曰：「昔嘗急而求子矣，今若此不慮後日，復有急乎？吾將微獎以示其信，虛榮以慰其求。」則又曰：「數且夥，其輕猶故也。」將若之何？敢問。

三

問：學者之於書，致疑多矣，大者未易悉數也，略舉其細：有言語背馳者，有紀載失實者，有稱謂差殊者。試與諸君商之。夫子曰：「言忠信，行篤敬。」子張書諸紳，言行之重如此。而孟子乃曰：「大人者，言不必信，行不必果。」異時夫子亦嘗以言、信、行、果爲硜硜之小人。是言行不足爲重矣，無乃言語之背馳歟？門人曰：「子罕言利與命與仁。」利與命夫子誠罕言，至於仁，則屢言不一，言未見其罕也，無乃紀載之失實歟？唐、虞、夏、周國號主一，未見其有二也。繼夏者殷，宜直曰殷而已。然《詩》既曰「殷士膚敏」，曰「殷鑒不遠」矣，乃有時而又曰「商之孫子」，曰「肆伐大商」，《書》既曰「殪戎殷」，曰「勝殷殺受」矣，乃有時而又曰「商郊牧野」，曰「商王受」，是一國而二號。當時之人，不知何從。梁本魏也，孟子之書易魏曰梁，而齊晉則異乎是。何於魏獨然，無乃稱謂之差殊歟？三者雖淺近，其疑則一。敢問。

四

問：理莫難明於鬼神矣，謂爲無邪，傳曰「幽則有鬼神」，謂爲有邪，孰從而究其迹也。夫子曰：「焉能事鬼？」不過謂其未能事，而非以爲無也。「子不語怪、力、亂、神」，不過不形之言語，而非以爲無也。蓋有之矣。然求所以有，何其茫如邪？畫欻嚘嚶，世固有之，抑以理而推，有形而後有聲，曰「有聲矣，必附於形」，形何在歟？曰「無形矣，聲何所附歟」？好言鬼神，莫若左氏，世多譏其誕。至伯有之事，又何若是著也？然歟？否歟？審如是，可謂之有矣乎？《中庸》謂：「洋洋如在其上，如在其左右。」如之云者，其有無之間邪，智不足以通幽明之故。願祛其疑。

〔一〕題名下原有「四」字，而無「一」字，現序號據文意調整。

詩説　延祐四年

至元辛卯秋，予與故友易雪厓閒游南城鄉，至歐橋，訪小谿周文鬱。名從周，淳祐丙午中鄉舉。因過坡下，訪綵墅黄衛道。名闡，登科仕爲興國軍通判〔一〕，除権院。就往金谿縣之曾坊，訪平山曾仲材。名子良，咸淳戊辰登科，仕至嚴州淳安令。三先生者，皆予舊識也。前修雅望，綽有典型，從容説詩，各得一論，足以補後學之闕漏。今二十有七年矣，雪厓翁壬辰歲先逝，三先生亦相繼僊去，宰木俱拱，惟予僅存，而亦年近釣璜。懼來日之有限，前聞之易亡也，因據其説，載家集以示吾孫。

小谿翁曰：昔在行都，訪白雲趙宗丞參詩法，因問何以有盛唐、晚唐、江湖之分。趙公曰：此當以斤兩論，如「齊魯青未了」，如「乾坤繞漢宫」，如「吴楚東南坼」，如「天兵斬斷青海戎，殺氣南行動坤軸」，如「白摧朽骨龍虎死，黑入太陰雷雨垂」等句，是多少斤兩？比「風煖鳥聲碎，日高花影重」即輕重見矣。此盛唐、晚唐之分，江湖不必論也。已而訪蒼山翁曾子實，以趙公語質之，曾謂趙公言是。適有一客從旁竊笑，心怪之而未敢叩。異時徐問客何爲笑，曾公曰：「有故。蓋白雲之説雖當，顧其自作，則起末皆未是，客之所以笑也。」文鬱請問歌行，曾公曰：「凡歌行，止合以老杜爲法。」其後又謁看雲翁黃希聲參詩。黃公簡默莊重，不事莊辯，止云「詩只如此」。於近世詩深取蒼山翁，且云：「少謁蒼翁於行都，翁曰：君作豐，大合作顛詩一番，然後約而歸之，正乃有長進。」問何謂顛詩？曰：「若太白、長吉、盧仝是已。」然性不喜爲此體，竟不果學。今老而思當時，儻不以己見橫於胸次，而從前輩之教，用工一番，則吾詩當不止此，歎息久之。

予以諸老前後言語參玩，乃知前輩作詩俱有節度，如今人率爾五七字湊砌成章，遽名曰詩，宜其不足傳矣。學不廣，聞不多，其何能淑？予竊愧夫造詣之不深，而又慮夫前世之不傳，故纂其所聞，以爲詩說。他日或嗣有見教者，顧雖老憊，猶願續書。延祐丁巳重陽日，記於東軒。

做，「做來做去，到平淡處即是」。又曰「詩貴平淡，做到此地位自知耳」。三詩人之所以語小谿者如此，小谿以其說授予。白雲諱崇嶓，字漢宗，居南豐之東門。嘉定壬午登科，仕至大宗正丞，卒於朝。有子雲舍，仕至撫州太守。蒼山諱原一，字子實，居寧都金精山，前仕宋爲南昌縣丞。看雲諱文雷，字希聲，淳祐庚戌登科，居建昌城内。仕至浙西提幹。舟覆於嚴州城下，遂溺死。

予訪綵墅黃榷院，年八十有四矣，精健不衰，氣象溫雅，有乾、淳遺老風致，忠厚之味藹然。從容談詩，有曰：「詩貴平易自然，最要血脈貫通，有倫有序。」因舉梅詩「牆角數枝梅」云云。又舉月詩

「騰騰離海角」云云。此二篇，血脈貫通，次序不差，是一樣子也。越二日，往金谿訪平山曾公，作詩多雄健。

〔一〕登科仕爲興國軍通判：軍，原作「郡」，據明天啓本改。

記安晚二字

顔蠋與齊王游，食必太牢，出必乘車，妻子衣服麗都。蠋辭去，曰：「玉生於山，制則破焉，非不寶貴也，然而璞不完；士生於鄙野，推選則禄焉，非不尊遂也，然而形神不全。蠋願得歸，晚食以當肉，安步以當車，無罪以當貴，清淨真正以自娱。」宋丞相鄭忠獻清之晚年倦禄，自號安晚，蓋取諸此。東坡嘗謂：「戰國之士，未有如魯連、顔蠋之賢者也，然而未聞道也。晚食當肉，安步當車，是猶有意於肉與車也。晚食自美，安步自適，取於美與適足矣，何以當肉與車爲哉？」坡公此論尤高，但蠋蓋有爲而言之，與曾子「彼以其富，我以吾仁；彼以其爵，我以吾義」一例，亦不害其爲聞道也。（以上清道光愛餘堂刊本《水雲村泯稿》卷一三）

南豐州鼓角樓記　至元二十五年四月

至元二十有一年，甲申歲，冬十月，南豐州新作譙門成。書始也，始陞州也。豐故壯邑，甲江右，歲值壬午，隆以州，權專決直達，與盱、撫等。邦侯抄兒自山東來開藩。是時阻訌初息，礫壤莽蒼，官寺僅完，門觀弗峙，土垣柴扉，過者平視。侯曰：「嘻，崇閎麗譙，所以存制度，聳觀瞻也。邑皆然，州固若是，寧不輕政令而褻等威？」於是儲俸節費，致木與石，公私丕應，樓是以成。傑棟巍檐，疏櫺堅檻，雲山拱映，采堊華煥。其下則中通甕門，旁峻石壁，壯扉巨鍵，目燿心惕，入者鞠躬，罔不興嘆，何昔卑隘今雄麗也！禮諸侯門阿觀闕，隆殺有經，僭侈不可，儉陋亦不可，郡國視古諸侯，侯今能是，是謂知禮。抑非曰徒以爲美觀也。夫伉門列戟，以威遠邇，鳴角伐鼓，以警昏昕。有官守者盍思焉。凡蚤作而聽斷，莫休而宴息，聞聲深省：仁聲得無未徧四封者乎？識察得無未極高明者乎？閭閻畎畝得無未安於興寢者乎？奔馳赴愬，得無戹門禁而未通者乎？因斯樓動斯念，殆凜然若不能以終日，觀美云乎哉？侯涖州垂六年，政績著聞，詔俾傳襲，行且入覲矣。邦人士念侯經始之難，請刻文以記，故書。至元二十有五年四月朔日記。

觀空堂記

鄉先生諶公祜，詩名滿江湖，而肥遯萬山中，築室三間，藏書千卷，窗明几淨，將以逸老，扁之曰「觀空」。詩友劉壎爲之記曰：空矣，奚觀。觀空云者，瞿曇氏說也。愚不熟貝多語，請以意言。夫空非無因而得名，由不空乃始有空，即空與實對矣。彼不觀實，惟空是觀，將亦厭夫實之不足恃，故移其觀於空邪？顧未悟乎空者正乃實爲之嘗試求諸一身，有五官四體，有五藏六腑焉；嘗試求諸一家，有田宅池館，有器用財賄，與凡旦莫取具以養生者焉；嘗試求諸一國與天下，有宗廟社稷，有朝廷百官，有土地人民甲兵府庫焉。夫焉往而非鑿鑿精實者？日月幾何，死生興替，往往毛骨皮肉化爲抔土。亂山寒雲，唬鳥夕陽，牧豎樵翁，相與長吁而太息。而其華榱雕梁，或後嗣之弗克守，或傾頽而灰燼焉。南畝東皐，歲入佗姓，家所藏蓄，散落人間。其在上者則秦城之金人，晉陌之銅駝，運去祚移，鼎遷物換，虎豹九關，玉帛萬國，而秋風禾黍，遺老咿嚶，雖萬乘九州之權，曾莫能留觀於晷刻。悲夫，實不足恃乃若此也。彼有畏其爲吾累者，始欲觀乎空矣。由是言之，空由實生，實互形而空乃名，詭曰觀空。孰非觀實，朝莫四三，吾累均耳。今吾有以藥之，請無觀空，而空其觀何如？且人以實爲空非也，吾視空實等亦非也。其眩於兩端若是者，將非觀爲之邪？而能頽然釋然，遺爾形，收爾視，洎乎反其初，無觀即無空，乃莫吾累矣。苟未能廢所觀，而曰空也者，雖闃立曠野，洞視太虛，然心目所及，宇宙之内，觸景皆實物，游氛幻色，亦足點滓將指。何者，以爲空而又何觀？斯堂扁以「觀空」，達矣，又由是而空其觀，乃真觀也已。瞿曇氏之説未也。先生然愚言，請以是爲記，不然，請示吾以空。

崇覺報慈禪院修造記

大德四年六月

崇覺，南豐古刹也。在唐名禪祖，其易名自宋紹聖二年始，歷五季摧毁。其復興，自曾氏始。曾於是邦爲望。宋初，太師密國公致堯首捐貲新佛殿。其後南豐先生文定公鞏堂封兹山中，有司按令甲禁樵牧，自是崇護惟謹。又其後文肅公布登政府，援故事請以爲功德院，祠其先。有旨賜今額，崇護加謹。又其後，參政公淵子帥江西，其季刑部公沖子守南安，過家上冢，展敬先祠。當是時，旌戟列隧前，官吏走道上，崇護愈益謹，而院亦滋耀矣。故雖田入不豐，徒衆不蕃，而上下三百年間，獲與名山巨刹齒。騷人之所詠歌，游宦之所賞稱，豈無自也。初，景定壬戌歲，主席弗勝任，院幾廢。曾之胄玉局公鈺與其宗人高詢謀於衆，選僧於佗寺，得定亨者使領之。亨爲人介且勤，謂宏教法，飭敝事，吾責也。苦淡節約，懇惻祈恕，時則玉局公與高爲之新其法堂焉。桑海俄更，方袍蠭鋭，鮮不棄本務而逐世好。亨獨堅確匪懈，惟兹院是營。命其徒貴聰題募遠邇，時則有衆緣爲之貌諸天搆鐘樓焉。僧寮之創，則亨自力也。檐楹宿雲，堊繪燿日，皷咺鐘鍧，薰芳爐煇。亨方益思以侈飾其教，傷哉逝矣。聰也閔乃師興植之勞，懼久且忘，謁記於予。予攷《元豐類稿》諸志銘，書曾氏兆域率曰：從周鄉之原。頭從周則今昌後耆，原頭則院所都也。慨思是宗之顯榮翕赫時，其福兹院也宜甚厚。鼎遷物改之餘，保固宰邱，寅奉祠像，視昔崇護，罔敢替。蓋院以曾氏興，曾之冢祠以院存。勤菑而豐穫，茂施而裕報，理也。而亦有惑焉，數百年漢唐仁義之澤，酣潤融液昭天漏泉，寧無一絲髮之足繫百世者？樊崇溫韜輩顧忍之，秋風陵樹，金椀人間，乃弗獲下比於兹院之所封植，則又理之所不可推，何也？余數游兹院，愛其嵐翠葱鬱，金碧華煥，或時摩娑荒碑，睨梁題歲月，輒由由然徘徊思古，凄楚傷懷，爲之動無窮之悲。而亨能主此，以不負曾氏，聰能念此，以不負其師，信可書也。爲記之，且勉之曰：尚其善繼乃師之志。亨，蕭氏子，繇寶峰住兹山凡十有九年而寂。徒二人，長聰也，次貴慈。（以上清道光愛餘堂刊本《水雲村泯稿》卷三）

全元文卷三四八

劉壎　一〇

州城隍廟堂記　大德五年

大德三年春，燕山李公彝以前憲臣來守嘉禾郡。甫數月，威惠流暢，四履丕聳。則因事之廢墜者補飭之。而城隍之祠以新。蓋故祠燬未復二紀矣，斗室名存，頹垣敗甓間，斷烟寒鐙，幽隘寂闃。數議修，畏陰陽拘忌之説。公曰：「嘻，有是哉，城隍有神，列祀典，關政體，其非淫厲之謂。即廢弗祠，將無以妥神靈，福民物。吾守臣，何敢慢，復何拘忌之畏？」捐己俸以倡，協衆力以助。選里望以分任，曰鄧端，汝其督修正殿。曰李定，汝其督修香亭。曰陳拱，曰朱敬，汝其督修廡與門。咸捐貲赴令惟謹。耆老率州民致助益謹。明年，廟成。又明年正月丁巳，迓神以居。崇閣飛檐，文砌博礎，圭袞中峙，劍佩傍侍，裸薦豐絜，妖厲伏息，州民大和。會蘄余記之，按《周典》以吉禮事邦國之神，城隍有祠，其殆始此。又按史，吳以赤烏元年修蕪湖城隍祠。至高齊慕容儼，梁武陵王紀，俱祀城隍，其祠之寖盛又如此。而山陰陸氏謂唐始祠城隍，誤矣。惟南豐徙邑自開元始，其祠城隍疑自兹始。古志謂故宰游侯茂洪功德在民，民祠以爲城隍之神，余不敢知。余獨以爲畫城郭，浚溝池，建官府，聚民庶，誅賞於是，歌哭於是，孕育長養於是，地載神氣，安可無精爽以至於神明？而又安可無棲身之宮，尸祝之庭邪？况是神也，實與官府分職事，共理民物。吾有司涖政而無所，聚居而無宇，則其心將惕然不能以終日。彼聰明正直，依人而行，以捍禦患菑，一郡寄命，乃風雨薄之，土草蝕之，玉儀虚而民志鬱。踰二十年，曾無一爲之惕然者，獨何心邪？惟公破羣疑，蒐墜典，構創一新，而民不知役。繼今官無廢祀之議，民有報祈之地。神安民亦安，是宜書也，故書。抑是役也，非其僚友和，謀慮一，微肆牽沮，其獨無倦乎？蓋主其議者有長官伯顔察兒，而協議者有佐貳楊澤、常泰也，故併書。若其規制廣狹之宜，支費多寡之目，與夫用不足而取給於四提督者，刻於碑陰，故不書。

蓮社萬緣堂記

佛教入中土，繇東漢始。溢爲蓮教，繇東晉始。分爲豐郡萬緣堂，則由至元己卯歲始也。遠公開蓮社，更十數代，歷十數百載，遠矣而寖盛。南北混一，盛益加焉。歷都過邑，無不有所謂白蓮堂者。聚徒多至千百，少不下百人。更少猶數十。棟宇宏麗，像設嚴整，乃至與梵宮、道殿匹敵，蓋誠盛矣。斯堂特其一焉耳。初，州東之偏有勝地曰萬家岡，南城吴氏世業也。有鄉民曰覺全君，蓮社道人也，斷葷血，持經法，五世矣。堂未建，覺全期建堂，徧走於有力者，吳某於是首捐地。沿舊岡名，更曰萬緣。已而有過用昭者捐貲以市材，有吳文容者捐田以贍衆。堂之成久矣，記未作，覺全來求記。余聞毗盧遮那之爲佛祖也，一清淨法身而已。世有嗣佛教者，亦惟清淨其身而已。種蓮結社，其非取清淨也乎？余特未知嗣之者果能是否？夫落鬚髮，釋冠巾，絶人道，棄世務，澂寂凝固，泊然於無爲之境，佛之教也。有室廬適其溫涼，有飲食飽其朝暮，外無饑寒之憂，內得以專一清淨之學，力到機熟，心華自發，寶月自見，入妙悟成，正覺佛之意也。余益未知居斯堂者果能是否？嗟夫，彼其鬚髮蕩然，冠巾弛然，吾猶未見其能。然過此以往，滋可懼已。羣聚而裕處，苦志而勤修，一席之安至末也，一餐之飫至微也，顧清淨之學不可惰，白蓮之名不可玷也。人何爲而人，佛何爲而佛，其知之乎？未也，則有吾六經聖賢之訓在，又將爲汝陳説焉。

南安路學大成殿記

王者之祀，古惟以廟。故《易》曰：「王假有廟。」《詩》曰：「清廟祀文王。」殿則未聞也。唐祀夫子，亦惟曰廟，寧非謂殿統於廟，不復專稱歟？乃若妥靈以殿名，殿以大成，煥乎宸奎之昭回，則肇於宋，汔於今，何其盛也。永惟慶歷詔下，凡郡邑無不有學，學無不有大成殿。柧棱罘罳，比隆治朝，闉陛柢，儷美輦道，又何盛也。橫浦古佳郡，盛儒風，讀蘇公一記，奮亦知南安學爲重矣。大成有殿，屢修屢圮，逮邇歲圮，益甚。蔫修完，復盡腐欲圮。適符離王侯至，暨教授永嘉張君夢桂謀新之。徵費於學，市材於山，募役於傭，期歲而殿成。堂閣門廡，因舊加葺焉。建昌郡博士胡君長孺記之久矣，推官孫侯來南豐，求余作後記。余輒因名殿之義，諗諸生曰：自堯至夫子七聖人者，天下之大聖也，獨稱夫子曰大成，豈前數聖未潰於成邪？堯、舜、禹、湯、文王以大聖而爲君，周公以大聖而爲相，據崇高，享富貴，而行其道於禮樂刑政間，潤澤浹生民，聲光赫當時。夫子泊然一匹夫爾，挾其聰明睿知之資，與凡經天緯地尊主庇民之學，今日魯、衛也，明日陳、蔡也，位不高，道不行，其曷曰大成然，而識者曰：賢於堯舜矣，生民以來未有矣。如仞牆，如日月，如天之不可階而升。二三子之取譬若是也何居？無亦曰身都萬乘，福澤僅周乎一時？道在六經，功德可垂於萬世。二帝不再帝，三王不再王，當時巍煌直如一點浮雲過太虛，而今安在哉！吾祖述堯、舜，憲章文、武，載諸經籍者，百世師用，百世之唐虞三代也；千萬世師用，千萬世之唐虞三代也。其孰不曰大成？士而游於學也，詎止朔望釋菜、春秋釋奠而已。興俛折旋乎殿庭間，仰首觀焉名殿之旨，如之何弗思？而況十行新播，二字增封，所以翼扶章顯者益至，又如之何弗思？對溫厲恭安之容，而想夫金之聲、玉之振，神游千古，與聖同符即，雖未識其大成，亦豈不可爲成人也乎？張拱闊步，虛氣高談，心不存道，行不副言。上焉者以詞章誦說爲儒者之極功，下焉者蟲鼠其態，虺蜴其志，甚至有不可勝道者。登斯殿者，吾夫子有靈，其誅之矣。夫子不汝誅也，聞斯言而不悛，則身存而心死。心死，天誅之也，即夫子誅之也。余恨不獲俛伏殿下，與其爲士者評之。孫侯宜因吾記轉以勉之可也。王侯名虎翼，今移鎮撫州。其在南安也，多嘉績，皆可書，而知修學爲先務，宜特書。孫侯名萬鎰，由推官擢南豐知州，乃不忘舊治，而求以表章之，知所重也，宜併書。

南豐州重修東嶽行宮記

至大二年

南豐東嶽祠，壯麗甲東南，四方觀者有是言久矣。若稽古志，祠創於宋嘉祐中。時劉宰令先尸其事，營度廣袤，規制宏深。繼以治平、宣和之充擴，又繼以紹興之繕飾，繇是寖完美，故侍宸王真人文卿應詔歸里，題於祠曰：「景物繁麗，頗類深宮。」誠哉是言。今僊墨猶存，可驗也。逮淳祐辛亥復修，而咸淳戊辰，水蕩之。聖朝至元庚辰又修，而弗克終之。比歲詔書，崇祀嶽瀆，東岱復加大生之號。其修理也，宜益謹，顧猶缺焉。大德丙午歲，前元侯正奴與少尹李侯質數詣祠下，覩其溼漏墮圮，壁頹像仆，謂非所以承上意，尊大神也。謀一新之，捐俸以倡。前郡守聶侯從政、郡倅于侯時咸捐俸致助。屬吏州氓亦如之。選幹敏者董其役，而元侯躬涖焉。經始於大德丁未之五月，落成於至大戊申之三月。葺帝后殿，搆梳妝樓，敞端峨嵬，兩廡因舊而加蓋覆塗塈者，爲屋凡一百五十餘間，鼎新創造者凡五十有五間。塑像因舊而增飾者帝后而下凡五十有一，重新雕塑者帝像暨諸像凡二百。丹堊煇華，甃砌整潔。其或未備，則今郡侯綽兒哈足成之。是祠也，視嘉祐爲有光，而壯麗誠爲東南甲矣。州人屬余記之。余聞先王制禮，諸侯祭封内山川。今岱宗峙於齊魯之境，其祀也，宜無越其封也。後世廟祀，乃徧郡邑，得無與禮經戾與？善爲之解者曰：「東方生氣也，民物所資生也，宜祀。」以禍福恐動者曰：「泰山主生死也，益宜祀。」斯言也，非愚所敢知，然而樂爲之記者，有以也。凡祠廟興廢，繫乎時爾。聖主如堯，甸宇清泰，豐雖偏州，落萬山間，而天幸際樂，歲官無苛征民，無轉徙，乃得以崇幽靈之宮，顯昇平之象，非時也乎？耋穉士女，瓣香拜庭，徘徊笑語，第以資游觀之娱，而孰知時和歲豐，民安神樂，皆上之福澤涵濡以致此也。儻如佗州異邑，旱蝗頻仍，流遷迸溢，即民有環堵且弗保，有司議賑救且弗暇，而暇及神祠哉？於傳有之先成民而後致力於神，信矣！吾人生此州，逢此時，覩此事，遂得爲太平幸民。其爲此記也，非徒侈祠廟之修，亦以賀世道之泰云。是役之初，鎮守總管林侯應春亦助費，而提督某某助尤多。若諸鄉人户題助者，别刻石以紀名。至大二年己酉歲某月日記。

水雲村記

余家南豐之西里，距治寺數十步而近。夜聆譙鼓聲，鼕鼕如在枕邊，而深巷無鄰，幽華疏竹，蕭閒澹雅，俗氛市聲所不到。或竟日門無轍迹，居然類村落。間出門數武，盱江横陳，江外南山孤聳，綠水環洲渚，白雲生洞穴，客因名以水雲村，予亦自謂水雲村。嘗有寇至，去之，寓盱城八載乃歸。歸而海桑變，人民非，獨村中水雲依然，竊以爲吾之於世也，流蕩惟所東西，飛揚安限南北哉？故復自稱「水雲村」，客亦謂予「水雲村」。蓋嘗酒餘書暇，散策村中，撫水波雲氣而歎曰：人間世孰非水與雲邪？今夫聚則形，散則氣，倏貴倏賤，之楚之秦，甫笑語之團欒，俄聲景之磨滅。即有身一水雲爾！即有家一水雲爾！邸第儼乎鼎盛，烟草忽其荒寒，部曲傳呼，而悉嘗乏人，阡陌彌望，而後昆丐食。即天下事亦一水雲爾！光景如流，生聚易散，葱蒨暢茂而槁乾焉，富强雄盛而衰謝焉。乃萬事萬物亦一水雲，而天地一大村也！悲夫，水底東流，人不知白衣改變爲蒼狗，顧以彼之不可羈而停，不可執而玩者，恃爲長且久。水乎，雲乎，名吾村乎？谿曲浮波，滔汩晝夜，山椒游氣，變滅須臾。千古達觀，殆將一笑。吾於是乎有感矣，故筆之爲《水雲村記》。

水竹佳處記

至大三年十二月

谿州東門外沿盱水而下二十里，其地爲梅潭，谿梅潭絶江而南，其地爲查谿。瀕溪有隱者居焉，其人爲月潭曾君。余嘗過其廬，乃在翛然水竹間，清漪淪漣，翠玉叢鬱。余絶喜之，爲名曰「水竹佳處」。君徵余記，余語君曰：「競利名者趨市朝，適興趣者樂山水。山水之佳，視市朝不大勝乎？試嘗即君所居而求之，韶景沖融，桑麻杳靄，耕犁如雲，江鱗游泳，春之佳處也。梅霖赭波，舸艦銜尾，龍兒解獐，禽語宫商，夏之佳處也。秋之佳處，山眉洗黛，月浸澂江，蘋蓼映而鷗鷺飛。冬之佳處，疏林枯梢，瓊田玉界，行客稀而漁舟沸。佳矣哉，四時乎？庭宇深明，琴書横陳，有舞萊子之綵於堂前者，有斟安仁之觴於膝下者，則佳處不在水竹，而在君之家庭。猶未也，忠厚培福壽，詩禮淑子孫。動而不與物忤，靜而與天者游，則佳處不在家庭，而在君之方寸間。繇方寸推焉，善積而慶長，其佳處正浩浩乎無涯也。余亦居近盱濱，庭有疏竹，顧倚市而多囂，乃不能如君得佳處，余甚羡君矣。雖然，幸其一江相距，且不大遠，君如許我，則酒餘耆暇，乘興扁舟，將時一詣君焉，佳處未必不容分半席也。」君曰：「諾，其爲我歌。」乃歌曰：渺清盱兮縈紆，森綠竹兮繞廬。誰宅其間兮，曰月潭翁之攸居。儼獨據夫佳處兮，吾欲繪而爲圖。庭多蘭玉兮，家富詩書。里稱善人兮，神明翕扶。吾祝君以福壽兮，君宜懋德以自娱。吾欲分席兮，君毋笑曰：「爾何其愚！」至大庚戌歲嘉平月記。

西林院修造記

皇慶元年

至大辛亥秋，予延平官期至，有司給驛促就道。西林鎔師倏來前曰：「將爲山門干檀施記繕修，未遑也，而記可乎？」予曰：「然。」師蹙蹙〔一〕，亟取幅紙疏顛末，見授曰：「行茲亟需，暇爲老僧記，可乎？」予曰：「諾。」明年春，予與諸生接會，適小休，視幅紙故在，因省前諾之不可負也，爲之記曰：吾豐北出揖僊門外有支徑，繇支徑西復北數十武，有精藍，其名西林，其題扁唐牛丞相筆，其竹木深閟，有幽趣，其檐棟隱映蒼翠間，有遠意。至其搆創次第，則紹定己丑歲成正殿者，圓公也；寶祐甲寅歲成法堂與鍾樓者，然、堅二公也；暨咸淳壬申歲成毘盧藏者，淙公也。其大略如此，而鎔則嗣淙者也。嘗獨悵然曰：「佛殿古矣，薦圮薦修，圮彌甚，吾安得不圖新？藏殿未古也，卑溼朽腐，將亦圮，吾安得不議徙？吾老矣，當吾世弗修，後將誰修？」於是持願力感衆心〔二〕。時則有張某，首爲之新寶殿，飾塑像。有鄒某繼爲之，徙法輪，創西殿。若鐘樓，則又張某葺焉。興役於大德丙午歲，落成於戊申、己酉間。翬煇而采煥，猶神運而鬼輸也。師勤矣哉，西林蕞爾室，無寸田可粒，無拳土可薪，晨昏鐘魚取給鐃梵，信淒索不易堪矣。師清苦所格，天龍陰驅，仆者起，蠹者新，繼自今當復可支百年亡慮矣。乃有名山鉅刹匹敵封君，而罕克爲師所爲者，非以飽甘鮮、侈肥輕，即以畜姝麗、廣孳育於彼法中，此輩當墮何獄？顧且魁岸倨肆，自矜豐大〔三〕，曾不悟業由此積，罪由此熾。故曰：師勤矣哉。予與師爲方外友六十年，見師沈樸靜嚴，壯老弗貳，用醫術售，恬不自私，惟興造是急。猶常曰：「是何足以見吾志邪！將澄寂内照，勇徹妙悟，期超絶乎塵事經營之外，乃或可藉手對吾瞿曇氏也。」予曰：「師志乃及是乎！即法雲地，華藏海，皆師佗日到處。而予亦志是也久矣，空劫有家，願分半席。」因備載師與予素論如右而刻之石。

〔一〕師蹔蹵：蹵，原作「蹴」，據文淵閣四庫本改。　〔二〕於是持願力感衆心：衆，原作「肯」，據文淵閣四庫本改。　〔三〕自矜豐大：大，文淵閣四庫本又作「泰」。

陸文安公祠堂記

延祐某年六月甲子，泉南偉特士李君肇建陸文安公祠堂成，使友來告於文學掾劉壎曰：「不肖志聖賢之學勤矣。初宗建無所得，宗江西灑然若有得也，因闢家塾，揭繪像，日與諸生嚴事之。未有記也，敢請。」予竦立曰：「言何易邪！事關道統，予安得而易言之也？」友重請弗置，則舉昔聞於師者以復曰：鴻濛未分，道涵太極，太極既判，道屬於羣聖賢。自堯舜疊傳而達乎孔孟，自孟氏失傳，而竢夫宋儒。故有周、張、二程濬其原，而周則成始者也。有朱、張、呂、陸承其流，而陸則成終者也。脈理貫通，心境融徹，殆天地重開，而河洛復泄也。道之統緒，略見是矣。中原遠，難具言，言其近，則朱文公起於閩，張宣公振於湘，呂成公奮於浙，莫不昭回峻極，砰轟動盪。時則文安公拔起西江，而與之齊。其志氣神，其識趣卓，其學宗孟，而直指本心。其禀天得，而非繇師授。劈析義利，則疾雷破山；剖别儒釋，則明鏡照日。抉人情之矯僞，則飛矢中的；破俗學之偏蔽，則剛風掃雲。以至該體用之全，壹天人之正，探象數之奥，究政化之原。專涵養之功，尚務内之學，超箋傳之錮，戒躐等之非。誨人讀書，必指樞要而示以入聖之户庭；勉人立志，必如鐫鑿而聽者至爲之感泣。告君必以唐虞三代爲準則，治郡必以正俗慎罰爲先務。凡平昔提警學者，懇惻英發，無非鞭辟近裏，復其性初。救末俗之支離，還太極之全體，非蓋代英豪千齡間氣也夫！象峰中天，百世稽首。朱文公嘗曰：「江南未有人如子靜」。八字著腳曰：「安得如子靜，堂堂自在！」曰：「子靜實高，伯恭安得似？」曰：「子靜平日自任正，欲身率學者一於天理，不以一豪人欲雜其間。」至閲公奏篇則曰：「規模廣大，原流深遠，所造深，所養厚。」文公斯言，蓋天下之公言。而私訢病者類曰：惟務超悟也，曰：惟尚徑捷也。分門護黨之風熾，隨聲接響之弊滋，而卒之盲瞽有不睹天外之光霽者矣。嗟夫，終日如愚，而曰似禪；浴沂詠歸，而曰似僊。彼親承元聖，單傳正宗，議者猶齗齗，佗奚怪焉！抑文安公之訓曰：「宇宙即是吾心，吾心即是宇宙，千百世之前有聖人出焉，同此心、同此理也。千百世之後，有聖人出焉，同此心、同此理也。東海有聖人出焉，同此心、同此理也。南北西海有聖人出焉，同此心、同此理也。」此其寥霩高朗，會萬歸一，彼此尚同異者不媿死哉！李君之灑然有得，獨異於是。吾故書曰：泉南偉特士，蓋褒筆也。宏齋包先生嘗言：「文安之學深造自得，本之孟氏，孟氏之後，至是而始一明。」荆溪吴先生曰：「貫羣聖賢之旨，可以合一身心之妙，充一身心之妙，可以補羣聖賢之遺。合朱、張、呂、陸之説，溯而約之周、張、二程；合周、張、二程之説，溯而約之顔、曾、思、孟；合顔、曾、思、孟之説，溯而約之孔子。則孔子之道，即堯舜禹湯文武之道，孔子之學，即皋、益、伊、仲、傅、箕、周、召之學。百聖而一人，萬世而一時，孰爲異，孰爲同哉！」味斯言也，事既久而論宜定矣。若猶未也，則又有正心胡氏之説在，曰：江西之學，如取日虞淵，洗天咸池，太白殘月，何敢爭燿？愚不佞，敢誦此以成李君之志。謹記。

方寸地記

延祐三年二月

存方寸地與子孫耕，古賢明訓也[一]。延平隱士聞君取以名其堂，杏林使君爲之題其扁，予因爲之衍其意曰：深乎哉，君之寄意也。方寸地云者，誠言邪！借諭乎夫人中兩間，而立爲萬物之靈，其步趨聖賢，其建立勳績，其宰制事物，其光裕雲仍，壹是皆以此地爲本。律以人間世常理，即繩尺可約，步畝可推，區區方寸，奚適於用？惟其隱於中扃，似若蹴狹，而離婁弗能視，公輸弗能度，蓋蕩乎無畦，霩乎無垠，前無始而後無終也。宇宙在此方寸中，不過太虛浮雲爾。日朗月煇，吾地能融；雲敷雨沛，吾地能通；天淵飛躍，古今代謝，吾地能統宗。抑斯地也，人共有之，鮮克存之。略舉古隱逸，如馬少游欲使鄉里稱善人，有意於存者也，如龐德公遺子孫以安，有意於存者也。吾故曰：深乎哉，君之寄意也。君姿端確而學富贍，翛然高隱，涕唾浮榮；鄉論無不推德人吉士，少游、德公其匹與。所居地與泮宮鄰，其堂足容數十客，乃詭曰方寸地者，豈固有羨於金、張之第，王、謝之宅，而爲是反說約邪？噫，君意深矣。顧君甫中年爾，繼今壽九齡，即九齡存此地，壽百歲，即百歲存此地。匪直斯今，繩繩百世，宜永存也。愚敢以是爲君頌，則又授君治地之法曰：「潔清以灑之，毋污以喜怒之塵泥；坦夷以闢之，毋隘以深險之谿穽；正大直方以藩維之，毋堆以利欲之糞壤。是固君所優爲，又加勉焉。則此方寸者，非地也，天也，愚敢以是爲君規。」君名濟時，字幾叟，先世自廣信徙延

平，因家焉。延祐三年丙辰歲花朝記。（以上清道光愛餘堂刊本《水雲村泯稿》卷三）

〔一〕古賢明訓也：明，原作「名」，據明天啓本改。

積善堂記

延祐三年

谿延平津而東六十里，曰吉谿，溯谿而上十里，曰芷陂，乃輿地勝處，有宅兆焉，曰游氏墓阡。游居吉谿，有尚義者曰和中居士。其存也，愛芷陂之勝，將卜基焉。殁，諸子以葬於是。既葬，搆創其傍曰積善堂。居士長子仲安謁予記。予曰：「昔固未嘗履斯地，登斯堂也，子而欲記，爲我言之。」對曰：「言其歲年乎，遵治命而窆於兹者，皇慶三年之冬也。葺治完美，邇日甫汔役者，繼以二年之力也。言其形勝乎，則有時賢品題之什詠在。先生其爲我著之。」予曰：美哉，子之名堂乎！善之爲義宏矣，若之何易言之。昔者聖人作六經，貽萬代，揭世教，輔民彝，無不以善爲訓。傍出如諸子百家之説，貝多、雲笈之文，亦無不以善爲第一義。意者徹蟠際、貫幽顯莫大乎善。凡其壽富而安逸，位尊隆而宗蕃衍，又無不由此乎出也。抑世固有知爲善之足貴者，罕有如子知積善之爲貴者。噫，子何其敏悟邪！夫物之積也不豐，則其用也不裕。譬取帑廩焉財賄日積，則帑常充，否則易以匱。黍稌歲積則廩常實，否則易以虛。積善猶夫是也。子而知所以積，則必由一念、一事之善，至於無一念、無一事之非善。故純乎仁愛，善乃積；間以慘虐，非矣。純乎忠厚，善乃積；雜以刻覈，非矣。純乎廉取而優與，善乃積；參以貪吝，非矣。予聞《易》爲六經首，乾坤爲《易經》首，其辭曰：「積善之家，必有餘慶，積不善之家，必有餘殃。」必之爲言，垂戒峻切，凜如科條之不可犯。遵之者昌，背之者亡。善貴乎積，蓋如此也。吾又聞：務積善之益，宜先除賊善之病。病安在，利是已。利嘗與善對，始也勇於積善，終也流爲不善，則利心賊之也。骨肉財産之爭，鄉鄰疆界之競，商賈物直之計校，一迷其心，萬善俱喪，夫焉有所積。孟子曰：「欲知舜與蹠之分，利與善之間也。」舜、蹠相距，何翅天壤，而其分岐止在利善兩字。吁，可畏已！亦可戒已！子歸，而與昆弟兒姪會於堂，其以吾言告之。佗曰：「予獲登斯堂，又當爲精言之。」仲安名以仁，弟仲和名以禮。而仲安以文學進，今爲小學訓導云。

重修學記

延祐四年八月

南豐爲江右文獻邦，郡有學，舊矣，燬於至元丙子，重創乙酉，距今僅三紀。歲月未大遠，風霜未大偪也。柱石猶完牢，而采雘猶章明也。吾意更百年，將亦足以楮柱。乃延祐丙辰歲仲秋夜半，禮殿壓焉，霆轟山崩，聲動遠邇。咸曰：「噫，異哉！」詰朝聚觀，則殿西虹梁遽折爲二，棟撓瓦解，狼藉委地。衆駭視，博詢迺知昔之搆創也，責成欲速，弗暇擇材，故今之傾壞也，閱歲未深，已致蠹朽。又咸曰：「噫，宜哉！無足異矣。」當是時，南昌辛公方涖講席，帑竭廩虛，欲得議修，顧役鉅費侈，趣辦無所以舒是憂。會東魯王侯甫領郡政化，新風聲聳，崇文禮士，槐芹德色。一日語公曰：「毋徒憂，其圖所以舒是憂。」公乃稽簿書，蒐遺餘。有曾貢元梯己莊者，故學田也，比歲指爲貢士莊者，謬誤也。租不入學，而有司封貯者，兩易歲也。公謂昔之家居待次也，嘗聞而憤之，誓以隸職之日，必復侵疆，今其時邪。即白侯，侯喜，遂繇州及儒司勘驗是實，以聞於省。遄繇省以下於州，匪直捐租，乃郠讙皆復。侯益喜，命發廩易楮焉。以定計者踰百，儒之助者又什二。繇是市良材，運巨甓，匠資於官，丁取於佃。侯日詣學，忘寒暑，指授規畫，督勵工程。辛公則早莫從侯，竭蹶服勞。已而腐者堅，缺者全，翳黯者光鮮，層搆飛檐，度越於前。且復飾袞冕像，新欞星門，華煥雄峙，中外交映。州人謂昔未睹，部使者亦謂他州罕及也。公語余曰：「幸哉，吾志遂，吾憂釋矣。永惟葺殿宇，復田租，太守功也，今掾蒙成太守賜也。吾不忘也，郡士友彌不忘也。惟是學未有記，即雖不忘者〔一〕，久或忘之，盍記諸？」余曰：「諾。」因是思郡國不可以無賢牧守也，而賢牧守不可以不知學。余聞侯嘗從鄉先生野齋李公游，其誨也勤，其悟也敏，其言論風旨，有習聞而默識，故於吾學校盡瘁，而於南豐先生遺祠復善飾焉，侯之知學可見也已。吁，僖公之修泮，歌於《詩》，文翁之興學，著於史。揆今準昔，可書也，故書曰：延祐四年八月，奉議大夫南豐州知州王著重修學殿成，學正辛泰來相之，是爲記。若夫協謀集事，則達魯花赤奉直公伯顔察兒，同知州事務孫公好直，判官從事周公吉，俱有功於是役者也，宜併記之。

〔一〕即雖不忘者：即，文淵閣四庫本作「今」。

南豐州紫霄華陽巖三茅真君祠記

延祐四年十一月

僊道行世無遠邇，有人焉慕尚崇信之弗懈，即遠者邇矣。江左有郡曰金陵，金陵屬邑有山曰三茅，蓋茅僊兄弟成道之地，道書所謂華陽洞天者也。吾州僻左無知者，知亦憚遠無游者。延祐甲寅歲，里善士諶濟川概慨慕玄虛，始獨造焉。帆重湖，航大江，一往復凡三千里。受經籙於宗壇，分爐薰於靈瑣，嚴奉以歸。歸而謀卜地以祀，未獲也。其里之紫霄觀側，古稱道人巖者，臨流絶險，歲久榛蕪，而地幽塵清，堪駐僊馭。觀主張惟善啓之，濟川是之，迺鏟迺芟，迺闢迺鑱，乘夷曠而祠三像於中，搆別館而祀鍾吕於後。蒼翠環合，風露蕭爽。咸稽首曰：「茅僊乃在是，何其近也。」濟川徵予記，顧予自幼服習孔氏書，於老莊氏懵未有聞，其何以記？則取其所紀載者爲述曰：姬周公之嗣封於茅，後因以爲氏。秦皇時有諱濛字初成者，隱華山，師鬼谷，得道沖舉。傳四世，而三真出焉。長曰盈，字叔申，生漢景帝時。初入恒山，學長生，遇總真王君方平，授大霄隱書，九轉還丹。愛句曲山，謂爲真洞僊館也，南渡居之。哀帝元壽二年，叔申年一百四十有五，後遇神人，授以僊職，一日乘鵠去。次曰固，字季偉。幼曰衷，字思和。仕漢竝爲郡守，高年棄官，從兄得道，亦僊去。邑人爲建壇宇祠祀。光武獻金於廟，明帝敕修。由晉訖唐，帝咸受經籙於茅山。逮至前宋，崇敬尤謹，僊書宸翰，煇煥日星，鶴帔星冠，羅棲巖岫。其頤神葆真之士，依靈祐而獲度世者，逮今無虚歲也。嗟夫，萬事萬理，一方寸爾，志所篤嚮，即丹邱、玄圃、十洲、三島且不遠矣。濟川之於道也，專且勤，故履危涉險，而無倦心；道遠費侈，而無靳色。卒能使江左僊真之祀，延逮鄉邦，使一方寡聞之民，翕加禮敬。茅峰烟霞，欻其在目，豈吾徒儒迂不化者能及是邪。是宜記。初，三真封號已穹，厥今運啓聖明，彌加崇信。於是妙道沖虚聖佑增真應至道沖，靖德佑增，妙應微妙，沖慧仁佑，增神應云宜併記。延祐四年歲在丁巳十有一月吉日記。

一齋記

延祐六年

豐有水村翁者，寢老且僡矣，猶沈痼書癖，不自療，爲達人所笑曰：「爾躬之弗恤，而學之是務乎？猶石田也。」有孫曰深，弱冠嗜學，頗類翁。屏處斗室中，案書整嚴，研墨精潔，癖好亦類翁。辨色而興，深更而寐，忘寒暑渴饑，誦讀達於卧内，或時妨老人睡。翁亦自笑。一日語深曰：「我之沈痼不療者，竟傳染至汝邪。雖然，妨睡事小，志學事大，吾不以此易彼也。吾平生辱交名卿顯人，魁儒望士，濟濟滿朝野。當吾齒壯氣雄，狎玩短景，豈識世境之有海田，人命之爲露電，直謂清時常春，白日常午也。而大化銷鎔，一體歸盡，曾幾何年，有不存若敖之祀者，有不反湘纍之魂者，有不歸先軫之元而不掩張進之骸者。朱門縣薄，故墟鞠草，宗强胄貴，苟賤資身，令人感念興替，哽塞摧傷，已不勝懷舊之悲。況使望爽鳩氏之居，經田成子之國，雍門之嘆，梁父之吟，川原莽蒼，蛩螿慘戚，將有俛仰千載，至於流涕者矣。今吾陋巷幽棲，詩書十世，雖疏鍾斜月，殘夢悠揚，而書窗蕭閒，夜鐙青熒，猶獲與汝談經析理，撫慨荒涼。寧非祖孫之所甚幸，又何愛片言不以成汝志也。深，汝來前，今汝少也，而志於學似矣，抑未省此志壯老如一否？凡志貴一，一故有成，吾懼汝之未達此也，故扁汝讀書之室曰一齋。汝其日對之，日思之，嘗試求其義。其知一乎，曰未也。吾與汝談一。一未易窺，而亦未易測也。爾充其用，即浩乎其無津，霈乎其無涯，肫肫乎其純，渾渾乎其真，天地之所以清且寧以是。堯、舜、禹之傳心，湯之協德，文之純，孔之貫以是。不惟是也，下至於技，若秋之奕，牙之琴，郢人之斤，由基、紀昌之射，與夫鍾、王、顏、柳之書，僧繇、熙、筌、道子輩之畫，凡蓋代而絕倫，擅名而致利，亦以是也。深勉乎哉！夫併敵乃能殺將，多歧必致亡羊。宇宙以來，人物何限，孰非有志者，有志孰無成者。顧或不潰於成，即其志有不一爾。蓋一則無暴寒，而功力完；一則無雜悖，而精神聚。寸念之烈，蓋天蓋地，將何事之不可成？二焉，三焉，始鋭者或終懦〔一〕，樂此者復羨彼。中道廢，晚節變，雜念紛飛，而幸其有成也，愚已深。勉乎哉！昔者，汝祖嘗志學如汝矣，惟其志有不一也。故知道義之足貴，有時而重事功；知博記玩喪之爲非，有時而溺語言文字；知此心嘗在腔子裏之爲妙，有時如游騎之四出；知聖門學術之爲正塗，有時而縱談僊佛；知建學之爲足尚，有時而心慕江西；知科舉利祿之不足道，有時而欣羨於榮名。若此，皆不一之病也。馴至於老而無得焉，有由矣。深勉乎哉！」謂予不信，質諸周子。有問周子曰：「聖可學乎？」曰「可」。問何以學，曰「要在一」。嗚呼，微矣，因書之以爲記。既擿筆，睹案間陸子書有曰：「我這裏是刀鋸鼎鑊底學問。」斯語也，吾偉之，并書以堅汝志。（以上清道光愛餘堂刊本《水雲村泯稿》卷三）

〔一〕始鋭者或中懦：懦，原作「濡」，據文淵閣四庫本改。

全元文卷三四九

劉壎　一一

前朝遺像贊

元氣妙運，有時醞停，天地將泰，聖神乃生。五季糜潰，天厭腥羶，龍翔汴洛，始識真帝。馬營紅光，陳橋黄袍，不殺之誓，昭徹蓋高。踰三百年，傳十六聖，日角鳳姿，采眉隆準。際天其仁，何罪至斯？遺民哀哀，無窮之思。陵闕久荒〔一〕，圖繪是貴，稽首威顔，如在其世。

〔一〕陵闕久荒：久，原作「失」，據明天啓本改。

自贊

眸不炯炯，貌不堂堂，勳業未建，鬢毛已蒼。其卓乎有立，以胸中粗識大道理；其未能免俗，以筆下間爲小文章。斯人也，使展其霖雨之手，固當忠君父而澤民物，而著之水雲之村，亦能詠風月而歌滄浪。雖然，此猶其小者也，若其方寸之耿耿，終不以死生而存亡。

又

謂爲似邪，吾固無可，謂不似邪，亦無不可。嬰忽而癯，浮雲景過，更後三數十年，我亦不知其爲我。

故人真贊吳浚也，字允文

名張都督之名，字虞舍人之諱。裁縫雲霧之文采，照映日月之忠義。語時艱，則流涕沾襟，憤仇敵，則怒目裂眦。空拳興師，誓雪國恥，運去祚移，功不酬志。君子以爲有補於世教，小人議其無救於時事。使東南鎮戍皆然，則宗社亦何至此！嗚呼，斯人晚節已矣，其初心終足以媿天下之亂臣賊子！

谿隱圖贊

青林蔽屋，白雲滿谿；高隱者誰，勿過橋西。

巴山龍贊

鱗族之宗，宜宅海宮，胡爲乎巴峰？揚鬐奮爪，霆奔雲從，撼動坤軸，作霖兆豐。孰能貌其真，昔惟所翁，此畫與同，人亦曰所翁之龍。

四禽贊[一]

一 田驥

似慵非慵，蹺足谿東，勿歎無魚，有時會逢。

二 鸜鵒

藏頭入羽，莫作人語，若學鸚鵡[二]，被人籠取。

三 雪姑

汝名雪姑，誰爲汝夫？確守貞白，休入畫圖。

四 翡翠

何怨於人，以翎累身；懷璧者誰，見之傷神。

〔一〕題名後序號據文意擬。　〔二〕若學鸚鵡：鵡，原作「鵑」，據明天啓本改。

啞子觀音贊

籃魚休賣，瓔珞休帶。若以色見，誤人罪大。且離相明，心觀自在。

渡海羅漢贊

平步海水，謾不會底，我識得汝，是箇影子。

又

足踏海浪，不沈不蕩，逞大神通，弄小伎倆。和尚和尚，畫形聊可娛人，成佛直須離相。

掃心圖贊有引

少讀《水心文集》，有《掃心圖》一詩，莫論其旨。後於一貴家見小軸繪一人，青巾黄衣，手提掃帚，而有百十心字環繞其身，繇是始悟水心公所題，殆爲此邪。回首四五十年矣，爲追贊之：

雜念紛飛，與糞壤等，隨掃隨有，弗淨弗瑩。何以止之，無思而定，雲散天空，放卻帚柄。

觀我贊

我既是我，觀者是誰？騎牛尋牛，笑倒牧兒。

觀心贊

心觀萬物，又誰觀心？牀上疊牀，向何處尋？

朱光祿陰德圖贊有引

記兒時行郭西門外，有木合抱，蔽翳江濆，片版書「朱光祿陰德樹」六字。數見之，未省也。長而聞諸老先生，道光祿公捐金救人事，粗知其槩。又長而閱圖志，觀《陰德記》，始得其詳。不知何年，岸崩木拔，每經行輒追思，嗟惜不置。非惜是樹，惜樹之所以名而名不傳也。天昌善慶，乃令聞孫秀出紹緒，貌而圖之，展看眼明，如見當日，何其慰人意邪！予欲因是圖以垂世戒，揭以贊曰：

賦命自天，天德好生，體天活人，福報川增。爲善在我，我豈希報，形動影隨，自然天造。謂吾□汝，視光祿公，公活人命，心與天通。公心伊何，爲善弗貳，忍貧傾貲，救死於縊。彼富或靳，吾貧安行，陰功孰知，太虚神明。森其階蘭，執珪鳴玉，種勤穫豐，冥報何速。綵侍宦游，真行地僊，上壽之褒，大哉王言。施及雲來，錚錚楚楚，貌入丹青，宛其若睹。善積慶長，歲二百餘，忍人薄夫，愧此畫圖。

河西憲使壽容贊

眉宇如神，襟度如春，澂清閩海，慶會風雲。豈非應上元甲子之會，而輔皇極太平之君者乎？一幅丹青，千載麒麟，真宰相器，大福德人。

指書心經贊有引

古厓饒生能用指頭蘸墨寫《心經》，而不用筆，求贊語：

經以心名，蓋由心出，字以指書，亦心所役。心不好書，指何所爲？汝識心否，在運指時。體認要真，勿作字看，波羅密多，此已得半。

聾啞翁贊爲盱江童耆卿作

弗聽而已遽曰聾，弗語而已遽曰啞。神明内充，寓言外假，避世知幾，隨波上下。嗟夫，使其挹後元、貞觀之風，囿慶歷、元祐之化，未必不傾耳以聆咸韶，哆口而談王霸。退然木雞，是曰智者，雖然猶未免夫有跡也。併聾啞之名而空之，始造夫淨倮倮而赤灑灑。

壽昌院鐘銘有引　元貞元年

元貞元年夏四月，南豐州壽昌院新鑄大鐘，縣諸層樓，將以節昏昕、警迷聵也。爲之銘曰：

惟大覺尊，矜哀羣蒙，何以牖之，爰有洪鐘。考擊以時，耳聞心通，迺眷壽昌，範此新鏞。層搆鉅鈕，法音隨風，爲彼聞者，破其昏聾。緣聲而覺，萬境悉空，衆生成佛，緊鐘之功。

州獄鐘銘有引　大德十一年

大德十有一年，歲在丁未，暮春之月，南豐郡鑄洪鐘，以嚴奉州獄士師之神，所以昭神功，答陰貺也。爲之銘曰：

赫赫士師，萬世神靈。作福于豐，尤大彰明。陰驅猾囚，民寃底平。何以報之，有鐘在庭。朝昏考擊，聞者皆興。丕顯神功，永揚厥聲。

陳氏琴銘琴名吹萬

靈音自然，妙在無弦。一已多，何言？

益齋銘有引

古洪熊文卿取魯《論》「三益」之義以名其齋，嘉禾劉壎參以大《易》「益卦」之象，而爲之銘，將以廣文卿之志也。夫直諒多聞，益之自外者也；遷善改過，益之自内者也。内外相養，缺一不可，文卿勉乎哉。交闡互暢，篤志力行，其益無疆矣。然予則媿之，因斯銘也，且以自警焉。

人有五倫，友與其一，以友輔仁，允資爾益。益有卦象，維風及雷，以諭進德，勇決勿回。齋以益名，文卿雅志，我廣其説，宜該二義。爾求爾友，直諒多聞，匡救夾持，日陶以薰。爾遷爾善，飈馳霆迅，與天同功，日新以進。内外交養，其益洋洋，真積力久，有大燀光。顧我未能，常覺日損，賦此銘詩，因警老鈍。

小朱硯銘有引　皇慶二年

宋寶祐癸丑歲，子年甫十有四，獲一小硯於同舍友譚伯玉。硯，鄱陶也，修廣三指許，蓋以漬朱膠而備點校者。復有一蓋以掩塵，亦陶也。與予相從一周甲子矣。晨窗夕鐙，考經史，作文章，未嘗不吾俱也；欣喜憂悲，酬接宴息，未嘗不吾俱也；迺至遭罹革命，避鋒鏑，竄林藪，亦未嘗不吾俱也。其蓋嘗墮地毀爲二，遄補完之，今更毀爲三，不堪補，又强補之。《書》曰：「器非求舊。」固也。其不忍與瓦礫擿者，以其從吾久耳。夫物無情，人安得而無情？一或無情焉，充是心以往，即竊位苟祿者，一旦臨難，而君可棄也；父母困老病，子弟倦奉養，而親可棄也；親迎成禮，偕老相期，及其色衰而愛弛，則妻可棄也。嗟夫，一硯微矣，三綱寓焉，人安可無耐久情乎？既完之，復銘之：

硯以受丹，其細三指，蓋以掩塵，傷哉屢毀。毀使復全，用終吾年，久要忍忘，寄吾情焉。傍觀謂予，成敗勿顧，子且朽矣，情牽徒苦。高天厚地，猶有壞時，任運自然，舟行岸移。

傅生墨銘有引

昔盱江士大夫評墨，競推傅雲心，製作精實，色黟而光瑩。雲既歸岫，墨難復得，乃不知祕傳膠法，已付其宗人某矣。頃予仕閩，是子囊所製求售，好事競市，謂勝雲心。予時欲爲作銘，弗果也，村居小暇，輒與之銘：

誰琢玄玉，緊雲心翁。翁去子來，杵製彌工。貢蓬萊宮，定有賞識。揮灑玉牋，一點如漆。（以上清道光愛餘堂刊本《水雲村泯稿》卷六）

趙撫州傳

宋撫州使君姓趙氏，諱必岊，字次山，濮安懿王九世孫也。建炎南渡，由汴徙南豐。父崇嶓，嘉定進士，官大宗正丞，忠讜文華，搢紳左次，有《白雲諫稿》行於時。使君蚤慧，善屬文，年甫十七，奏名禮部，擢淳祐甲辰第，授袁州萬載縣主簿。需次服父母喪，居閒十數年。博通經史，聲實邕茂。鄧大監坰爲廣西經略安撫，辟賓州司法，調福建提刑司檢法官。會愉人陳仁玉爲其長，使君恥不赴官。景定初，諸道爭辟，歷江西轉運司、建寧府節制司、福建安撫司，皆幹官以舉者，改秩知雩都、大庾兩縣，著能聲。江西安撫使曾侍郎淵子才，之辟主管機宜文字。安撫歸朝，薦於上，得提轄行在文思院，通判臨安府。咸淳十年也，賈似道竊柄誤國，長江失守。朝廷急擇江浙守臣，擢使君知撫州，措置守禦。德祐元年春至郡，政績著聞，詔加幹辦行在諸軍審計司，又遷大府寺主簿，以重其任。時江西、湖南已罹蹂踐，流潰迸溢，警報日夜急，剽敓縱横，使君誅賞愜當，撫人德之。江西制置使黄萬石棄隆興退駐撫，名勤王，實爲遁降計，頗嫉使君修守備，數媒孽於朝。使君不自安，累丐罷。九月，除大理寺主簿。既解郡，竟歸里。十二月，建昌失守，遂奔贛州。明年二月，江西提刑楊孖以贛降，使君遷避寧都縣。五月朔，景炎帝即位福州，密詔吳直院浚爲江西制置招討使，使君爲叅議官兼江西運判，協謀興復。六月，吳即廣昌，使君即寧都，各建治所，宣詔反正，糾合盱贛諸邑義勇。八月，制司兵次南豐，遇敵而潰。使君遣其屬以兵攻贛，距城六十里與北兵戰，破之，俘其千户。乘勝逐北，至城下，城中兵大出，我師失利引退，喪失良多。九月，制司奔汀州，十月，使君捐重賞募峒丁廖陳六等進取。而北來兵益衆，使君亦入汀。明年春，知汀州黄去疾以城降。使君解兵，隱跡出畬中，發疾卒，就殯焉。使君皇宗世宦，而介然無紈袴習，清苦問學，勤於寒素，詞翰政績，卓偉可稱。既遭時艱，志克復，不克就，聞者悲之。所學尤邃於《易》，有《易解》十卷，《吟稿》八卷。贊曰：

何代無才，顧時相遇不偶耳。彼有器能自表，著譽流馨，豈其繆巧致通顯哉！天與以時然也。撫州之才，際逢昌時，寧不足以爲治平之州牧，敏博之詞臣。宋歷永終，黯翳淪謝，至勿獲正。邱首力田，不如逢年，信夫！

後二十年，其舊幕屬趙孟溁始購募走汀州，歸其遺骨葬里中。嗣竟絶。嗚呼，悲夫！

詞人吴用章傳

吴用章，名康，南豐人。生宋紹興間。敏博逸羣，課舉子業，擅能名，而試不利。乃留情樂府，以舒憤鬱。當是時，去南渡未遠，汴都正音，教坊遺曲，猶流播江南，用章博采精探，悟徹音律，單詞短韻，字徵協諧。性愛梅，爲賦詞，自「訪梅」至「結實」凡十有二闋，自「紅梅」至「臘梅」凡六闋，又取古人梅詠可命題者，自「南枝先暖」至「粉薄香殘」凡四十四闋，總爲六十有二。鄉寓公僊源趙學士師有爲名之曰《雪香絶唱》，且亟稱其「紅梅」之句曰「試問海棠健否，海棠雖似，減清香」，又稱其「蠟梅」之句曰「淩空蠶翼遞香來，驚破蜜房幽夢」。聞者以趙爲知言。乾道丁亥歲，用章攜以見劉季高侍郎岑，侍郎負重名，靳許可，特爲之序，而稱其意密詞清，上達古人用心未到處。夷陵尉胡舜良夢賡文士也，又序其詞爲有所感而發。蓋亦見用章浮沈困阨，託之詞詠，往往借梅自況爾。其賦此也，年踰强仕矣，不知又踰幾年而終。子孫無述焉，悲哉！用章歿，詞盛行於時，不惟伶工歌妓以爲首唱，士大夫風流文雅者酒酣興發輒歌之。由是與姜堯章之「暗香疏影」、李漢老之「漢宫春」、劉行簡之「夜行船」竝喧競麗者殆百十年。至咸淳、永嘉戲曲出，潑少年化之，而後淫哇盛，正音歇。然州里遺老，猶歌用章詞不置也。其苦心蓋無負矣。用章善謔，嘗坐繫得釋，或詢以獄中風景，用章憮然曰：「種種不便。」聞者絶倒。因是里人祖以爲俚語至今云。詞集久磨滅，惟余手鈔一本幸存。贊曰：

韻人勝士，刻斲陶冶，豈不冀千載之傳？曾幾何年，掃空澌泯。宇宙間，若此何限？可爲永慨也！用章詞筆居然罕儔，苟不憐其才加襲藏焉，誰復知南豐有詞人哉。

用章同時同里有玉壺彭氏，亦賦梅花百詠，其半則自作，其半則集句。寶祐中，陳文定公宗禮典中秘書，下部使者移鄉郡鈔其詩，藏祕府。追記其自作，有曰「一谿烟月無人共，吹落梨花曉夢初」，興寄遠矣。里中有刊本，余嘗蓄此，寇燬失之。故老凋零，不惟無有存其詩者，乃亦無有知其名者，益可悲夫！

義犬傳

永嘉江心寺長老祖傑，閩人也。累任僧錄，挾貲豪恣。會僧選罷，營求鉅利，得主席江心。有知識陳某者，家城中，薄有資産，州縣利其富而儒，數因户役困苦之〔一〕。積不堪，與妻謀捐田入寺，依傑勢苟活。請於傑，傑欣諾，遂棄里居，徙家近寺，而身任庫院之職。傑頻造其廬，窺其妻。始猶間往不常，久則興至方丈，或累日彌旬乃反。妻每怒駡夫曰：「初爲避官府，謀庇身，今反失身如此〔二〕。汝爲人夫，甘忍辱邪！」其夫固恨，乃密謀遠徙。適獲房宇於别島嶼，嶼瀕海，大聚落也。地有巡檢司，又有一佛閣，竟浮家宵遁，近閣而居。傑聞其逸，大怒。訪知所在，厚募惡少年十有四人，飫以豐饌，餌以重賞，使往居之，曰：「截取婦人雙乳來爲證。」惡少年如命。夜舟徑造，盡殺其家七口，懷其雙乳而還。紛擾中，俄衝曉，惡少年悅窘，疾趨舟鼓棹去。獨一人追逐弗及，旁皇失措，潛登佛閣，隱壁間。巡檢聞變，亟領卒掩捕，茫無蹤跡，留連佛閣前。里社役首進飯，見事主家一犬跳嗥左右不已，叱去，復來，嗥愈厲。巡檢舉餐，則又跳嗥大躍，至衝散其臺盤酒食。衆怒，擊犬，復不去。巡檢起，犬又隨後，銜其衣襟，引至佛閣，仰而嗥若欲言者。巡檢乃驚訝曰：「是豈有異乎？」領卒登閣周視，則壁角微有衣露。迫之，見一人懷刃立，即擒下，搜出雙乳。鞫問，備言傑長老主謀。因悉捕其黨送縣，引問具伏，上於府。初，府有同知與傑交，暇日嘗絶江訪傑，傑辭以出。同知還，至半途，遇總管亦往訪。同知請無往，總管曰：「我往，彼必納也。」邀同知偕往。因復絶江同入寺，傑果迎待，置酒而還。同知由此銜傑。及事露，同知即議移檄萬户府，遣兵圍寺。傑出迎曰：「吾既能作事，豈不能當事？官姑少寬我，容入房收衣鉢行矣。」許之。傑囊橐充斥，即裒金寶鈔貨凡四擎，授其徒，令疾赴都求内援。又取所蓄玉器滿案，置堂上，語人曰：「此固吾所愛者，事已至此，復何用？」舉杖一揮，墮地盡碎。既就逮至有司，引伏。械送總管，猶欲全之，故緩其事待京報。未幾，果聞懿旨召傑。同知令獄卒曰：「僧姦良人婦，又謀殺七人，可恕乎？汝速處置，明當賞汝。」卒入獄，命傑醉飽，起，立縣枷梢於梁，囊沙置腦後，扼其氣，遂死，人皆快之。既死，而旨至無及矣。同知以是得名，省臺交稱焉。延祐甲寅春，予往延平，延平總管韓君玉國寶之子邦彦從予學，一日，有所厚泉州教授林南谷來訪韓。南谷，永嘉平陽人，而總管前仕浙東，與林舊，是以來也。予從坐間屢聞二公談傑長老不已，顧不知其端，乃詳叩二公，具述如上，且謂當日非此犬，則失此賊，七人銜寃無訴矣。故傳其事，以愧世人之不如犬者。贊曰：

傳爲義犬作也，然因是而思斯人。避官府虐害而謀遷，遷非其所而蹈禍，乃至一家絶嗣，死刃下者七，蔓延奸僧惡少死於官者十有五。推究禍原，皆當時官吏驅之入死地也。人孰不欲安土而樂生，非困於虐政，必不逃。不逃，則奸僧之謀必不啓。謀不啓，則羣衆必可不死。哀哉，天道無知則已，誠有知者，則彼官吏者伏冥誅，禍後嗣決矣。（以上清道光愛餘堂刊本《水雲村泯稿》卷四）

〔一〕數因户役困苦之：困苦，原作「而困」，據文淵閣四庫本改。　〔二〕今反失身如此：如，原作「於」，據文淵閣四庫本改。

參政隴西公平寇碑

大元運神武以制六合，任仁賢以福諸道。江南既平，閲十有七載，南北一家，烟火萬里，海澂嶽靜，風恬日熙。彼有負險阻，萃淵藪，嘯呼萑苻，或一二見，不旋踵而崟崎以平，阢隉以寧。由皇威丕暢，遐邇率服，厥亦惟蕃宣得人，綏靖有方，式克至於今日休。至元二十有五年，畲寇鍾明亮起臨汀，擁衆十萬，聲搖數郡，江、閩、廣交病焉。猱揵豕突，草萎木枯，血肉塡谿谷，子女充巢穴。有旨進討，輒僞降以款我師。明年，邱元起廣昌，與明亮犄角，彌漫浸淫，遂及我豐。豐民素弗貳，顧力不克拒，則有被脅而從焉者。勢張甚。又明年春，賊大至，陳河田，陳九陂，又陳小萊，鋒交鍭熾，勢益張。遂犯州。州南門實闞江，賊乘橋攻門。是時諸軍甫集，出營黄原，城戍單弱，藩垣蕩夷。事且急，乃斷橋以拒之。守兵飛矢露刃，州民擿瓦投石。適雨暴江漲，賊阻深引退。既退，勢猶張，焚戮邨落亡虚日。州惟閉關自保，雲沈雨淒，官民惴危，老穉悲戚，救我者誰？一日，陰霾劃開，天宇澂霽，則參政李公來。號令新，和氣回，軍聲壯，風采肅。乃啓城關，乃發倉粟，乃寬刑辟，乃緩商徵，政有便民者罔弗舉，民始有生意。賊亦望風鳥獸散。於是責官吏以招來，分師旅以討捕，悔過宥之，負固誅之，州境畢清。則率諸將擣邱元之巢，殲其渠，離其黨，輯綏其流亡。振旅還州，州人香旗歡迎，感極且泣曰：「生我者父母，全我者參政也。」自邱元敗而明亮孤，不數月賊悉平。嗚呼，公之功偉矣。公端人也，其仁如春，其清如冰，其誅賞公平如權衡，其在軍中手不釋卷，雖羽檄紛馳，猶崇學校，修祭禮，非其本領正，識慮明，曷克若是？昔公先太保武愍公來救盱，盱民嘗刻碑府門。今豐之危視盱彌甚，而公之德，視武愍有光焉。是宜碑，顧碑亦未足以彰公之德也。陵谷遷易，此德不磨，日月晦冥，此德不掩；肉腐而骨，骨朽而土，此德不忘。屹兩碑其相輝，垂千載而有永。姑借是以寄邦人之思。公名世安，號龍川，家世河西，徙居燕。爲江西等處行中書省參知政事有年矣，勳名著聞，新膺特旨，因任云。頌之以詩曰：

維元受命，誕揚厥武，有偉混一，卓越曠古。東洋西崑，北漠南溟，星拱雲從，疇敢弗庭。蠢彼汀畲，乃作豜獮，蚍撼不量，虺毒肆吮。暴骨成邱，流血成川，浸淫盱豐，纍積兵連。寇環於疆，孤城岌岌。嘆燕釜魚，孰紓其急。德人惠來，遂活吾豐。其人謂誰，參政李公。威惠翕孚，謀斷兼足。國手雍容，立整敗局。昔公未來，民與死期；公既來止，和氣春熙。昔公未來，嘯咺篁竹；公既來止，妖氛夜肅。功成而東，舟載月明，父老太息，孰如公清。公恩弗替，人思弗已，紀德於碑，名父名子。軍峰峻極，盱水深長，我士我民，千載靡忘。

豐郡三皇廟碑

鴻濛分天地，位貞元，絪緼之氣，旁薄鬱積而無所泄，有聖興焉，是爲太皞氏。逮夫亭滀寖久，貞元復會，即有火土之瑞者出焉，是爲炎帝，又爲有熊氏。世俗第稔聞璧合珠聯，口誦習熟，謂伏羲、神農、黄帝實接武以相繼。逮考古志，乃世之相後先殊遠。由黄帝溯神農，中間已相去三百餘年，又溯而上之，蓋不可知，亦悠遠芒忽之極矣。而三神人者，或顯卦畫，辨陰陽，以露神機；或嘗百草，品藥性，以開醫道；又或著醫經，制鍼法，以救民生，俱能壽斯人欲絶之脈，補造化不及之功，世咸尊稱之曰三皇。三皇於江南故未有廟，至元混一，令郡邑俱建醫學，始立廟。南豐繇縣陞州二十載，猶未廟也。春秋祭，朔望拜，率僑寓於館驛，於佛堂，僉曰弗稱，顧卒無念及者。太守隴西公之來也，謂此弗祀，非所以承詔令尊聖神。得故主簿廳廢址於州東北隅，卜之食，誅茅運甓，募匠市材，捐己俸，率醫人致助。大德庚子春，始構創。中爲正殿，旁爲兩廡，外爲醫學門，又外爲欞星門。明年廟成，衛以梐枑，環以垂楊，甃砌潔整，丹堊明煥。三皇塑像南嚮，四正繪像東西嚮。公常躬程課無倦意，月朔望，公常躬奠謁無廢事。命醫官諸生，審究脈病證治，交暢互闡，雍雍于于。又明年，公政成，衆慮其久而忘也，請紀諸碑。予嘗嘆流俗淺識，類目醫爲技術，乃未知醫之濟世，功配天地。何也？天地生人，而不能使人之無疾，人而疾，籲天天漠如也，叩地地默如也，疾弗瘳則必反而求諸醫。醫得人焉，則痿痺痒痛者止，羸瘠者盛壯，而垂絶者不死也。曰功配天地，非邪？厥亦惟三神人者，發天之機，啓醫之教，然後雷扁、和緩、仲景、華陀、叔和、思邈之流，與凡歷代名醫得以繼作迭興，極神聖工巧之用，救虚實冷熱之偏。脈有訣，藥有方，十三科有傳，億兆生靈之命有賴，家祀祭而户尸祝，禮亦宜之。侯邦寶司民命，可不祀乎？是故太守倡義創建，按令式，嚴祀典，於醫道有光，於禮亦宜。余嘗獲從公陪祭，清曉班庭中，月星朗燿，柧棱翬飛，睹殿上燭光搖曳，靈風肅然。獻官盛服端笏，降登祼薦如禮。羣執事無不恪恭就位，汔燔瘞罔敢惰。余歎曰：盛哉，祀繇廟興，廟繇公興，顧未有表顯之者。今諸君慨然碑焉，益盛已。因語之曰：廟存祀存，即公名常存，抑未也。繼公者，心公之心，修完繕飾，俾勿有壞，廟存祀存，亦與公之名俱存。諸生曰：然。其述此以志不朽乎。遂書以授之。李公名彝，字憲甫，安次人。嘗僉浙西憲事，今以奉直大夫知州事云。係以詩曰：

三皇聖神，開天建極，肇基醫道，躋世壽域。洗痾濯痌，植仆膏萎，造化同功，萬國祀之。自豐曰州，醫未興學，賢侯莅止，新廟是作。廣殿崇陛，威嚴凜如，生徒在廡，時講方書。廟千萬年，名與俱久，勒詩堅珉，式克勸後。

大田廣佑王廟碑

廣佑王發靈樵郡之西乾，其廟於盱江之鯉湖，嘉禾之聿水之大田，則支分者也。王歐陽其姓，枯其名。隋時爲湓陵太守，授代歸，舟次大乾而溺，因葬焉地，人遂奉之爲神，受王封，列祀典。世傳其溺時事特異，余不能述，述今事而已。大田之祀，蓋自魯氏始。旱澇寇疫，禱輒應。往紹定己丑歲，暨至元丙子歲，著靈尤偉。妖氛以清，生聚以完，賴王之佑且數十年。顧祠弗建，羣志鬱焉，魯之族，協謀繇馬鞍山遷祠於村心，富者捐貲粟，貧者輸力役。經始於丙子之某月，落成於某年之某月。里中士侯君在復爲之加丹雘，峙閎墉，猶以爲未愜也，謁余文記其事。余惟聖門家怪力亂神不語，余亦安知夫世有降靈附語，帕首曲踴，遂號之爲神者。余獨證諸實理，即傳有聰明正直依人而行之說。在曰神矣無形體，無聲臭也。陰房鬼火，古木鴉聲，晝欻杳冥，默若響答者何居？曰：人耳。人而神，則神也。又何居？曰：心耳。是謂神。舍是謂靈府，豚蹏盂飯，俛伏呫囁，叩若應，視若臨，庸非吾方寸妙用實爲之。而荒庭古屋，繪形像偶，直其寄也。今夫大田之地，不接於西乾，王之馬足，不踐於兹土，乃肸蠁著明之若是，無亦人賴神而安，神因人而靈，人心信奉之弗替，即廟祀亦千載勿替可也。大田之人勉乎哉！若夫侈神之靈，有貢士侯君舜舉之述，在余故不書，特爲賦樂神之詩，使歲時歌以祀云。詩曰：

大田之山兮青青，大田之水兮泠泠。神其來兮駕西乾之雲，息兵兮殄疫。時雨暘兮多稼無蟊螣，有永千秋兮於兹廟食。鼓坎坎兮舞蹲蹲，希耩鞠膪兮羅薦芳馨，神人相依兮百世是承。

真元萬壽宮碑

道觀僊宮有甲於南豐者，曰真元萬壽，蓋故靈都觀也。其初，則魏真人元吉祀玄女，肇建觀，號真元。於宋治平中改賜額，號靈都。於今則大德庚子歲，陞觀爲宮，仍靈都真元之號，而加萬壽焉，兹其建置沿革之大略也。其址則據州治之東，挹江山，倚闤闠，夷曠軒豁，爲諸觀宗。其派則支分於桑田，而建觀者號長生；又分於石谿，而建觀者號棲真。甲終乙繼，咸祖靈都，兹其始基與析派之大略也。慨思往昔，觀闕岧嶢，像設儼肅，徒侶無虚寮，而經誦罕暇日，盛哉久矣。孰知夫丙子劫運，南北兵交，金文玉字，還於大羅，月地雲階，幻爲焦土，僅存者寥陽一殿爾。環顧闃寂，惟覺景之異，心之悲。則有隴西冲真師出而拯之。當榛礫荒殘中，鞅掌儀圖，暫復舊觀。願力感夫神靈，誠意動夫檀信。繇至元戊寅汔大德戊戌，是營是度，弗完弗已，卒能俾修。廡翼如端門，屹如三元，殿羣道寮整如，即今之碧甃丹楹，雕珉藻棁，昔之斷礎荒烟，燐熒棲息者也。今之昏鐘曉鼓，香熏爐熚，昔之空庭日永，人物罕景者也，兹其興衰復古之大略也。師服勤至矣，乃思長生爲觀，實我同原，顧頹靡弗修，久即益圮，於是欲加葺完，而命其徒李以觀嗣焉。復念棲真煨燼，則命其徒謝庭芝起廢焉。一宫二觀，鼎峙崇隆，論者無不多師之功，余亦謂師誠有功也。一日，其徒來前曰：「吾師之功信然矣，後千載孰有知其然者乎？千文施垂不朽，以觀責也，敢請。」吾聞聖經有曰「人能宏道」。又曰「苟非其人，道不虛行」。然則人其道樞矣乎？非宫曷闡是道，非人曷興是宫，吾故爲師著之，復作詩以侈之。師名逢慶，字沖真。歷本郡道正，今提舉本宫，爲道教首。詩曰：

溟涬寥霩，大道之原。其宏也人，昭晳天淵。於皇玄元，教衍億世。彌久彌昌，惟其有繼。曣奕真宫，誕鎮吾豐。昔何靡靡，今何崇崇。門闕穹華，徑途坦闢。璇題干霄，金鋪燿日。僊真列班，天丁衛閽。威鳳盤旋，騶虞徼巡。西掖專祠，玄女宫祖。兩廡分祀，百靈疏附。瑶壇整絜，琪樹鬱蒼。人靜月明，笙鶴來翔。霞服星冠，朝真禮斗。磬挾風清，鼓騰雷吼。誰克登兹，惟沖真師。劫運際逢，身翼衛之。啓後光前，流燀著譽。繇師願力，威神協助。恢衍遺派，長生棲真。繇師指授，繕飾咸新。衆庶罔功，帝德天覆。老臣稽首，永祝聖壽。（以上清道光愛餘堂刊本《水雲村泯稿》卷二）

全元文卷三五〇

劉壎　一二

始祖工曹劉公墓表

至元二十三年五月

南豐劉氏之始祖，曰工曹郎中，諱希逖。世仕南唐。曾祖濠州刺史，諱金；祖清淮節度使，贈太師，謚忠肅，諱仁贍；考懷州刺史，諱崇讚。懷州而上，未有葬南豐者，葬南豐者自工曹始。故南豐劉氏，祖工曹以爲始也。工曹没垂四百年，迹遠且湮，歷官行事不復存，存者一抔之土，可哀也已。按家譜書，工曹葬九陂耆牛頭坑，地形若蛇蛤然。國師陳孟陽實卜之，坐離向子癸，書之記其墓也。又按舊史，太師爲南唐鎮壽春，周世宗擁重師來攻，太師抗節死守，與城存亡。世宗哀其死而忠之，追爵彭城郡王，詔改清淮爲忠正軍，以旌厲於萬世。而唐主亦贈公太師，封越王，賜謚忠肅。故今子孫稱忠肅世家，示不忘也。嗚呼，五代遠矣，數百年間位將相，列方面，英傑材武，崢軋頡頏，顧一再傳或數傳。即蕩泯澌斷，吾宗幸不殞墜，迄於今，薦更亂離，文獻猶相仍。爲臣死忠，天實昌之。不然，其曷克如是之久，亦曷克使詩書一脈常綿綿也。噫，其盛哉！工曹子二，長曙；次昭，昇州通判。孫三人，長元亨，次元常，次江樓府君諱元載。是爲三位、三大位，析二十一派。二十一派存者五，而出於江樓位者四焉，至今存也。大宋寶祐中，壎等常侍諸叔拜工曹墓下，思有表之。後三十年，爲至元丙戌歲三月，又拜焉。念昔甫冠，今望五矣，歲月幾何，人事難齊，懼浸老無所復能爲，負追遠志，淒然執筆，刻石墓上，用昭來裔。墓距城三里，孔邇且便。風日佳時，一往展省，曰：「吾始祖也，世世子孫宜勿忘。」是日，叔長鏜前拜，壎次之，孫龍瑞、麟瑞、鸞瑞、鳳瑞又次之。五月朔日，十世孫壎表。

昇州通判劉公墓表

壎既表始祖工曹之墓，自是而下，墓遠且湮者將例表之，以彰先德，隆世本也，於是表通判公之墓焉。公於工曹爲季子，於壎爲九世祖，諱昭，仕至通判昇州。没葬南豐河東之駟馬窠，今爲昌後耆冷水坑。夫人黄氏，祔其左。鉅阜隆然，叢萃蔚然，至元丙戌歲清明節，率諸幼翦荆棘，訪兆域，突起坡陀中，堂封不壞，意山靈訶護之。剗削平治，羅拜酹奠，薦楮鏹。野老環視，駭嘆曰：「墓古矣，何後嗣長遠迺若是也。」公德善政績無所於考，我後人蒙賴餘慶，數百年文獻弗墜，非積善不至此，此，故可考也。嗚呼，盛哉！曾祖諱仁贍，唐清淮節度使，贈太師，謚忠肅；祖諱崇讚，懷州刺史；父諱希遜，工曹也。母邵氏，葬郭北偲君嶺。子三人，長元亨，次元常，次江樓府君諱元載。孫男四人，長曰汝舟；次曰用滋，守祕書省著作郎；次㫾，登寶元元年進士第，虔州石城縣尉，贈屯田員外郎；次汝霖。曾孫二十有八人，其可稽者十七：長某，次某，次某，次某，次某，次輔堯，次某，次某，次某，次某，次灌，次德純，次德恭，次仲軻，次德煇，次溉，次湜，儒林郎、祕書省校書郎、南劒州都曹；次洵，儒林郎、洪州新建縣主簿；次况，福州寧德縣令，終通直郎，賜緋袋銀魚；次德象，次某，次源，次某，次濟，次容，次演，汀州户曹；次渭，次潼。重刻石寘塚前，曰「昇州通判劉公二府君、夫人黄氏墓」，而別買石書此以表云。世世萬子孫毋忘。九世孫壎表。

本州教授曾月崖墓表 大德九年

故南豐州儒學教授曾君殁期歲，葬州西長者耆之神窠。行有狀，墓有志矣。老友劉壎哀其平生，復爲文以表諸墓曰：自唐貴進士科，宋因之成俗，凡齒章縫，親觚翰，率以詞章科目爲儒者之極功，而佗不遑務。其得之也，於人家國正亦未知其何如，而偶失之，即愁苦怨抑，如不欲生。如學佛而不臻疾證，如修僊而不遂沖舉。甚至垂絶，猶耿耿淒斷爲終古之恨。若吾故人曾君者，誠可哀也。君名友龍，字雲叔，家南豐之市山。曾故望族也，七世祖曰偕，裕而好施，施久寖貧，貧猶施弗厭，厚德耆齡，里稱曰長者。及見其子發決科爲名進士，孫樽亦踵決科，善積慶綿，而君出焉。當盛年時，頎而晳，儀矩禺昂，猶班行中人也。器識開擴，不爲拘儒局士，而所篤尚，專精賦律，踐世科，顓固沈酣，猶嗜飴蜜。咸淳初，特薦書試禮部，鋭取一中，不利。益憤發，期再進，則世已易，而科且廢矣。科廢猶琅琅誦哦，舌本流津，曰：「吾志也。」間遇嘗擢第成名者，輒傾倒禮敬，曰：「吾羨也。」君素重厚，至臨事處變，則定且果。方南北兵交，篁嘯震野，有司藉君聲望進鄉社。既被命，即嚴保伍，束丁壯。有白晝攫醫囊者，廉得實，送官，尸諸市。兇狡破膽，一方以寧。至元丁亥，行省命教授本州學，襟佩得師者五年。剡上，將改調，厭煩，徑隱。其小試止此。大德甲辰歲，年六十有九，一日悵然曰：「吾試禮部時，吾與某人俱，吾賦與某人正同，然某人得之，吾竟失此一領緑衫，吾遺恨也！」吾聞之流涕，蓋距科廢已三十年，距屬纊幾日耳，憤悶未平，猶如此，吾故曰可哀也。繇唐虞迄洙泗，聖賢迭興，其垂世立教良有在，人之所以爲人，士之所以樹立不朽，疑不專在科目得失間。彼電火槿華何與千載？顧流俗驅靡之，致令吾徒坐此鬱勃，至於老且死，猶悲憤憔悴不自解。蓋世之通患，而亦未有若君甚切者，滋可哀也。公殁是年七月之十日，葬以次年八月之九日。其世次與其他可書者，志已具，不重述，述其所重者著之，以慰吾知己於九泉。而申之詞曰：

苦思長哦，胡不高科？歸來乎神窠，遺恨不磨，天乎奈何？

宋太史劉公墓誌銘

子宗兄太史公方石先生，既葬十有五年，其子鎮訪予盱城南寓舍，出尚齋劉君所爲《行實》，慘愴而言曰：「先人之宰木拱矣，顧未有銘。銘先人者，不在當世達顯人，而在深知先人之文者。抑知之於生者，趨附焉爾，特淺之爲知。今先人没且久，昔知之者希，趨附之情見矣。叔也迺且網羅先集，片幅靡遺，深嗜篤尚，猶韓與柳，是真知也已。銘非叔而誰？」予力讓不敢當，顧其情悲，其言當，而予真深知公之文者也，故銘弗讓。公劉氏，掞名，信翁字，方石其别號。世爲南豐人。幼英敏，嗜學讀書，深根極能，賦有風骨。丹霞張先生自明居盱江，從朱、陸，明性理，尤精先天之學，鴻文大夫，名爲學者師。一見奇公，納爲婿，盡傾所學以授公，公繇是盡聞。過江與老儒言論宗旨、文章大法，語出心契，瞥發融暢。當是時，項平菴安世、柯東海夢得、方孚若信孺、陳魯叟汶、曾景建極諸公，俱東南奇人，而公游從其間，充其識度，以昌其文，遂大有名於世。既薦於鄉，而累不利於春官，迺退而深求聖經賢傳，諸史百家，益肆力於古學。其進如川，其文如淵，當路爭致禮聘，公氣岸峭勁，自持若冰雪。與人交，必惟道義，不徇時俗好尚，諸公貴人以是加嚴憚。晚用累恩，授迪功郎，監建康府糧料院。寶祐初，有詔修中興四朝信史。于時元老大儒木石先生尤公焴以端明殿學士提綱史館，得自辟屬，一時鴻筆名流，咸豫筆削。公特起遠外入館，爲校勘。初，南豐自曾文定公典元豐史事，越百七十餘年而公繼之，里人以爲公榮，公不慊也。公時年七十有四矣，龐皓登巘，肅然澤曜，而剛直之氣，見乎顔面。既挾老筆分修諸志傳成，同館英雋俱傾伏，禮下之甚。尤公以公高年，言於臺，免朝參行香，異禮也。明年書成，將奏御，而公故有寒喘疾，疾大作，四月六日卒於位。朝野知公者，嘖嘖惋惜，悲夫！吾宗文章，宿老所施，奈何僅若是也。子鎮，護其柩歸，卜撫州之金潭，葬焉。予於公爲羣從，嘗一再見。見時年甫冠，固未知公之學之文也。既壯則知之，而公已逝，然其後盡讀公之文，知公之心。蓋公之言曰：「儒者之學，不專文字，要在識本體、濟世用。文章之妙，司馬子長不必論也，近世惟韓、曾風味不可及。」故公所著，往往似之。嗚呼，公已矣，吾宗三百年文章家不乏人，然能如公者幾人？今也又特無人，恨不逮從公考質也。儻今而幸獲從焉，公當不予靳，予亦有以受矣。每讀公《冰玉集》、《方石漫編》，慨然思吾兄之不可作，則思瓣香卮酒以拜公墓，而未能也。故叙其生平而爲之銘。予知己雲舍趙公次山，見而矍然曰：「予昔侍先宗丞，識此老，敬此老，亦以晚後未知湊泊，故不及參此老，今殊恨失此老也。子爲銘，吾爲子丹書，可乎？」予謝不敢當。趙公竟欲書之其世次，則刻之碑陰。銘曰：

世貴者文，而孰爲祖？惟韓惟曾，與經作輔。公本二人，展也高古，筆削汗青，猗嗟遲莫。悠悠金潭，蒼蒼宰樹，悲夫嗚呼，是爲寶祐太史公之墓。

先母揭氏孺人壙誌　至元二十二年

先母揭氏孺人，世居南豐，生於宋開禧乙丑歲六月十有五日，終於至元甲申歲十一月十有六日，享年八十。吾宗自宋初昇州通判生江樓府君，以德義儒雅大其門，子孫擢科列仕，文獻相承。至我曾大父登紹興第，爲道州寧遠縣丞，没於王事，以承事郎致仕。大父與先君世濟文學，爲三百年詩禮故家。先母歸於我先君，先君歿，不孝孤甫五晬，依外氏。寡母孤兒，淒涼萬苦。先母勤婦工，致束脩，遣從師問學，率自督課。每孤鐙青熒，母紉縫，兒講習，迄夜分或雞鳴乃已。嘗曰：「汝家世名儒，吾望汝毋失爲儒也。」是時仁聖在御，世運文明，不孝孤既長，獲以斯文受知魁儒名卿，碩師勝友常車蓋盈門。先母聞其講義理，評文章，退輒喜其獲齒士流，免淪落，繇母教也。常以嚴毅總家政，以勤約理家務，以肅潔奉家祭，而於墳隴時省尤謹。會權奸覆國，三宮北遷，先母流涕曰：「噫，無望矣。」撫諸孫，必談舊事，切切以徇時廢書爲戒。素多疾，常露禱，覬臨終無重苦。八袠慶壽，視聽不衰。是冬，俄盛寒喘，卧疾五六日，歷歷囑後事不少亂。醫進藥，似小瘳，忽顧不孝孤曰：「覺頗恍惚。」亟扶坐，進粥，復就枕而逝。於乎，痛哉！男不孝孤壎，孫龍瑞、麟瑞治命卜兆於塘原耆恩口之汪山，乙酉歲九月丙申，葬焉。先母令德壽考，法應得銘，顧鴻筆故人凋謝殆盡，迺忍死紀實，掩諸幽永。惟養志有虧，志壙奚益，吾負吾母，慚愧痛心！昔也嫠孤煢煢，相依爲命，世未有此悲也，今也兒無母憐，堂空景寂，世未有此哀也。嗚呼痛哉，哀乎已矣！哀乎已矣！吾母不可見，吾哀與天終矣。嗚呼，山靈守護，百世不墮。陵谷或移，有見此碑。誰無母乎，尚封崇之。孤哀子劉壎泣血謹志。

自志　大德六年

江之南有州曰豐，豐之瀕有民曰劉壎，字起潛，父家淺村水雲間。性寛靜忍辱，然浸成墮弛。見事遲而課效疏，所喪敗常什九。初不改其尤駭特者，無位而思救時，無責而喜論事，無財而樂施予。道不行，守道不易；學不用，嗜學不厭。衆迂之，自亦迂之，終不改。早參名輩大老，槩有聞，故於書不務拘束章句，惟聖賢深旨是求。曰：「書以理身心，達政治也，穿鑿破碎無益也。用即治經博士身耳。」詩不求甚工，亦不輕示人，曰：「寄吾興，陶吾情，奚用人知？」讀《易》至《革》，讀《詩》至《黍離》、《匪風》諸篇，常悽惋不勝情，曰「孰知我哀」。自恨孝養不盡，當生旦即晨拜禰廟，香一炷，淚數行，曰：「哀哀劬勞，忍舉觴乎？」世易道隱，羣弟子率改化奔放，迺獨翛然理殘書，訓飭如素。深夜寒鐙，父子談古今，商義理，槁乾苦澹，非人所堪。猶欣然曰：「陋巷讀書，對聖賢語，未爲非樂。」其迂蓋如此。生嘉熙庚子歲，年六十有三矣。誦陶詩自挽，羨其達，成自志。且成，示二子曰：「生弗克顯揚吾親，死毋葬先人墓下，葬道旁，當有識者曰是非癡人邪？不易節媚世取富貴，而止於是，葬於是邪。吾或有知，聊志吾媿也。」自始祖工曹葬南豐，一傳昇州通判；通判公六傳曾大父諱鐸，登進士科，官承事郎；大父炎，父巖，俱治經，教授州里。母揭氏。昔太史慈臨終嘆曰：「大丈夫當佩七尺劍，升天子之堂，奈何而死乎！」悲哉斯言！抑窮達命也，死生理也，安命順理正也，正而斃已矣，而又何悲？銘曰：

生何來，死何歸，百無成，頑且癡。豈無奇，命制之。有不死者，後天巍巍。

趙深道墓誌銘　大德十一年

嗚呼，運祚遷革，臣子不奮忠力回危機哉！成敗天也。自襄失守，江左東南，日夜告急，議者疑必亡，忠臣諱言亡。亡矣復圖存，僅存卒不免亡。崎嶇萬險，期有所建立，眷命不祐，川決冰消。使人沈憤鬱鬱，搏手就盡，至於無可奈何而後爲不得已之舉，蓋志士所不忍言，而千載所共哀也。初，德祐乙亥冬，毗陵以不屈屠，蘇湖風靡。明年孟春，行都震，文丞相使北營，謀講解兵，羈留不反，而輔臣吴、謝、劉、賈輩獻璽輸國矣。丞相至京口，用義士杜滸策得逸去。走西淮，涉東浙，遵海趨閩，從景炎。時則有撫州幕官趙公深道，亦繇贛趨閩從丞相，丞相義之，留佐都督府。江淮勁勇多戀舊，亦趨閩入廣，公部軍且募義丁爲助，來以賞罰，激以忠義，間出偏師復故地，屢捷。於是嶺南雲合霆震，撼動江西東。公美髭髯，敵稱趙鬍子，名喧一時，驚謂異人也。已而精健日集南下，萃全力攻一隅，丞相掩襲北去，公收散卒，鼓行轉鬬，將進衛厓山行朝。逮己卯春，厓山傾覆，公羈嵐霧中，四顧傍皇，曰：「孤臣疇依乎？」然猶强自立，至庚辰歲，則至元之十七年矣，度無可支柱，始提其精兵萬衆内附，皆慟哭投戈，聞者爲公悲愴。嗚呼，公逝矣，日遠日忘，誰知之？予老且死，不書誰書之。故今特爲公表之。公諱孟濼，深道其字，宋秀安僖王六世孫也。建炎自汴徙南豐，曾祖師拱，承忠郎；祖希趙，朝奉郎；考與則，廣州通判。公以經學登咸淳乙丑科進士，爲江州湖口縣主簿、興國軍司理。德祐初元，計院趙公必岊守撫州，辟爲節制司幹官，罷歸里。急警報，奔贛，未幾，南趨督府。凡三年，累擢要職，主兵事，最後請换武，授澧州觀察使、龍神衛都指揮使、左金吾衛上將軍，兼江西提刑都督，諫議官，改福建、江西招捕使，陞閩廣制置使。久之兵解，北覲，賜宴、賜袍，授通議大夫、禮部尚書、徽州路總管兼府尹，不赴。再入覲，授杭州路總管，再授桂陽路總管，罷歸里。大德乙巳歲九月二十有一日，疾終於正寢，享年六十有四。娶曾氏，子男二，由崧、由枹，女一，浣奴，陳公諒其婿也。明年四月丙辰，葬染原耆天心坪之先塋。又明年，求予銘，予夙厚公義，應銘。公之始任州縣也，以勤敏受薦舉。晚而爲郡也，潔廉自律，秉清於吏，拉朽於奸譁。薦者表公風憲，予謂是皆常事，毋庸詳。予所詳者，爲其初心有足輔民彝、扶世教也。公起儒紳，閑將略，精悍穎出，意氣軒軒，於文閎肆勁偉，援經據史，於事明鋭勇果，中機合變。於財也素輕，其撫將士，周賓友，率傾倒不計乏絶，至宴享必豐，恥作寒儉態也，由是從之者皆意滿。少善格鬬擊刺，尤精彎弧，又能跣踐榛莽如履坦，故於兵間艱阻薦經恬不爲病，性習則然，而亦誠異哉。其贊撫幕，予適詣趙撫州署，予掌書記，與公共官舍。會制置使駐撫，予日游闖郡間，目公調娱帥守，綏輯諸將，飭城守，理戎器，綽綽有策。晝夜即與予閲軍書，論緩急興亡，爲之相視以悲。嘗曰：「脱有不幸，予當擁衆保險，少延廟祀爾。」予悲其言。暨歸自粤，談景炎、祥録爭尤悲，或時相顧墮淚也。噫，非烈丈夫奇男子也乎！而九原不可作矣。深文者猶曰誅殺多濫，曰操執不完，悲夫！書曰：「責人斯無難。」誠使諸君易地而處之，能爲公所爲乎？吾有以知其不能也。不能爲公所爲，而訾其所未易爲，誠何心也！今夫提孤軍，起墜緒，既非素拊循，且迸裂潰決時，苟弗戢，即自焚矣。謂誠濫邪？嬰疾委頓中，得無魏其侯之守田蚡者乎？何其神宇屬纊不亂，而欻若嘎嚶有弗閒也。至評公出處，則箕子，商之胄也，臣于周；范質，周之賢也，相乎宋。聖人固列箕於三仁，而考亭先賢亦躋質於名臣之錄，何也？孟子曰：「男女不親授受，禮也，援溺，權也。」亦天也，吾如天何？姑舍是而論公尤有大難者。厥初一郡幕下僚爾，正何與軍國事？直忠憤堅勁，迄至鼎移祚終既三四年厥後，不當小恕邪？事既久而論未定，何由得釋？公初入見，欽承宣諭，有曰：而非看家狗乎？主人歿矣，猶守著一片田地不去乎。稽首三復，令人隕涕，蓋千載猶有餘哀也。吁，流俗不見知，明主獨知之，請以是間執議者之口。銘曰：

才英且奇，而時不逢，志閎以鋭，而施不洪。家國阻訌，丹心有沖。南服鷹揚，敵慑髯翁。湘南期挽西積，復於旦中。哀哀彼蒼，運數易終。傍皇疇依，惟時之蹤。於赫明訓，獨識孤忠。再麾，綏良戢兇。曷不駕牡，曷不乘驄。曷不迭鴉，超然太空。生也奇男，歿也鬼雄。其升於天，燦然長虹。老友作銘，直筆生風。

建寧推官鄧公墓誌銘

至大元年

鄧君元實，諱德秀，世居南豐。生而早慧，未冠，俊聲著矣。性坦率，不務炫飾，而談詞英發，精神流動。閱書，雙眸歷落，數行俱下；爲文，飛翰翩翩，靡待構思。其明義理，推治亂，皆穎出深誼。

繇是兩取鄉薦，登咸淳戊辰進士科。初，景定庚申辛酉間，三山陳令君琥來涖邑。令君成均名流，邑之士望琴堂希一盼如渴，令君鑒裁特精拔，尤加禮敬焉。時輩如湯斯立、曾唯仲及君俱列上賓，余最鈍樸，亦廁躋末坐。令君嘗曰：「諸君異日皆袍笏中人也。」已而斯立無成先歿，唯仲亦徒四舉禮部，亦無成，予更落莫，獨君取青爾。初調澧州司户參軍事，憲使青陽公夢炎器能策略，號西州奇傑，於僚屬靳許可，察君廉敏，獨委任無貳，案牘非經君閱不署也。憲兼郡事，檄君決常德獄，獄有寃，根連充斥，君一閱得實，縱舍殆盡。澧陽尉逐捕弗獲，應黜，君憐其初仕，白憲使，寬之，止校尉，吏人稱長者。制置使李公庭芝、郡守趙公汝灡亦知君，遂與憲使交薦於朝。會考滿，留君助，而君以便養丐歸，調建寧府節度推官。需次，國事去矣，悲夫！君乃祖素厚我先君，故予與君彌厚，聚辨傾豁，無爾汝也。君齒長予，才敏復勝予，予每多君，君乃不自足。記癸酉歲，予家盱城中，君從湖外沿檄歸省，因過予曰：「近得君策一篇，真可讀且可法也。」其謙獎如此。丙子兵交，大勢未一，有仗名義圖興復者，君與其謀，軍聲震鄰。君語予曰：「一興復即一糜爛，奈何？」予不敢應。居數日，益震且逼。君籠鐙夜叩吾門決策，予曰：「興復，義也，抑烏合，非素練，勢必擾，盍少避乎？」君曰：「然。」俱散避。已乃果擾且潰敗。明年復見君，相對欷歔而已。又明年，君避地市山，俄疾終，至元戊寅歲七月四日也。年止四十有七，官止從政郎。君所厚如月崖曾教友龍、正心彭倅履道、清逸趙使君孟濼躬弔，皆悲叱失聲。知君深者，復稱君孝事母，母所愛諸女、諸孫，君能順承加厚，歲入惟母命弗私。又稱君勇爲善，邑吏吳宗忤令尹，罪且死，哀祈君救，君爲昭雪，得不死，饋謝拒不受，人益賢之。嗚呼，才難古今所歎，如君蘊蓄，何可多得哉？倘不以時，能不卓卓樹立以自見？鼇動鯨奔，淹鬱既盡。彼安庸人無賴子，起鼠壤蟻蛭間，乘時晝昏，梟鳴虎嘯，至於豐大煇赫，埒封君而儕世卿，何德致然耶？東郭先生謂西門子曰：「汝之達，非知得也，北宮子之窮，非愚失也，皆天也，非人也。」而鹽車服驥，章父薦屨，賈傅亦嘗悒憤於此，君其奈何！君葬九陂耆之楊梅，踰三十年，有孫繼昭，軒然振立，一日袖君所著《秀山小稿》蘄予詮次，將鋟梓，且丐銘。予喜君之有後，又念君之不可無述也，遂銘之。曾祖達，祖玠，父應祥，母任氏，娶張氏，男顯孫，先卒，繼昭，次男子也，治命爲顯孫後。銘曰：

黄文節公有言：王良秣驥子而問塗，氣已無萬里矣，未出門而車軸折，可爲霣涕。吁嗟，元實不幸，類此豈曰「無才」，豈曰「無志」，時阨命制，一第中廢，不朽有銘，千載少慰。

王氏夫人墓誌

至大三年

夫人王氏，諱延童，其先渤海人，徙居京兆。資德大夫、浙東道宣慰使兼兩淮都轉運使阿里必，其祖也；武德將軍、瓊州路安撫使禿魯不花，其父也。至元中，宣武將軍抄兒守南豐，安撫公來爲判官，僚誼素篤。會宣武公納祿，其子綽兒哈忠翊繼領郡，因請婚於安撫公，故夫人歸焉。夫人生長世家，而寬慈慧淑，克盡婦道，事長敬，訓子嚴，治家有度，恤下有恩，組繡縫織，無不精習，至於服儉勤，甘勞苦，樂施予，踰二十年不懈。至大三年四月一日以疾逝，年四十有一。忠翊公哭之慟，謂予曰：

「已矣，今而後無復爲予助者矣。頃予連歲留京師，無暇理家事，吾妻綱維户門，增廣貲産，應接旅費無乏絶，予處萬里外，無後顧之憂，皆其力也。今也已矣。」又謂予曰：「吾累世家寧海，禮應歸葬於先塋，顧官守無敢離次也。卜兆南豐州新源耆之僊君嶺，將以是月十有三日從權殯焉。先生爲我志之。」予聞夫人歿之日，無問中外親疏，稱其德，懷其恩，皆慟哭失聲，而忠翊公以失助尤悲。予是以知夫人賢行爲不易得也，遂書之。子男三人：哈剌不花、察兒不花、失剌不花；女三人：秀兒、玉兒、女女，惟玉兒許嫁欒某，餘在室。孫一人，久住。是爲誌。

聶母曾氏墓誌銘　至大三年

至大元年歲戊申三月某日，里友聶自得母夫人曾氏歿。明年五月乙酉，祔其柩於先塋。又明年，自得袖壙志踵吾門，泣請銘。夫人儒家女也，世居州西之峰嶺，其父江泉翁翔龍，嘗受經於鄉達尊華谷先生嚴中書粲。宋端平甲午歲舉進士，翁齊家有禮，子若女俱循循服庭訓，里稱之。夫人諱慶雲，適南停聶君某，婉淑儉勤，克相夫子，尤篤義方訓。常篝鐙夜績，課兒書不怠。其事尊撫卑，睦内輯外，惟儒家榘度是循，里益稱之。大德甲辰歲，以八秩，該賜帛恩。會生旦，自得率卑屬拜舞稱觴，婣族閭黨咸在，賦詠成巨軸，里又稱焉。曾幾何年，乃一旦無疾逝矣，悲哉！自王澤既息，内則弗修，賢淑貞順，往往罕聞於天下。然常閲漢晉以來諸《列女傳》，時有足爲閨門法者，未至防決川奔，經淪紀蠹，若近世之不可道也。當是時，獨有號爲儒家者，猶或篤守古迂，時以先王之教私淑家庭，故兒女薰陶，未與俗混。至於婦道母儀，有若斯母，得非聖經有法戒在耶？由是推之，斯母可銘也，乃翁亦可敬也已。子男某某，孫某。銘曰：

蹈父訓，貞以靜，壽且康，全正命。子光昭，孫繼盛，世詩書，勿替隕。

陳倉使墓誌銘　至大三年

吾州里近歲稱善人，必曰陳月卿。詢月卿所以稱善人，必曰急義出天性不矯；昆弟同堂三十年，其貲産不私，繇役賦輸率先，奉令不懈；族姻交朋假貸，或疾喪乏絶，周恤不拒；歲歉發廩，輒殺其直不校；鄉鄰忿爭訟鬭，常持平排解不激；館師加禮踰倍，不靳游士，與凡挾術藝踵門，各滿意去不厭。至自奉，即缺然，楮衾敝絮，一榻不侈也。噫，如是而曰善，斯可矣。聖賢以善律人，其綱條固不止此，然度君所能至，復何以加此？愚夫鄙人，吝一金，至亡軀捐命，其搏噬無厭足若饑虎者，安得不媿此也。月卿名評世，居南豐之橋南。能拔起洗濯，大其家聲，復能觀書識大義，教子習文事，尤喜與方士游郡。嘗選爲豐儲倉使，以材稱，卒不願仕。年五十六，以疾終，至大二年十一月七日也。明年七月丁酉，其子奉柩葬集賢耆之黄家塘，與厥配徐氏同壟而異坎。既葬，來求銘。予聞古有馬少游者，以鄉里善人著名漢史。君善人也，吾銘以補史。銘曰：

流光未頽，而遽重昏。斂其福報，遺留後昆。善人之墳，以銘永存。

孺人傅氏墓誌銘　至大四年

予妻傅氏，建昌南城人。宋都官某之孫，雲麓隱居某之女，母羅氏。宋咸淳丁卯歲歸于我。歸附後，大德癸卯歲十月七日終於正寢，年六十有三。至大辛亥歲閏七月己未，葬於州北二都韓坊之蘇廉窠。男三人，龍瑞、麟瑞、鸞瑞，而龍瑞先十五年歿。孫男二人，渾、深，而深爲龍瑞後。女一人，德三娘，尚幼。其山龍自兑來，坐未向丑，與僊女峰對，書此所以記其墓也。其平生貞淑柔靜，不妄言語，孝事姑，敬待夫教子，寬恤下慈，廉取而樂予，勇爲善而好觀書，與夫縫紝繡組，精巧過人，烝嘗饋祀，豐潔靡惰。是皆可書，而未有名世如歐、曾者請之書，予不得不略書也，悲夫！銘曰：

三十七年，同我甘苦，所愧爲夫，何辭銘墓。

前將仕郎趙伯宣墓誌銘　皇慶元年

皇慶壬子歲秋八月，予坐延平廣文舍小暇，覽谿南諸峰有佳色，動吟興。俄經生趙若洽趨而跪，慘愴而言曰：「吾先君不幸歿，未克葬，將以九月丙申葬。不孝孤思欲闡幽潛，示光昭，然徬徨無可託也，敢以託先生。先生而念吾先君之隸講下也，賜以銘，非師友情乎？」予哀其請，爲述焉。君諱時播，字伯宣，宋廣寧郡王裔孫也。世居福州，今爲延平人。曾祖公芾，金紫光禄大夫；祖彦挺，武經大夫；父湌夫，泉州觀察推官，終宣教郎。伯宣嘗舉進士，咸淳癸酉歲試福建運司，中其選。明年，援登極恩受將仕郎。甫待銓，值革命，徑歸隱。至大四年十有一月某日以疾終，年七十有一。娶林氏。子男一，若洽也；女二，孫二。卜兆劍浦縣之黄煎坑。予所書止此。若洽復來前曰：「吾先君平生寛慈而謙謹，勇爲善而樂聞過，卹族婣鄰社，而鄉譽歸之。居間三紀典籍自怡，退然庠序間，恬不作榮進想，而士論推之。」蓋其子之述如此，故併書焉。惜乎公族之信厚而止乎是也。初予署事甫兩月，而伯宣逝，其文會也不數，故知之也不詳。然伯宣嘗對予語，惴惴不妄發，有以知其非口給取憎者，氣質近厚；有以知其非暴戾陰譎者，謂之善人。人將曰：可畀以銘，烏乎不可？銘曰：

黄煎之山幽幽，黄煎之水悠悠。有美若人，歸全斯坵。銘不磨，君奚憂。（以上清道光愛餘堂刊本《水雲村泯稿》卷八）

全元文卷三五一

劉壎　一三

中大夫延平路宣相杏林公墓誌銘　延祐三年

公諱亦都忽立，其先回鶻人，徙燕，今爲燕人。所居種杏成林，因以自號。父某嘗總治鷹房事世祖皇帝，以才辨被眷遇，仕至工部尚書。公幼隨侍，邇清光，因謀進，尚書曉之曰：「兒乏詞辨，慮倉卒奏對失次，適自累耳。」乃以中書選爲蒙古譯史，博通諸國字語，既慎且勤，爲時相所信用。會攻圍襄陽缺馬，公被檄馳河朔括馬，不踰月得駃駿數千赴軍，大得濟。又馳山東督餉，遄告辦，復得濟，時相彌信愛。久之，積年勞宣，授完州達魯花赤，年甫二二。初仕即紫綬，人羨早貴。凡再任爲許州、真州達魯花赤，入爲萬億庫提舉。亦再任，出爲江陵路同知。七年授中大夫、延平路達魯花赤，乘傳開藩，延祐二年三月也。政尚寬靜，不弛不貪，不作威弄權，尤不忍興造煩民。所管轄驛駟弓兵，程督雖嚴，無豪分擾鄰。郡汀有屬邑曰寧化，寇突至破之，披昌震鄰。將樂，尤邇封也，民驚潰，空其邑。公聞，亟提鑾卒馳救，又萃諸邑義勇佐官軍，公指畫分屯，寇諜知不犯。公坐鎮兩月，綏招逃散，邑復全，乃還府。府倉受糧，歲委長貳，更迭監臨，類有私覬。是歲，公適當次，嚴禁令，鏟宿蠹，凜無敢以私進，故輸送速辦，公私亡譁。明年，臺察臨郡，多所糾擿，風動冰立，廉知公無玷，善待而行。公笑謂予曰：「繼今愼而益愼矣。」又曰：「吾齒寖邁，吾將丐休。吾圭組日澹外，節其贏，堪謀生而逸老矣。」入夏，縱啖冷瓜，暴下，不飲藥。五月十日卒，年六十有七。邦人賢而哀之，其家發遺篋，乃見無所蓄藏，隨身適用而已。人以是益信其果不貪也。夫人某氏，子男四，曰馬合謀，曰大都驢，俱未成丁，餘二尤幼。殁三日，禮殯於谿東二里之小沙。實葬也，搆亭覆其上。九月亭成，夫人使子來乞銘，曰：「我公雅敬惟老師父，師父亦雅知我公。盍爲公述平生大略，傳之子孫乎？」予哀其請，輒述弗辭。因思西北人材率雄傑悍鷙，尚武而嗜殺，意者天地勁氣攸萃耶。而公獨稟和易，趨尚文雅，通儒書，禮秀士，喜談僊佛，善作大字，綽有中州風度，其鍾天地之仁氣者歟，胄出西土，而鍾靈特異者歟。噫，善人亡矣，可哀也夫。銘曰：

仁氣篤生，西極異稟，譬彼璞玉，天質孚尹。地分千里，秩崇三品，施也弗閎，霜木凋隕。民懷循良，士頌謙謹，燕雲超超，託此旅殯。雙谿澂鏡，九峰插笥，桐鄉之思，百世弗泯。

前朝請大夫邵武郡侯黎公墓誌銘　延祐三年

公諱靖德，字共父，永康軍導江縣人。初仕閩，婿於南劍將樂之黄，因家焉，遂爲閩人。曾祖棻，登紹興進士科，知成都府新都縣，累贈少師。祖伯巽，登淳熙進士科，夔路提刑，贈正奉大夫。父自昭，知惠州，贈中散大夫。叔祖伯登，直顯謨閣，知瀘州兼潼川路安撫使，愛公醇謹務學，奏補將仕郎。淳祐丙午試吏部中選，調南劍州沙縣主簿。滿，授常州録事。未赴，服中散喪。既祥，監行在端平倉。又監交引庫，幹辦江西運司公事。侍郎曾公穎茂、尚書洪公燾踵爲部使者，二公俱當時吏師，於屬僚無所假借，獨奇公，連剡推舉。由是赴景定甲子春班遷京秩，知撫州宜黄縣。避親，改邵武軍邵武縣。用年勞，賜服緋魚。公邑政清慎，四封安和。既授代通判建昌軍，時郡守多急政，公佐以寬簡，民便之。公餘杜門勤書，纂次《晦菴語録》，分類成編，刻諸西江書院，士便之。移通判邵武軍，授代趨京。會賈似道出督潰遁，王、陳二丞相更化，公封事極陳缺政，切直無避，且獻救急策。王相閲視，大喜，署其後，謂鑿鑿皆精實語，擬擢丞相掾。適邵武寇張民㕲，郡守遁，廟論謂公兩仕邵，習知情僞，除監登聞檢院，出守邵武軍。免陛辭，兼程至郡，綏靖整飭，褺黜帖妥，德祐乙亥八月也。是冬，江西制帥黄萬石遁入閩，陰懷異志，兵民洶洶，公慮汙玷，解印綬去。隱將樂縣之珠嶺，葺斗室，將老焉。明年冬十月，三山行朝，除公軍器監丞、都督府參議官，不赴。俄剽寇蠭起，有魁渠伍姓者，衆掩至公寓所，空其貲而火之，公遂不免，十二月三日也，年止五十有一。官至朝議大夫。子男二，逢原，將仕郎；奕原，繼媚家鄒浚。孫男一，仲仁。公遇害之明年，逢原哀訴憲府，部使者陳公元英捕伍寇，梟首刳心，爲位以祭公。其文有曰：「世之治也，君子在位，爲守爲牧；世之亂也，君子在野，爲魚爲肉。侯死賊手，何禍斯酷？」又曰：「我興弔伐，取賊刲腹，剖心以祭，侯其瞑目。」逢原既復父讎，奉其柩殯僧地。未襄事，逢原亦殁，惟仲仁存，流寓光澤矣。嗚呼，悲夫！昔公之佐盱也，廉靜簡儉，自處如寒士，揮屏塵俗，不苟交接。予特以斯文相契，辱愛等骨肉焉。其守邵也，禮聘薦至，予以親老辭，弗克赴。及其隱處也，猶間道馳書相勞苦，且曰「暫寓劍、邵之間」，若欲使予知而常相聞者。噫，孰知一旦顛隕至斯極乎！公殁且四十載，予忝仕閩，嘗沿憲檄行縣，至將樂，首訪公，遺蹤無存焉。既代還，經光澤，物色仲仁，幸見焉，而亦中年矣。仲仁曰：「吾父葬光澤，吾將迎吾祖而就葬，便時省也。」出行實請曰：「葬必有銘，非先生其誰銘？」予於是愴然緹襲以歸，歸而熟復，則公之平生歷歷在眼，忍不銘乎？自古海翻塵揚時，薦紳大夫士不幸羅墮凶逆者何限？而公尤可哀者。清規奧學，廉聲惠政，宜有載。雲旗射天狼，以相翼佑者，顧亦若是慘，則理之所不可推也。理不可推，亡所歸咎，則奈何諉曰數爾？嗚呼，悲夫！銘曰：

蜀文獻家，珪組滿門，奕世生賢，清修而文。時危抗章，朝野傾聽，專城幾何，朱光西冥。遼東避世，吾慕幼安，狼虎血牙，聞者辛酸。踰四十秋，魄始復土，生死交情，爲公銘墓。

梅谿范隱士壽墓誌銘

延祐三年

延平古多幽人逸士，或繇仙佛成道，或用方術著名。予宦是邦，談經餘暇，嘗願交一二不可得，晚乃得一人焉，曰梅谿隱士范君。挹其貌，肅而和；聆其言，質而通；詢其世，則宦家；叩其學，則昔爲士而今游藝者也。習儒術弗售，習修鍊術，嘗結廬空山，終歲人靜，尤喜習青囊術，談龍穴，卦應甚神，常爲好事者延致。自言曾歷東南山水間，覆驗古仙人所建立，若城郭，若寺觀，若陽宅陰穴，無一不按經據典，故禍福興替，無一不響應。又自言吾家生理微，而家嗣息，因求諸地理以救之，得於其鄉之東谿，一以瘞二親，一以瘞子婦。既而毓三孫，俱秀敏可望，而家道亦漸昌。又得其一於龜山，留以藏吾蜕也。其説皆精實入妙，自信不惑。謂景純、筠松決不誤來世，謂人間成毁升沉，決由陰陽風水出。予素迂僻不通解，然聞君言若此，固亦深服君之篤信此也。延祐丙辰歲夏五，予將乘驛還江西，小駐城西之招僊。一日，君過我曰：「葬必有銘，禮也。然銘之美惡，死者何知？曷若未死而得銘乎？吾死期遲速未可知，而死之必不免也，吾知之矣。幸未死，又幸辱知，能豫賜一銘乎？」予曰：「古之人有自輓者，有自志者，有諛墓中人者，乃若生而刻銘，非古也。是殆不可。且葬也而銘，蓋逆慮夫世遠墓湮，或至暴露，故刻金石，著姓名，紀言行，庶幾後人哀而掩闔焉。此孝子慈孫事，非墓中責也。是殆不可。」君曰：「自我作古，庸何傷？且以此彰吾達，又何玷？」予强應曰：

「諾。」遂爲志曰：君名起莘，字希尹，世居南平縣上芹鄉之梅岐里，因號梅谿。曾祖某，某官；祖某，某官；父某，某官；母某氏；娶某氏；子某，蚤世；孫三，震、艮、坎。君今年甫六十有三，壽未艾也，故缺其文以俟曰：歿以某年月之某日，葬以某年月之某日，異時掩壙，即填而刻之。銘曰：

龜山聚氣，强龍獻瑞，未葬而銘，何太早計。吾銘不可妄得，於以成人之美。斯文斯邱，千載弗毁。

前貢補進士宜川葉實夫墓誌銘 延祐四年

葉於撫宜川爲聞家，宜川於吾豐爲接壤，以故予少嘗識其先世字季武爲邑丞者，其人忠信而文，有德人雅士之風，予竊敬之。别一周甲子，逝且遠矣。已而吾孫孱婿其門，視丞公妻祖也。公有子三，長字實夫，於吾孫妻伯祖也，予不逮識實夫，然知實夫蓋端厚執禮如乃翁，勤敏篤學如乃翁也。蚤歲馳英聲，嘗試咸淳文場，兩中選赴成均，輒報罷。又嘗隨侍仕康廬，膺禮聘，講洞學。當是時，實齋劉公漢傳負朝望，領郡，鑒裁特精，與山長孔君某俱異待實夫。資其談經，用淑衿佩。久之，將振厲鋭氣，繼躅前芳。會溟翻埃昏，修涂蕪薉，於是韜闕芒鍔，浮游消搖，庶幾乎馬少游之爲里善人，而龐德公之遺子孫以安也。又久之，鄰封嘯篁蔓延踰境，乃至廬毁橐空，震蕩竄匿無寧歲。有司病焉，采里望堪屏翰者，得實夫，檄授鄉正。實夫應接綏撫，舒卷中機，遠邇卒帖息。實夫性至孝，奉八齡之親於鋒刃紛糾中，嘗怡顔不違。性復嗜學，當科目一新時，督兒孫日誦習不倦。既壽且康，意若有待於振家學，紹祖風，乃不幸而年止七十有六，延祐乙卯歲二月五日逝矣。實夫諱天秀。曾祖某，祖某。父同德，臨江軍清江縣丞。母某氏，娶某氏，子某，孫某。後二年丁巳歲十月某日，葬某鄉，治命也先事。其子述家傳來丐銘，讀之辭迫而意哀。予竊以爲毋庸哀，何也？夫承家爲孝子，居里爲善人，處儒林爲吉士，昭質不虧，殁無媿矣，而又奚哀？宜畀之銘，式慰爾後。銘曰：

昔人有云，雖拱璧駟馬華屋，翕赫於生存之前，不若片文隻字斷石，漫滅於零落之後。旨哉斯言！人以文壽，嗚呼實夫，展也不朽。

皆山黄隱君墓誌銘　延祐四年

予仕閩久，告老歸，詢鄉社年相若猶存者幾，咸曰：某垂八齡，某踰八齡，俱康强也，而黄君子榮與其一。又詢里吉人擅令譽享厚福者幾，咸曰某好善崛興也，某積善寖昌也，而子榮亦與其一。竊喜夫里之賢而壽者多，吾猶及見，且諸老猶待吾歸見，彌足喜也。雅欲合從選勝，稍娛晚節，乃倏聞子榮逝，未之信也。已而其子君厚摭行實來丐銘，信矣。又竊悲夫風鐙之易零，樂事之不可期也。歲既晏而執華，予其何忍執銘筆耶？將固辭，顧疇昔識子榮，交君厚，無容辭。則採其實爲志曰：子榮諱必達，先世繇洪雙井析派家南豐之白田，曾祖某，祖某，父某，俱務實趨善，漸致豐裕。子榮是承是懋，滋充盈，卒大其門。爲人魁岸有楨幹，質實無畦畛，解紛周急，環里傾依，而有司亦才之，凡盤錯輒資其力。當寶祐戊午訖德祐乙亥，鄰封薦警，獨能糾合綏靖，屏翰東鄉。逮世易糜潰時，復能弭兇植良，民用安堵。暨至元己丑汀、畲驛騷，將薄州，州且潰，獨能部勒民義，爲王旅先。由是聲聯勢張，州恃以完。不憚勞，不希賞，有司尤義之。豐之自邑陞州也，奔競成習，往往挾貲取名，迂視儒術，獨能矯俗從文，隆師訓子無虛歲。晚益樂親章縫有加禮，君厚得以搴芳士林，父教也。所居池臺頗占地勝，有太守過從，悦之，爲扁曰「皆山」，故自稱皆山翁。延祐丁巳春正月十有八日疾終於正寢，年八十有三。娶樂氏，先歿。子男二：天祥，蚤世；君厚，需次吉安路龍泉縣北鄉巡檢。孫某。三月庚申葬黄栢原之瑤坪阡。嗟乎，子榮，善人也，而止於斯，不小待耶？如小待，即風日佳時，山亭野寺，龐皓三五，倚笻攜觴，相與尚齒貴德，俛仰昔今；或揚厲月評，扶善警姦，於以厚里俗，輔民彝，蓋太平時美事。而止於斯，不小待耶？安能不使後死者之浩然長歎也。按司馬公書儀，王公以下三月而葬，君厚亟襄大事，是之謂禮，宜得銘。銘曰：

壽且福，無不足，兆協卜，安斯麓。

貢補進士王君墓誌銘

延祐四年

前貢補太學生王君正父，諱守正，家於南豐太平鄉之三原。年七十有七，以延祐丙辰歲三月五日終於家之正寢。以明年四月辛酉葬於里之蓮華崗。先一月，其孫孟瑋銜諸父命，奉行狀，跪而進曰：「先大父雖未獲交先生，顧先君嘗辱交矣。先大父歿，未葬，葬有日，未銘也，敢援先君故好而丐銘。幸諾焉，是吾三世藉以不朽也，敢請。」予因思正父居同郡，生同庚，學同業，今其請也勤，何愛幅紙數十行，不以彰潛德，慰孝思乎？遂應曰：「諾。」惟正父幼機警，酷嗜學。於學也，根於恕，故以「如心」自號。於親克孝，歷世變，顛沛中未嘗一日失歡心也。於昆弟友讓均；於子孫繩約嚴；於友朋敦信義，死生無負；於僮奴視才長短指授，雖跛聾無棄；於趨善勇往，如家量出納無二是也。凡此俱狀所已書，予竊有特書者焉。吾豐素稱文獻邦，往昔無論城闉里巷，東阡西陌，咿唔聲常相屬，化美俗成，槩以不儒爲恥。故雖粟連廒，金盈匱，昂昂峙閭右，然而誦弦不接於其鄰，章縫不踵於其門，即清議卑鄙之，曰：「何物俗子也。」率見擯於卿士大夫。由是負貲力知愧赧者，爭自憤厲，滌濯粉澤緣飾，冀以免「守錢奴」、「多牛翁」之譏，而曰：「吾士矣。」抑猶有狃服竊名，姑惟詐愚，掩羞而實不學，即清議復卑鄙之，資以爲笑。當是時，誠意向儒，斯文自貴，惟三原王氏最。雖宗茂支蕃，慕嚮或殊，而其專勤比於寒窶，貶損忘其侈汰，惟正父伯仲最。以故伯氏通父試景定甲子，中選，上南宮；正父試咸淳癸酉，亦中選，補成均。久之，通父逝，正父衣冠儼立，兀兀談經義。世易矣，志弗易也，宜特書。狀又言：正父苦學由天性，雖亂離蕩析，猶結茅依厓，誦讀琅琅。雖莫色蒼然，猶搆家塾，祀先聖，率子孫寅奉如禮。雖利習瀾倒，猶建樓儲書，常留賓論辨爲樂。其富而好禮也，又宜特書。嗚呼，習俗移人，賢者不免，昔人嘗悒悒於是矣。壯老好修，揮絕蕪薉，空山寒日，鬱然與簡編相始終，若正父者，殆蕭艾中之蘭茝歟！惜也不逮識君，而止銘君也。曾祖某，祖某，父某，子某，孫某。銘曰：

飲一瓢，食一簞，嗇矣，唯克己好學也，聖人賢之；有民人，有社稷，侈矣，謂何必讀書也，聖人斥之。猗嗟正父，傾心儒門，詩禮芳潤，昌其後昆，後昆能勤，亡也如存。

趙聖清墓誌銘　延祐五年

故友聖清，趙姓，孟沁名，石塘其自號。建炎自汴南渡，始爲南豐人。承節郎諱師齊之曾孫，運司貢士諱希康之孫，吉水縣主簿諱與訪之子也。前代王孫之遺胄，庠序之秀士，州里之吉人也。不表暴以眩俗，不輕儇以肆志，而惟端謹寡過，克循榘度者也。不沈溺於曲學，而惟專經屬文，志取科目，雖時不逢，而學不廢者也。不慕薄俗之華侈，而惟守儉勤，致豐裕，退然務實自適者也。其謙篤若是，即怡愉壽康宜也，乃僅六十有三，延祐戊午歲正月某日逝矣，悲夫！昔歲予忝領鄉校，苦乏助，采士譽，資聖清爲助。當是時，搆創一新，學務叢委，聖清謹出納，嚴程督，調娛補葺，績是用集，予固喜之。比歲予仕閩，久乃歸，歸欲亟見聖清，則聞病痱久，謝客矣，予深惜之。今年首春造其廬，聖清矍然迎待，論心移晷，見其神情步履若平素，予又特喜。曾幾何日，遽傳疾復作，不可爲，悲夫！孰知此一見乃竟爲永訣乎？一日，其子由瑨來言曰：「將以五月某日葬州里五都之池原，未有銘也，敢請。」予欲辭，以同庠故，無容辭。聖清娶林，繼王，子男四，女四，孫男一，女一。銘曰：

石爲塘兮鹵鹵，塘之水兮清泚。其豬也深，其潤無止。何斯銘斯，式表善士。（以上清道光愛餘堂刊本《水雲村泯稿》卷八）

寧海州倉使孫公墓誌銘

延祐五年

郡少尹孫侯，家寧海而仕南豐，三閲歲將賦歸，語予曰：「先君倉使棄諸孤，殯淺土有年，未卜兆也。吾反吾廬，誓不親他務，惟窀穸是務，庶其少贖不孝罪。然墓必有碑，碑必有銘，銘必有所託，託之先生，能勿吝乎？」予謝何敢吝？直愧弗文，將無以稱顯揚爾。於是掇其家譜而爲之述。按孫氏故複姓公孫也，肇自遼西之令支，世悠遠莫考，略見於史者曰度，曰淵，疑即其宗。顧不知何年，去複而爲單姓，又不知何年析其派居燕，復自燕徙寧海，遂爲寧海人。公諱公佑，字翼之。其諱希，而力穡興家者，曾祖也；諱福而仕金爲評事，娶田氏者，祖也；諱時英，仕元爲户部郎中，娶沙氏，繼解氏者，考也。初，户部公生三子，伯曰公亮，仲曰公佐，竝受朝命爲商山鐵冶提舉，儒書吏牘，博習兼濟，俱時論所器重。季即倉使，仕鄉郡，不大顯，而其德義律身，禮法齊家，厚族睦婣，拯難周急，能使州里稱善人，猶如二兄焉。二兄從家青社，仕寖顯，家寖昌，公處寧海故宅，其子孫蕃，家力裕，亦如二兄焉。提舉公之居青社也，家有木函，備貯儲，歲在辛未，有柏一根産函之底，芳馨葱蒨，聚觀駭異，公喜曰：「是謂壽徵，其吾家眉壽之占乎？」時甫中年，已而與長弟果得壽近九齡，倉使公亦如之。大德甲辰歲，偕夫人郭氏同躋八十，遠邇慶羡，頌歌聯軸，靡不曰積善之報也。公既享高年，膺厚福，及見厥子之榮官清時，暇日夷猶樂天，又靡不曰「行地僊翁」也。以大德某年某月某日逝，年八十有二。夫人以某年某月某日逝，年八十有四。男好直，承務郎，同知南豐州事；次好禮，博興州税使；次好智，膠州吏目。孫男自恭至寧，凡六。將以某年月日奉公及夫人柩合葬於某鄉，祔祖壟也。昔有從寧海來者，間爲予道孫氏世以德善著，予固未之敢信，今而福壽之報彌章，世宦之榮弗替，斯可信已。《易》曰：「積善有慶。」《書》曰：「天道福善。」允矣不誣。嘗聞叔敖以瘞蛇致卿相，鍾以設瓜感真靈，派胄雖殊，抑何孫門之多善人，而天之於是宗又何其多顯報耶？彼有不信夫爲善之必有報而天道之必不昧者，其尚鑒於孫氏哉！銘曰：

孫起遼西，蔓延山東。有門其崇，積厚報豐。維倉使公，棣鄂森秀。雙慶眉壽，子榮孫茂。考終有年，窆於新阡。惟善故傳，永燿銘篇。

奉議大夫南豐州知州王公墓誌銘

延祐六年

公諱著，字善章，姓王氏，東平人也。東平文獻郡，自野齋李公集生徒講家塾，衿佩雲赴，若河汾伊洛間。雖賦資有敏鈍，進學有淺深，凡一登門，經指授，無不取重。於時往往資以致名聲，規仕進，公其一也。公家世仕金，爲顯宦，有封國於魯者。已乃中微，至公生而幼慧，崛起屹立。既長，偕同志事野齋，日侍書策琴瑟間，薰染成質，駸駸穎出。浸長，習文事，明法律，得推擇爲吏。至元中，繇尚膳監徙軍器監，典符移，有能聲。久之，出掾福建行省，入領西山灰場。積年勞，登品從。初，授平江路長洲縣丞。府命監視平准庫。庫官吏侵盜鈔本，至踰萬定，上下互蒙蔽，公白發其姦。犯者懼，厚賂公，公不爲動。事聞，優陞一等，授建德路遂安縣尹。元貞、大德間，授湖南道宣慰司經歷。滿，授潭州推官。不赴，改授信州推官。滿，宣授杭州路税務提舉。當丁未戊申間，閩越饑疫，露骸横藉，行商景絶，由是課大虧，督補急星火，公傾貲均償，至貸負無怨言。後更以最聞。延祐初，擢南豐知州。州，閩贛接壤也，地僻罕迎送，民淳安耕鑿，户無豪俠，里無椎埋，公順其俗而撫柔之，壹惟以平恕爲政本，絶搜求，禁動搖，民用大和。鄰封南城縣緣僞鈔，縱首惡妄指，株連州民至數十。尉領卒踰境會巡檢掩捕，若劇盜然，田里洶洶。公奮曰：「良民也，吾知之，宜急救。不救，即數十人死，數十家破矣！」累移檄駁止，且戒巡檢毋曲狥。尉失意去，民獲全，咸額手戴公。郡庠禮殿素雄峙，一夕梁蠹棟傾，貌像幾仆，亟議修，顧役重力殫，官士倶失色。公曰：「吾有以處，勿憂也。」稽簿書，蒐遺餘，得有司所封貯舊學租，謬指爲貢莊粟者，凡四百斛，請於省。易楮市材，奂輪增耀，復飾衮冕像，新欞星門，士刻石頌功焉。州東祠僊真曰王侍宸，職雨暘，著靈異。歲頻亢旱，公纔往禱，雷雨輒踵至。或淫潦，復往拜，即雲收日舒，如翻覆手。若此者屢，咸駭異之。公爲構山亭，表仙蛻，以故兩期歲農無旱澇憂，由公力也。歲首，嘗逆計艱歉，先期騰牘丐早發官廩，且重殺厥直以優民。逮耕耨時至，則備豫而食足矣。民不待哺，亦由公力也。郡有候卒抵罪，獄垂成，繇徑祈免，主吏且陰助，公曰：「不可。事干刑名，敢狥情曲法乎？」正其罪，聞者歎服。嗟夫，公之於政績也，小施爾，假之歲年，丕展素藴，漢良吏不分半席乎？不幸緣小故，往建昌，嬰暴疾，亟輿還州廨，甫一日，卒矣。延祐己未正月十有七日也，年止六十有七，官止奉議大夫，悲哉！公之初領郡也，予仕閩，未之識。然游士延譽，家書傳音，率稱道公政，由是知公名。暨予代還，甫謁入，即倒鞿，傾豁若素交，予不省奚以然也。其咨訪政理，賡酬篇章無虚日，謙和縝栗，言洞肺腑，一不作世俗驕僞狀，且命長孫來受經焉，予又不省奚以然也。思公笑言，歷歷在眼，悲哉，不可作矣！曾祖某，祖某，魯國公，考祜，妣馬氏；娶李氏，子男三，子誠，子達，思文；女一，適同郡趙世顯；孫男二，長英孫，次元豊。是歲四月，載柩歸葬東平故里。諸子來丐銘，予坐老病，固辭，且曉之曰：「而翁故舊滿朝，名世鉅儒提大手筆者滿朝，子歸而求銘宜也，銘豈予所得爲？」諸子請曰：「世之欲得銘者，率陰祈達官顯人，假條冰燁映，不計生死交情也。惟其然，故序載失實，而傳播致疑，徒自欺爾，銘猶不銘。今而吾父所雅敬惟老師，老師復深知吾父。則夫以郡士而紀邦侯也公，以知己而秉銘筆也直。吾父無知即已，如有知也，銘由老師出，九原不慰乎？」予聆斯言而益悲，乃爲銘，並書其近事之一曰：公義不忘師門，嘗建請倣魯齋許公故事，命野齋李公列從祀，聞於行省，是之，轉聞於朝矣，擬奏稟，將獲可。銘曰：

王爲顯姓，曄奕東魯，言亢其宗，有善章父。魯國之孫，野齋之徒，盛年亨衢，才名于于。秉麾南州，政平民悦，夷路攲傾，六轡驟蹶。丹旐北歸，州人悲嘑，畀此銘詩，永世之思。

李氏孺人墓誌銘　延祐六年

里同姓有名希龍，字浩可，嘗歷吾州行用庫副使者，一日請於予曰：「頃不幸遭妻喪，窆有坎，葬有期，而刻未有銘也。聞諸士論：凡殁而有足稱者，類辱銘於仁人，不佞敢請？」予惟寢耄且昏，將揮屏翰墨，謝塵事，安得復效唐賢諛墓中人哉？即固辭，已而其請益力，曰：「吾妻非有封爵贈謚也，亦惟是婦道母儀，粗有足書，顧弗獲片言掩諸幽，是墮大倫閟潛德，仁人其忍諸？」予於是蹴然哀之，乃俾述其平生曰：吾妻同鄉李氏，諱妙靜，其先世嘗試童子科，至今人稱李神童家。家故尚禮法，其在室也，濡染母訓，貞靜婉淑。其歸於我也，能儉能勤，能協和中外，飭家務。其於子孫，能律以榘範，勉以詩書。其待姻族，能篤恩義，得歡心。其視鄉鄰貧乏，能賙恤不吝。而其於釋教亦能崇信，常捐金搆創不倦也。殁以延祐戊午十月之某日，年七十。子男四，長惟一，後一年殁；次某、某、某；孫男四，女五。葬以明年八月庚申，實本鄉之五龍坑。若此皆其夫之述，而不假於人之諛，信斯言也！少爲淑女，壯爲令妻，而老爲賢母，所謂可書，其在兹乎？浩可家吾州里，世稱善人，迄今搴從及其子若孫，俱樸茂端謹，弗侈弗矜，而李氏復篤於善，濟美夫家，其豐衍未艾也。吾知之矣，故畀以銘。吾觀古昔賢婦人，其制行卓異者，悉載之史，其不至於卓異，不得列於史，則託之銘。銘而傳，猶夫史也。吾銘豈輕畀者。銘曰：

爲婦而賢，爲母而壽。歸全斯邱，式裕爾後。

陸郡彭氏墓誌銘

延祐六年

吾故人宗正寺簿寶塘黄公之曾孫曰瑞曾，昔請婚於吾里故人提舉彭公之長女孫曰德玉，既獲諾。久之，瑞曾承父命來受室於彭，因館甥焉。甫三期，將于歸，行廟見禮，拜舅姑堂下，不幸遽以疹疾夭。惜哉！瑞曾嘗從予受經，一日踵門，愴然曰：「薄命失助，負吾親望，無以爲懷矣。吾乃祖乃父俾歸柩於黄氏之阡，而吾婦翁素鍾愛，未忍遠棄捐也。酌情從宜，姑就窆而爲後圖。惟是冢隧有刻，敢以累先生，先生能勿替世好乎？其賜之言，以泄瑞曾之悲。」予老矣，不輕誌人墓，抑二姓俱平生老友，而於瑞曾同筆硯，誼難拒。於是閲其狀，有曰：「志女功，執婦道，平居無厲聲疾色，柔和儉勤，罔有閒言。能事父母如舅姑，能於弟姪加友愛，雖未逮事重闈，而歲時致禮省問，必嚴必敬，如親見之。故吾二親之閗訃也，相向而哭之哀，疾驅百里臨其喪。」予閲狀至此，不待終曰：「足矣，可以稱賢婦，當吾銘矣。」儒家女服習禮訓，養成淑質，宜不與流俗庸婦同。惟其夭也，故可書者止此。誠獲永年，供甘旨，奉烝嘗，宜家睦族，寧不爲瑞曾之良助？今而止乎是也，天也，人其奈何！曾祖日新，贈宣義郎；祖履道，從仕郎，瑞州蒙山銀場提舉；父祿孫，未仕，母鄒氏；女肇娘，甫半歲。大德丁酉三月某日，其生也；延祐己未七月四日，其殁也；某月甲子，其葬日也；某山某原，其藏穴也。

銘曰：

儒家之女，爲儒家婦。結縭維新，風鐙何遽？駕言于歸，竟化抔土。斯銘何悲，爲思厥祖。

（以上清道光愛餘堂刊本《水雲村泯稿》卷八）

全元文卷三五二

劉壎 一四

代祭陳樞密文

嗚呼，鉅人長德，孰盛盱邦！猶洛社英，巍巍堂堂。宏頤二老，清節直氣，朅來太晚，弗逮執摯。惟矩齋翁，如魯靈光，亦復不久，歸白雲鄉。猶幸千峰，作擎天柱，魁樞正明，風悲霾露。公有鴻文，寬平且柔，儼類其人，冠佩優游。公有達識，蓍龜先見，斟酌肯綮，與世舒卷。公有盛福，四顧鮮儔，富貴備矣，澹若無求。嗚呼，四願之疏，世許以正，晚節告君，人心天命。五羊之歸，南物不攜，明月滿舟，見者嗟嘻。心懷魏闕，老益弗釋，匪爲袞裳，爲國一出。出必調鼎，乃遽騎箕，造朝幾何，丹旐翩飛。僕也何人，適仕洛社，屢瞻履舄，布武堂下。幸依耆雋，驟失典型，傷嗟諸老，接踵凋零。公之不出，世遺憾矣，亦既出只，哀哉止此。椒漿桂酒，敬酹一尊，公兮歸來，爲歌招魂。

爲吾母祭舅文　至元十三年

嗚呼，人生至痛，莫如逆境，以老哭壯，情何能忍？兄弟同處，踰六十年，如足如手，曾無閒言。我遷郡城，相距百里，山川雖隔，心則孔邇。旬無音信，我思懸懸，豈其病邪，憂慮萬千。避難歸來，幸聚匝月，憐汝病深，我心如噎。尚期小瘳，怡怡優游，竟夢一枕，長往弗留。我老心孤，望汝送死，豈料此歸，乃反哭汝。嗚呼，兄弟四人，今喪其三，老懷悲酸，其何以堪？我有疾苦，每告吾弟；我有肴核，亦每遠寄。凡得汝書，我再四觀，我書復汝，聞汝亦歡。汝常來城，惟恐汝去，汝別我歸，我淚如注。而今而後，永絶往來，望斷天涯，獨雁聲哀。三奠永訣，傷哉倒置，梧中之酒，皆吾之淚。

自祭舅文

嗚呼，幼依侍側，事公如父，公雖方嚴，視甥猶子。歲在丙寅，甥方締姻，蹟則異處，情誼益親。戊辰如城，公不忍別，我每思公，音問不絶。公實愛我，凡事必咨，我每感公，奉承弗辭。去臘兵戈，避地還里，復欣侍公，公則病矣。公雖伏枕，見我輒興，口不能言，心若歡欣。公疾已亟，猶顧謂曰，以藥救我，世無盧、扁，遂隔古今。我實負公，痛悔彌深。思公平生，淚不可忍，公如可贖，何愛九隕。

垂三十年，甥舅團欒，永懷公恩，令人心酸。放牛馬走，爲助喪望，報公止此，愈覺悽愴。素車在塗，丹旐在門，高堂空空，誰能反魂。一尊永訣，灑泣釋手，哀哉此酒，能復飲否？

祭母文

嗚呼，母子團欒，四十餘年，母今往矣，兒無母憐。兒憂誰知，兒病誰憶？生我劬勞，欲報罔極。念昔幼日，孤寡煢然，撫育成人，酸寒萬千。孰知此悲，惟母與子。兩心相通，何間生死。母恩甚厚，母望甚深，兒學不達，莫慰母心。養志多虧，媿負吾母。兒罪通天，天誅以斧。日吉時良，歸於高岡。母不可留，兒割肺腸。母子平生，決兹一奠。哀哉痛哉，泉下相見。

祭涂教授文名清甫　元貞元年

惟公古心直道，碩學雄辭，臯比儼臨，士喜得師。共期三載，教雨其滋。天乎奈何，奄忽止斯。悲夫！藥餌缺於奉侍，棺斂出於有司，雖定數之莫逃，亦人事之多違。内交一年，荷公心知，遽隔幽冥，泫然傷悲。沿檄承乏，暫踵蕭規。祖奠柩前，檥舟江湄。家山匪遥，魂兮來歸。已而已而，哀哉已而。尚享。（以上清道光愛餘堂刊本《水雲村泯稿》卷一二）

天基節錫宴　宋景定五年

龍飛四十春，虹電應中興之運；《洪範》九五福，乾坤開上壽之期。歡動垓埏，光騰箕翼。恭惟德盛仁熟，道久化成。大歷無疆，星重暉，海重潤；太平有象，河出圖，洛出書。禹皐復會於廟堂，方虎克當於屏翰。烟火萬里，胡越一家。山河縭户，日月彫梁，正衍蘿圖之永；衣冠紫宸，閶闔黄道，喜逢花甲之交。嵩嶽三呼，鈞天九奏。臣陶然聖化，際此昌辰。由天子明劍佩，進長生之酒；使聖人壽簫韶，和難老之歌。詩缺

又

次庚申開基之旦，是生聖人；當甲子授筮之期，又逢興運。九重喜氣，八表歡聲。恭惟天地無私，日月久照。修政而攘夷狄，動西北之謳吟；下詔而賜農租，寬東南之物力。獨任一相，底綏四方。黄旗紫蓋，肇啓中興；銀甕白環，紛來上瑞。復見太平之象，屢書大有之年。漢家二百州，咸遵正朔；莊椿八千歲，莫擬春秋。載臨繞電之辰，適契周天之數。瑤光貫日，寶歷循環。臣親遇明時，共熙聖化。遥對長生之殿，肅揚治世之音。

縹緲紅雲覆紫宸，御爐香值玉麒麟。華濃禁苑韶光媚，雪霽宮城曉色新。萬國下缺

壽崇節錫宴　宋咸淳三年

長樂奉寶册，丕昭媧石之功；未央上玉巵，先介母池之慶。三宮有喜，萬國同新。恭惟瑞啓長沙，德齊嬀汭。以天下養，聚和氣於東朝；與造化游，聯壽躔於南極。適臨聖誕，適際佛生。恭惟廣運聖神，恪恭愛敬。引千官之拜舞，上説慈顔；期萬歲之怡愉，永彰達孝。既謹雞鳴之問，遂敷魚藻之仁。敬頌昌辰，肅陳俚詠。

九龍訶水佛生時，沙麓光騰慶誕彌。桃熟瑤池欣日煖，花深帝里帶春遲。三宮歡聚開金殿，萬乘新來奉玉巵。好是古今難比處，後先壽節恰相期。

乾會節　宋咸淳三年

龍飛在天，聿啓太平之運；虹光流渚，誕開乾會之祥。箕翼騰煇，關河入貢。恭惟賢聖仁孝，神武聰明。股肱良，庶事康，三年無改於父道；陰陽和，萬物遂，一德克享於天心。集羣儒而開金華，屈萬乘而臨璧水。雖養晦於垂衣之際，亦觀化於端冕之時。適初夏之御辰，建千秋而立節。日射黄

金，晴薰赤羽。仰瞻天表，在雲霄柳連青瑣；花入紫微，咸被君恩霑雨露。臣等鞠躬瑶闕，拜手玉卮。

五色祥雲擁赭黄，嵩呼隊裏佩環將。佛生一日神光見，帝壽千秋瑞節長。閶闔晴風方捲雨，扶桑曉色正當陽。天街拜舞年年事，今歲新稱第一觴。

又

王者大一統，當十年生聚之期；聖壽過萬春，罄四海會同之祝。關河入貢，箕翼騰煇。恭惟日月緝熙，春秋鼎盛。真太平天子，端居九五位之尊；爲咸淳聖人，光紹十四朝之統。問龍樓而嚴孝敬，焚雉裘而尚儉勤。禹皐復會於廟堂，方虎克當於屏翰。露布朝馳，捷書夜奏，春入錦城；御香暮惹，天杖曉隨，歡騰黼坐。璣衡協順，田里豐登。適初夏之御辰，建千秋而立節。山河扶繡户，共知帝壽之萬年；衣冠拜紫宸，恰後佛生之一日。遥對長生之殿，肅揚治世之音。詩缺

南豐宰宴陳秘監陳千峰

登蓬萊峰，催近垂旒之侍；宰山水縣，適逢衣錦之歸。負弩先驅，舉栝相屬。某官三魁瑞采，四

海直聲。君實九分，人偉素履始終之合；東坡百世，士喜平生出處之同。名已行蠻陌之邦，身不入洛蜀之黨。頃值羣鰌晝舞，獨聞孤鳳朝鳴。善類傳誇，朝班增氣；裔夷相語，中國有人。衆臻嫉於蛾眉，詔已飛於鳳尾。密頒銀字，寵畀琳宫。雲散月明，初何嫌於點綴；天開地闢，正自賴於經綸。即聽履而上星辰，遂濟川而作舟楫。我知縣試百里邑，依數仞牆。爲五斗見督郵，久懷媿色；得萬間庇寒士，便覺歡顔。顧鳴琴居宓賤之堂，合載酒過子雲之宅。辱相忘於陛級，許特屈於軒車。黄紙除書，雖已趍天朝步武；紅妝執樂，且須判盡日歡娱。遥望台躔，肅陳韻語。

清風凜凜似坡僊，四海千峰獨偉然。湘浦水光浮月色，蓬萊雲氣接魁躔。人間又復添詩案，後世還應入史編。莫論升沉看晚節，更將直諫奏甘泉。

南豐縣庚午科鹿鳴宴　宋咸淳五年

南臺沙合，新進士喜快著鞭；西笑路遥，邑大夫親行勸駕。氣數重逢未榜，名題又占甲科。爰即花城，肆開苹宴。恭惟新恩先輩，筆驚風雨，氣吐虹霓。織天孫之錦裳，各妙當家機軸；鼓帝子之敖曲，遠追前古聲音。明經收拾芥之功，作賦藹摩空之譽。偉然三傑，埽彼千軍。偕冰臺公族同升，與月府前修齊上。對丹墀三千字，今番定看渾花；先黄榜五百名，此邑要教喝采。端明樞相，三魁瑞氣，四海高標。唤狀元聲，想尚記平康之夢；有宰相器，即催押文德之班。在坐衆官，先達縉紳，後來冠冕。軟紅道上，未忘曩日舊游；淡墨榜中，試看近時新進。燀增燕席，送上龍門。我知縣小試弦歌，爲陳笙瑟。問西湖柳，也曾隨舉子奔忙；種河陽花，何幸見諸公賈勇。放昔日縣續食之遺意，舉今日鄉禮賓之盛儀。清宵聽及第詞佳，來歲見登科記滿。躡雲攀桂，倚看萬里騎蟾；踏雪探梅，好去一栝上馬。殷勤韻語，從容榮塗。

南豐文獻盛江西，宴徹嵩苹上帝畿。鵬背天風方隱隱，馬頭雪絮正霏霏。百花魁有梅傳信，十里隄催柳染衣。恰好明年又逢未，不妨爭取狀元歸。

通判餞太守赴湖南提舉

使者觀風，去行湘水；長史分月，爲唱陽關。兒童方謀，截鐙之留；賓主何惜，飛觥之樂。提舉編修，有冰檗操；真山澤臞，來宣寬大詔書，領碧澗紅泉之勝，重見太平官府，如黃龍地節之間，香名方列御屏中，新渥已從新闕下。以好太守，爲健監司。馳原隰六絲，共仰風霜高潔；入瀟湘八景，要教山嶽動搖。第虞紫橐之催班，不待翠軺之行部。我通判朅來佐郡，多幸同僚。歡傳黃紙除書，爲留春腳；謾對紅妝執樂，共話雲心。未須問楊柳離亭，且猛醉梅花尊酒。攬范孟博之車轡，小駐爲佳；聽白司馬之琵琶，相思不斷。賦成四韻，勸盡一栝。

英蕩浮湘爲腐紅，盱民無計借黃龔。嚴寒催展風霜手，薄酒堪澆冰雪胸。碧草綠波傷遠别，莫雲春樹想重逢。江州司馬深情在，後夜相思回雁峰。

通判宴交代

半刺史展驥，來從淮水月邊；舊將軍授龜，小駐孤山雲外。甫接袂結子孫之好，亟銜梧話賓主之情。恭惟府判，軒豁襟懷，光明聲價。想藏春塢，百年賸有家聲；問龍暝山，一代何多瑞物。卻羨樂天之松雪，來訪麻姑之鐙棋。不妨朱轂白銀，章秋吟石隥；好去蒼菭紅藥，砌夜對金鑾。我某官歡迎車輿，奉上印綬。清風明月，只今已是閒人；綠橘黄橙，恰則又逢好景。相去重陽無半月，判將涼夜醉深更。小歇笙簧，聽吟風露。

袖有淮肥萬頃秋，肯來盱水作監州。西風千里海沂詠，霽月一規松雪樓。霸尉未應訶李廣，洛人新幸遇張侯。他年輦下相逢處，還記如今授篆不。

新通判回舊交代

海沂歌滿，催佩馬之朝天；泉潤地佳，授篆龜而分月。卜筳篿而涓吉日，潔豆觴以醉良宵。恭惟某官，定力如山不搖，清規與玉爭潔。岷峰、峨嶺之秀，世生異人；東坡、穎濱以來，獨擅老作。未必一官落拓，只今半刺翶翔。紆朱正佳，戲采尤樂。酌栝水，餞別駕，已騰闔郡歡謡；聽履聲，識尚書，自有本聽故事。我通判徑浮一舸，來繼貳車。少攄賓主酬酢之情，以篤子孫交承之契。「秋光都似宦情薄」，何意題輿？「菊花須插滿頭歸」，且吟落帽。請歌俳韻，聯奉歡顔。詩缺

太守宴新倅

朝廷使來監汝，偉甚題輿；太守務在養民，幸哉分席。道是同時長貳，歡如異姓弟兄。盍簪方新，舉酒相好。某官胸著淮山之邱壑，筆驅肥水之濤瀾。五更鼓角，三峽星河，慣歷貂裘風雪；萬里胡天，一籠燧火，盍陪虎帳鐙棋。乃欲看秦峰之霞，遂肯分盱江之月。展驥足，爲別駕，且來暫佐朱旛；摩盾鼻，草檄書，便卻早提金印。我知郡歡迎屏軾，敬奉壺觴。那堪風雨近重陽，況是橘橙臨好景。幸遇劉君通守，不妨賦古城杞菊之篇；好伴歐陽醉翁，相與樂滁亭觥籌之宴。試挽銀河洗塵土，小停玉瑟聽歌詩。

老盡西風暑未收，誰教長史上南樓。紅泉碧澗共明月，黄菊紫茱臨晚秋。守相論心俱意氣，江山滿目記風流。酒酣説著英雄事，峴首雲寒夢亦愁。

新倅回宴太守

指九重天，初上西京循良之最；共千里月，敬爲南樓笑詠而來。釀碧澗以浮觴，屈朱旛而合席。判府一團和氣，滿腹天機。采菊見山，晉高士風流超俗；然藜照字，漢宗室文雅不凡。奉宣寬大詔書，整頓清平官府。諸縣豐登少公事，在在雞豚；滿城歌舞向朱輪，人人襦絝。肯爲銅陵少駐，祇愁銀字催朝。我通判佐郡方新，同僚何幸。「秋光都似宦情薄」，謾從太守之游；「青眼聊因美酒横」，且判山翁之醉。已是黄花爛漫，况逢素月團圓。縱飲何妨，劇談莫隱。翠眉蟬鬢，各據賓主之情懷；銀漢玉盤，正照英雄之肝膽。小停妙舞，請賦新詩。

庾樓風月倚胡牀，别乘平分此舉觴。禾黍千郵逢樂歲，菊茱滿眼適重陽。五更鼓角秋聲壯，深夜金栢醉興長。報道漢亭嚴選表，璽書飛下帶天香。

東倅宴西倅

銀章朱轂，一様平分；金栢玉盤，兩賢同賞。先後誰爲賓主？東西等是弟兄。情寄於聲，意不在酒。判府氣拂雲漢，胸羅星辰。生荆公鄉，讀書之眼如月；游王儉府，草檄之筆逾風。内而翺翔學省之班，出而闢泱山水之郡。指囷散粟，已多及物陰功；鞭石成橋，更試濟川手段。口碑人誦，心事天知。小留碧澗銅陵，暫煩岸幘；卻對蒼苔紅藥，就賜宮袍。我通判幸甚同僚，惠然分席。雖則上下牀之隔，難竝人豪；要是南北樓之間，俱稱吏隱。幸有黄花留客醉，何妨青眼照人明。

肥水中間棹小舟，卻來盱水伴清游。東西同倚屏星駕，南北相逢松雪樓。澗碧泉紅千里月，橙黄橘綠一年秋。飲闌聯轡朝天路，記得如今共佐州。

權倅因教宴江倅

通守馳别乘，來從丹嶂上頭；屬吏秩初筵，共挹銅陵勝處。非敢叙交承之好，庶幾表慶幸之深。判府珪璋碩望，簪紱華宗。五色筆之文章，見推當世；九曲谿之山水，挺生偉人。早霑雨露恩光，巍接雲霄步武。平生抱負，洗凡馬而空之；所至踐歷，摶大鵬而上耳。乃肯分盱水之月，端欲看泰華之霞。時方急才，帝已有詔。且引一梧清水，歡動滿城；好乘五色祥雲，便朝清禁。我教授越俎敢居於陳坐，束裝已捲於鄭氈。既奉印以上還，輒移尊而展敬。素秋新霽，何妨飲到月斜時；丹詔横飛，只恐催歸天上去。歡盡此酒，輒賦是詩。詩缺

江東倅宴西倅

魁第四星，久題陳坐；月分千里，新協衛僚。恰在南北樓之間，宛似東西鄰之好。何妨傾蓋，聊與開尊。府判爲典型人，真道義士。斗間劍氣，錟錟光映紫垣；殿前賦聲，錚錚巍標黄甲。入紅蓮幕，贊碧油幢。内而翱翔學省之班，出則關決山水之郡。圭角不露，標致獨高。小留碧澗銅陵，暫煩岸幘；卻對蒼苕紅藥，就賜宫袍。我通判共倚屏簟，小陳俎豆。來自武夷之曲，頗涉山川；笑指麻姑之雲，爲盟車笠。待歌郢唱，傳與盱人。

沂歌久已頌西屏，誰向東屏結弟兄。三谷烟霞俱入詠，一城風月共分清。飛觥聊舉公堂醉，竝轡相期輦路行。莫把江閩分異境，他年還得集耆英。（以上清道光愛餘堂刊本《水雲村泯稿》卷一六）

郡庠三門上梁文

州建南豐，教分東魯。凝旒被袞，甫新禮殿容儀；列戟垂旛，未備廟門制度。今朝廷大興於儒道，我郡國欽奉於德音。乃伉高閎，式嚴崇陛。軍峰之山秀萬仞，是開人文；泮宫之門闢三塗，蓋用王禮。璇題巍揭於繡刻，金鋪奐映於朱扉。洛爾衿佩之英，勉旃庠序之教。升其堂，伏其几，徒以文言；由是路，人是門，須到聖處。請歌六韻，爰舉雙梁。

兒郎偉，抱梁東，檐映扶桑曉日紅。萬代帝王師聖道，際天薄海盛儒宫。

兒郎偉，抱梁西，筆架三峰碧漢齊。秀毓巨儒提正印，文章星斗至今煇。

兒郎偉，抱梁南，門當離位勢尊嚴。巍巍袞冕王儀肅，豈比瞿曇與老聃。

兒郎偉，抱梁北，九五飛龍新御極。紫霄丹詔下人間，吾道回春添氣色。

兒郎偉，抱梁上，鱗瓦參差鴟尾壯。仲尼日月焕中天，照破羣迷開治象。

兒郎偉，抱梁下，翠楣文砌光相射。宫牆環拱聖人尊，更看列棨森如畫。

伏願章縫星聚，弦誦春熙。進用則以堯舜君民爲心，退隱則求孔顔師友之樂。六經之道垂世，天地長留；八柱之勢如山，風雨不動。共惟元聖，大福斯文。

儒學藏書閣上梁文

我南豐天昌儒道，郡遇賢侯。每升堂想絲竹之音，聿尊至聖；爰建閣敞圖書之府，永寶斯文。雲近棟梁，星回籖度。洪惟聖天子崇儒之世，適在明師帥流化之區。三年涖州，壹意興學。昔持憲按部，號活神明；今奉詔牧民，如慈父母。將還歸於壹閣，益崇飾於横宫。於是構亢龍百尺之樓，於以聚鄴侯三萬之軸。郡博士竭蹶而董役，都料匠踴躍以告成。風露入窗，幻出廣寒清都之境；雲濤四面，宛在瀛洲方丈之間。蓋將高藏羣聖六籍之文，横陳諸子百家之作。可以滴露研朱而點勘，可以焚香閉閤而紬思。讀其書乎，事事遵先王之法；登斯樓也，人人稱太守之功。敬頌虹梁，請停鼉鼓。

兒郎偉，抱梁東，海湧金輪曉色紅。吾道方初如日出，倚需停午看當中。
兒郎偉，抱梁西，一山峭拔衆山低。飛檐傑棟侵雲碧，似與軍峰秀色齊。
兒郎偉，抱梁南，芸香緗帙列牙籤。自有泮宫纔有此，金光夜夜照南潭。
兒郎偉，抱梁北，五色雲中瞻紫極。太平天子正崇儒，詩書滿架新南國。
兒郎偉，抱梁上，文章太守聲名響。三年課最璽書來，一騎紅塵催入相。
兒郎偉，抱梁下，樓頭柳色森如畫。樓中只著讀書人，春游不比閒臺榭。

伏願經籍與日星齊壽，柱石如山嶽不搖。後學踵前輩以同升，各悟高明之趣；使君偕羣僚而直上，早登清峻之班。一郡美談，千年偉事。

安禪寺法堂上梁文

嘉禾大邦，禪邱古刹。諸天聽法，龍象焕乎鼎新；羣匠掄材，虹霓偃然雄跨。與佛殿同時竝建，看講席即日宏開。繇魯翁竪起鐵脊梁，故地神湧出寶樓閣。善知識布施忼慨，七十年前壯觀復還；禪和子贊歎喜歡，八百劫中福報無盡。好是五間七架，堪容萬聖千賢。於此演大乘、演上乘，令人識法眼、識佛眼。臨濟喝德山棒，入門不怖不驚；迦葉笑阿難悲，上堂大徹大悟。敷揚六偈，傳播十方。

兒郎偉，抱梁東，梵宮咫尺近槐宮。槐宮東去琳宮近，三教分張地勢雄。
兒郎偉，抱梁西，雲水村中路不迷。壽文堂畔一回首，見前諸佛證菩提。
兒郎偉，抱梁南，渺渺西江湧碧藍。一口吸教江水盡，便將密意與君參。
兒郎偉，抱梁北，魯山老子真奇特。虚空喝得殿堂成，笑倒釋迦與彌勒。
兒郎偉，抱梁上，佛法原無多伎倆。上堂先認主人公，來底與他揮一棒。
兒郎偉，抱梁下，禪家不打光光乍。擊大法鼓吹大贏，看有何人來説話。

伏願缺（以上清道光愛餘堂刊本《水雲村泯稿》卷一八）

萬户府出征保安醮告盟

王旅濯征，躬效戎行之役；天威助順，幸清寇虐之氛。感玄造之轉旋，啓崇科而報謝。伏願霓旌扈輦，下大羅無極之天；玉詔洗兵，爲太平有象之國。

三朝詞

旦氣澂清，有嚴對越，恩光奂燿，於穆感通。爰蠲絜於初忱，用冒聞於大造。願息征行之苦，常蒙安靖之休。早

斗柄回寅，律新太簇，日馭當午，光徹大羅。敢陳瀆告之辭，冀動蓋高之聽。尚默敷於恩祐，其永息於妖氛。午

日晷西流，煌煌反照，星躔北拱，耿耿垂光。罄竭一忱，肅恭三瀆。願溥恩徽之錫，迄令戍役之安。晚

青詞

爲國總戎，屬有徂征之役；自天錫福，幸成勝制之功。敢叩上穹，用酬素志。臣承恩闕下，授任行間。戍廣東之偏城，實多山險；跨江西之絶境，易起寇氛。欻警報之飛馳，奉急符而進討。雖鷹揚虎視，勝勢甚張；然蟻聚蠭屯，狡謀叵測。亟籲聞於帝所，覬顯示於天威。果仗陰休，遄收巨捷。兹嚴陳於清醮，用祇謝於洪恩。恭願鑒此虔祈，錫之終祜。兵農相樂，舉世皆太平之人；軍府永寧，

闔門享大來之慶。

生日建醮告盟

介壽自天，幸踰八秩；秉忱事帝，箸告萬靈。適生旦之屆期，按沖科而展事。金飈秋肅，轉四氣以朗清；玉輦夜臨，下九霄之縹緲。式期昭格，爰謹告盟。

肅建詞

孟籥鳴秋，又際始生之旦；沖科醮夜，仰酬大造之恩。肅建靈壇，預陳齋悃。伏願戒嚴巵從，俛臨蓬蓽之居；申錫休祥，增賁桑榆之境。

三朝詞

日華絢采，平旦之氣方升；天鑒垂光，會朝之儀有肅。顧惟朽質，不惜洪恩。願惟老老之仁，永戴生生之賜。早

秋日淒淒，正臨永晝；天門蕩蕩，遥望清光。敢續初忱，願回淵鑒。盡釋平生之過，迄令晚景之安。午

西日流輝，侵尋暮色；北辰委照，浩蕩恩光。忘瀆告之再三，覬籲闕於萬一。願回大造，庶遂久生。晚

青詞

八秩之年過一，端藉生成；九重之命錫三，幸垂鑒祐。齋心望闕，稽首騰章。臣妄耄矣，何求惕焉。自懼有身爲患，常虞疾苦之加；大道無心，每示生全之造。幸頤安於啓處，實默賴於扶持。與齡已多，戴德莫報。兹將臨於生日，敢敬告於昊天。伏願垂鑒孔昭，施恩罔極。倘少寬於嚴校，曲賜延洪；庶增衍於期頤，永依覆燾。

老醫保安醮詞

日月逾邁，已及耄齡；天地無私，幸垂仁造。鞠躬望闕，頓首露章。臣閱世雖深，遭時多厄。以醫爲業，心固主於濟人；爲術未精，藥或疏於伐病。況行己處事之際，皆積諐致苦之由。浸逮老癃，

常加踧踖。殘年露電，何敢希永壽於人間；寸念淵冰，惟恐犯冥誅於身後。茲歸祈於三境，用識悔於多生。爰訊凡居，祇延景馭。伏願憐其知罪，錫以曲恩。儻元命可延，冀享清淨康寧之樂；或大化俄迫，俾遂逍遙自在之游。惟帝垂哀，鑒茲至懇。

保産醮詞

卧蓐懷憂，嘗祈玄造；叩閽有請，敬謝洪恩。稽首紫宸，箋心青簡。臣妻某氏，適臨震夙，廩懼屯危。默禱太空，願示扶持之賜；許陳清醮，冀令産育之安。果沐感通，式符祝望。以嗣以續，已開抱送之祥；無貳無虞，敢昧化生之德。吉涓良辰，恭啓沖科。伏願帝鑒孔昭，天恩申錫。俾孩提之有立，潛弭災憂；合眷屬以俱安，共熙福慶。（以上清道光愛餘堂刊本《水雲村泯稿》卷二〇）

全元文卷三五三

劉 壎 一五

生日醮詞 元貞二年

大德好生，應凡情之致禱；元辰司命，憐暮景之求安。遥望清都，具陳丹悃。臣僥踰八秩，薦歷百憂。日邁月將，蹟已同於風燭；夙興夜寐，心常切乎淵冰。賴玄造之默扶，幸餘齡之粗適。不知者壽，尚希冀於期頤；莫高匪天，敢自歸於覆育。爰諏良夕，用啓沖科。伏願鑒此懇祈，錫之迓續。五星順次，盡蠲无妄之災；一門安居，永保家人之吉。

又 大德二年

生旦居期，適對孟秋之月；元科展事，敬申大羅之天。稽首紫宸，箋心青簡。臣妄處世多咎，荷帝與齡。閱八秩以幸存，矧踰四歷；戴九霄而知自，敢昧一忱。雖疾患屢加衰耄之身，然造化常錫康寧之福。終虞先露，凛若履冰。賴大德好生，延餘煇於莫景；值良辰紀誕，陳清醮於凡居。爰集道流，籲聞帝坐。年運而往，敢過望於期頤；神以知來，惟常祈於安逸。

謝過醮詞

居安慮危，叩嚴宸而請命；赦過宥罪，覬寬詔之垂恩。敢以丹衷，露於青簡。臣薦經艱險，常懼譴訶。念出言舉足之間，何者非罪；矧布政莅民之際，易以績愆。每當夜寐而夙興，深畏天明而地察。叨居議幕，實閱歲華。處心無敢自欺，固加謹飭；見事有時不逮，寧免過差。仰賴慈仁，尚寬義罰。家山迢遞，常報平安；寓舍荒寒，幸逃疾苦。凡此皆由於帝力，愓然敢昧於愚衷。無豪髮可答於洪私，瀝肝鬲輒陳於清醮。伏願憐其知過，得以偷生。天道轉機，特潛消於厄運；星躔順度，俾保適於仕塗。爰及一門，均膺五福。

告盟

天高九重，常溥好生之德；道育萬物，宏開首過之科。汛埽蓬廬，導迎飇馭。奔豐隆，揮烈缺，霏妖祲以蕩清；出句陳，扈太微，降帝光而照燿。萬神隨駕，三肅臨壇。

保母醮詞

母子至情，常叩閽而徼福；天地大德，亟望闕以酬恩。竊娩孩提，敢干造化。臣母運逢厄困，身會重災。醫已屢更，莫覩於奏效；父猶在遠，未見其來歸。心實憂驚，病且委頓。無可赴愬，許清醮以祇安；有赫感通，沐洪恩之加護。一旦漸臻於康復，二親又喜於團欒。值元命之居辰，演真科而效報。伏願九霄下詔，蠲已往之僁尤；五緯移躔，錫方來之福慶。

告盟

孩提之童愛親，荷天錫福；象帝之先誰子，與世延生。肅按元文，恭酬大德。雲馭下寥陽之闕，梵氣彌羅；星光奐靈寶之宮，妖氛清蕩。來格來享，俾壽俾康。

生辰賀表 大德十年

按《本行經》云「丙午年正月初九日、恭遇玉帝聖誕之辰、謹奉表稱賀」者，伏以歲值丙而臨午，有開帝出之祥；月建寅而紀辰，肅致天臨之慶。雲衢朗燿，寶光陸離。恭惟範鑄兩間，宰制萬有。無極無上之聖，神功沖漠以難名；太易太初之先，道身變化而罔測。徒以靈文之載述，乃知華旦之會逢。臣等仰戴生辰，遙伸頌詠。三千劫而功行足，愧不盡於贊揚；六十年而歲運周，願常依於覆燾。

保安建轉案醮肅啓詞

列宿麗天，上帝實爲之主宰；元辰值日，小臣默盡於禳祈。比緣老病之加，常叩高明之佑。將依科而酬願，豫馳奏以箋忱。伏望清蹕戒嚴，早下臨於凡境；赤文敷錫，特增衍於修齡。

告盟

道先太極，昭垂度世之文；運厄閏年，肅致祈恩之悃。演沖科而展事，轉陰案以延生。伏願帝御千官，下九霄之縹緲；星回五緯，降景福以滂洋。梵氣彌羅，妖氛辟易。

門榜

閶闔雲開，將降龍麟之馭；麾旄星拱，式嚴虎豹之關。惟司閽之有神，其掌闢以振職。倘外魔或侵於壇禁；請所司亟顯於刑誅。共聽白言，毋干青律。

廚榜

齋以事帝，必蠲絜於庖羞；幽則有神，其董臨於享飪。望威靈之丕振，俾腥穢之頓清。倘苾苾芬芬，致衆真之歆祀，則明明赫赫，有三錫以褒功。禁戒非輕，職司毋赦。

三朝詞

紅輪出海，開旦氣之清明；翠輦浮空，御春陽之和暢。恩徽斯溥，厄運潛消。願扶疲瘵之軀，俾享太平之福。早

雲敖聲動，適日晷之當中；羽衛風清，冀天恩之來下。薦攄激切，遙叩崇嚴。尚希新命之頒，更益莫年之祿。午

以夙以莫，重陳懇懇之愚；欲壽欲康，諒達高高之聽。寘其三瀆，鑒此一忱。宏施化育之仁，懋錫期頤之筭。晚

青詞

流年疾厄，嘗徼福於圓穹；大造慈仁，遄弭災於下士。齋心席稿，頓首露章。臣甫越希齡，適當新歲。出入之節不謹，遂冒寒裒；表裏之證失調，浸成痰喘。展轉良苦，委頓是憂。是用呼籲天庭，轉移陰案。忱詞纔達，喜病體之嘉蘇；恩造難忘，按科文而報謝。吉旦適臨於元命，良宵遙望於清光。伏願天詔誕頒，星躔協順。已開八秩，期餘疢之悉除；爰及一門，冀洪休之均被。

東嶽慶生辰醮告盟榜

東岱爲五嶽之宗，分靈有赫；南郡當三春之莫，慶壽無疆。爰啓沖科，式酬陰貺。伏望旌幢焜燿，來帝馭於九霄；香火綿長，福民生於萬世。

青詞

五嶽莫尊於東岱，共慶昌辰；萬靈咸統於中天，敢干元造。齋心席稿，頓首露章。臣竊惟泰山之神，素溥豐郡之福。出震爲帝，濟幽纇而不違；施仁如天，罄遐邇而罔閒。致茲僻壤，亦荷陰休。今值紀生之辰，敢布頌功之悃。伏願九天垂佑，鬼神咸囿於清寧；一郡蒙恩，民物悉陶於化育。

又告盟軍官

五嶽惟岱爲尊，嘗賴資生之造；三月之春云莫，敬陳慶壽之儀。爰即神居，且嚴醮設。伏願天丁徼道，埽魔事以肅清；地靈護壇，迓帝尊而臨鑒。

青詞

帝臨宸極，神悉囿於化權；人奉岳靈，歲常酬於恩紀。遙瞻丹陛，肅奏青章。臣職在總戎，身多積咎。戍守南州之境，每懼艱虞；依賴東嶽之靈，幸熙安泰。兹逢令旦，期報隆恩。馮道教之科文，謝幽靈之福佑。願垂睿鑒，衍宗祀以綿長；宏錫餘休，俾營屯之寧謐。燕及私室，俱登福庭。

五忠侯生日醮詞

帝御中天，萬靈受職；神行西里，一郡蒙恩。輒陳籲告之詞，少露報酬之悃。惟六月徂暑之候，際五忠毓瑞之辰。發靈横浦之邦，侯封有赫；分祀嘉禾之境，廟食無疆。欲答神功，爰依道教。願垂睿照，延香火以綿長；宏錫陰休，俾州閭之安靖。

告盟

右謹告盟，共期昭格。天丁徼道，肅嚴虎豹之關；地靈扈壇，祗迓龍麟之駕。魔無犯律，帝有常刑。

玄帝生辰醮詞

帝臨南面，居高總萬化之權；神鎮北方，毓瑞紀三春之候。協攄衆志，祇頌陰功。臣竊惟玄武之靈，實繫閻浮之命。救護羣品，溥濟生度死之仁；游變九天，司賞善罰惡之柄。廟食兹土，福庇斯民。適居誕辰，靡忘聖德。望紫霄而懇禱，潔清醮以修崇。伏願書勳帝庭，錫寵天詔。衍萬年之香火，無極無窮；庇一郡之耄倪，常安常樂。

上元醮詞

皇慶二年

一氣回春，誕紀上元之節；九天錫福，昭垂下土之光。敷露愚衷，歸祈玄造。臣叨承君命，濫仕侯邦。日邁月征，倏歲華之更始；心勞政拙，幸民俗之相安。凡公私得以解憂，皆神天爲之孚佑。欲延景貺，爰啓沖科。伏願官府清平，千里共熙於化日；風雨調順，四民常樂於豐年。

延平總府祈雨醮詞

朱明肇序，適罹旱虐之憂；紫極垂恩，遄應愚衷之禱。開心望闕，頓首露章。臣媿乏吏能，叨分郡寄。志在盡職，蓋素期於濟民；政或失中，不自知其獲罪。遂虧和氣，以致亢陽。當南薰長養之時，秧既難於入土；則西成刈穫之際，穡何望於登場。民社之責所關，田里之憂奚釋。啓沖科而懇禱，冀玄造之哀憐。伏願上帝至仁，俄雲行而雨沛；下民胥説，仰坤轉而乾旋。三日爲霖，千里蒙福。

生日醮詞七月十三日董帥

節近中元，又值始生之旦；誠通上界，敢希宏濟之恩。遙望穆清，具陳衷素。臣濫膺世賞，本乏戰功。寘身三品之班，總戎非據；分戍雙谿之郡，竊祿寶慚。乃幸際於清平，遂獲逃於曠敗。日逢初度，對孟闈之鳴秋；德洽好生，演沖科而醮夜。惠徼穹鑒，丕衍壽齡。四境息災，俾連營之肅靖；九天錫福，謝舉室之平安。

奉安三茅真君香火詞代諶濟川作

望道未見，輒徼福於神山；有僊則名，敢分靈於私室。籲天控告，伏地凌兢。臣幸生人區，多嬰業障。日月流駛，懼年壽之不長；性命漂摇，賴仙真之可託。遠詣三茅之境，恭分一縷之香。兹奉安於家庭，敬昭告乎天闕。伏願誕頒恩旨，俛鑒愚衷。際遇真師，俾早聞於至道；指開迷路，庶不負於初心。

真君疏

山有僊則名，獲挹茅峰之勝；神無往不在，敢邀惢坐之光。建清醮以奉安，祈洪恩之敷錫。伏望俛矜凡悃，少駐真游。窈冥恍忽之間，覬蒙親授；溟涬寥霩之表，或許參陪。恭惟慈悲，默垂開度。

傳法謝王侍宸疏

神霄仙侶，爲正法之統宗；塵世凡流，忝末階而受職。敷攄丹悃，感佩玄恩。臣幸身爲人，以心向道。仕南豐毓瑞之里，信是夙緣；禱東郊安靈之宫，累蒙顯報。竊思濟人利物之事，無如行符祝水之功。敬禮度師，親傳秘訣。草茅何算，名乃達真仙之庭；萍梗無依，身獲在弟子之列。揆分非據，拜賜靡忘。兹蓋伏遇大宗師侍宸真人，著靈在天，興仁濟世。運妙道於掌握，驅策風霆；作後學之梯航，拯拔埃坋。致令庸瑣，亦被甄收。某惟當恪謹行持，永遵傳授。願戒將吏，聽呼召而弗違；誓答師尊，竭精神而無怠。

八月謝雨醮詞

八月雨集，已丕顯於神功；九天雲垂，敢重干於帝聽。傾心丹極，稽首青章。慨念偏州，居多瘠壤。頃自仲秋而後，凜虞亢旱之傷。亟叩仙詞，丐敷沾潤；密轉元造，遄沐感通。大風起而炎威埽清，甘霖降而禾稼蘇醒。何修何飾，如取如攜。敬謝隆恩，仍祈利澤。欲報罔極，願大賜於豐年；其永無疆，常力行於好事。

靈護廟慶生辰醮告盟

岳府有神，毓瑞應孟秋之候；州里懷德，協忱修令旦之恭。蠲絜瑶壇，宣揚寶笈。伏願風霆萬騎，擁帝御以遥臨；香火千年，壽靈休於益永。告盟有赫，昭格無違。

薦亡功德疏

渺渺大羅，上結九氣以成文；芒芒酆都，中仰衆真之演教。琅函宣暢，金書燿明。咨爾亡靈，承兹功德。悉蠲萬罪，即今超脱於幽關；不昧一真，由此證成於仙道。太上有敕，冥司勿違。（以上清道光愛餘堂刊本《水雲村泯稿》卷二〇）

建昌瀛真堂化齋糧疏

孤雲野鶴，雖任閒身；墜露落英，難充枵腹。既是未能辟穀，如何免得聚糧？甫增創於雲堂，已紛來於道侶。欲圖飽滿，須杖鈔題。倘蒙一飯施恩，當致瓣香祝壽。采薪煮白石，愧無幻化之方；

攲枕待黄粱，或遇神仙之客。只今揮筆，便見繙匙。

又題蚊帳疏

雲水生涯，本自炎涼不校；血肉軀殼，奈緣痛癢一般。每聽黄昏聚雷之聲，無復黑甜游僊之樂。湊合數幅布幔，遮圍六尺竹牀。積寸成丈，便可紉縫；自夏徂秋，庶免吮咂。明公皆紗籠中人物，願發慈悲；貧道有琅函内經文，上祝福壽。

麻姑山徐高士題修房寮疏　宋咸淳四年

雲邊茅屋，足老此生；世上劫灰，遽罹阨數。蝯鶴無歸寧之所，風雨有震凌之憂。踰十載以漂離，思半間之庇覆。雖這屋子本是虚幻，然此軀殼還要安棲。願發肯心，亟揮大手。儻得前檐後架，堪禮道經師；當於暮鼓晨鍾，常祝福禄壽。

靈顯廟修造疏　宋咸淳八年

虎豹守關，神稱忠勇；魚龍吹浪，數有廢興。嘉與枌社之賢，重建樟槎之廟。五昌神者，一道祀焉。蹟顯南安，見甲兵而驅狂寇；威行西里，盛香火以庇生民。中值懷山之濤，稍墮妥靈之地。輒干巨力，庸創新祠。揮豪而助金，永紀芳名於碑首；立廟而垂世，大彰福蔭於江西。神靈孔昭，豪傑胥應。

沖寂観修造疏　宋咸淳八年

萬仞縣崖，曾是神仙棲息；數椽古殿，不堪風日侵凌。乃眷沖寂道場，允謂嘉禾勝境。冷真人道骨靈異，香火雲興張洞宣。篆墨淋漓，鬼神雨泣。奈觀闕之已老，睹椽桷之將傾。扶持在人，興起有數。今貧道謾陪笑面，告東君或發肯心。散來滿地金珠，一新梁棟；幻出飛空樓閣，永鎮山川。隨喜結緣，立刻獲福。

道士化冠裳疏

雲階月地，許令換骨飛升；霞服星冠，須要從頭結束。持疏輒陪笑面，登門願發肯心。未便辱累泉石家風，只得奔走財帛世界。大家簇擁，聚來白水真人；如法莊嚴，見出青谿道士。喜歡財施，贊歎福生。

五昌廟修門疏

壇森五虎，久新祠宇之觀；殿聳雙螭，未備廟門之制。既肸蠁之有素，宜禮貌之增崇。擬裒金錢，庸辦木石。高檐傑棟，行看門廡之巍峨；洪河大山，相映香鐙之長久。威靈孔赫，福報不虛。

道士化錢買度牒疏

作步虛聲，本爲脱身塵網；求出世法，須還換骨僊階。然要得上清宫尺紙符，始不負靈都觀一盂飯。未能點鐵，故賴揮金。只消賨鈔鼎來，發心助使；便看羽衣端坐，執簡朝真。禮道經師，祝福祿壽。

龍興路題化建西洛橋疏

天開地闢，南昌郡氣象鼎新；政通人和，西洛橋規模復舊。歎一溪之病涉，覺萬衆之興嗟。思免褰裳，勢須鞭石。正霜降見厓涘之際，乃梁成濟溱洧之時。即請揮豪，看風波化爲平地；不須喚渡，縱春潮儘任横舟。隨喜結緣，大家得福。

兩行者同時披剃題助疏

行者某某，出家有年，爲僧未了，要使兩鐙之相續，須賴諸賢之助緣。搬柴運水，從來辛苦修行；落髮披緇，即今具足圓滿。然須多得元寶鈔，始可計置護身符。登門只望捨衣捨財，見疏且莫縐眉縐面。師弟子同時圓頂，人人道好兩箇和尚每；佛菩薩共喜傳鐙，日日去祝萬年皇帝的。大開無盡藏，應遇有緣人。

大仁寺題化修門疏

一竹建精藍，素號南盱名刹；雙松夾古道，宏開西竺法門。奈風日之交侵，致甍楣之就敝。輒謀葺理，須杖鈔題。或捐布地之金，或贈泛舟之粟。施財得福善，知識應自點頭；入門問禪老，瞿曇亦還笑面。請書小疏，樂助大仁。

司吏題化入道疏

紅屋柱下勾當，雖則趨時；黄昏枕上思量，終是折本。且道出官入府，尋趁生活；何似修真鍊性，脱離是非。爲此收拾護身符，卻緣短少元寶鈔。不免投奔上下，止望舉與東西。休待商量，便請齎發。冠裳打扮，即日好一箇先生每；香火焚修，常川祝萬年皇帝的。更將見世福，回向捨財人。

東嶽行宮修造疏

介圭端冕，有嚴東岱之神；古屋荒庭，弗稱南州之望。況雨暘禱之必應，且疾患叩之即瘳。關緊匪輕，修崇敢緩。今有司捐貲而倡役，願諸賢協力以圖成。忼慨揮豪，鈔米如雲而萃集；咄嗟運木，棟梁不日以鼎新。岳帝妥靈，邦人蒙福。

寧海州朝元宮題助疏

玉陽神仙洞府，鎮寧海之大邦；崑嵛錦繡山川，擁朝元之福境。殿宇今雖完備，闌楯猶欠莊嚴。儻蒙揮筆以捐金，便可興陶而運甓。瑤臺瓊闕，萬年常奉於仙真；月地雲階，一心仰祈於福壽。

郡城隍廟修造疏

郡邑城隍之神，蓋與官府分職幽明，共理民物，非他神祠比也。廟久蕪廢，合議修崇；有司捐貲，諸賢助貲。城隍有靈，素嚴廟貌之設；神人分職，久缺祠宇之修。幽顯貴乎兩安，公私宜其壹力。俗皆樂業，時可興工。有司亦既倡之，闔郡當無違者。百楹壯麗，會見王儀之鼎新；千里清平，均被神庥之賚錫。毋勞堅壁，即請揮金。

石龕建天龍堂疏　至元二十八年

數十年雲瑣石龕，人迷正路；三千界香薰寶坐，佛見道場。地靈湧泉，天龍施雨。睹感通之如響，信開創之有緣。諸賢從果位來，當是不慳不吝；見世獲福壽報，決定有種有收。便請開囊，幸毋拂袖。

郡治寬簡堂修造疏

寬簡堂，乃郡治之便坐也。創自宋代，扁額俱存。棟宇久傾，輒謀修葺。

南紀名邦，治所偉然雄壯；西偏老屋，便坐久矣傾摧。寬簡之額雖存，森凝之體弗稱。興工重創，計費孔多。同僚既捐俸以倡之，諸君宜協力而成此。華堂十丈，非敢求退食之安；芳扁千年，蓋欲示存古之意。所希俶儻，立見翬飛。

道觀鈔題疏

真元福地，煥華封之道場；太微皇居，駐遼陽之景馭。殿廷粗肅，門廡未嚴。五帝儼其端臨，百神寂兮扈從。欲飭儀衛，猶乏貲囊。諸賢皆仙班化身，喜歡財施；貧道開經函稽首，贊歎福生。請對天尊前，共祝聖人壽。

三聖堂增創拜庭疏

懸厓十丈，天開三佛道場；老屋半間，地欠衆人拜處。檐前要展寬數步，囊裹尚未有一釐。大家結緣，立見空中寶闌檻；來生受用，同登天上玉樓臺。舉手揮毫，就頭請鈔。

黄道士化棺木疏

出家修道，本慕長生；與世隨羣，豈知易老。想白日飛升難望，歎黄粱夢覺堪驚。欲圖片木周身，奈乏一金在手。敢干布施，俾遂掩藏。狐食之，蚋嘬之，諒仁心之不忍；父生我，母育我，庶遺體之歸全。願灑銀鈎，多題寶鈔。

三官祠修内殿疏 靈都

真元之境，三靈所都；燿華之宫，百神受職。外庭粗肅，内殿未崇。恭惟帝御之攸臨，是宜衆志之丕應。瑶壇邃幄，拱威顔於縹緲之間；端冕介圭，溥福澤於杳冥之表。毋勞立雪，即請揮雲。

玄帝生辰醮疏

三月正三日，淨樂國瑞應玄真；一年還一番，嘉禾郡嚴修慶典。醮事固須整辦，財力必賴鈔題。舉手揮金，莫更推辭。落後披髮杖劍，立看報應；見前神明有臨，福壽無數。

金繩禪寺修造疏

住山老比邱元啓合掌恭敬而白：見世多寶如來，大富長者、善財諸菩薩等言如是。我聞昔在唐世，遷定南豐時，有名師留傳古記，謂此城郭形如浮筏，筏有漂流，須假繫縛。乃於郭北建一精藍，是名「金繩」，以制漂蕩。一寺興廢，一郡安危。歷年彌深，寺漸墮圮。佛殿法堂已極敝陋，門廊寢舍俱合修完。妄意興工，必資衆助，禍福攸繫，公私協心，布施有加，福報無盡。老比邱作是語已，復下轉語，以代揭言。

南盱號浮筏形，須馮繫絆；北郭建金繩寺，爰制動搖。此邦風水所關，前賢識記不妄。歲月浸久，柱石已傾。殿堂門廡之寒心，吾雖可忍；城郭人民之寄命，郡則何安？今老僧信采興工，望善識向前助力。見出諸天寶樓閣，四面崢嶸；鎮住千年水國城，衆生安穩。佛開笑面，人發肯心。

萬緣堂化田疏

結萬人緣，蓋爲同修淨土；圖三餐飽，固須廣置良田。如來尚甘乞食之羞，道人那有烝沙之法。欲求贍足，寧免鈔題。或撥三頃五頃，特地周旋；或捐十定八定，隨時增置。拈匙弄碗，知有來處；搥鐘打磬，報無盡期。是名千年田，雖歷劫而不賣；只此一盂飯，至成佛而乃消。休吝休慳，常捨常有。

烏石保福寺修藏殿

黄面老來從西竺，宏啓法門；烏石山聳出南盱，最稱古刹。厥有寶藏，緣貯金經八十年；劫數屢更，善神密護五千卷。真詮雖失，故宇幸存。寖至傾頽，急須葺理。善知識肯出氣力，緊那羅立見神通。能令無盡藏種種增添，更使如意輪常常運轉。驚天動地，重新八面龍宫；保國福民，大振千年象教。祝聖人壽，報施主恩。

福惠堂鈔化廚房

堂宇略已修完，廚房大欠充廣。雖工役不至甚鉅，非衆助曷克有成？唤發檀那肯心，請聽水村轉語。

寶樓閣鎮嚴城，天開蓮教；香積廚薰法界，地借花光。欲馮匠手興工，須杖疏頭起本。要數椽蓋造潤展，庶三時炊爨寬停。若蒙施米施財，即是修福修慧。羹飯到口，思量著便自知恩；香鐙銘心，回向處決然增福。一堂歡喜，歷劫贊揚。

護法院鈔題尼姑

北郭精藍，南盱名刹，唐名毘盧，宋名護法。經幾百年，昔處比邱，今處尼姑；奉十方佛，日月寖久，風雨交侵。如來殿宜增舊修崇，羅漢像要從新裝塑。百費何從計辦，諸豪幸賜維持。翕然捐貲，助此興役。忼慨布施，願財上無退轉心；咄嗟圖成，見女中有縱横手。福報壽報，今生他生。

佛堂化燭

墮黑暗獄，皆因不舍佛前鐙；禮光明王，真是如瞻天上日。有此大報應，宜結好因緣。忼慨施財，見出燭華爛漫；喜歡受福，種教善果團圓。請灑銀鈎，大張寶炬。

真元宫化門廊

太微鈞天，宫殿蔚乎帝所；真元福地，觀闕象夫宸居。三境尊臨，百神扈從。惟門廡之未建，覺壇陛之弗嚴。願捐金錢，爲致木石。離婁督繩，公輸削墨，鼎新虎豹之關；王喬掌闈，蚩尤守廬，咸

拱龍鸞之馭。芳名傳後，福報見前。（以上清道光愛餘堂刊本《水雲村泯稿》卷一七）

全元文卷三五四

劉壎 一六

安禪寺題化塑羅漢像

幾百年禪邱古剎，共欣寶殿已成；十八尊天台聖僧，要得紺容竝列。雖曰離相乃能見性，然非立像何以化人？與佛菩薩，一體莊嚴；願士大夫，協心布施。方袍圓頂，見廣大神通；繡户雕梁，看長留名字。

改葬游澧州題助

故澧州太守游公少游，州里先賢也。頃值兵戈，墳墓燬壞。玆稟郡命，率衆修完，敢告仁人，共成義事。

登上將壇，屈中軍亞，此兩句澧州生前語。尚慨想於文豪；歸三尺土，保百年墳，乃竟離於劫運。下馬難尋董相，隻雞誰祭橋公。烏鳶螻蟻，所不忍聞；棺槨衣衾，絶無興念。今官府深憐其暴露，力主公言；吾鄉里宜爲之掩藏，共成義舉。澤及枯朽之骨，端由惻隱之心。華表鶴歸，諸君之賜。何極塚邊麟卧，一抔之土；如新少慰英魂，永留佳話。

壽昌院建天符閣

五帝握天符，實司考罰；諸佛借地面，用妥威靈。一方民命所關，羣賢財力毋吝。鬗開金鎖闢，多捐鈔米以鳩工；見出玉樓臺，嚴奉香鐙而集福。神驅厲氣，人囿春風。

玉虛堂題造棲雲寮

玄真爲一郡福，甫建新祠；道人從十方來，偶成舊蹟。乃眷玉虛之境，古有雲棲之寮。蓋荒閒者累年，欲興起於一旦。廣哀鈔米，大建棟梁。持疏登門，打一部筒鼓息氣；看經祝壽，聽五更響版齋鍾。筆下淋漓，眼前突兀。

濟川橋題化鐵纜

輿梁濟川，共叱金鯢跨海；闌干貼水，必資鐵鎖横江。積年半没於沙湍，常日全凴於竹纜。安能耐久，須議補完。敢借助於鄉賢，庶責成於冶匠。筆頭俶儻所宜，開篋爭先；波面玲瓏好看，連環不斷。一橋安穩，萬口贊揚。

真元萬壽宫修廊

王命赫赫，甫升宫額之華；帝居巍巍，未補廊腰之缺。擬鳩工而興役，願協力以助成。贈之千金，完此兩廡。翼扶寶殿，衛上帝於九重；森列玉班，祝聖人之萬壽。

嶽祠化修造

璪旒龍衮，赫東嶽之分靈；玉舄丹墀，奂南盰之正祀。奈薦更於歲月，致多敝於風霜。故將軍發肯心，經營已半；見大夫踵芳躅，修飭宜全。必杖鈔題，庶供支費。罔俾開端而弗竟，且期補缺以俱完。究皇儀，展帝容，揚靈有燿；效川珍，修嶽貢，護國無疆。一笑揮金，千年勒石。

獄神祠題鐘

獄繫死生，有神爲之主宰；鐘分昏旦，無人辨此莊嚴。惟士師之威靈，顯公家之福佑。近者驅猾囚而吐實，爲逝魂以伸冤。厥功懋焉，其報宜爾。捐金助費，願揮大手以特書；鑄鐵揚聲，會見圜扉之壯觀。二時撞擊，千古傳誇。

保福寺化門廊

南盱第一刹，號烏石山；西竺無上尊，示紫金相。劫運薦離於兵火，神通隨見於棟梁。然惟殿宇巍峨，未睹門廊突兀。老比邱發大願，要前後左右處處鼎新；緊那羅主勸緣，直南北東西人人咸助。或捐材木架造，或施鈔米支持。廣廈百楹，略備禪門制度；豐碑十丈，大書施主姓名。保國福民，告天祝聖。

題助修運水竹楗延平

延津郡地面居高，水泉艱得，全憑接竹引水，以供民食之需。近因風雹震凌，遂至損壞水楗。今議修葺，須杖鈔題。

清泉出山，供萬家之釜甑；狂風動地，埽一道之建瓴。急謀興修，期救乾涸。略計竹木之多費，合掊鈔米以助緣。樂施千金，看節節相沿不斷；分流萬派，喜家家足用無憂。利物濟人，增福延壽。

爲東平完顔用之題助

盛年壯志，欲騰北闕之𦣞；逆旅窮塗，未快南溟之步。黑貂裘亦既敝矣，金馬門不其遠而？辱在交游，誼應倡率。諸賢俱樂爲義舉，願哀王孫；此人必重感仁恩，圖報國士。亟揮椽筆，就付籯金。

西山凝真道院修造

北極玄天，帝位巍居金闕；西山福地，仙庭嚴奉玉虛。顧頹敝者有年，欲補完而無力。茂林修竹，雖塵俗之不侵；古屋荒庭，慮真靈之未妥。謀興工役，願助資財。云云。

兜谿橋般若堂鈔化

水護田，山排闥，宏開西竺教門；橋卧波，道行空，咸謂南盱勝地。何以獨名「般若」？蓋期同證菩提。不於此處早覓津梁，更待何時始離業道。幸有豪門可告，能俾吾堂速成。諸賢皆多寶如來，布施無吝；見世作長壽菩薩，報應不虛。一笑揮金，千年刻石。

靈濟觀改名延壽宫修造

本宫祇奉王命，升改宫名。惟僊真欲鼎建於新規，故回祿遂埽空於舊蹟。兹謀興創，爰杖鈔題。

朝斗福地，奐華封之道場；延壽新宮，駐遼陽之景馭。本張真人飛升之所，離宋無忌焚燎之災。非曰金文玉字，復還大羅；蓋以琳館瑤臺，欲遵新旨。名額既異，制度亦殊。願共施於金貲，期大恢於棟宇。云云。

王侍宸生日題化

天上神仙，豈計揆初之旦；法家弟子，爰申報本之恭。於以見一念之不忘，非日假千齡而爲祝。欲陳彝禮，須藉衆緣。孔方兄原原而來，諒無慳吝；金門客洋洋如在，必有感通。共秉心香，亟揮手筆。

蔡僧住靈峰

靈鷲峰前，曾有如來説法；狻麑坐上，久無古德談禪。幸逢作家，便請正席。某人機鋒自利，根器不羣。幾劫修來，親傳晦壁。翁衣鉢三生幸會，早登絶像；老門庭目見耳聞，心通性悟。消得人天推出，能令佛法興行。大振潮音，化三谿成功德水；力扶象教，聚一堂即妙高峰。禮不動尊，祝無量壽。

兜山保國寺修造

山名兜率，上應梵天；寺冠嘉禾，素推覺地。奈日月之寖久，歎棟宇之已摧。殿宇雖存，危檐溜雨；門廊俱圮，斷礎棲烟。善男子既倡議興工，諸仁者宜協心資助。施一笠猶獲善報，決定有種有收；捐千金共結勝緣，自然增福增壽。垂名百世，保國萬年。

安禪寺化藏經

八面龍宮，見禪邱之寳藏；三山佛國，售天竺之金經。四大部字字分明，萬億載人人崇信。然卷軸多而程塗遠，運載孔艱；且費用廣而氣力微，鈔題豈免。兼有木石未了之役，必資金粟協助之功。緊那羅運轉有神，朝昏千匝；老比邱祝贊無盡，福壽十全。開疏揮豪，留名刻石。

太清生辰會鈔化

玄元老君處母胎踰八十載，闡玄教，著五千文，道德隆高，天人傾仰。二月十五日，是爲毓聖之辰。按《唐書》：玄元皇帝姓李氏，今世李姓皆其子孫。宜率宗盟，同慶生旦。仙李蟠根，河上公實開華胄；春花對岸，盱南郡初慶令辰。爰率宗盟，誕新曠典。五千言明道德，今古不磨；萬億祀庇子孫，福祿無盡。黄金出袖，紫氣度關。

化衆緣

玄元老仙瑞世，日應花朝；嘉禾道侶朝真，雲開蕊板。昔所未有之曠典，今宜共協於誠心。仙經説五千文，巍巍道德；勝會垂億萬載，衮衮福祥。舉玉兔揮，看青牛過。

爲董子升題助

子升適有鼓盆之戚，苦無掩壙之資。歸謁鄉賢，欲祈協助。僕雖閒冷，敢不隨力。然非巨豪共襄，弗克濟也。昔范文正公居睢陽，遣其子忠宣往蘇州運麥五百斛。遇文正公舊友石曼卿，言家貧，三喪未葬。忠宣惻然，贈以麥舟，徒手還家。文正公問：「東吴見故舊乎？」答以「見曼卿，言有喪，而貧不能葬」時，「無郭元振莫可告者」。公曰：「何不以麥舟助之？」對曰：「已付之矣。」古賢父子爭先爲義，真盛德事。厥後文正公官至參政，忠宣公官至丞相，蓋天報也。吾州風俗淳美，好義者多

見。故舊之困，豈無有以文正公之心爲心者？敢以爲請。（以上清道光愛餘堂刊本《水雲村泯稿》卷一七）

本州學禮殿告成祝文

於赫聖師，日月竝明，輝光次舍，儼臨宫庭。王儀一新，匠事告成，英靈凜然，斯文以興。

州學增塑曾思配像告成祝文

於赫先聖，廟食萬世，配以四子，景定之制。惟豐設配，沇鄒而止，人亦有言，禮制未備。爰新廟像，沂、郕正位，塑繪告成，以永正祀。

安奉郕國公

惟公一唯之學，親傳道統，侑食元聖，萬國攸同。而豐庠缺典，廟貌未立，厥今塑繪告成，適臨丁祀。謹以制幣粢盛酒脯，就申安奉，神其歆享，永佑斯文。

安奉沂國公

惟公聖派嫡傳，道統所繫，侑食聖祖，萬國攸同。

立春祭勾芒神祝文　大德十一年

星回於天，丁臨於未，清臺頒歷，萬象春風。惟爾有神，時和歲豐，以興嗣歲。

春祭社神后土氏

惟爾有社，神實司之。百穀麗土，爰謹春祈。願哀吾民，罔俾薦饑。時和歲豐，官民咸熙。

春祭稷神后稷氏

於穆聖神，教民稼穡，功在萬世，歲祀不忒。時居春祈，敢希昭格，豐年穰穰，靡忘神德。

祠祀鄉賢正心彭公月厓曾公安奉文

嘗聞古有鄉先生者存，則人師尊之，殁則祠於學。其祠也，蓋以壽先達名德於不朽，而亦以敦風化、厲後學，使人人爲士君子之歸也。關繫不亦重乎？仰惟二公，文行之懿，州里共推；俱嘗主教，無忝模範。思昔革命之初，鄉校煨燼，襟佩漂搖。乃能相繼奮起，興學宫於廢墜，衛儒道於湮微，蹟其勞能，宜列祠祀。而義舉缺焉，何以勸後？壎承乏攝官，爰修曠典。兹春丁前二日，率在學職事、生員，祠二公於學西廡。接曾、朱諸賢之躅，近宣聖日月之光。自今以始，祭則與享之。宣聖廟祀，萬世永存，二公祠祀，亦俱存矣。薄奠奉安，神臨於位。尚饗。

謁廟文代程同知　至大二年

欽承帝命，佐貳州城，逮事維新，展敬洞庭。惟神有靈，監於克誠，陰佑默扶，三年有成。

拜學文代程同知

惟我家世，賴宣聖之教，以躋於仕而列於朝。今者蒙恩襲祿，分佐是邦，蓋聖門餘波所霑潤也。逮事伊始，展拜學宮，徼福斯文，覬永終譽。

祈晴文

新秋肇序，急用應期。遠村固喜於霑足，近郊或病於淋漓。敢告明神，密轉化機。將有餘以補不足，隨所願而適其宜。時雨時暘，神其佑之。

謝晴文

秋霖妨穫，徼福於神，神應如響，劃開層雲。何以報德？瓣香三薰，更祈終惠，豐穰式均。

仲丁祭曾文定公祝文

惟公奥學姱節，冠冕朝班，高文大册，鼎吕鄉社，藹然祠廟，英爽如生。今兹仲秋，謹以玄酒庶饈，薄修時祭。百世之祀，永矢弗墮。

拜命告家廟文

至大二年十二月五日

昔我高曾，俱嘗受王命、登仕版，至於不肖孫壎三世矣。兹賴先德，粗習詩書，皇帝崇儒，特頒敕命。俾掌教於佳郡，自今脱民伍而齒王官，繼家聲而踐祖武，皆先德積慶所鍾也。涓辰謝恩，敢告祖考，神靈如在，尚陰相之。

告亡妻文

昔咨事上京，吾妻猶及知之；今敕命下頒，吾妻不及見矣。哀哉！考之古典，夫爲命官，則妻稱命婦，幽明雖異，榮寵實同。今辰拜命，是用昭告，庶以少慰吾妻之初心。神靈有聞，諒同歡喜。

州學告謝文

聖主崇儒，宏開仕路。某學不知道，有玷士林；而盛世不遺，叨蒙敕命。念昔先世，掇科入仕，宣聖之教也；今愚不肖，霑被皇恩，宣聖之澤也。罔極之恩，拜稽以謝，尚祈默相，以昌斯文。

水東拜墓祝文

壎忝爲孫，曾日依祖蔭，身所自出，未嘗忘也。蒙賴世德，粗習詩書，聖主崇儒，新頒敕命，遂獲繼祖武而升仕塗。愚不肖，何修至此？其至此，實先世善慶所鍾也。永懷深恩，展謝於墓，神靈如在，願終相之。

石溝拜墓祝文

壎不孝，幼獲罪於天，早失吾父，使不獲少盡一日之養。今老矣，言之痛心，是以歲時家祭，不覺墮淚。尚幸蒙賴先德，粗習詩書，皇帝崇儒，新頒敕命，遂獲躋於仕路。不孝子何修而至此？其至此，皆積善餘慶所被也。我祖、父皆力學而不及祿，祿乃遺於後人。今兹蒙恩，將何以報？謹頓首展謝於墓前。悲夫傷哉！昊天罔極。

禮任奠謁祝文

欽惟天朝，興文治以致太平，育人材以待選用。際天薄海，無不設官以領。學校，責至重也。愚不肖，學未聞道，何有範模？而聖明不遺，分教兹郡。雖慚弗稱，然弗獲辭也。涓辰署事，昭告惟恭，於赫王靈尚加，陰相其無斁。壎敢告。

延平文廟塑像畢工安奉文

恭惟元聖，道與天同；衮冕巍煌，廟祀兹郡。而埃塵歲久，黯翳弗彰，非所以示崇極也。壎分教云初，仰瞻貌像，心實不寧，故首嚴塑繪、罔敢慢令者。工告汔役，王儀奐然。差縠舍奠，奉安神御，四配十哲，光彩惟均。繼自今，日月之煇，拜稽如見，昌我文教，萬世常新。

帝師殿安奉文

聖世右文，瑞應璧奎之像；法王制字，祥開河洛之煇。建新殿以莊嚴，對良辰而安奉。伏願天所覆、地所載，萬方咸佩於國書；作謂聖、述謂明，千載永存於廟祀。文風丕振，皇祚彌昌。

夏後申祭雷雨師文

夏爲朱明，長養萬物，雷霆行天，震動泉脈。敢告明神，驅除旱懸，時雨時暘，成我稼穡。雷

夏爲朱明，長養萬物，潤滋禾畝，允資天澤。行雨有神，佑我稼穡，十日一霔，應期不忒。雨

東嶽代梁總管，下同

維莫之春，岱宗降神，廟食兹土，敷佑生民。某欽承明命，來牧劍津，視事云初，欣逢誕辰。瓣香巵酒，聊薦微勤，神其鑒之，錫福繽紛。

城隍諸廟

欽承明命，來牧此邦，視篆方新，恭致瓣香。有赫神靈，降福穰穰，安靖和平，官民用康。

文廟

欽承明命，來牧延平，祇事惟初，瓣香致敬。《禮》也惟聖有訓，學道愛人，某雖不敏，敢不夙夜奉以從事。

祈晴祝文

月書夏五，霖雨連綿，濤溢於岸，秧腐於田。職在牧民，憂心懸懸，瓣香叩神，願賜哀憐。密轉化機，紅日當天。

夏後申祝文已上俱代總管

節居朱明，長養萬物，神當騰空，溥於雨澤。勿旱勿澇，實賴明德，惠我豐年，倍收稼穡。

嶽帝生辰祝文

榆火梨華正莫春，祥呈岱嶽慶佳辰。袞衣照日威顏近，宮扇開雲瑞氣新。揚梵唄，藹鑪薰，齊天萬壽祝神明，華嚴性海無邊意，大衆披宣結淨因。

放生語

三界香薰龍象筵，對神恭祝萬斯年。入華嚴海王成佛，禮岱宗山帝配天。逢令旦，演真詮，禽魚聽法亦欣然。高飛遠去休迷戀，雲滿長空水滿川。

開藏經祝香語

此一瓣香，旃檀林内生來，鷲嶺峰前拈出。薰開正法藏，大衆齊捧金經；爇向造化鑪，隨處共瞻玉坐。恭願際天所覆地所載，四方無虞；如月之恒日之升，萬年有永。慈極享怡愉之奉，皇儲隆友愛之懽。大地豐登，洪基鞏固。

本命開啓

此一瓣香，長從覺地，生自禪邱。金鑪擁起祥雲，慶龍飛第一旦；寶殿交騰瑞氣，祝鴻福億萬年。伏願如日方升，與天同壽。盡大地皆樂國，新啓太平；合慈殿與儲宮，共臻常久。

上巳千秋節祝香

此一瓣香，分根華渚，毓質旃林。太極降元精，玉葉衍瑶圖之慶；莫春修禊事，金鑪騰寶篆之芳。恭願巍處青宮，密扶皇極。前星有燿，應羲爻初九之潛；華鄂相煇，享莊圃八千之算。河清海晏，地久天長。

聖節啓建祝香

香薰一瓣，雲藹四天。寶藏繙經，先中元之一月；玉階稱慶，祝上聖之萬年。恭願永御皇圖，常熙洪號。太平有象，車同軌而書同文；大歷無疆，星重煇而海重潤。八荒清淨，萬寶豐登。

香薰一瓣，雲藹九天。虹渚騰光，先中元之一月；象筵啓教，祝上聖之萬年。恭願如日東升，御天南面。五百里侯，五百里甸，咸歸有道之朝；八千歲春，八千歲秋，丕享無窮之福。三宮同壽，四海永清。

千秋節祝香

持香一瓣，祝壽千秋。瑞啓前星，密佐聖朝之治；時臨暢月，共陶熙皥之春。恭願育德青宮，留神黄卷。繼乾元之御極，永衍金枝；應震索之承華，常親玉坐。父作子述，地久天長。一瓣妙香，九天瑞氣。生自蓬萊頂上，應二月春；爇向博山鑪中，祝千秋壽。恭願端居儲位，寅奉慈闈。乾元御天，巍總函三之極；震子主器，祥開初九之潛。大歷無疆，升平有象。

安禪長生祝香

與佛有因有緣，慧雲常覆；此香非烟非木，法界普薰。欲淨六根，須馮一瓣，今日端爲，大善知識。某人一靈不昧，五福具全。八十年游戲人間，多行好事；千百劫化生淨土，常近慈光。雖然諸佛歡迎，也要老僧屬付。爇向鑪中，聖凡普供。

元旦祝香

此一瓣香，生從萬歲山中，育在長春苑内。祥雲繞金鑪而上，非木非烟；瑞氣藹玉坐之前，如龍如鳳。適逢元旦，恭祝睿齡。伏願如日東升，御天南面。四時不忒，罄率土以皆春；萬壽無疆，與太虛而同久。慈殿享怡愉之養，花樓隆友愛之懽。禾黍豐登，山河鞏固。

開啓華嚴經語

輕暖輕寒爲小春，經緇貝葉爲慈親。如來特見圓明相，天女親迎自在身。揚梵貝，注鑪薰，佛家富貴此經云。《華嚴》性海無邊意，大衆披宣結淨因。

傳法戒帖右語

超凡入聖，重在積功；離苦登真，先當守戒。一戒常存清淨，萬劫不墮輪迴。咨爾初真，聽師密旨。神仙只是凡人作，宜謹修持；皇天不負道心人，決當證悟。恪遵戒律，丕振宗風。

壽昌和尚起棺語

東風陌上本無塵，宇宙何從有此身。世境甕頭無了日，不如拋卻去尋春。圓寂壽昌大和尚，一生來不會「蹊蹺」兩箇字。只是樸實，真如禪師出家處；幾載住持，伽藍聖者著力扶。百廢具舉，正喜山門改觀，俄閧筵席散場，到這裏有甚商量。只兀底也須尋箇發放，請大衆聽。咄！仰天大笑出門去，明月蘆花何處尋。

僧爲婦人挂真法語

花柳晴光轉好春，死生永别見無因。芳魂已向西天去，一幅丹青謾寫真。某氏夫人，住世六十一年，積善百千萬種。從夫游宦，享富貴於人間；厭世埃塵，託化生於天上。旅櫬已棲空寂，景堂嚴事神靈。一語奉安，三魂諦聽。咄！歲歲蒸嘗傳永世，堂堂容貌似平生。

彭僧母氏挂真語

風清露白近中秋，佛氏西歸更不留，一幅丹青真活脱，鑪香長奉景堂游。某氏萬善周圓，五福完備。兩箇兒出家作佛，幾劫修來；百許歲聽法聞經，一朝歸去。靈柩掩藏於冢墓，高堂羅列於香鐙。大衆還要再見佛母孃孃面目也無？展開遺像喝云：咄！月落長空無覓處，只留影子後人看。

追度小兒放生語

化生生化本無常，游戲人間夢一場。過去善財新作佛，衆生隨從上天堂。蓋汝身本是人妖身，以無道墮在畜生道。拘樊籠而不得出，入網罟而莫能全。今爲云云放汝託生，聽吾判斷。咄！高飛遠去休迷戀，雲滿長空水滿川。

保福長老求起棺法語

菊後梅前是小春，今年不見去年人。停棺小住須臾景，聽説塵凡未了因。某人本自無生，何曾有死？來從佛國，畢竟萬劫長存；游戲人間，須要一場結果。且道今日起程，一句「作麼生」。咄！素車直指青山去，神護金剛不壞身。

看華嚴經祝香語

此佛有因有緣，慧雲常覆；此香非烟非木，法界普薰。今日端爲某人，開演真詮，資崇冥福。伏願游華藏海，與善財以同參；登妙高峰，見德雲而證悟。惟馮一瓣，足了三乘。爇向鑪中，聖凡普供。

收經法語

佛家富貴説《華嚴》，看罷新來再入函。聽法聞經因果滿，善財參處好同參。今辰敬爲某人，開演真詮，用資冥福。如親開於金口，復收貯於琅函。伏願某人，登妙高峰，游華藏海。彤宫紺殿，洞開百一十法門；玉樹金臺，常見五十三童子。永超塵劫，親對如來。

粲土法語

素車丹旐上郊邱，雲慘風悲分外愁。自古英魂誰免得，一人一箇土饅頭。今辰敬爲某人，四大本空，萬緣已滿。一枕春夢，如今纔是散場；三尺孤墳，到底更無歸路。山川擁護，體魄安寧。且道今日安墳，有何囑咐。咄！休言土是無情物，能護金剛不爛身。

爲枯木和尚下火

和尚原是儒家，棄而爲僧，爲保福寺藏主。一日往近郊訪舊，酒後回至定光院前，失足而逝。就於彼寺斂棺茶毘。

正欣枯木遇芳春，驚見東風埽路塵。明月照空今寂寂，定光光裏見真身。寂照禪師朽木和尚，生兮歷萬苦千辛，眼裏識三文兩字。見居寶福藏下，足可安身；卻向滑石路頭，忽然失脚。休問怎生倒地，且圖如此散場。一把火送汝長行，無生無死；三千界任君游戲，自去自來。大衆共聽，一言判斷。咄！三栢熯飽後，一枕黑甜餘。（以上清道光愛餘堂刊本《水雲村泯稿》卷一九　以上何本方點校）

全元文卷三五五

蘇子珍

蘇子珍，西蜀眉山(今四川眉山)人。中統間在世(一九八八年文物出版社版《道家金石略》)。本書收蘇子珍文一篇。

創建悟真庵記

蓋聞太上無形、無名、無極、無上、無虚，自然大□元首自從造化，道教從生。無爲之尊，自然之父，所詮奥典，密授尹喜《道》、《德》二篇，以警未悟。所謂專一氣而至柔，修一心而成道，然後支流淵派，綴葉聯芳，得道者即入蓬萊，知音者還歸三島。始自元皇以來，太上□行，悉能曉了，太虚符咒，並皆明達。或有吞霞伏氣，或有策使鬼神，或有入火不燒，或有履水不溺，或有白日上升，或有隱形于地。神通妙用，莫可思詮，上古同尊，百王不易。唯有蒙古聖朝陛下，平登九五，遂有四方。道邁羲皇，德逾堯舜，光澤四海，八表歸仁，遍國恢弘，重興道教。國師長春真人道心宏闊，德行孤高，杲日兮獨照自心，迥絶兮萬緣不涉，爲教海之波瀾，乃吾門之梁棟者也。厥後嗣教宗師清和真人、真常真人、誠明真人□□重□，玄風大闡，使寒灰生于烈焰，令枯木發于萌芽。圜牆打坐，胸藏朗月，團圓拐棒，簞瓢内收，明珠燦爛，光輝晃耀，横遍十方，但遇知音，普皆受用。今有慕道學人女冠穆，法諱守妙，祖代衛州胙城西北二十里第十疃庶民人也。奄然有悟，剪除虚妄，心地開通，抛捨俗緣，得其機要。然後拜二祖師陳先生法諱志堅、陳先生法諱授恩，朝夕訓誨，得其頌訣。奉太上天心之秘法，感聖母元君之妙藥，無疾不爍，無病不除，説其靈驗，則報應昭昭也。然後明通凡聖之途，示人善惡之路，順其理則入聖超凡，背其理則漂流欲海，所謂源明洞中七日，世上早一千年。令威證道，回來閻浮，倏經萬載，爲善者受人天之福，爲惡者獲酆都之苦。如斯捷徑，禍福無差，但入玄門，俱瞻道德。捨祖業田地作興福壇場，願賀一方信士，同心竭力，創建靈壇。或出工匠，或舍錢財，積年久受辛勤，今日才方完備。前後有殿，東西有堂，三門聖像一新，庫屋廚房了畢。仍請名于宗師，目之曰悟真庵也。每日敲金擊玉，修大羅三境之天，逐朝禮拜朝真，願盡證長生不老。俾令代代相傳，綿綿無盡，輒以直贊之曰：

鼓擊玄風振，恢弘道教行，盈天皆了達，遍宇自然贇。寶月當空掛，驪珠到處精，密傳希有法，覿面化群萌。集斯善利，端爲上祝。今上皇基永固，帝導遐昌，金枝永茂于千春，玉葉長聯于萬代。臣僚官宰，□位常居，士庶工商，長臻五福，一方信士，各保康寧，進道壇生，修行有慶。庵之始末，撮在于斯，采摘直言，爲其記耳。（一九八八年文物出版社版《道家金石略》）

王麟

王麟，邠縣（今陝西彬縣）人，自署「古邠逸士」、「古邠進士」，中統間在世（清光緒九年《益都金石志》卷三、光緒三十三年《益都縣圖志》卷二十八）。本書收王麟文三篇。

崇真大師靈祠記

先生姓周，諱慶安，道號恬然子，濟南人也。其家富貴軒冕，束帶而立於朝者，代不乏人矣。公其宿有道骨仙風，穎悟生死，一遇玉陽仙師，頓開世網，豁達靈明，眠雲卧月，咀芝嚼蘭，信其真物外人也。是時門弟迨數百輩。先生立不教，坐不議，虛心而往，實腹而歸。及其八十有五，欲遺物離人之際，故談笑示衆棄世頌畢，曲眠左肱〔一〕，翛然返真，神遊八紘之外矣。門下弟子念師訓誨之德，庶幾張大其功，特建靈祠，慕伸其懇。欲香火不斷於四時，冀恭奉無忘於一念，俾後之學者，春秋之祭，瞻彼白雲，臨風拜奠，□茲素節以勵其志。知觀江志海謁予以話其事，遂援筆而書之，以紀歲月爾。

古邠進士王麟記〔二〕。（清光緒九年《益都金石記》卷三）

〔一〕曲眠左肱：肱，原作「紘」，據清光緒三十三年《益都縣圖志》本及文物出版社一九八八年《道家金石略》本改。〔二〕古郊進士王麟記：進，《益都縣圖志》本作「逸」。

段氏修建祖塋記

中統二年

夫孝者百行之首，而爲子之道。其事生也，冬溫夏清，昏定晨省，不忘其恭順。其死葬也，棺槨衣衾，宅兆安厝，而盡其哀戚。其祭祀也，籩豆簠簋，春秋思之，如在而敬也。此人之大事、禮之大端畢矣。外，孝子慎終追遠之餘，有遷葬焉。今兹明威將軍段公，諱綺，字百華，其先所尚，由來遠矣。春秋有段干木，天子不臣，諸侯師事，財利不足以易其志，爵禄不足以加其身，友之者卜子夏、田子方，魏文侯每遇其廬而必式之。在唐則有段秀實，謹厚端慤，忠於事君。自爾後之子孫枝散四方，顯達者豈一二焉？迨宋至金，歷金迄於大朝，有陵郡段俊昆弟三人，慕上世義，效元祖德，不以利禄爲榮，不以窮居爲約，皆戻行元志而力於田畝之中，施仁布惠，而□□於市井之際。俊娶於薛氏，生段綺，世居於此，考其丕祚，有自來矣。公孝於父母，友於兄弟，自其親戚。少蒙義方，則不致於怠惰；長而事上，則不失於嚴謹。其於公家，事忠義，死生而一之。大都督行省相公嘉厥才行，擢以提領昌樂事。居是邦也，爰歷歲使時，一境之民各安田里，無歎息怨恨之愁，愈礪其功。遷提領密州事，未報政間，而濰陽之官吏、昌樂之老幼慕公之廉，想公之德，仰公之義，願欽戴之，特聞於大督相公。公遂嘉其意，復宰昌樂縣事。公於此，恕物清心，承流宣化，抵今十五載矣，民如按堵，美俗風恬，無一物不得其所焉。若此，非祖德之帡幪者，能致於是乎？公有五子：長曰質，次曰慶。嗚呼！質方卓立，不幸告終。《語》云：「秀而不實者有矣夫！」慶幼而懷義，致身事主，不擇地而捐軀濟難，表奏龍廷，寵錫金幣羊馬，外授滕縣丞。其下三子雖稚，性鍾淑善，溫其如玉，俱習儒業而志於學。公於是日，年僅衰邁，恒縈小疾，終不克於致仕。於奉先孝思之心，未嘗少替，欲示後之子孫克敬克孝而無忘焉。其乃祖、曾祖、高祖已葬濱地，不復敢遷。念尊父、伯父、叔父經兵荒之後，骨骸散落，每迴思之，痛深而泚，豈勝言哉？乃即此縣南，不盈千武，麓阜清奇，形勢掩映，卜其地而葬焉。奮□蒼山，磨礱翠琰，不遠而來，親屬其事。僕以眷執義理，不敢辭，强刳蹇思，濡毛按楮，將錄其實，以紀歲月云爾。（一九三四年《昌樂續志》卷一七）

修真觀記

粵若雲門山，遙峰聳峙于其南，東安王行廟崇侍于其北，將軍冢高瞰于其□，朝暮登眺，春秋放懷，絶市聲之繚繞，睹風景之清幽。花木蓊蔚，土田膏腴，目明塽塏[一]，幽閴寮敻，足以棲方外之交，足以憩環中之士。乃昔豪族李氏之故□玄教樂積陰功，恪謹之誠，未嘗少替。迨乎薦臻劫運，玉石俱焚，賢愚共剿，□□敵未足以比其萬一也。及出凶荒之後，玉殿珠樓，俱爲灰燼，千門萬户，靡□□嗣。有李公志清者，念父母鞠育之愛，惜兄弟友于之情，不忘其報。一旦□□□國師長春老仙應詔而來，士民仰戴，香火交迎。公灑然易衣而道，更□□□利爲之桎梏，以金石勁其節操[二]，由是截荒蕪，葺園圃，創興聖宇，緒修□□□□奂告成，叩額于有司。寵錫嘉號，觀表修真，以示不忘肯構而塞先人之□□□□者定與公爲□□之交，自初建靜廬，親運斤斧，手斲棟梁。及其落成也，□□物遷延，庶幾千載之下，養浩之所，玄功勝域，不爲零替而永振于此□□□□不寐，即題其形勢之□，狀其肇造之由，遠之青社，屬文于僕。予稽其道□□□其實，以傳不朽。古郊進士王麟記[三]。（一九八八年文物出版社版《道家金石略》）

〔一〕目明塽嵦：目，原闕，據清光緒三十三年《益都縣圖志》本補。〔二〕以金石勁其節操：勁，原闕，今據《益都縣圖志》本補。〔三〕古郊進士王麟記：進，《益都縣圖志》本作「逸」。

尚企賢

尚企賢，中統間爲孟州學正兼河陽縣教授（乾隆五十五年《孟縣志》卷八）。本書收尚企賢文兩篇。

重立孟州三城記

中統五年

夫區域之建，肇自古初。其間以州爲郡，以郡爲軍，緬今□□省廢置，前代以來，□□不同。至宋，仍孟之雄藩[一]，其來遠矣！周爲三輔，唐號六雄，後乃改河陽軍節度使爲孟州三城節度使。至宋，仍以三城節度置使焉。及金，改爲防禦使。州處黄河之北[二]，當天下之衝，據津梁之要。自匪材雄德茂、聲望□□，鮮克分符。舊州瀕河，地勢卑濕，水泉潟鹵，民居墊隘。大定戊申，防禦使么公移築於此，公解私第，庵觀寺廟，一依舊制，遷舊民而實之，舍污淖而獲爽塏，幾三十年。東圜淏水，西附紫金，山河表裏，相錯如繡，平嵩一覽，極爲壯觀。上應列宿之張，下近測圭之地，氣得天地之正，物霑霜露之均。東西兩京之間，冠蓋相望，人物熙熙，梅橙花竹，比屋皆然。春朝巷陌，羅綺香風；秋夜樓臺，管絃明月。蓋禮樂衣冠用文之地[三]，民不習戰，至興定庚辰，貔貅一拉，掃地無餘。迄今四十餘年，荒墟廢井，狐兔蒿萊。及壬辰天兵南渡，有京師總帥范公率諸部衆[四]，齊所帶虎符□次下金銀牌印□□，本朝以爲□禮，天恩優渥，更賜金符，治所屬之民，兼領於孟。□□□□□□□□□□□□□□□。至元丁巳，欽受恩命，復立新孟。翌日，登陴一眺，折塞荆榛，茅屋星希，數家而已。晝□□於樹下，夜寄宿於僧舍，□□□□，一無所有。乃召耆老舊人，圖畫街衢，標注坊巷，除解宇寺觀廟址外，聽諸人修立。□□之間，□□□□，尚希營建，□□□□，民不加多，僉曰：「總帥勤

於物務，夙夜不怠，經之營之，□□□□□□□□□□□，使荒殘廢邑復見儀型，豈不偉與？」竊
念瘡夷之民所倚賴者，我公之惠政耳，倘一旦功成，改除他邑，使吾輩大失所望，□厥成□□□□
其□矣。□□□□□□□□天開中統，舜日□輝，□傾□□□至辰年，欽奉聖旨宣授孟州長官，□降
□□□民□於是，遠近聞之，莫不相賀，以至□門女子□牧童□咸見謳謌，而今而後，得我公之久守
是土，免懷借寇之憂矣。□□惰者，今奮發而前者之猶後者□□於□，有願□一□□□□者，有負
耒耜而願耕於野者，有願賈於市者，有願出於途者，雲屯輻輳，□□□□□□□無餘隙矣。於么公創
立於前，范侯重修於後，□□餙□□□□光頒詔三麾□□□□以至□□朝，是新闢樓，平易□津，□
樓先起，使後人安居樂土，久享康寧之福者，皆我公□承睿命，開展疆場，辛苦□建之力也。至中統
四年二月間，宣差孟州達魯花赤阿里理任新附之民而並治之，□□□□□□□□。公諱真(五)，字彥
誠(六)，登封人也。賦性明敏，□□諸家，世出於文正之裔，幼則勤□，長而分□，備文武之資，有經濟
之量，寬厚愛人，不爲苛政，由是人多歸焉。初下車之□日，於旦昧未然之前，規畫制度，□□□□胸
中□，雖工師□□梓匠機巧，亦□□其所以，見成跡，咸服其神。推治孟之政，擴而充之，□□□國，
柱石皇家。□□區宇，豈一孟之獨安？而天下之俱安，行看□□，位居台鼎，
□□□□□□□□□□□。中統五年八月戊□日□□，孟州學正尚企賢撰。（清乾隆五十五年《孟縣
志》卷八）

〔一〕孟之雄藩：雄藩，原闕，今據清康熙三十四年《懷慶府志》（簡稱康熙本《懷慶府志》），及乾隆五十四年《懷慶府志》（簡稱乾隆本《懷慶府志》）補。　〔二〕州處黄河之北：黄，原作「北」，今據明嘉靖四十五年《懷慶府志》（簡稱嘉靖本《懷慶府志》）、康熙本及乾隆本《懷慶府志》改。　〔三〕蓋禮樂衣冠用文之地：用，康熙本及乾隆本《懷慶府志》作「崇」。　〔四〕有京師總帥范公率諸部衆：師，嘉靖本、康熙本及乾隆本《懷慶府志》均作「西」。　〔五〕公諱真：真，嘉靖本、康熙本及乾隆本《懷慶府志》均作「貞」。　〔六〕字彦誠：誠，嘉靖本、康熙本及乾隆本《懷慶府志》均作「成」。

修建長春觀記

中統五年

夫道之在天下，不可須臾而離也。然虚無莫測，微妙難名，不可以聲色求，不可以智慧得，窈窈冥冥而隱至精，昏昏默默而藏至極，萬物生成而有賴，百姓日用而不知。故太上託神李氏，剖左腋而生。鑿開混沌，發揚萬化之機；把住乾坤，顛倒五行之用。立□□教，開衆妙門，演長生久視之詮，述固蒂深根之旨，以無爲清淨爲道，以謙退處下爲德，故曰「我無爲而民自化，我無欲而民自樸」，則帝王公侯遵之而天下平。其上如標枝，下如野鹿，鑿井而飲，耕田而食，含哺鼓腹，莫知所謝，以恬惔無事而然也。逮乎季世，淳樸散而澆浮生，智巧出而詐僞起，以至有不忠於君者，有不孝於親者，有偷盜者，有陰險者。或誕妄以喪真，或輕躁以敗氣，縱驕侈以損志，習穢慢以亂神，斯皆生迷妄景〔二〕，死墮幽囚，流浪無涯，鮮能知覺。天垂愍悼，降乃宗師，開覺有情，使知固命，於慾景之内而認真常，向囂塵之中而歸實際。消除六欲，存氣血以守真；勦絶三尸，定精神而體道。欲傳秘訣，須得奇人，廼西别終南，東遊寧海，得邱劉譚馬之英材，太古體元之奇士，皆一時之翹楚。唯劉真人住持萊川神山武觀，一日誦《道經》至「不見可欲，使心不亂」，乃笑曰：「然如是未足爲真了。」故復花衢笑傲，柳陌熙遊，道眼觀來，總成淨境，而於全真門下，最爲著力者。然未嘗妄接一人。有周老者穎悟不羈，博學强記，爲當世之大儒，願立下風，敬聞妙教。真人曰：「似君如此英華才藻，恐飾外喪真，當以憨自處。」稽首再拜，敬事斯語，因目之曰「憨周」。居是觀也，黜聰屏智，匿跡韜光，積有年矣。至大朝，朝廷特賜以「清虚真人」之號，以旌至德，亦不常常妄接人。當是時也，一見解公，機緣宿契，針芥相投，雖師資之道，禮接甚厚。公本真定人也，家非白屋，繼世簪纓。因父仕萊州，挈家東邁。公自齠齓間，有泉石煙霞之志，棄軒冕之榮其猶草芥，念茲在茲，乃成泉石之膏肓，爲煙霞之痼疾。父母情鍾，固難輕舍，以富貴誘之於前，以嚴訓戒之於後，其志確然不移。不與同輩爲嬉戲，靜室獨坐，終日無言。但見雲水閑人，莫不牽衣留待，父母久而知不隨力屈〔三〕，乃許之。年纔十五，操瓢行丐至邳州桃山上，鶉居鷇食，櫛風沐雨，唯以守真爲務，不遑餘事。及其長也，長春深器重之，賜以「洞真子」之號，以「志通」爲之諱，於七真之内而親炙者三焉。因著腳天境，攬靈蹤懿跡，誠煙霞之淵藪，遽有終焉之志。當時成就處所，蓋多有之。爲無績樂成，心實爲愧，乃於西仁和自擇一所，然云古跡，朝更代革，荒閑闃寂，皆人之所不爲意者，而經營之。或有止之曰：「陋如之，何可居焉？」衆皆艴然不悦。日就月將，既有次第，前所鄙者，幡然而喜曰：「今日始見此地。」面臨天塹，背倚紫金，低其前而高其後。其形也，如仙人之抱子；其勢也，若五龍之戲珠。左有流水，爲青龍，青龍有入泉之意；右有長道，爲白虎，白虎有沿山之形。前低汙而爲朱雀，朱雀有鼓翼之儀；後高阜而爲元武，元武有登天之象。東西兩峰突兀，有日月精華之狀，其左右前後，自然理順，不爲牽强，實天造福地，而爲幽人於是，建神仙修煉之鄉，立香火因緣之地。開元立教，難忘師祖之恩；續焰流芳，須藉兒孫之力。乃構正殿、兩夾、雲堂、洞舍、三門、倉庫、七廊、聖位，莫不棟宇雄壯，丹堊鮮華。翠鋪仙鼇，金縷法冠，財不天來，功不鬼役，一一皆吾師道德之所致也。今兹勝事，幸爾苟完，使士庶拭目一觀，遷善向化，非小補哉？將此施地舍財，用心竭力，俱扶持元教，潤色正真者，記其姓名，寫之琬琰，庶幾不泯，與道常存。銘曰：大樸未散，混然一真。清濁既判，立天地人。宜咨萬物〔三〕，五行在身。奈何輕命，永劫沉淪。天發地藏，積精會神。綿綿密密，陰陽配匀。道以靜體，德惟日新。得入聖域，宿植善因。披褐懷玉，夫何患貧。父不得子，君不能臣。慧燭内耀〔四〕，靜無一塵。功成行著，永享長春。（清乾隆五十五年《孟縣志》卷八　以上魏崇武點校）

〔一〕斯皆生迷妄景：一九八八年文物出版社版《道家金石略》本作「斯皆生述妄果」。　〔二〕父母久而知不隨力屈：隨，《道家金石略》本作「可」。　〔三〕宜咨萬物：咨，原作「盜」，今據《道家金石略》本改。　〔四〕

慧燭内耀：耀，原作「雄」，今據《道家金石略》本改。

韓志謹

韓志謹，塔察爾以遺宅畀之，賜額曰「洞霞」，因號「洞霞丐叟」，爲景雲觀大師（清光緒二十七年《山右石刻叢編》卷二十五）。本書收韓志謹文一篇。

三靈侯廟像記

中統四年二月五日

粤以太虚寥廓，分混沌以運三辰；大道希夷，判陰陽而生萬物。至神不測，玄妙無方。生天生地，神鬼神帝，盤古立而三皇出，五帝生而寧化安，自軒轅甲子逮至於今，歷四千餘禩，得道而帝者爲帝之聖，得道而神者爲神之靈。大矣哉！牟古之道，宜乎該徧，無所不在。夫三靈侯者，迺三元真君之别號也，本亦人靈，蓋得道之尤精者也。積救厄扶危之行，已滿人間；布愛民及物之恩，終歸天上。鎮非災，閉目以安眠；伏横禍，藏眸而穩睡。千妖殄滅，五瘟消潛。人能敬於神，神能福於人，敬福交歸，莫知其極矣。兹者古左邑之東，去縣積有三十里，通衢之貫，有聚落曰東鎮城。北上社，居民數十家，叀農圃工賈爲業，其邑人張清張千户、姬安撫、衛德用、張林、劉提控聚席而言曰：「自大朝撫定之後，人煙雜居，不獨親其親，而四海皆親，不若結香火之親緣，崇三靈之廟貌，流爲薦福之基，永祝君王之壽，不亦宜乎？」一唱百和，遂於驛途之側卜壂一規，斲瓦礫而夷之，芟荆杞而垣之，植花木而秀之，穿井泉而圃之，棟宇簷楹，真儀掾吏，道舍庖廚，經之營之，迄今伍載，創然一新，稍有次序。欲訪幽人寂士，主而居之。幸遇道流杖屨而至，詰其所以，姓楊諱志真，慶陽人氏，自壯歲棄家入道，叀西京玉陽觀何大師爲引度，今欲卜終焉之計，衆遂默議曰：「似有道緣。」遂具狀疏敦請楊公住持此廟及作養玄仙館，永爲主宰。楊公徘徊四顧，山川明媚，如列畫圖，西北積千峰之翠色，東南瞰萬頃之澄瀾，心與緣會，惠然而應。池□□公□與同心協力，裁高補下，平夷園院，手足胼胝，恭然疲役，不憚艱苦。今已落成，一方士庶，歲時祈禱，得以拈香致福，優游於其間矣，豈不偉哉！衆或乃言曰：「然此福地若無銘碣，時更代革，湮没無聞，焉强梁者侵敓而居之，則徒勞昔日創建之功也。」是以登途涉水，致禮捧觴，丐爲一記，刊於真珉，用傳永久。予堅辭再四，弗獲其免，遂搜刮肝腸，强爲鄙語，目紀其始末云耳。中統四年歲次癸亥二月壬子朔蓂生五莢日記。（清光緒二十七年《山右石刻叢編》卷二五　以上魏崇武點校）

嚴震

嚴震，中統間爲沔州團練節度使（一九六三年《嘉靖略陽縣志》卷五）。本書收嚴震文一篇。

東嶽行祠碑

中統五年三月二十七日

維大朝中統五年太歲甲子三月丙子朔念七日壬寅，今有漁關沔州管軍水路轉運都元帥府同沔州長官元帥府兩司官吏軍民等：切見自罹兵火，神亦莫依。廟貌既殘，祀典何有？曩承君命，裨置沔陽。雖曰有年，未暇及兹。歲庚申春，震等乃相與謀曰：「州治之北舊有東嶽故址，頹敗久矣，盍往興之？」即是歲之仲春念八日，命工度材，經之營之，不日成之。宫宇翬飛，三門峻立，塑像粧鑾，粉飾備具，凡有祈者，莫不響應焉。嘗謂鬼神非人不歆，神而不靈，神其著矣；人而不祀，人自棄矣。既而，歲焉而風雨時，境焉而豺虎息，物焉而災孽不生，民焉而疾病不作，神之聽之，介爾景福，斯謂盛矣！舊有碑記，求而弗獲，厥應孔昭，不容自已。幸兹癸盡甲生之歲，正當否傾泰長之時，相與勒諸堅珉，庶可流芳於萬世。謹記。（一九六三年本《嘉靖略陽縣志》卷五　以上魏崇武點校）

董楷

董楷，字克正，天台（今浙江天台）人。以通經入仕，宋咸淳中，提舉松江市舶，分司上海，愛民養士，號稱循吏，津梁解宇，亦多建置（清嘉慶二十二年《松江府志》卷四〇）。本書收董楷文兩篇。

松江道院記略

咸淳三年四月，楷奉命分司松江。庀職之三日，循舊謁廟。所謂真武祠者，僅煢然一殿，雖創置門廬，梁棟露立，日暴雨淋，將就圮毁。諗於監松江場吴標，標曰：「此星流電繞之旦，臣子所以仰祝萬壽之地。標與前分司劉槢經營建造，羽流庸閒，黠吏舞而侵漁，迄輟工，不可不究也。」乃相與謀度。至次年三月始，瓴瓦甓甎，且作兩廡，費不給。又次年正月，設門欞，續兩廡，二月悉備，深嚴整潔，爲一勝處。其費多出於標。謹按：真武乃北方元武神，不應有像貌之可瞻，有衣服之儀，有旂幟之飾，有符璽之章，有徒御之衆，世俗以詭誕相承，其事不經。是役也，非敢隨俗乞靈，惟尊君之義，乃率土所同而不可一日不明者。故在物猶有葵藿之傾心，在民則有華封之祝言，况乎委質爲臣子者乎？洪惟東朝以柔雍正淑左右，先皇定策不搖，丕乂海宇。皇上臨御以來，卻貢獻，杜請謁，彰善去邪，恭天仁民，協氣周流，休德液洽，微臣等獲依日月之末光，以展采錯事，慶幸無極，如南山之壽，如松柏之茂，天保所以祝其上也。此微臣等所以營建之志也。驅一世之民，躋之仁壽之域，又餘澤所必至也。若爲楹爲費之目，細事也，故不書。（清嘉慶二十三年《松江府志》卷七六）

重興寺記略

至元七年

延慶寺比邱如月令其徒若虛請曰：寺址本施家瀼，隆興間，有大修行僧守詳自姑蘇來，結茅蘆葦中，多響從者，以衆力成十六觀堂，乾道始賜寺額。開禧悉蕩爲灰燼。主席迭更，或營一殿一閣一堂一門，工未究久，輒淪壞。開慶己未，今住持思恭奉敕來，適大歉乏食，恭且貸且勸，施者四面而至，後連歉不乏，且積羨餘。議修建始庚申迄丁卯，於未究者畢其工，於淪壞者除而新之，又爲堂，爲寮，爲廡，爲廚，爲庫，五百餘楹，蔽之文瓦，藉之繡甃，丹翠炳煥，墉岸嚴聳。外則作飛梁，作長生庫，作兩別業，塍田三千餘丈，墾治廢田，歲增租五百餘石。又有忠訓陳君因感夢誕男，捨所住宅，移建於寺西荒址，爲楹百餘，設諸像其中，且鬻宅買田百畝，於是規模之整備，事力之豐裕，遠過昔時。月又述恭之言曰：「余師佛光者主是席，首謂寺之未振，形勢使然。東惟河，盍梁諸？亡何，師移席鳳山，猶語及。予之建梁，實師意也。他役，師所啓也。」又曰：「舊此寺羨租貯方丈備役費，今既卒業，毋爾有役，日廩餼給可也。」遂集宿艾定議，聞詩官，鏤板以規將來。夫不專美而推大其師，能潔身以倡率其徒，皆可紀也已。咸淳六年二月望日。（清嘉慶二十三年《松江府志》卷七五　以上魏崇武點校）

鄽居敬

鄽居敬，至元八年（一二七一）時爲國史院權編修官，至元二十四年任南臺都事（《常山貞山志》卷一六、《至正金陵新志》卷六）。本書收鄽居敬文一篇。

欒城縣太極觀記

全真之教，所來遠矣。蓋太上玄元其始祖也，以清淨自然爲宗，虚明應物爲用，後世其傳浸舛，道異派，教異習，所謂全真者，人或莫之知也。獨東華君紹聖絶業，啓迪來哲，故一傳而得正陽，再傳而得純陽，其説稍行，然猶疑信相半。迨乎重陽王公之作也，乃大爲激揚洪音以倡導之，而丘、劉、譚、馬迭出一時，又和而簧鼓之，自是人始知有全真之號。向上諸師，教教相承，皆目擊道存，氣融心會，挺出物表，渺翩翩而獨往者也。聖朝受命，崇玄重道，首命驛召長春丘公，前席加敬，垂衢室總章之問。是時天下初定，民未厭服，而叛命者衆，朝議將致天討以罰殛之。湯火遺黎，旦暮假息，竢命于鋒鏑之下。丘處蒿蘭共刈，百方周至爲之曲説，竟用是獲免。至有因俘亡命，輒緇其冠而羽其衣者，一無所問。凡前後所活，無慮億萬計。雖朝廷推含弘不殺之仁，要之大教有以庇之也。是後真風大扇，四方傾動，羡慕之心，確不可奪，而丘之所度門弟，布在天下者，無處無之。不數年，芝宮琳宇，金碧相望，欒城太極觀，寳悟真大師孫公志覺之所建也。師本太原大家，夙藴善根，生而不茹葷血，木訥淳信，澹乎有抱一集虚之志。年十三入道，禮尊宿赤城米志元而師事之。庚辰夏四月，以長春手翰，繼授今名，就令守德興府之喬松觀。居十餘年，人無議言。庚寅春，真定路西元州元帥左監軍韓侯智走書幣邀師主在州之修真觀，扶衰起廢，土木有加焉。田□□至縣達魯火赤兼提舉縣事王君尚聚耆老而謀曰：「是邑久罹變故，土俗愚冗，吾來莅政，已及周期，而民尚未知化。顧不有性行純懿者相觀而化之，則孰知遷善之義哉！」遂合辭具疏請師住持是觀。師亦不多讓，□然而來，蓋意將有以化之也。觀經兵毁，遺址丘墟，師爲之翦荆棘，拾瓦礫，朝經暮營，日締月構，雖隆寒盛暑亦不暇恤，如此積年而後有成。位三清于其前，殿玉皇于其後，堂七真于其西，齋廚寮舍，像設供具，隨事一新。至于元氏之重陽庵，則又爲師之別業，茲不具録。真定道司美其能，因命監欒城等處諸觀事。蕞爾之邑，實居南北要衝，雲賓霞友，往來者無虚日，師歡喜承事，館谷□盡禮，莫不使欣欣之色溢于衡宇而去。此與夫掊人之財固爲己有，雖拔一毛以利人而且不爲者，良有間矣！至元己巳春，會首董君曼卿來謁僕曰：「孫師之功德若是，幸吾子文之石以示永久，顧不偉歟。」僕應之曰：「師之視此，如游雲在山，空花寓目，暫假因緣，特其游戲耳，安用文爲？况鯫生常談，不足以揄揚盛美。敢辭。」辭愈固，請愈力，加之有鄉曲追隨之舊，義不獲已，故勉爲之書。（一九八八年文物出版社版《道家金石略》以上魏崇武點校）

宋景祁

宋景祁，高平（今山西高平縣西北）人。元初爲德州州學教授，以經術訓諸生，風化太行。陞晉城尹，治奸辨誣，政聲四達，時稱循吏。後家居七年，朝論高之。擢史館編修，遷諭德（清光緒八年《鳳臺縣志》卷五）。至元二十八年（一二九一），出爲鄉寧縣尹（一九一七年《鄉寧縣志》卷十二）。今本書收宋景祁文四篇。

陳慶甫詩刻跋

至元八年三月

嘉議大夫山東東西道提刑按察使陳公慶甫家世古趙，爲河南道總管既久，又以洛邑爲家焉。性沈毅果斷，不惑政事之名，浮於文學，好作古文字。至於詩，皆攟拾所見之實，其蕩心溺志、浮淫無據之語，不作也。探其源委，皆從體國憂民處所發出，故其動於中、形於言者，非黼黻王猷則箴勺人情者也。公行按，因書此詩於公館，州牧黄侯彦文、同知德州事金臺閻侯巨川、德州判官古兖馬侯頤之暨長史渤海馬君國寶聚而言曰：「公之忠愛，乃見於詩，詩之質厚，有章其化，而楮墨不可以恒久〔一〕，於是召匠刊石，庶永其傳。」嗚呼！人之所以附青雲之士，豈無所用其心哉？至元八年三月上旬，州學教授長平宋景祁跋。（一九三六年《陵縣志》卷一七）

〔一〕而楮墨不可以恒久：楮，原作「褚」，今據《山左金石志》本改。

德州修碑樓堂事記　至元八年三月

至元五年，朝命以天平軍爲十節度，德其一也。州之爲政者，黄、閻、馬三侯也。三侯同心，政平訟理，公事之外，隨宜施設。謂顔公字碑天下寶愛，風雨剥蘚，漸致殘缺，乃作樓爲庇。不以木以陶甓者，慮非常也。謂邦君之重，不可無居，於是營度爲後堂，爲夾室，爲東西嚮及廚庫之所，糊以白壤，甃以方甓，不奢不儉者，取中制也。又以廊署、户口、軍旅、刑獄、錢穀文簿咸在而茅茨披靡，或有燈火之誤，將如何？乃復與長史屬吏等以月俸具榱棟瓦甓，左右連甍者各有五焉，其户牖欄檻丹漆雕鏤，一切飾廳事者，爲之一新。夫臨民者不侵漁則善矣，至於自菲薄以所有而代官用，戊邦□□觀，求之古今，蓋不多見也。後之君子善於其識□□，有繼於是焉。至元八年三月下旬，州學教授宋

景祁撰〔一〕。（一九三六年《陵縣志》卷一七）

〔一〕州學教授宋景祁撰：宋，原殘作「宀」，「景祁撰」三字原闕，今據一九三六年《陵縣志》按語補。

復立鄉寧縣治碑記

《剝》以柔變剛，《復》以剛乘柔，人孰知《剝》之上九而旋反《復》之初九也？天運推移，世道遷革，蓋有不言而信、不約而同者矣。至元三年，有司閱實郡國户口之數，以多兼少，以散歸聚，汰其曠冗，庶生民休息耳。由是，縣歸於吉縣之東偏，去吉二百里而遥，南亦如之，訟者、役者奔走而集，事者聲其勞。或强擊暴詈，寡弱者隱而不能訴。十三年，坊郭白珪等六十四人赴州府陳告：「本縣係春秋晉鄂侯之故壘，四鄰十縣，地理遐遠，自古設官爲治，今併於本州，凡有徵差、詞訟、勾證，往迴四五百里，夏暑秋霖，溪漲沮行，實誤官事。若將本縣依例復立，官民兩便。」迤邐上達，居無幾何，奉符文即目科差，時分已後定奪。二十一年，吴預、曹隨、史秉、杜房、白貴、曹驥、冀載等二十一人復以詞控告。二十二年，費邦彦、張裡等一十四人又陳於上。二十三年，王章、曹麒復有首燕之行。二十四年，本縣巡檢孫亨乃聚衆諭以：連年申告，可但已耶？衆應之，各持蟹稻，以贄行者。於是，杜房、張裡再賫體復圖畫文字，壘赴愬於尚書省。二十五年二月，欽奉聖旨允從之。當是時也，縣人費國寶與弟用之輩爲曹椽，締構之功居多焉。二十八年，余至是邦，獨以廳事在翠微間，簷瓦半落，庭草滋茂，風雨之夕，倚檻而避往來飛鳥，若驚冠帶之吏者。再造之邑，首圖興作，慮始之際，莫不用勸。繼之達嚕噶齊暨主簿者踵而至，督責益勤，榱椽瓦甓之物，四鄉蟻來，近功倍遠，壯力兼老，秋築春桷，左右之夾室，東西之兩廡，儀門翼如，塞門鐏如，稱男邦之治，古人謂有志者事竟成也。若曰、吳、曹、史、冀、王、費、杜、兩張者，率龥百餘人，裹道路之糧，騰頰舌之説，以圖久敗難成不可必之事，荏苒寒暑，殆二十年，勞益堅而勤益壯，復隍之城再立官守，亦可謂有志者。嗚呼！易《剝》而《復》，陽抉其陰，冬回其春，天地生物之仁既失而得，爾田菽麥，爾邑安宅，見國家宜民之德，此陳復爲陳之例，故書之以告來者。至元三十一年冬十二月立〔一〕。（一九一七年《鄉寧縣志》卷一二）

〔一〕至元三十一年冬十二月立：三十一，原作「三十二」，至元無三十二年，應爲「三十一」。

趙侯墓誌

木之成材者必秀於林，人之立事者必出乎類，或阨窮以固其心，或患難以鼓其用，其遇草木親戚豺狼之秋〔一〕，未有不舒腕張目，徑造轅門以賈其勇者也。此理之常，無足怪者。侯，趙爲姓，仲爲諱，高祖某、曾祖某、父吉皆涉書務農〔二〕，不樂求仕。侯在金之季年，爲本縣簿書吏，值天兵南伐，縣民饑凍逃散殆盡，復爲强暴者侵略。侯思振救之略，乃迎愬大師國王郎中馬公，即用侯爲記室。歲癸巳，承王命建鄉寧城市，爲撫治長官，猶今令尹也。乃按行四境，築室墾田，剔姦宄，以軍法從事，聲勢甚張，殘民稍安。未幾，鎮西元帥田雄開府隰、吉二州，擢侯簽判吉州事，巡禁西河。已而，疊授平陽府行省胡公丞相暨總府文字，依前長官。侯在任歷年久，每受上官命，愈恭愈謹畏，竟以病辭，卒於家。配孔氏、郭氏、王氏，生五子：曰天輔、天祐、天錫，曰和，曰順。天輔因亂被略，老還家。天祐繼爲長官，配費氏，生三子：忠、恩、思。天錫鄉寧縣奥魯官，配張氏、高氏，生五子：庭、琚、明、玉、瑋。庭巡禁黄河提領，琚本府奏差，瑋本縣吏。和陝西出軍千户，妻楊氏，生二子：曰福、禄。順妻王氏，生一子曰琛。侯弟伸，金末招撫使經歷，分銀符，配杜氏，生一子曰天祥，本縣税務監，妻鄭氏，生二子：曰珍，曰瑜。前長官趙侯二女嫁良家，諸孫曹孟。余爲鄉寧，侯長逝已久，諸子軀幹長大，音語高亮，丰采尤可重愛者。天錫見人有過，面折其短，退而不揚。天祥醇謹，門庭罕出，不談公事。二人如古所謂「白眉最良」者，侯之爲人，可想見也。當斯時，壺漿迎師，豈有欲富貴之心哉？蓋萬刀萬斧之下，求明主以救朝夕之死耳。天報以邑而奪之速，意者有子孫之眷乎？不然，何寧馨者衆多也？凡今爲侯之後者，言忠信，行篤敬，出入起居無所怨，以聽天之福禄來下，追配於前人，晨興夙寤，無忘余言，趙氏之福也。銘曰：

蚍嶺南卧，龍泉北流。虎跧荒墓，鄉寧趙侯。（一九一七年刊本《鄉寧縣志》卷一二　以上魏崇武校點）

〔一〕其遇草木親戚豺狼之秋：清光緒二十七年《山右石刻叢編》本作「其遇草本親戚日月豺狼之秋」。
〔二〕高祖某、曾祖某、父吉，皆涉書務農：吉，《山右石刻叢編》本作「言」。

羅天與

羅天與，至元二十五年（一二八八）爲廣州路濂泉書院山長（一九三一年《新寧縣志》）。本書收録羅天與文一篇。

靈湖山水記跋　至元二十五年

景物之寓山川，其顯以人，其傳以文。微其人，則蘭亭固墮於空山；微其文，則愚溪池島，不見稱於後矣。且廣之邑有古岡，邑之鄉有烏峒，蓋穆轍謝屐所不及者。靈湖最勝處，造物久矣秘其藏，一旦永師菴之，璣師記之，而後奇觀偉趣，始抉露而無遯形，發輝而無餘藴。雖然，永厭叢林、志泉石，胸中自有一山川；璣擕瓶鉢、走江湖，足跡不知幾山川。以胸中之山川，發爲目睫之山川；以足跡之山川，寫爲筆舌之山川；非二師遇靈湖，靈湖遇二師耳！璣之俗曾孫彭欲刻記於永庵，以壽斯文，而俾余箸語。余雖不及足永庵之遺趾，猶得目璣之遺□，則靈湖固在吾几案□□，於是乎書。廣州路濂泉書院山長羅天與跋〔一〕。（一九三一年《新寧縣志》，魏崇武點校）

〔一〕廣州路濂泉書院山長羅天與跋：「泉書」二字原闕，今據《新寧縣志》此文末注補。

葉天麟

葉天麟，至元中在世。本書收葉天麟文一篇。

重建縣治記　至元二十六年

壽昌縣治燼于丙子劫火，寄治儒宮僧堂者久矣，至將仕朱公世榮尹邑，廳堂始克建，他猶未遑。忠顯王公子玉嗣建門樓棟宇，具體而已。逮河間承事王公瑀以至元戊子之仲冬視事，明年春，令行禁止，且廊廡欹傾，獄户墊隘，慨然欲新之。謀諸宣差進義阿里公、簿將仕劉公泰，咸韙其義而難其事。既而，曰：「蒔蕞爾邑，方六七十，如五六十，然猶足用爲善。」及東作之未殷也，垣其後圃，薙荆棘，瀹泉池，蒔花樹竹，隨手春生。盍卜諸天〔一〕，可也，乃召梓人，約縱横，畫間架，慮材具，計庸徒，令諸都俟西成受功。邑無官廩，時則供郵驛之役者，多上户焉，爭助米以給餱糧。於時即山取材，因都役匠，村落無勸〔二〕，工徒用勸，居無何，杗桷礎甓，輪轃山積。厥十月哉生魄，自經營，越九□，辛未，一時丕作。迨閏月終，繕完，圬墁工畢。廳東西翼室各二：東爲典史分司，又東其屬居焉；西以館臺居府之委差，又西爲掌故府。東廊：北六間，列吏户禮三房；南二，爲農田房。兵刑工列於西廊，如東制。外：一爲投牒所，一爲土地祠。門臺各翼一室：東作承發，其西陪臺，宿直焉，屏樹塞門，簷楹環護，以栅葺樓，置更鼓其上。徙舊獄於西偏之陽，中爲監房〔三〕，前嚴門闑，後創堂以便聽讞。右圄〔四〕，倣圜土制，使可辟寒暑燥溼。圃之後山原有小祠，則擴之，通民相近。又即尉署故址創營屋三區〔五〕，俾戍人無淆民居。在十有二月，建臺門于頒春宣詔之南〔六〕。時簿將仕竇公誠到官，與有勞，於是百里之觀瞻，肅然矣。鄉之耆老縉紳咨嗟愕眙，屬余紀其歲月。余謂蒔昌治所更幾年，歷幾政，欲備之〔七〕，勿能〔八〕，今不數月而大備，自始役至訖事，未嘗抶一役者〔九〕，第駭其成功之易，而不知公之先入於人心者有以易其難也。抑民出什一以奉乎上，且勞力以聽上之欲爲而就其功，亦治於人者之職分也。「經始勿亟，庶民子來」，民之職分塞矣，治人者當何如？而子之哉，寬征傜以息民，申教化以敦俗，俾訟者望彦方之廬而質虞芮之成，則簾可垂，琴可鳴，圜扉可羅，日與吏民看花河陽，問柳彭澤，熙熙春臺壽域中：此則公子民之本心，民亦以此望公者也。雖然，功之成也，未易居，而盛美每難乎其爲繼，後來者能踵其舊，有壞必葺，則壽民享永逸之福，而諸公有無窮之聞。倘享其成而弗心其心，或峻所級以亢居，高簷牙以聳衆，借狴犴以作威，豈惟非公之心？壽民即子來之初心〔一〇〕？謂何？《書》曰：「戒之用休。」又曰：「勸之以九歌，俾勿壞。」信斯言也。揚其美者其戒存，頌其功者其勸寓，後之覽者，尚有感于斯文。（清光緒九年《嚴州府志》卷三二　魏崇武點校）

〔一〕盍卜諸天：一九三〇年《壽昌縣志》本作「以俟諸後」。　〔二〕村落無勤：勤，一九三〇年《壽昌縣志》本作「警」。　〔三〕中爲監房：中，原脱，據一九三〇年《壽昌縣志》本補。　〔四〕右圄：一九三〇年《壽昌縣志》本作「右爲囹圄」。　〔五〕又即尉署故址創營屋三區：署，原作「之」，據一九三〇年《壽昌縣志》本改。　〔六〕建臺門于頒春宣詔之南：詔，原作「召」，據一九三〇年《壽昌縣志》本改。　〔七〕欲備之：備，《壽昌縣志》本作「舉」。　〔八〕勿能：勿，《壽昌縣志》作「弗」。　〔九〕未嘗抶一役者：抶，《壽昌縣志》作「鞭」。　〔一〇〕壽民即子來之初心：即，原脱，今據《壽昌縣志》補。

鮮　瑨

鮮瑨，爲嘉定路教授（明嘉靖二十四年《四川總志》卷三六）。本書收鮮瑨文一篇。

廟學門記

廟學三門之制,《禮經》無明文。瑨嘗踰巴蜀,浮荆襄漢沔,適梁宋鄭衛,歷趙代晉蒲秦陜之學,周洛弗得〔一〕。元貞初,職教成都,視綿州學,瓦礫中,得宋修學廟門碑〔二〕,記磨滅殆半〔三〕,而門制可考,云古營造法式,以上天帝座前三星曰「靈星」,王者之居象之,故以名門。先聖爲萬世絶尊,古今通祀,衮冕南面,用王者禮樂,廟門之制悉如之。世所謂「櫺星」及「凌霄」者,承誤也。今總府命大建此門,凡柱礎、門楸、丹雘、陛墍、石牆、陶甓、黝堊之飾俱如法。經歷夏從仕實贊襄之。厥功告成,復請書其義於石,以昭永久〔四〕,得無惑。(一九三二年《綿陽縣志》卷五　魏崇武點校)

〔一〕周洛弗得:文淵閣四庫本《四川通志》卷四十二作「周洛弗能得」。　〔二〕得宋修學廟門碑:文淵閣四庫本《四川通志》作「得宋故石碑」。　〔三〕記磨滅殆半:文淵閣四庫本《四川通志》作「修學門記磨滅殆半」。

〔四〕以昭永久:文淵閣四庫本《四川通志》作「以昭示永久」。

羅靈鄉

羅靈鄉，至元中在世。本書收羅靈鄉文一篇。

唐義士傳

唐君名珏，字玉潛，會稽山陰人。家貧，聚徒授經，營滫髓以養其母。歲戊寅，有總江南浮屠者楊璉真珈怙恩横肆，勢燄爍人，窮驕極淫，不可具狀。十二月十有二日，帥徒役屯蕭山，發趙氏諸陵寢，至斷殘支體，攫珠襦玉柙，焚其胔，棄骨草莽間。唐時年三十二歲，聞之痛憤，盡貨家具，得白金百星許。執券行貸，得白金又百星許。乃具酒醪，市羊豕，邀里中少年若干輩狂坐轟飲，酒且酣，少年起請曰：「君儒者，若是將何爲焉？」唐慘然，具以告，願收遺骸共瘞之。衆謝曰：「諾。」中有一少年曰：「發丘中郎將耽耽餓虎，事露柰何？」唐曰：「余固籌矣。今四郊多暴骨，取竄以易，誰復知之？」乃斷文木爲匱，複黄絹爲囊，各署其表曰某陵某陵，分委散遣，之葩地以藏，爲文而告。詰旦，事訖來集，出白金羨餘酬，戒勿泄。越七日，總浮屠下令裒陵骨，雜置牛馬枯骼中，築一塔壓之，名曰

「鎮南」。杭民悲戚，不忍仰視，了不知陵骨之猶存也。禍淫不爽，流傳京師，上達四聰，天怒赫赫，飛風雷，號令捽首禍者北焉。山陰人始有藉藉傳唐事者，由是唐之義風震動吳越，聲生勢長，若胥江掀八月之濤，名水高困〔一〕，固自若。明年己卯後上元兩日，唐出觀燈歸〔二〕，忽坐屏息，奄奄若將絶者，良久始蘇，曰：「吾見黄衣吏持文書來告曰：『王召君。』導我往。觀闕巍峨，宫宇靚麗，殆非人間。有一冕旒座殿上，數黄衣貴人降揖曰：『藉君掩骸，其有以報。』唐乃陛謁造王前，王謂曰：『汝受命窶且貧，兼無妻若子，今忠義動天，帝命錫汝伉儷，子三人，田三頃。』拜謝降出，遂覺罔不知其何也。」踰時，越有治中袁俊者至，始下車，爲子求師。有以唐薦者，一見署賓館。一日，問曰：「吾渡江，聞有唐氏瘞宋諸陵骨，子豈其宗耶？」左右指君曰：「此是已！」袁大駭，拱手曰：「君此舉，豫讓不能抗也。」曳之坐，北面而納拜焉。禮敬特加，情好益篤，叩知家徒四壁，惻然嗟矜，語左右曰：「唐先生家甚寒，吾當料理，使有田以給。」左右逢迎，爰諏爰度，不數月，二事俱愜，聘婦偶故國之公女，負郭食故國之公田，所費一一自袁出。人固奇唐之節，而又奇唐之遇，兩高之，曰二公真義士義士云。後獲三丈夫子，鼎立頎頎。與夢中神所許〔三〕，稽其數，無一不合，咄咄怪事乃如此！唐葬骨後，又於宋常朝殿掘冬青樹植於所函土堆上，作《冬青行》二首〔四〕：「馬箠問髐形，南面欲起語。野麕尚純束，何物敢盜取。餘花拾飄蕩，白日哀后土。六合忽怪事，蜕龍挂茅宇。老天鑒區區，千載護風雨〔五〕。」又：「冬青花，不可折，南風吹涼積香雪。遥遥翠蓋萬年枝，上有鳳巢下龍穴。君不見犬之年，羊之月，霹靂一聲天地裂。」復有《夢中詩》四首：「珠亡忽震蛟龍睡，軒敝寧忘犬馬情。親拾寒瓊出幽草，四山風雨鬼神驚。」又：「一抔自築珠丘土，雙匣親傳竺國經。只有春風知此意，年年杜宇哭冬青。」又：「昭陵玉匣走天涯，金粟堆寒起暮鴉。水到蘭亭轉嗚咽，不知真帖落誰家。」又：「珠鳧玉鴈又成埃，班竹臨江首重回。猶憶年時寒食節，天家一騎捧香來〔六〕。」（明萬曆十五年《紹興府志》卷二〇，清乾隆五十七年《紹興府志》　魏崇武校點）

〔一〕名水高困：水，清乾隆五十七年《紹興府志》作「雖」。　〔二〕唐出觀燈歸：觀，原作「官」，據乾隆五十七年《紹興府志》本改。　〔三〕與夢中神所許：與，原作「九」，據乾隆五十七年《紹興府志》改。　〔四〕作《冬青行》二首：乾隆五十七年《紹興府志》作「作有冬青行云」。　〔五〕千載護風雨：乾隆五十七年《紹興府志》於此句下還有一首《冬青行》：「冬青花，花時一日腸九折。隔江風雨清影空，五月深山護微雪。石根雲氣龍所藏，尋常螻蟻不敢穴。移來此種非人間，曾識萬年觴底月。蜀魂飛繞百鳥臣，夜半一聲山竹裂。」　〔六〕天家一騎捧香來：天，原作「末」，據乾隆五十七年《紹興府志》改。

全元文卷三五六

李簡

李簡，號蒙齋，信都（今河北冀縣）人。延祐六年（一三一九）爲泰安同知。精通《易》學，著有《學易記》九卷。本書收李簡文一篇。

學易記序　中統元年

伊川先生嘗云：「學《易》者，當看王輔嗣、胡翼之、王介甫三家文字，令通貫然後却有用心處。」時先生《易傳》未出也。及溫陵曾獻之集《大易粹言》傳於世，則學者知有所宗，而三家之說，不無去取也。歲在壬寅春三月，予自泰山之萊蕪，挈家遷東平時，張中庸、劉佚菴二先生與王仲徽輩，方聚諸家《易》解而節取之，一相見遂得，廁於講席之末，前後數載，凡讀六七過，其書始成。然人之所見，不能盡同，其去取之間，則亦不能無少異。大抵張與王，意在省文；劉之設心，務歸一說；僕之所取，寧失之多，以俟後來觀者去取也。僕居萊蕪幾二載，當時所讀之《易》，止有王輔嗣與《粹言》而已，諸家之説，則未之見也。六百日之間，節取《粹言》凡三度，前賢之説，或中心有所不安，則思之，夜以繼日，雖在道路鞍馬間，與窗下無少異。脱有所得，隨即書之，以待它年讀之，驗其學之進與否也。比遷東平，積謬説百餘段，及得胡安定、王荆公、南軒、晦庵、誠齋諸先生全書，及楊彬夫所集五十家解，單渢所集三十家解讀之，謬説暗與前賢之説相合者，十有二三，私心始頗自信。今卷中凡無名氏者，以兼採諸人之意，合而爲一説，不能主名，亦或有區區管見，輒不自揆而廁於其間者。其初心將便觀覽而傳於家，非敢有意傳諸人，以取著述之名也。親友之間，有堅欲求觀而不能違者，或復爲人錄去，予甚患之。己未歲，承乏倅泰安山城，事少，遂取向之所集《學易記》觀之，重加去取焉。噫！親友相知相愛由此書，獲謗獲罪於朋儕亦由此書，它日必有能辨之者。中統建元庚申秋七月望日，信都李簡序。（清康熙十九年通志堂本《學易記》卷首）

李　蔚

李蔚，字慶之，至元初，宣授懷孟路教授。本書收李蔚文二篇。

大朝投龍記

至元元年九月

凡有國家祈禱天地之後，必有瑤簡以傳行龍，投於名山大川，用昭誠信，其來尚矣。欽惟聖朝講明祀事，導迎和氣，於中都大長春萬壽宮設週天大醮，以夜繼晝，七日乃已。特命宗師誠明真人張至於王屋行投送之禮，時四月下旬，屆於天壇紫微宫。方行醮事，霖雨沛作，三獻之後，陰雲如掃，星月燦然，遂領從者步登絶頂，是時曙色漸分，千山面目，閃閃呈露，瑞氣著見，非烟非雲，輪囷蕭索，移時不散。觀者異之，相與言曰：「昔漢家郊祀，夜有美光，書之史策，以聞於世。今之所睹，應不讓彼，若秘而不彰，後來何以知其靈應也？」提點張志明請僕記之，姑述其所説云爾。（一九八八年文物出版社版《道家金石略》）

純成子李君墓誌銘

講師李君没，其友申公都提舉以告且曰：「講師操履堅正，德業冲粹，人所共知。臨終以後事見託，經營宅兆，今已安措，不有銘辭，無以慰諸幽。願詳其所聞而誌之。」講師諱志全，字鼎臣，太原太谷人。少業進士，父洵直，以經義中明昌五年第。講師挺志不群，守箕裘之舊，孜孜講習，視富貴如探囊中物也。當立之年，不意世變，干戈日尋，無復進取，遑遑如也。當時天子好長生之道，不遠萬里，召見丘長春，賓禮至厚，玄風大振，聞者皆興。故講師所以歸心，依河陽張尊師爲引，度長春西迴，策杖徒步謁見於奉聖龍陽觀，授以道妙暨諱名。自是山居有年，名聞籍甚。其後東萊宋披雲以所在道書焚於劫火，奉朝旨收拾於灰燼之餘，散亂無復可考，求博洽異聞之士，俾校讎之，迺得講師。始終十年，朝夕不倦，三洞靈文號爲完書，功亦不細。教主李真常，奉恩例賜公純成大師，提舉燕京玄學。未幾，復還天壇舊隱，徜徉巖壑，將終老焉。忽以昇聞，中統二年六月日也，享年七十有一。平昔著述，號《酎泉集》三十卷行於世，又集七真及已下諸師詩賦二十卷，目曰《修真文苑》。嗚呼！士嘗論之，以君才學，取一第不爲難矣。世方擾攘，河朔尤甚，自保不暇，度日如年，壯志衰謝，甘埋於塵土，誰爲知者？泯滅無疑也。迴視埋没於草萊、湮滅無聞者，爲何如哉？乃作銘曰：

于嗟純成，幼戴儒冠。讀書幾載，校藝秋官。晢將一舉，九萬鵬摶。運有定厄，世無常安。幡然學道，秉心如丹。長春西迴，景星爭觀。徒步千里，一見相懽。授以道妙，佩服馨蘭。苦心修鍊，幾換炎寒。要遊玉京，此事無難。三洞寶典，灰燼遺殘。校讎十稔，書始爲完。拂衣高蹈，雅志林巒。卻歸舊隱，終老盤桓。無何仙去，聞者悲酸。刻諸琬琰，過者詳看。當知道中，自有鳳鸞。（明正統道藏本《甘水仙源錄》卷八　以上徐勇點校）

陶澤

陶澤，會稽諸暨(今屬浙江)人。領鄉薦，曾爲稽山書院山長。至元初，又任明善書院山長。本書收録陶澤文一篇。

松陽縣儒學復頖地記

至元二年七月

元統改元之明年，縣尹方侯貢蒞茲邑，人和政修，百廢具興。乃冬十月朔，侯入學宮，顧瞻門巷隘甚，喟然作曰：「古者諸侯有泮宮，政教之所出也。邑視地百里，亦古建國，何隘陋若是？」教諭余申孫進曰：「直學宮盡故，學地淪胥爲民居，幾六十年，不可卒奪。」侯曰：「嘻，近聖人之居，其可以若是。」越三日，居人撤牆屋，除壇場，復侵域以俟。東西若干步，南北若干步，截然方正。侯至而喜曰：「能若是，亦可以爲義民矣。」於是疏爲淪漣樹之松篁，繚以周牆夾之靈星，而泮宮之制以備。在昔夾谷之會，齊人來歸鄆、讙、龜陰田，書法與濟西田、汶陽田特異，謂夫心悦而來歸，非力邀而强致之也。方侯讀聖人之書，其亦得夫感化之妙也哉！嗣是而葺，倫堂興，兩廡置，庖湢具，祭器斆，堊丹漆，焕然一新。迺延師儒，乃集學徒，彈琴賦詩，日講月試。凡學政之所當舉者，莫不備至。人啃啃稱曰：縣人國朝得賢尹，自赤盞君以下，惟侯一人。太史公傳循吏，漢無一人與。而松陽蕞爾邑，得二賢令於明時，兹固不能數也。古循吏如公孫僑，夫子稱其使民義，謂「都鄙有章，田有封洫」之類。今方侯能以義使民，而其民能以義讓地，是皆可書。余君泊縣幕僚，鄭君偉懼其久而復湮也，請刻諸石，而且以爲來者勸。侯名明安，字詠道，會稽諸暨人。（一九二六年《松陽縣志》卷一三　徐勇點校）

范訥

范訥，元中統間，宣授河南路提舉學校。本書收范訥文一篇。

濟瀆投龍簡記

中統四年九月

皇帝特□□□演化真常真人蕭居壽奉御合□□焚香竪旛，□茶果之奠致祭於神，具以龍簡投龍池。蓋以□孽竪之肆凶，即加殄戮，睹太陰之再蝕，慮有□□，預致祈禳，冀膺眷祐故也。僕以攝太祝事，銜命承馹而至，因紀其實云。仍願保兹天子與萬壽以無疆，佑此下民使主持□□□。（一九八

八年文物出版社版《道家金石略》)

柴世榮

柴世榮，吳縣(今江蘇吳縣)人。本書收柴世榮文一篇。

重建廣壽宮吉祥橋題記 至元二年

平江路嘉定州，南廣壽寺，法孫提點，比丘是真，謹施衣資，一力重新创建廣壽吉祥橋，所得殊勳。奉爲圓寂師祖，前廣壽堂上，清溪滿長老尊靈，莊嚴報地者。(《江蘇通志稿》金石二二)

思齊恭

思齊恭，文林郎汝寧府固始縣尹兼管本縣諸奥魯勸農事。本書收思齊恭文一篇。

修廟學記

至元五年六月

夫子之道，王化表裏。是以四海之廣，萬世之久，莫不尊親，咸修祀事。自生民以來，未有若吾夫子者也。其賢於堯、舜、文、武周公者遠。欽惟我國家誕膺天命，聿新文治，特加封號，度越前古。是以絃誦聞毳帳，而冠帶被卉服，猗歟盛哉！矧固陵爲邑，寔大且衍，介乎江淮之上。惟吾夫子廟貌痺陋，靡有致意。至元改元之明年春，縣尹王君思忠至自京師，謁夫子廟，俯仰觀瞻，茫然如有失。於是新造之晢，獨切於懷，時年穀順成。僚佐僉謀而允協，工師獻藝而爭先。輪奐頓殊乎舊貫，梁楝翬飛乎層空。迺深迺嚴，既雄既壯。登降足以有容，薦盥無不中度。衣冠楚楚，望之者儼然，俎豆班班，觀之者起敬。前監若令若簿，游瑜、陳瑞奉議欽察，奉訓塔海也。可奴昭信闍里帖木儿，將仕劉德亨進義，及黄貴從仕井大常之數人者，或佩符而沐新命，或解印而保終吉。經始至於落成，曾不閲歲。咸願刻石，丏文於予。昔嘗識公於輦下，觀其發廪積粟，續常平之故典；布畦栽桑，立務本之新規。崇《詩》《書》之教而廣聖賢之道，可謂今之循良。顧予不才，既已託乎未光，仍復采其輿頌。謹再拜而爲之銘曰：

我公來止，廟貌可耻。我公戾止，廟貌可觀。嗟嗟我公，新廟是崇。新廟是崇，我公之功。庭燎有輝，載考鼓鐘。鼓鐘載考，穆穆顒顒。牆高數仞，門環萬計。治政之原，風化之地。從今小民，誰不瞻禮。從今士夫，誰不雅飭。甄心陶情，明善復初。規行矩步，不疾不徐。户列俎豆，家庋《詩》、《書》。我公之功，頌聲載途。（清嘉慶三年《固始縣志》）

茅志宣

茅志宣，滕（今山東滕縣）人。修道雪山萬壽宫，好書能文詞。本書收茅志宣文三篇。

創建雲峰觀記　至元九年

原夫太極始生二儀，次生五行，感而又生八卦，乃因而生萬物。萬物之中，唯人爲貴，唯人最靈。虚無神聖（下缺）　玄元聖祖（下缺）　古往今來，多顯□□説助國濟民之術，演扶危拯難之書，（下缺）　流傳仙術，接引賢良，敷布經典，訓誘凡俗，（下缺）　暨初傳於金闕帝君，帝君賜於白雲上真，上真付於東華，東華教於正陽，正陽度於純陽，純陽授於重陽。重陽之後，其風大扇，□□□□普弘於天下師曰馬、譚、劉、丘、王、郝、孫也。次繼宗者，清和□□誠明□□真人。一自大元撫定，聖朝開創之初，天下山川秀麗之處，例多□宫□館。粤惟山東益都府路滕州滕縣滕城鄉白□村，故庵主張五、張六二先生，同村衆□到安樂鄉善堌村雲峰觀師父谷神子扈志從、虛靜子林志清、□□□劉志亨并徒衆等住持至今，即有年矣。□谷虛通□□乃□禮玉陽真人高第安然子魏道寧爲師。今有門下□□□然子朱志明、洞雲子卜志祥、精微子王志謹重修起立，至乙未、□未、壬□年三次附籍□帳，已經三紀餘載。蓋道心之崇厚，念先師之深恩不可忘□因此（下缺）掇礫，芟蒿剪荒，經之營之，不數年間，創建三清大殿，繪塑元始天尊、左右真人、玉女、玄中法師□官吏神，煥丹青於列聖之像，燦金碧於高真之容。每遇朔旦，□□星冠道士奉真□焚□□□嚴贊□今皇帝聖壽萬歲，文武官僚長居祿位，願成勝事者。於是賈者施財，農者施粟，工者施巧，□者施力。其觀之東，相近古滕，西望魚棠，□舍餘地，南□清流漷水，北倚梟嶧二山，中有琳宮，號曰雲峰。殿後堂前，緒修雲房寮舍，□爐藥竈，月圃風軒，庖□香□於太和，廊廡靜含於天籟，粥□吼月齋鐸□□固可以□步虛、歌洞章、閱龍經、披鳳篆矣。今□城牓觀表雲峰，乃我長春□□之仙翰也。門下□□□師之道，符師之德，敬師之行，自初立□齋靜廬□來不絕□運斤斧，手斲棟樑。及其落成也，跪捧圖经，來謁山野，乞□□琅之韻□□昴昴□蛟用□□壇流□後世。僕自慚樗櫟之散材，恐負殿□之巨屋，才華深謝於不□□□甚羞於二陸。試松烟而屢磨，躍兔毫而三沐，敢以虛心□□□復謹再拜而銘之：

□□道宮，祖師玉陽。安然□焰，□□劉光。□烝□□，瑞雲繞傍。澤尉□□，山□壁□。五祖錫慶，七真降祥。玄鶴□□，紫□□翔。仙□□迹，主人薦香。瑤壇寂□，靈庭□霜。（一九八八年文物出版社《道家金石略》）

創建清真庵記

至元九年

植松檜柏栝者，必於崎嶇高寒之峰，修養素福地者，必於瀟灑不塵之境。物各有宜，理不可易也。今兹琳宫在鄒縣坤申之位，相近舍餘之地，有鎮曰郭里。首枕乎凫山聖祖之宫，左有妙光洞天，右鄰集仙觀宇，北倚清流一派，滔滔而東注汪洋。中有清真庵，去市稍遠，寂寥幽迥，真上士棲神之所也。山雖不高，蒼回翠轉，足以供杖屨之吟眺也。水雖不深，雲奔霧瀉，足以供綸竿嘯傲也。時有玄元聖祖道教之中，全真二祖丹陽真人之遠孫清虚子司志淨，乃古滕人也。生而好善，長而奉真。自中年之後，悟世空華，舍俗歸道，投禮嶧山清都觀主崇寧大師孫志和爲師。訓習經久，遠涉方外，妙窺環中，普參賢哲，遍禮高明。求物外之玄機，窮天地之要妙，推坎離配合之理，故身瀟灑，担簦負笈，渡水穿雲，風餐露宿，累遇真仙，頗明秘奥。復游孔孟之鄉，寄迹於此處，穿穴而跧，乞餘而食。人見其狀貌高古，舉止清淡，知其不凡。玄門信士，衆相議曰：築垣起舍，斲瓦礫而夷之，芟荆杞而坦之，植花木而秀之，開溝洫而圃之，經之營之，尸而祝之，俎而豆之，同會首人等聞其風而悦之。施地舍糧，助力捐賄，創建昊天殿洎齋室、雲堂、廚庫，繪塑玉皇上帝、左右宰臣、玄中法師、靈官吏神。藥竈隱靜爐之脅，丹爐連方丈之陰。竹引軒風，松篩徑月。煥丹青於列聖之像，燦金碧於群仙之容。每遇朔旦，謹集道流，焚香誦經，祝贊當今皇帝聖壽萬歲，文武官僚長居禄位，願成勝事者。雖陶隱居華陽之洞天，潘師正逍遥之道院，何以加此乎？功既成矣，師乃恍爾厭世，翻身步雲。今有門下弟子亘初子厲志元曰：「吾師之功，其可掩乎？遂不遠百里，乞文於予，將以刻諸翠琰。」予責之曰：「神仙之事，貴在隱密。老子曰：『自伐者無功，自矜者不長。』莊子曰：『全其形而生者藏其身也，不厭深渺而已矣。』子之刊石，無乃背違老莊之教乎？」弟子曰：「不然，前人之軌轍，後人之模範。若上世聖人不遺軌範，則後學之人盲瞽而安所取模範乎？兼如此宫觀庵舍而無銘碣，百年之後，時更代變，湮没無文，將爲豪强者奪而居之。」予聞其説，遂不敢拒，齋沐而爲之銘。其詞曰：

嶤峄之山，烟月蒼茫。郭里之田，創建殿堂。雲官仙館，昊天系房。醖玄化兮泛千古，醞真風兮滿四方。丹桂鬱兮秋茂，金蓮燦兮曉芳。四獸森兮衛宇，□威嚴兮護堂。聽開簾而語莊，□天人而兩忘。鶴翩翩而飛去，覺壺中歲月之長。（一九八八年文物出版社《道家金石略》）

修重陽庵記略

軒皇不駕，萬古長夜。元元不出，十方如漆。故不得已開希夷之竅，破杳冥之窟。吐緒餘，出土苴，言不言之教，道可道之經，談穀神之不死，指有物之渾成。晝□下之夜，壽天下之夭，十日爭出，不足以喻其光，九江併注，不足以言其潤。嗚呼！青牛西去，白鹿東昇，世乃喪道，智不養恬，險德以行，澆淳而灕。幸我重陽，回真旆挽，元軍拔日，月於已沉，補乾坤於幾碎。（中缺）自貞祐之亂劫火相

連，兵塵不絶，賢愚並戮，玉石俱焚。雖七雄之血海迷空，六國之屍山犯斗，不足以喻。（清康熙五十六年《滕縣志》卷八）

張謙

張謙，字受益，號古齋，濟南（今山東省濟南）人。收藏古物甚富，以博古稱。至元間爲江浙掾，除檢校，大德中累遷秘書監丞（《元人傳記資料索引》）。本書收張謙文一篇。

金牌位遷於八室内爲宜　至元十二年五月

昔者因修太廟，奉遷金牌位於饌幕殿，設以金椅，其栗主卻與舊主牌位各貯箱内，安置金椅下，禮有非宜。今擬合以金牌位遷於八室内，其祏室栗主宜用彩輿遷納，舊主並牌位安置於箱爲宜。（中華書局點校本《元史》卷七四《祭祀三》）

韋　昇

韋昇，字景陽(景陽)，金壇(今江蘇金壇)人。宋咸淳七年(一二七一)進士，授歷陽主簿。入元爲鎮江路濂溪書院山長。本書收韋昇文二篇。

重建高閒閣記　延祐五年〔一〕

京口東南第一郡，北固京口第一山。兹山形勢，郡守據焉。所以使吏治尊而民瞻聳也。考之《圖經》，絶頂有樓，題曰「望海」。繇樓而南，循府堂之右，雕甍畫棟，崒然起於經遠堂之上者，高閒閣也。此閣舊曰「讀書樓」。端平郡守吳侯淵改今名，後七十餘年，棟橈楹腐，因以傾陊，無復舊觀。延祐戊午，中大夫夷山李侯汝楫來牧是邦，以精明宏偉之才，易民聽瞻於談笑之傾，乃致意於所謂高閒閣者，稽工伐材費省倍，不旬而落其成。云云。

〔一〕標題和時間：據文前原編者説明加。

新修時思庵記

延祐五年〔一〕

張氏之先，自太尉奇節聞天下，澤被後人，支分派衍，徙居潤之丹徒縣，南莊單巷者，其裔也。宋嘉熙丁酉築庵所居之傍，扁曰「時思」。有元延祐戊午，其孫撤其舊而新之。考室子堂，光前㷀後，其爲敬親一也。蓋嘗求命名之義矣。雨露既濡，春之時也。霜露既降，秋之時也。孝子之心，怵惕悽愴，其有不思其親者乎？思其居處，思其笑語，思其所樂、所嗜，而禘嘗之，哀慕之。在家爲廟，在墳爲庵，皆其所也。先儒謂，今人惟先有死其親之心，故親之音容志意無復存於念慮間。嗚呼！如是而望其敬之心不衰，難矣哉！此時思之名，所以立也。溧水宰知剛，五世孫仁齋處士大興，因斯庵之未備，早夜以思，戚然而悲，悉其力而完美之，可謂不儉其親矣。後山思亭記，謂賢不肖，異思，其慮患垂戒，覽者爲之流涕。張氏子孫多賢，後必無異思。余可亡言也，況自曾高而上，忠孝傳家，世濟其美，正在後人。余不能無勸耳。云云。（以上一九二三年臺灣影印《至順鎮江志》卷九　以上龍德壽點校）

〔一〕標題和時間：據文前原編者說明加。

陳□義

陳□義，湖南耒陽（今屬湖南）人，至元四年撰《重修新亭蔡侯廟記》。本書收陳□義文一篇。

重修新亭蔡侯廟記

至元四年

嘗聞神之載祀典者所當修崇，郡之有名勝者所宜表揚。城南李氏，祖業有池一泓，推官李淑原承任其業主也。謂昔蔡倫於池邊造紙，漢時侯封，不知何代於池畔立祠設像，因名蔡倫廟。後爲洪水漂蕩，其像移於他廟，故基尚存。予聞而考之傳，自古書契並以竹簡縑帛書之，縑貴而簡重，不便於用。後漢和帝時，中官蔡倫，創意以樹膚麻頭布魚網之屬造紙以代縑簡，於世便益，封龍亭侯，至今千有餘年。竊思侯之異能功垂萬世，遂掛升斗之俸，並到郡之好義者協力命工，度其故地，爲祠一所，仍設侯像於中，祠傍置屋，募民居之以奉祀事。又於鶯山鄉北衝口置田一十畝，並廣濟倉後予親置桑一百四十株，俱付其祠，以充給贍。祠成，勒石以記重興之本末。其助資之士，列於左方。至元四年九月立。（清道光《耒陽縣志》卷一九　郭立傑點校）

陳祐

陳祐，字慶甫，號節齋（《單縣志》卷十），趙州寧晉（今屬河北）人。幼孤家貧，母張氏爲其剪髮易書，遂博通經史。歷任衛輝路總管、山東東西道按察使、山東廉訪使、浙東宣慰使，檢覆慶元台州民田，至新昌，值玉山盜，被執，不屈而死，謚曰忠宣（清道光二十年《河南府志》、一九二九年《寧晉縣志》、清雍正《畿輔通志》有小傳）。本書收陳祐文一篇。

三本書

至元五年十月

嘉議大夫衛輝路總管臣陳祐謹齋沐百拜獻書於皇帝陛下。臣今越職言事，事曰三本，皆國家大計，非不知獲罪於時也。顧臣起身微賤，臣之先王謂穆哥大王也拔臣於畎畝之中，進臣於陛下。陛下任臣以方面之重，錫臣以虎符之榮。臣叨居陛下之官，食陛下之禄，將踰十年矣。是以朝夕感愧，每思敷陳國計效死以報陛下，亦所以報先王也。儻蒙陛下察臣愚忠，以臣言萬一有補於時貫，以不死俾開言路，臣之幸也。若以臣言狂瞽冒犯時忌，其罪當死，死於國計，臣之義也。伏望陛下賜以燕閒之暇，熟覽臣言，則臣纖芥之忠、山嶽之罪，舉無逃於聖鑑矣！惟陛下仁聖裁之。臣聞：殷周漢唐之有天下也，天生創業之君，必生守文之主。蓋創業之君，天所以定禍亂也；守文之主，天所以致隆平也。昔我聖朝之興也，太祖皇帝龍飛朔方，雷震雲合，天下響應，統一四海，君臨萬邦，雖湯武之盛，未之有也。天眷聖朝，實生陛下。陛下神武聖文經天緯地，能盡守文之美，兼隆創業之基，兆民懽康，品物咸遂，典章民物燦然可觀。暨遐域遠方之民，上古所不能臣者，陛下悉能臣之。雖高宗之興殷，成康宣王之興周，文景光武之興漢，太宗憲宗之興唐，無以過也。是以，海内豪傑之士，翕然嚮風。或謂天命陛下啓太平之運者有四，民望陛下樹太平之本者有三，臣請條列而言之。陛下昔在藩邸之初，奉辭伐罪，西舉大理，勢若摧枯，南渡長江，神於反掌，此天命陛下揚萬里之威，定四方之亂，將降大任於陛下。即位之後，内難方殷，藩王之階亂者在北，逆賊之連禍者在東，然天戈一指，俱從平蕩，此天命陛下削藩鎮有釁之權，新唐虞無爲之化，將以躋斯民於仁壽之域也。臣故曰天命陛下啓太平之本者有三，其一曰：太子國本，建立之計宜早。臣聞三代盛王有天下者皆以傳子，非不欲法堯舜禪讓之美也，顧其勢有不能爾。何則？時俗有厚薄之殊，民情有變遷之異，苟或傳非其人，禍源一啓，則後世爭之之亂未易息也。以是見聖人公天下之憂深矣！故孟軻曰：「天與賢，則與賢；天與子，則與子。」夫所謂天與子者，非謂天有諄諄之言告諭人主，以傳子之計也。政謂時運，推移無非天理，聖人能與時消息，動合天意，故自天祐之吉無不利。是以三代亨祚長久，至有踰六七百年者，以其傳子之心公於爲天下，不私於己故也。伏見：聖代隆興，不崇儲二，故授受之際，天下憂危。

曩者，建藩屏之國，授諸侯之兵，所以尊王室，衛社稷，寔祖宗創業之弘規也。迨乎中統之初，頗異於是。恃其國之大也，謀傾王室者有之；恃其兵之强也，圖危社稷者有之。當是之時，賴陛下斷自聖衷，筭無遺策。故總攬權綱，則藩鎮之禍銷矣！深固根本，則朝廷之計定矣！此陛下守文之善經也。何以言之「天下者，太祖之天下也；律令者，太祖之法令也」？陛下豈欲變易舊章，作爲新制，以快天下耳目之觀聽哉？誠以時移事變，理勢當然，不得不爾，期於宗社之安而已矣！由此觀之，國本之議，昭然甚明，不可緩也。《語》曰：「雖有智慧，不如乘勢；雖有鎡基，不如待時。」今年穀屢登，四海晏然，此其時矣！億兆戴德，□王向化，此其勢矣！誠萬世一時也。夫天與不受則違天意，民望不副則失民心。失民心則可憂，違天意則可懼。此安危之機，不可不察也。伏惟：陛下上承天意，下順民心，體三代宏遠之規，法《春秋》嫡長之義，内親九族，外協萬邦，建皇儲於春宫，隆帝基於聖代，俾入監國事，出撫戎政，絶覬覦之心，壹中外之望，則民心不搖，邦本自固矣！陛下藴謙光之德，縱不欲以天下傳子孫，獨不念宗廟之靈、社稷之重、生民之塗炭乎？願陛下熟計而爲之，則天下臣民之幸甚矣！其三曰：中書政本，責成之任宜專。臣伏見陛下勵精爲治，頃年以來，建官分職，綱理衆務，可謂備矣！曰中書、曰御史、曰樞密、曰制國用、曰左右部。夫承命宣制，奉行文書，銓叙流品，編齊户口，均賦役，平獄訟，此左右部之責也。通漕運，謹出納，充府庫，實倉廩，百姓富饒，國用豐備，此制國用之職也。修軍政，嚴武備，闢疆埸，肅號令，謹先事之防，銷未形之患，士馬精强，敵人畏服，此樞密之任也。若夫屏貴近，退姦邪，絶臣下之威福，强公室，杜私門，糾劾非違，肅清朝野，非御史不能也。如斗之承天，斟酌元氣，運行四時，條舉綱維，著明紀律，總百揆，平萬機，求賢審官，獻可替否，內親同姓，外撫四夷，綏之以利，鎮之以靜，涵養人材，變化風俗，立經國之遠圖，建長世之大議，孜孜奉國，知無不爲，作新太平之化，非中書不可也。且皇天以億兆之命懸之於陛下之手，陛下父事上天，子愛下民，其道無他，要在慎擇宰相，委任責成而已。欽惟陛下元首之尊也，中書股肱之任也，御史耳目之司也。方今之宜，非中書則無以尊上，非御史則無以肅下。下不肅則內慢，上不尊則外侮。內慢外侮，亂之始也；上尊下肅，治之基也。故《虞書》載明良之歌，賈生設堂陛之論，其旨豈不深且遠哉！凡今之所以未臻於至治者，良由法無定體，人無定分，政出多門，不相統一故也。臣謂：諸外路軍民錢穀之官宜悉委中書通行遷轉，其賞罰黜陟一聽於中書，其善惡能否一審於御史。如此，則官有定名之實，法有畫一之規矣！又大臣貴和不貴同。和於義則公道昭明，有揖讓之治；同於利則私怨萌生，起忿爭之亂。此必然之效也。誠能中外戮力，將相同心，和若鹽梅，固如金石，各慕相如寇恂相下之義，夾輔王室，叶贊聖猷，陛下臨之以日月之明，懷之以天地之量，操威福之權，執文武之柄，俾法有定體，人有定分，上之使下如身之運臂，臂之任指，下之事上如使足之承身，身之尊首，各勤厥職，各盡迺心，夫如是，天下何憂不理，國勢何憂不振乎？雖西北諸子未覲天顏，東南一隅未霑聖化，其來廷之議，稱藩之奏，可尅日而待，不足爲陛下憂也。所可憂者，大臣未和，大政未通，群小流言熒惑聖聽，干撓庶政，虧損國威，摧壯士之心，鉗直臣之口，至使人情以緘默爲賢，以盡節爲愚，以告訐爲忠，以直言爲諱，是皆姦人敵國之幸，非陛下之福也。臣恐此弊不已，習以成風，將見私門萬啓於下，公道孤立於上，雖有夔皐爲臣，伊周作輔，亦不能善治矣！陛下有垂成太平之功，而復有小人基亂之釁，此臣所以爲陛下惜也。今大臣設有姦邪不忠，竊弄威柄者，御史自當言之，乃其職也，百官自當論之，乃其分也。烏在無賴小人不爲鄉黨所齒者，驟興攻訐之風於朝廷之上乎？臣知國家承平，吉祥之言必不出於若輩之口也，惟陛下遠之則天下幸甚！其三曰：人材治本，選舉之方宜審。臣聞：君天下者，勞於求賢，逸於得人，其來尚矣！蓋天地間有中和至順之氣，生而爲聰明特達之人以待時君之用。是以聖王遭時定制，不借材於異代，皆取士於當時。臣愚以爲：今之天下，猶古之天下也；今之君臣，猶古之君臣也；今之人材，猶古之人材也；賢俊經綸之士，豈皆生於曩代而獨不生於當今哉？顧惟陛下求之與否爾。伏見：取人之法，今之議者互有異同，或以選舉爲盡美而賤科第，或以科第爲至公而輕選舉，是皆一己之偏見，非古今之通論也。夫二帝三王之下，隋唐以上，數千百年之間，明君睿主所得社稷之臣、王霸之輔，蓋亦多矣！其豐功盛烈，章章然著於天下，後世之耳目者迹其從來亦可考也。或起於耕耘，或求之於版築，或獵之於屠釣，或遇之獻言而入侍，或由薦進而登朝。至於賢良、方正、直言、孝廉、貢舉之著，遭際萬殊，不可勝紀，豈一出於科第乎？自隋唐以降迄於宋金，數百年間代不乏人，名臣偉器，例皆以科第進，豈皆一出於選舉乎？及乎遇合於君，聚精會神於朝廷之上，皆能尊主庇民論道佐時，寧復有彼優此劣之間哉？夫士之處世，亦猶魚之處水。今魴之在河，鯉之在洛，人皆知之。其致之之術，固有筌罾罟釣之不同，期於得魴得鯉則一也。臣愚謂：方今取士，宜設三科，以盡天下之材，以公天下之用。亡金之士以第進士，并歷顯官，耆年宿德，老成之人，分布臺省，諮詢典故，一也。內則將相公卿大夫各舉所知，外則府尹州牧歲貢有差，進賢良則受賞，進不肖則受罰，二也。頒降詔書，布告天下，限以某年，開設科舉，三也。三科之外，繼以門廕勞効參之，可謂才德兼收，動賢並進。如此，則人人自勵，安敢苟且！庶幾野無遺材，多士盈朝，將相得人於上，守令稱職於下，時雍丕變，政化日新，陛下端拱無爲而天下治矣！夫天下猶重器也。器之安危，置之在人。陛下誠欲措天下於泰山之安，基宗社於磐石之固，可不以求材爲急務乎？《詩》曰「濟濟多士，文王以寧」，其斯之謂歟！抑臣又聞：凡人臣進深計之言於上，自古爲難。昔漢賈誼，當文帝治平之世，建言：諸侯强大，將不利於社稷，譬猶抱火厝之積薪之下而寢其上，火未及然，因謂之安，甚非安上全下之計，莫若衆建諸侯而少其力。可謂切中時病矣！然當時舉皆以誼言爲過，故帝雖嘉之而不能用。逮景帝之世，七國連兵，幾危漢室，誼之言始驗於此矣。董仲舒當武帝窮兵黷武之初，重斂苛刑之際，一踵亡秦之餘敝，唯崇尚虚文而欲求至治。仲舒以爲：更化而不更化，雖有大賢，不能善治，譬之琴瑟不調，甚者當更張，而不更張，雖有良工，不能善鼓耳。又言：臨淵羨魚，不如退而結網；臨政願治，不如退而更化。可謂深識治體矣！然當時舉朝皆以其言爲迂，故帝雖納之而不果行。逮季年之後，海內虚耗，户口減半，帝於是發仁聖之言，下哀痛之詔，仲舒之言，寔驗於此矣！向若文帝用賈誼之言，武帝行仲舒之策，其禍亂之極，必不至此！漢之爲漢，又豈止如是而已哉！暨乎有唐，馭宇太宗皇帝，清明在躬，以納諫爲心，而魏徵之倫，耻其君不及堯舜，是以知無不言，言無不聽，聽無不行，故能身致太平，比功較德，優邁前主矣。臣誠才識駑鈍，不足以比擬前賢，如胥壤涇渭固自有間。然於遭逢聖明，誠誠懇懇，志在納忠，其義一也。臣請以人身之計言之，且冬之祁寒，夏之甚暑，此天時變於上者也。在脩人事以應之，故祁寒則衣之以裘，甚暑則服之以葛。非人情惡常而好變也，蓋亦理勢當然，不得不爾，期於康寧其身而已矣！或者安於循習，昧於變通，冬之裘且加於流火鑠金之夏，夏之葛苟施乎堅冰拆地之冬，將見嚴酷癘人，危在朝夕矣！又烏能答天地之正筭，養喬松之上壽哉！國計安危，理亦如此。臣愚切謂：三本之策，若施之於太祖用武之世，有所未遑；行之於陛下文明之時，誠得其宜矣！此是天下之公論，非臣一人之私意也。願陛下不以人廢言，力而行之，則可以塞禍亂之源，可以興太平之化，可以保子孫於萬世，可以福蒼生於無窮矣！臣猥寄外藩，不明大體，加以性識愚戇，干冒宸嚴，不勝戰慄隕越之至。（四部叢刊本《元文類》卷一四　以上郭立傑點校）

全元文卷三五七

釋至輦

釋至輦，自署九門山泉老衲，趙州（今河北趙縣）人，憲宗時在世。本書收釋至輦文一篇。

勍公禪師塔銘

元憲宗八年

蒙哥皇帝即位七年，歲在丁巳，忽必烈大王城開平府。秋七月望日，命天下禪教諸僧作慶宮药師大會。時至輦在內，因與彰德清講主話及林州供谷寺。自石城傘蓋至頂，霄紫□□，爭翠拱翠，山如玉柱，泉若珠簾，□雲亭、知聖塔側，冬凝冰塔，佛手洞、金門寺上夜放聖燈，熒煌暉曄，非人力之所能爲也。山□□□映日參天，太行一帶可以甲□□焉。長安□堂寺詮公士讀曰：「主此寺者，我法兄勍公，洛州洺水人也。姓張氏，禮天長經城□雲寺西堂月公首座爲師，邢臺□□□□皆昆仲也。」上廣字同授，具於屈陽。先參於萬松萬壽寺，主年餘，後見仰山□州潤長老，隨衆入室，應□而答。仰□□□□□汝南方大有緣，辭歸。依止東山玄和尚爲座元，律□精嚴，威□如法，東山和尚異待之。次至真定維摩院，禮龍檀老，曰：「□此□□看首《楞嚴經》至迷妄有，虛空似桶底脱相似。」乃呈一偈：「三十餘年，幻體非堅，空花水月，只麼信緣。」懋老□奇之，以□付之，曰：「韶□□□□付勍公，汝善護持，爲吾流通，光明相繼，照破虛空，若遇其人，勿令斷絶。」後庵居下四保，養道積□，□方□邀□皆不□以□□□磻陽遇石節使，就請住持本村法濟院。次遊洪谷寶巖寺，見殿堂焚毁，廊廡基址□□，時首座淳公獨居在側□。後官員同置昔疏就磻陽敬邀，師不得已應命。丁酉年正月中旬入院，重修葺之。次翻厎金門，創建在城觀音殿，□□嚴整。至己亥歲月，宣差□□中書並蕭總帥遊山至寺，宿次夜，睹聖燈達旦，拜跪自爲功德主，助緣修寺。別置□疏，命師住持，創建大殿。後至癸卯九日，□退居太平寺。宣差粘合公至燕京，親言所願，問惟中、仲章，若輩肯從我否？輩未及答，惟中讋曰：「我去，我去。」因以謝没之□，化主□□是寺。甘泉慧公在側，訂之曰：「佳山水，天不忘與人，不同□□環浮名利焉。苟非草木食石頭□□僧恐難久居□此矣。」平時□□座間，證之曰：「今彬公非主持僧也，爲修寺化主也。□非本色□□□住山人也。」不數載，與□侄俱退。於丙午歲九月中□師復□焉。至丁巳二月二十七日，示有微疾，化於太平寺，壽七十四，坐四十夏。送殯者百餘人，法嗣四人，剃度七十人，尼六名，孫三十餘人，俱刻碑陰。七日火浴，頂骨不灰，齒牙全在，靈異甚夥。真定府□□□□□□□□同參以行狀告予，而爲之銘曰：

衛之北，相之西，山洪谷，太行齊。有本色，住山僧，續佛慧，繼祖燈。韶陽宗，得勍公，修古剎，厥有功。高其家，深其穴，石可轉，名不滅。（一九三二年石印本《林縣志》卷一四）

釋守顯

釋守顯，曾住持彰德府天寧禪寺。元世祖中統時在世。本書收釋守顯文一篇。

河内縣南岳村尼首座崇明修釋迦之院記　中統二年十月

原夫天竺大聖人者，慈悲普覆，觀三界六道，衆生輪迴滯溺，目無數方便演説諸法相，隨所調伏，萬品俱照，無足、二足、四足、多足，各各聞其音，皆得解悟，亦不爲貧富、清淨、婬房、酒肆，俱爲説法，於諸最後受純陀供，是聖人平等。諸《波羅密大涅槃經》云阿闍世王讚佛偈曰：「如來爲一切，常作慈父母，當知諸衆生，皆是如來子。」嗟乎！末法四衆弟子碎身不能酬報，且次第修持，目之十科。菩薩成佛，各有本願。粤有比丘尼，彰德府湯陰人也，姓苗氏。始自妙齡在家剪髮，澄心入道，素志疏澹，冥慕宗門。未及五載，燕南烽火不息，隱西山，或蘧廬，或嵓穴，二十年疏衣不卸。其後禮邢臺開元寺修塔菩薩僧萬安老人廣恩爲師。方薙髮，調崇明得衆塵勞院務事，兩經長夏。萬安嘗謂之曰：「時不可過，但勉而措之。儻緣會遇惔張一方，見法門有不墜滅之相，遂焚香三展。」辭，退掛一衲，居無定止，慳挺有劉鐵磨之端的。是歲壬子之秋，路經南岳，有古佛堂，暫倚杖憩而已。久而瞻之，垣牆俱廢，户牖傾仄，三歎感激其心，啓發精進，舍一報身，誓終於此。於時化諸信士，剪荆榛，去荒蕪，漸興漸營，志之彌堅。伐可材之木，歲無怠色。善知識聆風克應，誠心勿憚。役之者非一也，有日大宏梵室，列聖之殿，演法者堂，待賓者寮，主之者位，潔供之香積，選才者雲會，甄陶之工，郢斵之匠，前後相繼一十載，能事者畢矣。香滿雨華之界，然未爲大刹，且小有誠，亦不愧於諸方。覃懷勝槩，名秀天下，況沁北、丹東尤爲精粹，建道場布金之地，僧司帳册，敕省部籍，號名之曰釋迦之院。青山屏列東西，捧稠禪師之勝跡，清泉白石，茂林修竹，豈非清淨功德莊嚴乎？雲起山谷，悠悠閑閑，詎不爲諸天護持法藏焚旃檀無價之香乎？四方檀信，作大歸依，深種福田，㠯踵芳蹤，植世世無窮之利，又不爲無塵佛子乎？一日，明兄首座懷思聖域，詣沁之南，求紀於予，刊諸點玉，爲異日鑒金作古。予曰又老且病，度朝昏，惟粥飯可宜也，文之事甚遠矣。於是再四再拜，人之禮奈無可避，輒以洗心乎爲之書。（清道光二年《河内縣志》卷二一　鄧瑞全點校）

釋善信

釋善信，福勝院僧人，元世祖至元初在世。本書收釋善信文一篇。

重修福勝院記

至元二年

周朝現瑞大雄應跡於西天，漢代夢祥聲教流通於震旦。金神入兆，頂佩圓光，明皇遣使以西，迎竺法摩籐而東，至月支相會，旋歸中夏之邦，寓憩天司易爲白馬蓮舍。緇倫充遍於九州，梵刹泛濫於四海。意夫三武滅兮炳然而又乃重新，一韓摧兮皎潔而還復如故。真常三災不壞，堅固八難無魔，所以定果依正無變者也。顧惟福勝院者，在濰陽之東六十里，隸北海縣都名南四鄉，號永豐野屯塢也。左連濰水，跨青龍遠徹溟波。右至阜陵，蹲白虎續通岱岳。前望感仙陸峰，後靠芙蓉邊際。地肥氣秀，人庶疇豐其間，一區是前聖之基址，迺古佛之精藍。開山立錫起自朗公之勳勞，播土重修在乎後徒之懃積。夫妙公尚左者俗姓時氏，本貫人也，齠齔出家，投入空門，迺源老親孫，是朗公嫡嗣。宿懷穎悟，生藴天聰。辯李之歲習戒律以持心，未艾之年□經綸以養氣。扇祖師之宗風，沐親教之法雨。華嚴圓覺作門庭，百法唯識爲遊觀。了性兮透徹玄關，達相兮該通本末。堪爲梵刹之宏綱，可作僧徒之上首。爰有法昆慶公、講主祥公、戒師用公、講主邀命耆老，糺集法親，隨將師遺留衣鉢杖刹而付與之，公迺三遜不得已而眷之。既職已後，身居卑室，罄衣鉢志欲經營□，菲飲食盡穰愜意在修葺。敝袍蔴履，負苦擔辛。法堂疎漏，抽□□□以重修；前殿全無，□贖棟梁而創建。上極於天輪柱腳，下距於地軸階陛。磨塼甃砌，殿内甑瓻覆墁。庖舍四楹，雲堂三架。闢公祀宇，菩薩聖堂，相續而新鮮；丈室僧寮，庫司耳房，倫次而俱備。正殿佛像一軀，十六聖僧環坐。儀山岔㚇，絢煥五彩爭光；□相威嚴，金碧交輝□□。護法神相猛烈，福善禍淫；菩薩容貌端嚴，除凶降吉。青松鬱鬱，依俙而拂青霄；檜柏森森，彷佛而侵碧漢。朝聞雀□，悉耳盡演真空；暮聽鴉鳴，無不皆談般若。招英納俊，萃賢容良。幾會開講演金經，數度延僧誦聖教。端爲誦讚，皇圖永固，帝道遐昌。金枝永茂，玉葉恒芳。風調雨順，國泰民安，時豐歲稔，萬民樂業。師於課誦之餘，每自思惟前人有記，後輩無名，隨率法姪善金、善杲、善青、講主善寶、善筠、善連等收聚財賄，告畧興工，摭文剝字，聊以爲銘而誌之。迺知蓮宮亘古，聯毘盧無盡之光；梵刹通今，繼華藏難思之景。若也迷雲覆性，封於彼此方隅；如或七情瑩淨，豈執東西南北？粗陳鄙辭以爲記爾。（一九四一年《灘縣志》卷四一 鄧瑞全點校）

王構

王構，字肅能，平定（今山西省平定縣）人，金昭義軍節度副使王無咎（一一八九—一二五四）之子。從著名學者李治、楊恕學，舉孝廉，累遷寧夏路教授，歷任翰林編修、吏部主事、寧晉縣尹、監察御史、國子監丞、國子司業等職，終於衢州路同知。明萬曆《太原府志》卷二〇有傳。明嘉靖《衢州府志》卷二有傳。

本書收王構文二篇。

饒陽縣新建廟學記　至元三十年

夫子之道與天地並，歷萬世如一日。今去春秋千七百年，君臣之所以正，父子之所以親，夫婦之所以别，長幼之所以叙，朋友之所以信，皆吾夫子之功。故孟子曰：「自生民以來，未有盛於孔子。」蓋亦此耳。夫以漢高帝之不修文學，而過魯一祀，實爲後世崇祀張本。建武中興，四海之内，學校如林。迨至有唐，而庠序之教雖遐陬僻壤在在咸有，况中原文物衣冠之地乎！饒陽古稱名邑，舊有廟學，位西北隅，禮義之風，《詩》、《書》之化，薰陶素熟，自是以來名臣輩出，代不乏人，若唐相饒陽侯裔孫氏〔一〕，宋相李文定公昉父子，皆由學問中來。金季兵燹，鞠爲瓦礫，獨大觀一碑存焉。至元初，縣尹李公壁憫斯文之廢墜，首謀經畫〔二〕，度材於中，會頻年蝗旱不果。其後又更四政，僅成一殿。十九年，邑人前浙江道按察司僉事高公源方圖興學，適故元帥趙侯孫定與縣尹琛，捐縣東北隅隙地一十七畝〔三〕，欲祀三皇。方規措間，而高公改河間都轉運副使。是歲冬，乃唐縣劉公守德來任，墨綬銅章之寄，下車之日，究心學務，乃與運副高公同心戮力，以謀興建。而廟之東鄰趙榮祖又施東北隅隙地八畝〔四〕。於是二公與邑之儒士、醫生及邑耆舊會議，衆論僉同，以爲夫子舊宫湫隘囂塵，未稱崇奉，不若易之爲醫學之所，今二家所施之地共爲畝二十有五，高明爽塏，寬宏廣衍，以營新廟，兩得其宜。遂列祠請於州於府於憲〔五〕，府用允其請，仍許以農隙量待民力而爲之。然後鳩工掄材，百役俱興，士民趋事赴功無不忻悦。是役也，肇造於二十三年之仲春，落成於是年孟夏，凡三閲月，而宫牆數仞，壯觀一時。棟宇翬飛，丹雘煥炳，衮冕黼珪〔六〕，儼然素王之如在。顔孟十哲，像設端嚴。大觀碑即遷於斯，而又講習有堂，儲藏有庫，烹飪有庖，廊廡泮水，一倣古制。三門已基，涓吉可成，畢工有日。歲癸巳，構備員曹監，而高公以廉能徵入爲都運使，一日，公來謁且諭余曰〔七〕：「吾鄉廟學創造有光於前，請君記之。」余謂天下之事不根則不起，不爲則不成，特患任事之人立志不堅爾。傳曰：「有志者事竟成。」試即饒陽一邑而言之，爲邑大夫者若而人，爲寓公者若而人，歷年者多，卒不創立學校以化於邑〔八〕，今公乃能有志於斯道，締造營建，振起而作新之，使衿佩之士有所矜式，皆爲鄒魯之俗〔九〕。將見儒風日興，英才日盛，必有人物如饒陽侯裔崔氏洎文定公父子者出，以副我國家之用，顧不韙歟。（明嘉靖二十八年《真定府志》卷一五）

〔一〕若唐相饒陽侯裔孫氏：「孫」，清光緒二十六年本《深州風土記》（以下簡稱《深記》）卷十一引文作「崔」。
〔二〕首謀經畫：畫，原作「書」，據《深記》引文改。　〔三〕捐縣東北隅隙地一十七畝：七，原脱，據《深記》引文補。　〔四〕而廟之東鄰趙榮祖又施東北隅隙地八畝：八，原作「一十七」，據《深記》改。　〔五〕遂列祠請於州於府於憲：祠，《深記》作「詞」。　〔六〕衮冕黼珪：衮，原作「兖」；珪，原文作「珽」；據《深記》引文改。　〔七〕公來謁且諭余曰：諭余，原作「稔」，據《深記》改。　〔八〕卒不創立學校以化於邑：《深記》於

「不」下有「能」字。　〔九〕皆爲鄒魯之俗：爲，原脱，據《深記》引文補。

大元武略將軍遼州知州劉公神道碑

至元十六年冬十月乙卯，武略將軍孟州知州劉公卒，孤子克忠護其喪，權措於遼州西南馮婆谷。後謀諸葬師將改葬於甘露鄉桐谷里之駮馬原，自祖考以來未葬者咸葬焉。葬有日，持其封丘縣尹權秉中狀其先世事跡，令搆文其石，辭不獲已，遂摭其實而次第之。公諱義，其先滏陽臨水人。大父政，嘗爲□衛親軍，有田於遼山之羊角里，因而家焉。父恩，身長七尺，資雅重，仁慈正直，鄉人莫不敬服。金源氏失馭，晉陽公郭文振開閫於遼之囤山砦，聞其武勇，招之麾下，以戰多累遷同知元帥府事。歲甲午，蔡州破，公率其部曲款附天朝。丞相胡公、中書楊公交章上薦，拜遼州軍民長官，佩銀符。時州境承兵革焚蕩之餘，城郭榛蕪，户口凋殘，公乃招集遺亡，存問鰥寡，奠民居，立公廨，紀綱法度次第而舉，未幾，政令行而室家相慶焉。歲丙辰，元帥府君請老，公襲父職，克遼州軍民長官。吏民畏愛，人以爲有先人之風。中統辛酉，總府保奏，有旨褒諭。至元甲子，遷同知絳州事。絳，鉅鎮也，又當衝要，公務繁劇，至官者往往剸割不暇，公處之若無事。後三年，加武略將軍，孟州知州。在官五年，治蹟爲一路最。至元九年，移知臨州，孟人詣闕上書，保乞再任，故十五年復有是命。公之重來於孟也，老幼歡迎，絡繹不絶於道，人以黄霸潁川比之。明年，以疾終於官，春秋五十有九。

夫人同郡李氏，夙夜儆戒，内助爲多。子男一人，克忠也，以廕進義副尉。女二人，長適遼州次官王德寛之子潤，次適遼州税務都監武琇之子恒。孫男女二十三人。公之爲孟也，秋大熟未獲，有飛蝗入境，公禱於神曰：「牧民有罪，百姓何辜？」是夕雷電雨作，蝗死無遺育，邦人立碑以紀之。公之爲人也，敬以持身，誠以接物，儉以成家，勤以居官。其爲治也，知所先後，每到官，其目有四：一勸農，二興學，三勵風俗，四不貸枉法吏。故前後涖四郡，未嘗有敗事。若夫綺襦紈袴狗馬之玩一不之好，雖不出於嚴君義方之訓，亦其天性然也。銘曰：

劉氏先，出陶唐。欒高□，徙遼陽。若厎法，考作室。匪克家，疇之力。良師帥，歷四州。喟□亡，首舊丘。漳之麋，槎山下。告邦人，敬松檟。（清光緒二十七年本《山右石刻叢編》卷二九

以上鄧瑞全校點）

汪復

汪復，字晞顔，婺源（今江西婺源）人。南宋景定三年（一二六二）登第，累遷監行在豐儲左倉。賈似道當權，不肯阿附，任太學博士司業。咸淳庚午（一二七〇）除太常寺簿，數月離任，官至朝奉郎通判揚州。至元二十一年（一二八四）行臺在江東訪求耆德之人，汪復名列榜首，廬摯勸其出仕，汪復執意不肯。

卒時六十八歲。本書收録汪復文一篇。

補中謝魏守克愚啓

伏以侯邦貢士，莫能決勝於蘭宮；帝學儲賢，偶獲叨升於槐市。雖抱巾眉之愧，幸乘奮翼之機。復取青氈，咸由洪造。切謂成均才之囿，擷其秀而藝其苗；君子邦之基，南有杞而北有李。是以累朝之化，迭崇造士之科，或頒湖學教條，或立辟雍選法。奎畫灑聖賢之贊，珉刻昭垂王之綸，演忠孝之言。玉音誕布，栽培有道，潤澤無窮。學校自數年來，議論爲一時重。排雲閶闔，爭臺諫之是非；披腹琅玕，與廟堂之可否。恢恢公道，凜凜清飈。蓋禮義廉耻之維既張，而德行道藝之教素熟。不負所學，是隱然有益於邦家；所好非名，豈甍爾爭雄於祿仕！必有囊中之穎，方堪館下之生。如某者材劣穿楊，命窮嗜歜。世系分龍溪之派，素親經訓以當菑畬；嚴君登虎榜之名，亦由賢關而紆簪笏。概念箕裘未緒，益研屋壁遺編。幸因二千石之作成，遂偕十五名而充賦。固嘗志其大者，徒嗟竽瑟之非；抑又思其次焉，自嘆齏鹽之分。眷此日圜橋之試，惟吾邦中的之多。敬義夾持，雖淵源於朱子；詩書宗主，端倚伏於黄堂。恭惟某官某，秀毓岷峨，清涵江漢。鶴山正印，接周程諸老之傳；龍首名家，有晁董公孫之對。聲猷藉甚，地望巍然。白水黄山，暫屈堯階之步武；朱幡皂蓋，首崇魯泮之涵容。聚五魁于奎宿之臨，揭一邦爲天下之最。肆令魯鈍，兩入鈞陶，某敢不乘此梯階益加砥礪！鞭駑爲驥，附鳳攀龍，圈守約之紅喜，見父名而起敬，解校優之褐，願霑師訓以成功。過此以還，未知所措。（清文淵閣四庫全書本《新安文獻志》卷四三　曾貽芬點校）

宰沂

宰沂，字魯伯，洛陽人。本書所收宰沂文一篇。

龍泉觀徵明師道業碑

大宗師真常上宣教真人，真人准國朝之例，降名爲龍泉觀。觀之後山之足有泉出焉，清冷甘洌，適飲濯灌溉之宜，旱不加涸，雨不加溢，若有神守之，泉之神非龍而何有旨哉！先生居山者二十餘年，抱谷口鄭子之幽懷，有北山愚公之雅志，作勞之外，兀然靜坐，終日無一言，其篤實如此，不違於物而能成物，又能不有於物也。所樂者道，所得者德，所愛者山，所喜者水耳。泉石膏肓，烟霞痼疾，古人有言，今日見之矣。歲癸亥六月七日，於本觀靜室中沐浴更衣，召囑門人修進，語畢，翛然而逝，春秋六十有二。示寂之後，所感□屬河南府路都道錄亢君、大師提點南和二仙翁前道錄史君、長生萬壽宫提領張君、提舉李君暨諸執事裨助人力，往來護持。一日，徵明門第歐陽志真者錄師之行蹟與夫立觀創始之功、來者守成之事，設酒醴稽首謂不肖曰：「吾師生平道業，爲我記之何如？」遂酌酒而飲，俯而思，仰而答曰：「不惟爲君記之，抑可爲君銘之也。方塵世之囂囂也，能高蹈遠舉，一丘一壑，委蜕而去，有古仙人之遺風，豈淺淺者之所能哉！是宜銘也。」銘曰：

偉哉徵明，世業於儒。幼師離峰，乃與道俱。進道日篤，執德不渝。年甫三十，遊方問途。不有而有，不無而無。寒灰心地，槁木形軀。不違於物，終日如愚。不外於物，而於化居。眇天地於一瞬，等萬期於須臾。長河風瀾，世變多艱。渡此而北，時云未安。歸去來兮，佳水佳山。厥惟最佳，王屋天壇。洞天高渺，福地寬閑。太行析城，左右奇觀。委佗而北，高不可攀。峰曰鍊青，山曰紫團。徵明子者，□然樂道於其間。爰有菴地，曰傅家水。易名龍泉，立觀於是。繚以牆垣，崇高其趾。齊廚閎敞，殿宇高峙。幽亭靜室，如翼斯起。藥圃蔬畦，雜以蘭芷。有松有竹，有菊有杞。山色金碧，水聲宫徵。可詠可觀，盡善盡美。非先生始終以之，其何能致於此。涓涓龍泉，將成大川。青松鬱鬱，翠竹娟娟。祝延聖壽，億萬斯年。勒諸貞石，永以其傳。（一九三二年石印本《林縣志》卷一四　李鳴點校）

江　靁

江靁，字天澤，號古修，晚號陶陶翁，婺源（今江西婺源）人。宋咸淳七年（一二七一）進士，授某州司户參軍。入元後曾任蘭溪縣主簿（方回《桐江續集》卷三三《江天澤古修文集序》、《新安文獻志》卷一〇〇下《江先生靁傳》）。本書收江靁文三篇。

艮軒先生俞公君選墓誌銘

鄉先生艮軒俞公卒二十年，其孤若思譜公宦歷出處大槩，緯以賦永之歲月，屬爲墓銘。父之執，不得以不詳公行爲解。公諱君選，字憲可，世家徽之婺源。有繇六館前序典教鄉邦者，掇正科終淮郡倅者，在公皆爲伯仲。公曾祖雱，祖天瑞，父元弼，從江閫奏辟幕屬。幼授公《易》，家學也。少長，爲文跬步規矩。景定壬戌，第進士三甲，選主隆興府武寧簿。自陳母高年，乞便迎養，改尉饒州餘干。垂滿，以憂去。服除，授揚州司理。爲應山李公客，入淮東制幕。已而沿檄徑歸。徽守三聘不就，遂終老焉。公襟度粹夷，其接人和氣，溢於顔面，詩多似太白，而自律之嚴，臨事剛果，直有峻立千仞者。初攝宰安仁，議新邑學，或以公儲空乏沮之，公首輟俸，稍捐家帑，人乃欣佐其役，不日而成。維揚將校婁忠者，殺人事覺，制閫憐其才，欲置末減，公爭曰：「人才可復得，國法不可暫偏。」卒正典刑。他日，閫帥謂機幕程應常曰：「吾未見剛者，今於俞掾見之。」癸酉，維揚、真、泰俱歉，公建議發府廩賑饑，真、泰皆襁負而至。或議格之，公曰：「率土皆王民，奈何以鄰州爲限？」白使者均給，活三州人凡數十萬。他如立江都漁湖之租，民遂免陷於罪。撥安仁衣糧就邑，給贍宗室弓兵，皆實受賜。其猷爲卓然可紀者類如此。而急義篤交有古道。蕭閒醞藉，不受俗塵。用是丞相文忠公、丞相番易公、以暨東澗蛟峰諸大老，稱許如出一口。歸隱艮軒，常曰：「時止時行，艮之義也。在我法當止耳，吾何爲不樂哉！」所爲詩文若干卷，曰《艮軒小藁》，藏於家。至元丙戌九月日卒。生於嘉定八年八月，至是七十二矣。娶江氏，繼戴氏，皆貴族。子男二，若愚先公卒，若思優於學行，有職府庠。孫男五人，越翁、惠翁、鶴翁、同翁、慶翁。女孫一。元貞乙未，始得地永川之南曰西館。大德癸卯，筮築壙之日。吉時則有戴君某哀而資之厚葬。明年十二月日，江氏、戴氏之柩實祔。銘曰：

寬而栗，行有德。時行止，辨乎易。猗歟先生後世則，宜爾子孫慶無斁。（清文淵閣四庫全書本《新安文獻志》卷九五上）

軍民元帥馬公墓誌銘

公諱旺，唐之長秋人。其先世佐命征伐，累有勳於國，及於後代之子子孫孫，無墜厥緒，世世其嘉賴焉。傳世至公，其先後絶續之關乎？公生而英異，不類儔伍。長而鳴劍彈鋏，有削平海内之志。貞元間，婺源氛起，婺界萬山間，寇多盤踞其中，爲居民害，當事者憂之。時公爲校尉，朝臣皆舉公，謂才可大任，足當一面。天子曰：「往，欽哉！」遂銜命而戍婺源，寇聞之膽落，皆伏竄屏息，居民爲之安堵。朝廷每有征伐大事，即以屬公。公百戰百勝，著績不可勝紀。而白日斜暉，將星欲殞，竟以陣亡，豈不惜哉！公卒之明年，州守郭公至止，仰其家世功名之盛，詔父老問之，皆言：吾郡勳臣也，其子孫振振繩繩者，殆未有艾。郡守曰：「賞不及於後嗣，無以勸來者。」乃亟力申請，貤封其子聚爲忠顯校尉，而懇求文於靁。靁不能悉公行事，而略誌其概。爰係之以銘。銘曰：

英氣偉烈，震山河兮。登壇仗越，扶地天兮。功在社稷，報宜隆兮。崇及奕代，卜世其無窮兮。（清乾隆五十二年《唐縣志》卷一〇）

相者説

漢高帝初爲亭長，嘗告歸之田，有老父過請飲，因相呂后及孝惠帝、魯元公主，皆大貴。老父去，高帝適從旁舍來，追及老父。老父曰：「鄉者夫人、兒子皆以君，君相貴不可言。」高帝乃謝曰：「誠如父言，不敢忘德。」唐太宗方四歲，有書生謁高祖曰：「公在相法，貴人也，然必有貴子。」及見太宗，曰：「龍鳳之姿，天日之表，其年幾冠，必能濟世安民。」書生辭去，高祖使人追殺之。星水遺民曰：古今爲不肖不義之事，求非望之福，而卒至於大敗者，未有不因夫佞人之遊辭有以激發而作成之也。婦人之塗澤而立於門，雖有誨淫之心，未能必人之我即也。惟其過者寓目，一人焉，三數人焉，乃至無一而不睥睨焉，然後自以爲天下之至妍，而羞惡之心蕩然矣。童子之戲，遇長者訶斥之，得不竦然而止。惟見者助之笑，陽誇其能而授之方。彼童子喜其誇而益逞也，於是顛蹶不可制，至於敗面折支喪身而終不悟，何也？彼皆有作成之者，不自知其陷於敗也。天下將亂，人人有殺人自立之心，而苟得妄想之徒又從而爲虛誕之説，人人而湯武之，此不肖不義之事所以蠭起，天下所以大亂也。高帝之老父、太宗之書生，相二帝皆驗，史册書以爲神。由是觀之，當時欲爲高帝、太宗之所爲者，不知其幾人也；能爲老父、書生之言者，又不知其幾人也。彼老父、書生之言偶驗於二帝爾，安知其不以是告他人哉？以是告他人而不驗者固多矣，告他人而作成其不肖不義之心以陷於禍敗者又多矣。

匹夫狂言，使天下受其亂，罪可勝誅哉！然則高祖使人追殺之是也，高帝以爲德非也。或曰：「史稱高祖之欲追殺之，懼其語泄爾。」子曰：高祖之意則私，其行事則是也。如以爲德，乃女子小人歆慕富貴之心也。高帝嘗遊咸陽，縱觀太息曰：「大丈夫當如此矣！」此其氣吞秦皇、量眇天下，蓋何如人？顧德匹夫偶然之虚譽，無是理也。然則史固有不足盡信者哉！（清文淵閣四庫本《新安文獻志》卷三一　李鳴點校）

高鴻

高鴻，至元九年（一二七二）以中書省掾除霍邑縣尹（道光六年《直隸霍州志》卷二五上）。本書收高鴻文一篇。

神泉記　至元十二年

隋末天下大亂，太宗起義兵於太原，過介休，爲吕州宋老生據其隘而不能前。時有一白髮老翁告之巳鹽商古道，太宗棄輜重潛師宵進，巡霍山而南，次於東城。是日軍中闕食，原谷無水，太宗患之，仰天祝曰：「煬皇不道，萬民愁怨，天實肆予克除暴亂，何困我如此？」會杜莊大族杜十萬者獻糧數十斛，或又報主之乘馬跑地而嗅，顧人長鳴，似有所告。太宗視之解其意，親㠯劍掘地，泉水湧出，將士驚異而賀曰：「天贊我也。」號「馬跑神泉」。明日，與老生戰於彘澗之北，隋師敗績，老生死之。於是唐兵大振，長驅入京師，如蹈無人之境。及隋滅而太宗即位，封霍嶽中鎮爲應靈王，建祠於山中，令歲時致祭。拜杜十萬爲大將軍，且多賜金帛。杜公辭曰：「臣世本農家，以父祖之靈，衣食稍備，但所居之地，不可鑿井，艱得之貨，唯水而已，富與貴非臣之所欲也。」帝遂㠯馬跑神泉賜之，勑有司禁鄰邇之民，無使侵用穢污，犯者有罪。後人相因，世爲水例。舊有碑記，干戈焚蕩㠯來，不知所在。至大元至元九年，予㠯省椽除本縣尹。久之，杜莊編民訴有違前水例者，乞懲戒。命吏治其事，被告之徒懼罪，立約告和，准詞後復給公據於官。仍求文於予，請刻諸石，永爲照用。就採耆老之言，乃爲之記。（清道光六年《直隸霍州志》卷二五上）

高詡

高詡，中統初，在山東二路都轉運司任職。至元初，任濟南路儒學提舉。本書收高詡文三篇。

修文廟碑略

至元八年

梁鄒，古鄒侯之國，其君爲姚氏。漢高祖六年，封武儒爲侯國，此其故地也。山川□秀，民物繁盛，視他邑爲最。舊有宣聖廟，在邑東□陲。兵火焚蕩以來，鞠爲瓦礫之場者，積四百餘年。居人屢欲建之，力弗贍也。中統改元之後，守土之官暨諸僚佐好禮之家，同志相率，鳩工購材，什七八矣。屬青寇之亂，孑然無遺。至元六年，縣令蕭公來涖此邦，慨然有興作之意。聿相厥基，實隘陋，旁有故公廨一所，閒無人居，可爲春秋釋奠及絃誦之所。乃陳其事於府，府乃騰牋於部，於省，得允其請。乃即故廳臺基增築而殿之。方當調度旁午之時，專以賈公督其事。公，魯人也，雅尚氣義。爰自筮仕以至知命，官於魯鄆屬邑，所至專以修葺文廟爲首，故梁鄒之役率然不憚也。蕭公自公之暇，鳩材於遠方，庀徒於籍外，朝夕弗遑。縣丞劉公，縣尉蘇公，多方贊成之。自七年九月興工，至八年二月落成。堂構巍然，簷牙高啄，仍以故堂爲師資講貫之所。（一九三三年重印本《鄒平縣志》卷四）

鎮撫秦公先德碑

大矣哉！在昔先聖孔子立言垂訓，爲萬世著名教，其間至重者，惟臣子忠孝二事卓冠百行。是知立身揚名，以顯父母，人子之孝盡矣。致身竭力，爲臣之忠備矣。至元三載，歲在丙寅，季秋九月，鎮撫秦公持先代所行事跡向僕曰：「進成身寄軍中久矣，高、曾及祖歲月深遠，譜系散失，以致名諱不見。惟我先父行狀幸在，敢賴提學先生爲文紀錄，庶藉考信後人，光耀墳域，使進成之親族兄弟，下及子孫，相承繼不忘孝心，廣進成平生所懷之志。」僕感公以忠信來告，不敢堅讓，勉爲次序其事。按《春秋左氏傳釋例》，自魯國以下姓氏之分曰臧氏、曰子服氏、曰叔孫氏、曰東門氏、曰南氏、曰秦氏。有秦堇父者，孟獻子之臣。有秦丕兹者，乃堇父子也。又有秦周者，又有秦遄者。此秦之大姓，始見於此焉，所從來遠矣。今公之家世，係濟南府所屬濟陽縣。父俊，娶董氏，生三子，公乃長子。次母曰杜氏，生四子。公之父先屬故金特授提控之職，懸帶銀牌。歲在壬辰，天兵定河南，父俊隨逐信安軍主帥張公攻打歸德府，首立大功，授本帥府充招撫使。公於庚子年間，本府權省高公授老孟萬户劄付充五軍彈壓。次在癸丑，益都府尹奉朝命起立海州，公隨老孟萬户與益都尹同守此州。當年夏六月，蠻人入寇，攻打城池。以下字皆漫滅。

張總管世德碑銘并序

聖人垂立名教爲天下後世不易之大典者，惟忠孝二事，總百行而先之，故古者求忠臣於孝子之門，謂君子之事親孝則出可移於君也。吾今於總管張公見之矣。公一日持先代行狀過僕言曰：「炳立身起家，析圭儋爵，一出祖宗陰德所致，願先生表於堅珉，照耀佳城，使子孫相繼不忘孝思，平生志也。」僕嘗與公同參漕幕，從游有日，不敢以不文辭，勉爲次序。按公之高、曾歲遠難述。祖全，業商賈。父信，亦不樂進取，以財雄鄉里，能出貲以周不給，有貧不能償者，悉毁券以貸之。壬辰兵亂歲凶，計里民口數多寡，推食而食之，賴以全活者甚衆。配李氏、呂氏，舉三男，長曰炳，字彦明，即總管也。幼習儒，尋改吏事，由濟南府掾上計燕京，終始十年，事無不辦，上甚嘉之。陞本府行省斷事。庚申歲會有積年勾考未輸銀一十萬五千兩，公曲折陳情於執政者，允所請，民免其累，邦人咸德之。庚申改元中統，百爲一新。立中書省，凡該掾吏，必擇諸路素有幹濟者任其事。首次公，委以邊防機密事。時方用兵，戰備靡有闕遺。遷右司提控管都督府外郎。既而參知政事王公任山東二路廉訪轉運使，索公爲經歷，悉以曹司委公，又以金符付公懸帶。鹺司屬變亂後，器具人力，掃蕩殆盡。公創立制度，鋭意規畫，歲終考課，爲天下最。至元二年，授宣命金府充濟南路諸軍奥魯總管。遷廉訪府參議總領運司兼權濟南益都濱棣三路諸運奥魯府事。蒞政之日，惟以撫諭貧民爲□務，軍户逃竄者，聞公爲政平恕，比比復業，所謂古之遺愛者，殆庶幾矣。公之二弟，其孝友略與公同。古人有言忠孝萃於一門者，我總管張公實有之矣。故系之以銘，其詞曰：

忠不忘君，出於事親。二者克全，揚名立身。昔人陰德，後享陽報。紹隆先業，當思孝道。赫赫我公，素有士風。茂膺官爵，增光祖宗。子孫繁多，兄弟忠厚。豐碑孔固，天長地久。（以上清乾隆三十年《濟陽縣志》卷一二　以上李鳴點校）

全元文卷三五八

郭　侃

郭侃，字仲和。華州鄭縣(今陝西華縣)人。幼爲史天澤器重，留家教養之。弱冠爲百户，鷙勇有謀略，屢破金軍。後從宗王旭烈兀西征木剌夷、黑衣大食和叙利亞。世祖即位，上疏陳建國號、築都城、立省臺、興學校等二十五事及平宋之策。擢爲萬户，從軍下襄陽。平江南，遷知寧海州，居一年，卒。《元史》卷一百四十九有附傳。本書收郭侃文一篇。

平宋策

宋據東南，以吴越爲家，其要地，則荆襄而已。今日之計，當先取襄陽，既克襄陽，彼揚、廬諸城，彈丸地耳，置之勿顧，而直取臨安，疾雷不及掩耳，江淮、巴蜀不攻自平。(明崇禎本《歷代名臣奏議》卷二三五　王明澤點校)

李思衍

李思衍，字昌翁，一字克昌，號兩山，餘干（今江西餘干）人。至元間丞相伯顔渡江，以思衍權樂平。尋授袁州治中，入爲國子司業。世祖以安南未附，召拜禮部侍郎，從副都省參議禿爐招諭安南，以不受安南饋贈拜南臺御史。著作有《兩山稿》，已佚。本書收李思衍文一篇。

妙真觀記

浙東爲山水藪，往往跨岡巒、掩林阜。余被命分閫客金華，有赤松洞天，東與栝蒼接境。栝山水尤爲浙東冠，縉雲仙都、青田石門，實神仙窟宅，諗行州縣，皆得寓目焉。麗水爲栝蒼治邑唐天師真人修煉處也。每閲圖志，神邁意往，恨未得以覽其勝。公退攜客步雙溪，飲酒談文，語及真人導明皇遊月宮事，有客潘基仲起而講曰：公行半天下多矣，名山大川，靈遊勝蹟，固公胸次筆硯中物耳，惟真人修煉處距邑百餘里，其鄉曰「宣慈」，今之冲真觀即故宅也。地幽境絶，丹井猶在。鄉有鄭君真卿，衆推爲善士，家距觀三里。爰其山水，於觀西南手營葬地，語其妻曰：「死當祠我於此。」今妻鮑氏遵治命，給田五十畝，屬之黄冠范師俾成其事。師乃因基而觀，箋於師山，錫名曰「妙真」。自捐己貲積法施，築大門、兩廡，壘石爲臺，以殿寥隘〔一〕，增構傑閣。丹堊棟宇，至齋廳庖廪悉治如法。前溪隱隱龍翔虎伏，野芳麓秀拱揖應接。如列屏障，而開畫圖。朝鐘暮鼓之聲與冲真相間，亦一勝槩也。以鄭君好善樂施，而師能殫財出力，相與共圖不朽，其事咸可傳。余因慨世言人以衣食生死求田問舍，滔滔汩汩，昏沈於利欲之海，能如龍伯高、馬少游克自竪立，爲鄉曲善人者幾何人哉？鄭君能自擇一念爲身後計，視夫蠅營狗苟，醉來夢往，忽焉而死，死無所歸者固大有逕庭，而范師又能成其志，爲之建宫宇、集徒衆以奉香火，使鄭君之基藏得以與老氏相爲終始，可謂死生交成，無負於鄭君也。余縛吏役，未能撰杖屨討幽奇，他日道經栝蒼，出林下訪唐仙之故廬，弔德人之遺跡，與師徜徉於青松白雲之外〔二〕，庶可稍慰平昔之願見者矣！□之□仲。師名寶真，號雲巖。是役也，經始於至元癸未，落成於大德庚申。師所謂行與道合，而能專其事者也。於是乎書。（清順治十二年《宣平縣志》卷八，乾隆十八年《宣平縣志》卷一三　王明澤點校）

〔一〕以殿寥隘：隘，原作「陽」，據乾隆本改。

〔二〕與師徜徉於青松白雲之外：徜徉，原作「徒□」，據乾隆本改。

王奕

王奕，字伯敬，自號玉斗山人（《宋詩紀事》），玉山（今江西玉山）人。至元間補本縣教諭（《玉牕如庵記》）。著作有《斗山文集》十二卷、《梅巖雜詠》七卷，皆佚。另有《玉斗山人集》三卷，原名《東行斐稿》，今存（《四庫全書總目》）。本書所收王奕文，以文淵閣四庫全書本爲底本，校以同治十二年《玉山縣志》本（簡稱《玉山縣志》本）、康熙五十二年《廣信府志》本（簡稱《廣信府志》本）。集外輯得佚文一篇。

玉牕如庵記

至元三十年二月一日

墓有廬尚矣，後沿曰菴。寺則釋之所居也。今名菴而實寺，非固叛齊之學而穽因果之説，蓋欲託堅固力爲悠長計耳，此玉牕如菴所由創也。王爲著姓，居懷玉之陽，世以儒顯。伯父德甫桂坡翁、先君仁甫復齋翁塤篪迭龤，鏜鎝有聲。玉牕，桂坡翁之長子也，名邁，字伯鎮，讀書之櫺面對懷玉扁曰「玉牕」，因號焉。束髮競名學校，抗志場屋，游賢關者屢矣。自運窮甲戌，高旻不惠，彼日侵澌，弟兄淈逐，幾化鄧林風枝。既定，骯髒顛沛之餘，幸完聚玉牕，種花輝芭，歸鎮里閭。三代一鄉卓卓有彦方丰度，緣是謀身課子，生理日裕。□抱□□，積而雙眚，天下牆壁事遂不廑一盻，迺營菟裘於佳山秀水間，築菴居釋，割田百畝，隸籍懷玉福勝院之與寮，立良法以綿絡之，使後人不得以掌股，其與半山老子悉化爲寺者不可同舌語。僕以己丑過魯，拜謁宣聖廟墓。二年東歸，驚見規創一新，如九天移下兜率。佛有殿，鐘有樓，僧有寺，奉記又有堂。位置整整，舉梁自爲歌文，砧基密爲條畫，環百里曠百年之所罕見。又磨豐碣以鑴乎記，高矣哉！吾兄之處此爲身計也。士亦多矣，士而不癡於書，不癖於傳，精區神運，潛乎密庸，無不徐就其條理者，莫兄若也。冀乎興亡生死之交如洪鐘員鏡，了了虛明。人曰吾兄，我曰我師，信矣。嗟乎！落葉辭柯，人生幾何，誰能閱桑田，視摩銅，狄世之抱懷長息，雪鬢蓬鬠，皇皇爲鄰，柵鷄豚計，一朝溘露，臨化消竇，塚土未乾，不肖孤捧而授之，仇者總之，尚欲望其空山香火，鐘鼓木魚，與黄面老子坐歷浩劫也耶！而況五勝循環，六籍無準，名人魁士駢首陸沉者何限，而伯氏乃得於小洙南山之南而築行窩，僕得於玉琊北山之北而創吟隱，一邱一壑，皆能捲耳目、束筋骸，以全蜂蟻之餘生，非當世之幸民歟！異時正枕牖下，從二公於九京，亦不負義方之教矣。若夫痛蘭亭之生死，泣峴山之游觀，於道殆未爲達。虎溪慧遠，天竺圓澤，香山宗滿，區中元來之緣正不滿，至人一嘆。後之夷倚曠友游斯菴，詠斯記斯人，亦必抵掌一忱。歲癸巳二月朔，前奉旨特補玉山儒學教諭奕伯敬謹撰。（清同治十二年《玉山縣志》卷九下）

東魯義約

僕慕陶歸隱，結屋琊峰，十載耕耘，吟計僅足。起觀宇宙之間人道之大，惟君師而已。天門萬里，力未能乘風雲、依日月，汶陽鄒魯之邦，吾夫子之宫闕在焉。今九域既一，關河無阻，學者不能致樽酒瓣香之敬，是不知有師也。欲壯兹行，敢告吾黨：伏以闕里宫牆久矣，關河之隔，朝廷疆里。適兹文軌之同，欲瞻尼山師道之尊，合致曲阜心香之敬。況洙泗即非弱水，而鄒魯正是中原，今既在邦域之中，何自棄門牆之外。愧聖師夫子救時猶老於轍環，而吾儕小人閱世甘忘於株守。敢邀同志，用決此行。或負笈，或攜琴，徜徉於長亭短驛；可乘舟，可策蹇，吟咏乎名山大川。覽天地之六經，弔聖賢於千古。慕溫良恭儉讓之德，想仕止久速時之心。出處不得罪於春秋，生死亦無慚於名教。觀黄河，登泰岱，定有至人，過盤谷，訪南山，豈無隱伴。聚糧以俟，涓穀爲期。謹約。

登青山太白墓文

青山八尺之土，不足以揜公萬丈之光；采石長江之水，不足以洗一死之疑。誦公大雅諸詩，知公所志，真有關於世教，何止於風雲月露之爲憶。儀鳳不可以粟呼，祥麟不可以繫羈，唐朝齷齪，組綬何足爲公筋骸之維，必朝蒼梧夕元圃，飛出宇宙之外，然後足以快公之襟期，凡睛俗眥，何能窺公仙人之姿。予浴沂而歸，策蹇過此，酹荒祠兮一巵，其與公華陰倒騎之日，越千載而一時。安得起公髑髏，還公智慧，與公攜手跨赤虬兮游乎天地！於是爲之歌曰：

蘆筆書空兮風淒淒，祠前有手種芒四時常青，竹墨泌地兮雨垂垂，墓前葉上有墨點，青楓黑塞兮夢公者誰。（清文淵閣四庫全書本《玉斗山人集》卷二）

奠大成至聖文宣王文

維至元二十六年歲在己丑，八月丁未朔，越三日己酉，江南儒生王奕等幸際天混圖書，氣通南北，不遠數千里，謹袖瓣香，致奠於先聖至聖文宣王，曰：

詩書世次，以魯繼周。匪敢私周，寧爲魯謀。厥有著龜，告我來猶。於以素王，於魯之陬。姬今爲庶，孰兗孰旒。此猶南面，配以公侯。載瞻闕洛，每仆不收。或翼微言，盛行中州。昔在建興，與馬俱浮。有集者鴞，覆貽魯羞。元化推遷，如彼傳郵。緬想神靈，轍環歸休。粤晝與夜，積而春秋。郭公夏五，缺誤難諏。欲往從之，江漢阻脩。九域甫一，可輿可舟。今我不勇，歲月其遒。豈無他營，載籍是憂。奎光在天，下燭六幽。願誘愚衷，納以大猷。懷疑若剖，含思獲抽。遂沿泗洙，以訖邾鄒。望魯千年，今真魯遊。何以薦恭，秬黍滿卣。尚饗。

奠先師兖國公顔子

三千同學，惟公獨好。一晝之復，惟公獨當。復則無妄，其聖矣乎。一日而天地萬物皆歸吾仁，四代禮樂，特仁中一事耳。樂莫大焉，何憂之有。名垂萬古，壽莫長焉。今夕何夕，獲瞻井巷。某某士也，所希者賢。請事勿之，一字服膺，拳拳以終餘年。

奠先師鄒國公孟子

曰戰國去春秋僅百年，而人心之剥訖矣。子利於父，臣利於君，士利於權謀，學利於僞妄，天下岌岌乎殆哉！惟公馳仁義之車，崎嶇乎齊、梁、宋、楚之郊，擴正塗而窒利罅，好辨豈其志哉！盡心知性，知言養氣，天爵人爵，所以發夫子之未究者居多，其有功於人心世教爲何如，信乎其爲命世之大才也。此何時哉，得遊聖域而瞻廟貌，耳目鼻口不交於物，不胥而爲妾婦、禽獸、貊蚓之歸，皆至大至剛，以直養而無害者，得所師焉。敬潔巵酒，以報千古。

奠先師郕國公曾子

聖門三千之徒，而一字之孝獨與之公。不敢毁傷之，學至易簀，知免然後知生，而學死亦學善，學聖人莫公若也。移孝於忠，何後人之不多見耶！與之於點，造物報人之天者固如是。夫秋菊寒泉之思，魯人之報於公者，則未至焉。愚生尚有志焉，幸混車書，獲瞻儀貌，某等律以忠孝，寔爲罪人，願保髮膚，以遂終慕。

奠先師沂國公子思

《中庸》一書，性命道德之根本，孟子親傳，發爲仁義七篇。自漢唐歷五季一千年間，學者不得其傳。至宋，河南叔子表而出之，建安朱子繹而明之，大經大本，垂世立法。後之用下士者，由之則興，舍之則亡。建天地、質鬼神、俟百世而不惑者也[一]，其至矣乎！此夕何夕，得遊聖域，真足以補平生之大欠。某士也，參贊之功不得以行，所學惟有謹獨素位，不爲無忌之小人，乃所以報先師也。洋洋如在，尚其鑒之。（以上清文淵閣四庫全書本《玉斗山人集》卷一　以上王明澤點校）

〔一〕俟百世而不惑者也：世，原作「聖」，據《玉山縣志》、《廣信府志》改。

孫慶瑜

孫慶瑜，至元間爲豐潤縣尹。本書收孫慶瑜文一篇。

重修豐潤縣署記

古薊界曰永濟務。左控孤竹國，右接無終縣，溟海浮於前，醴泉鎮於後。其民勤儉而功稼穡，有田廣遠而極膏腴。所出絲枲魚鹽，所宜稻粱黍稷。山水明秀，或登高望遠，或臨流賦詩，以助騷人勝士超逸不羈之興。若夫事隙之際，秋風横空，浭水紺碧，放舟南下，浮流溶洩，縱其所往，紫蟹金鱗，隨意而得，盡興而返，雖大郡旌節之貴、軒冕之榮，未足多也。聞之父老云：在昔金大定間，始改務爲縣。至大安初避東海郡侯諱更名曰「豐潤」。地方數百餘里，户不啻一萬有奇，民物豐衍，賦入繁阜，爲薊郡諸縣之最。承安中以懷遠大將軍夾谷習捏來宰是邑。我大朝開創以來庚辰之歲，改縣爲閏州，以李公充鎮國上將軍行節度使，因幹往西京，舉病以歸，乃不可抵任。遂以同知張公就充節度使，大豪晳公由縣令陞宣差燕京路越支鹽使，時人號晳「半州」是也。厥後，石抹公亦首任此縣，後陞宣差平灤路廉訪鹽榷使、薊州達魯花赤。蓋爰昔迨今，來爲守令者，非鉅功耆德未易處此。至元初，大選天下，官吏黜陟有差。號令一出，制度章程以遠從近省併諸司，移節官吏，人自爲躋之於唐虞之世，將邑併入玉田。未及週歲，邑人咸曰：豐潤是東西要衢，相去玉田地里遼遠，民有星火訴訟之急，奔走控告大所不便。有耆舊李君信之慨然首倡〔一〕，懷牒詣省部陳理，遂蒙允可，縣治得仍舊，於今積有年矣。前縣尹張公、主簿牛公世宦豐潤，縣尹楊公自玉田來涖是邑，皆淵通物理，剸裁平允，百姓信服，治績有積。達魯花赤脱出，蒙古人也，賦性醇謹，深達時事。主簿范公閥閲相承，用曆歷治真定、武强，所至爲循良之吏。僕世業農桑，叨忝縣宰，自慚魯鈍不足比數，日以簿書爲念。特愛其山川形勝，有嵇阮登臨之樂；課其風俗好惡，有龔黄布政之宜，故因修完廳事落成之日，寫之翠琰，庶幾來者尚有考於斯云。至於謀度經始之事，葺理興造之勞，乃吏之常役，遂闕而不書。（清光緒十年《畿輔通志》卷一三〇，光緒十七年《豐潤縣志》卷一〇　以上王明澤點校）

〔一〕有耆舊李君信之慨然首倡：信之，原脱，據豐潤本補。

楊文郁

楊文郁，字從周，號損齋，濟南濟陽（今山東濟陽）人。至元間累遷翰林修撰，升翰林學士，進承旨。大德間卒。謚文安（《翰林學士楊公神道碑銘》）。本書收楊文郁文六篇。

賀千秋牋

陽常居於大夏，方收養毓之功。震一索爲長男，載啓亨嘉之會。慶鍾甲觀，歡溢寰區。中賀：克哲克明，允文允武。春坊翊善，茂隆邦本之貞；曉寢問安，長奉天顔之喜。茲臨彌月之節，宜膺百順之祥。臣等竊備詞官，進趨庭賀。幸聞樂府奏重暉重潤之章，請合輿情上俾熾俾昌之壽。（清乾隆三十年《濟陽縣志》卷九）

賀册后表

聖德日新，端齊家以身之本；坤元位正，備臨軒發册之儀。慶溢九重，歡騰四表。中賀：受天成命，遵祖詒謀。謂王教攸基，莫若人倫之重。然治道之至，庶資内治之勤。昭法象於軒星，崇聲明於椒掖。以贊嚴宸之孝理，以協太母之徽音。臣等服在近司，顒觀盛際。道符羲易，占順承載物之亨；願擬堯封，申富壽多男之祝。（清宣統涵芬樓《古今文鈔》）

會通河記

先孝皇帝在位之十七年〔二〕，江南平，薄海内外，罔不拱北臣順，奔走率職，乃置汶泗都漕運使司，控引江淮嶺海以供億京師。自東阿至臨清二百里，舍舟而陸車輸至御河，徙民一萬三千二百七十六户除租庸調。道經茌平，其間苦地勢卑下，遇春秋霖潦，牛僨輻脱，艱阻萬狀。或使驛旁午，貢獻相望，負載底滯，晦冥呼讐，行居騷然，公私以病，爲日久矣。皇帝方圖收太平之功，立尚書省，一新庶政，百廢具興。士有出意見論利害者，咸得自效。壽張尹韓仲暉、前太史令史邊源相繼建言，引汶水屬之御河，比陸運利相十百。時詔廷臣求其策，未得要，使以仲暉、源言爲然，遂以都漕運副使馬之貞同源按視之。貞等至則循行地形，商度功用，參之衆議，圖上曲折，備言可開之狀。政府信其可成，於是丞相桑哥合同寮敷奏，且以圖進。上俞允，賜中統楮幣一百五十萬緡、米四萬石、鹽五萬引，以給庸直、備器用。徵旁近郡丁夫三萬，遣斷事官忙速兒、禮部尚書張孔孫、兵部尚書李處巽洎之貞、源同主其役。二十六年正月己亥，首事起須城安山之西南，壽張西北，行過東昌，又西北至臨清，達御河，其長二百五十餘里。吏謹督程，人悉致力，渠尋畢功，益加濬治，以六月辛亥決汶流以趣之，滔滔汩汩，洪通順適，如迫大勢，如復故道。仍起堰閘以節蓄洩，完堤防以備蕩激。濱渠之民，老幼攜扶，縱觀徊翔，不違按堵之安，喜見泛舟之役。於是須城、聊城兩縣父老各詣所治，致辭謂：「幸生長明時，獲瞻仁政，納大臣經濟之謨，興官民悠久之策，宜録紀成績，被之金石。」治渠使者以父老之言爲請，於時，大駕幸臨上都，驛置以聞，明詔翰林院其爲運河命名，且文其碑。臣等乞賜名「會通」，百拜稽首而屬辭曰：

謹按《書》以食貨爲八政之首，《易》稱舟楫有濟川之利，此古今不易之定理，而京師所係爲最重。故大舜命禹既平水土，定九州之貢賦，皆浮舟達河以入冀都，功冠三代，爲萬世法。自兹以降，漢用鄭當時之言，引渭至河，以利西都。唐用劉晏之策，由汴入河，以濟關輔。蓋京師者四方輻湊，兆姓雲集，六師所依以强，百司所資以辦，不豐儲積，政將奚先？我國家新大邑於析木之津，建萬億年無疆之業，規模宏遠，治具周密。若夫漕運流通，國之大計，舟楫致遠，功力懸絶，所宜亟講而行，雖費而不可省，勞而不可已者。臣竊迹近代遼氏、金源氏皆嘗立國，當時經度曾不是思，豈不以興王之功非僻陋者所能與，而前修弗逮，乃所以啓盛時也與？先儒有言：「聖人在上，則興利除害，易成而難廢。」欽惟皇上開物成務，邁舜禹而軼漢唐，區區近代之君，固無以議爲也。臣備屬北門，職在記事之成，不敢以固陋辭。仰奉明旨，志其歲月，且推衍輿誦，昧冒論著。至若深仁濊澤，普浸八荒，資始資生，上下與天地同流，蓋非纂河渠溝洫者所能髣髴也。（清文淵閣四庫全書本《山東通志》卷三五，明萬曆二十八年《東昌府志》卷二〇）

〔一〕先孝皇帝在位之十七年：先，原作「光」，據明萬曆《東昌府志》改。

濟陽縣重修廟學記

至元三十一年八月

學校之爲王政尚矣，唐虞三代之隆實本諸此。《記》曰：「凡始立學者必釋奠於先聖先師。」又曰：「凡釋奠者必有合也。」釋者曰：「若唐虞有夔、伯夷，周有周公，魯有孔子，各自奠之。若國無先聖先師，則與臨國合。」蓋學制見於唐虞而備於周，禮樂法度紀綱之所從出，取士論政、獻馘訊囚之事無乎不在。士子相與群聚闢廱，不可忘學之所自。於是，禮先聖先師於其中，有釋菜奠幣而無尸，以其主於行禮而非報功云爾，是以後世廟事孔子之制無所考見。秦焚詩書，古先聖王之迹熄，井田廢而學校從之□，漢以下所以治天下國家者，類皆不本於學。風俗人物日遠日降，生民遂無以爲被至治之澤矣。至唐武德立周、孔廟於國子監，其後貞觀間以孔子爲先聖，顔子爲先師，定爲不刊之典。於是，祠廟之立遍於郡縣，名若甚美而實則不舉。士大夫或以通天下廟事之爲盛，遂使近世徒治其廟像，自擬於浮圖道士，參二氏之教以爲三，抑不思唐虞三代之以學爲政者如是耶？且夫子與太極合德，豈薦饌酌奠祭禮之賂者所得報耶？顧非不欲報也，不能報也。要之古昔有學而無廟，近世有廟而無學，於此以觀世變，孰盛孰衰，必有能辨之者。嗚呼！廟存學亡，猶愈於廟學俱亡，廟貌嚴而儒先於以承統，人民因之識古愛禮存羊，亦聖人待後世之意，但不可以此爲盛，而遂已焉。濟陽廟學創於金之大定，廢於貞祐甲戌之兵，獨其碑存，太常丞陳君大舉之文也。國朝革命餘八十年於兹，歷前政固多，其有致意營葺，如監察御史劉君衙、達魯華赤苦思丁嘗屋而垣之，以安神棲，工費不取於官，不敢及民，或以事集，或不久代去，竟無以復舊觀。至元二十八年，承務郎冠氏杜君溥出尹是邑，下車展謁，即有崇起之志。維君之爲邑也，廉而敏勤，恪而簡靖，事無劇易，勇於身先，是以涖政未幾，父老安之。其明年，歲豐時和，克伸前志，出己俸以興事，邑之吏民及好事者趨而和之，率私泉以助。君乃儲材致用，有造有因。聽政甫暇，躬親督視，無寒暑晨暮。首創禮殿，次完賢廡，講授有堂，居宿有室。峙以重門，繚以崇墉，像設睟溫，繪塑輝映，肅然如見所謂宗廟之美。始二十九年之冬，終三十一年之夏。既落其成，諸給事劉海等狀其本末，走書京師，見委以文，以紀歲月。文郁，其邑人也。金碑所謂楊王二公，楊公，實文郁之曾伯祖□義府君。不肖忝備諸孫，聞鄉校興造之偉，雖微請謁，宜有以相□□，況復承乏司成，其敢以斐然爲辭。嘗觀今之所謂良民吏者，方以米鹽牒訴將迎之不給爲憂，杜君乃能自拔於衰俗波蕩中，急人所緩，先有司之所不責，蓋將以副國家化民成俗之意，所宜大書而屢書之。洪惟新天子即位之初誕，詔天下勸農興學，期於富庶而教作新人才，以收先朝之成功，而吾夫子之宫適趣於成，竊鄉里父老自聽詔音欣幸鼓舞，瞻言新宫起敬起慕，廩廩其有思樂泮水之餘風乎。夫學校固王者之政，而承流宣化莫□於親民之官，然聞杜君終更有期，不得久於□任，惜其力能訖於廟而未訖於學也，至若置腴田以廩生徒，尊有道以嚴師法，能使民知向學，士皆知所以學，日省月試，仰體朝廷學政之講行，然後廟學爲大備。是舉也，吾重有望於後之親民者，庶幾教養有方與前政之名，如廟學同不朽矣。不然，治其外不治其内，既其文不既其實，是豈賢師帥所以承流宣化者哉？亦豈先聖先師所以詔教後世者哉？文郁既爲杜君道古今之變而件右其狀，並以終事預告善繼之君子，俾歸刻諸石，以俟屢書。至元三十一年八月廿三日立石。（元濟陽縣重修廟學碑拓本，明萬曆三十七年《濟陽縣志》卷九）

吉祥院興復記

金僊氏之道，包天地而有餘，亘古今而獨立。至謂世間有爲，無非區區之幻化，故廢則有興，成必有壞，如吉祥之興復，殆亦有爲之幻，何以記爲？師曰：吾佛固有是記。雖然，道不可以有爲求之，亦不可以無自而入，是以能仁垂教，像法爲重，即物以明心，因相以生敬。此一刹也，果能得人如

吾師之道行兼備，念力具足，承承繼繼，傳之爲無盡法會，可也。（《順天府志》卷三八）

孔元墓銘

銘曰：於赫有元，神武開國。將鉞所臨，天開地闢。風雲感會，非虎非羆。逮長千夫，擅名一時。朅朅孔侯，束髮特立。以良家子，馳騁金革。□□短後，所向無前。聿如秋隼，盤旋戾天。四十餘年，勇自成隊。折衝禦侮，捕斬居最。功悉見知，旌賞紛如。何以命之，寶書金符。生能起宗，歿傳嗣續。凡我有官，尚勉毋忽。（清康熙十八年《新河縣志》卷一〇　以上王明澤點校）

釋祥邁

祥邁，興平府（今河北盧龍）大雲峰寺住持。本書收祥邁文一篇。

華嚴寺明公和尚碑

緬惟荆山之璧，世稱其寶者，美其無瑕也；太阿之劍，人賞其利者，貴其立斷也。凡海之人而言即佛者，謂其達性也，未明本覺，認真性以爲情；體妄元空，即凡心而了道。其有幼具金剛堅重，内韜瑚璉奇材，藴匪席不轉之心，透自肯不傳之妙者，余於圓照見之矣。師諱慧明，蔚州靈邱人。其父李族，沉信佛乘，賑貧濟苦。其母劉氏，雅量弘遠，懿德昇聞，因夢異人白馬素衣來乞寄宿，後此有娠。載誕之後，果異恒童。相者覘之乃曰：此子他日必大空門，非世塵中所能拘戀。纔及佩觿，即習青衿，誦練詩書，傍通黄老，漁獵子史，綜核篇章。嘗嘆曰：周孔名教，未窮有一之詮；莊老重玄，豈達空□之理。稔聞西京崇玄寺崇業大師，籍甚一時，譽流四表，即從之落髮，受滿分戒，探賾經論，陶冶真宗，聽習華嚴，備淹圓别，未周數載，幽致大通。事理匝於一塵，生佛融於當念。往復千變，動静一如星羅。心目之間，珠連文句之下。方悟佛教之淺淺已勝孔老之深深。學者追崇，負帙座下，仍念理居文表，道非語中，尋文難以證真，循指豈能識月。屢聞教外别傳之旨，每欣離念，見佛之談，不歷階梯，徑登覺地，遂決志遊方，遍詢禪匠。初投冲虚昉公，次依松嵒暉公，退步忘懷孜日切，備蒙淘汰，指授無遺，雖凝膺之物已除而見覺之情未泯。後抵燕之慶壽，參海雲老師。一見欣然，便通入室。老師左提右挈，痛下鉗鎚，棒喝交馳，迅機無滯。海雲一日忽問師曰：臨濟三頓棒，汝作麼生會？師震聲一喝。海雲笑曰：此子徹耶。師以手掩耳趍出。自此情忘，孰謝更無餘惑。師將辭行，海雲以頌送之曰：古鑑圓明，洞然瑩徹。魔佛容分，虚空撲裂。大用縱横，雷轟電掣。宛轉無爲，不存軌轍。弄拈日裏浮漚，團撮爐心片雪。倒騎吼月磁牛，驚起追風石鼈。咄！當頭打破絶偏圓，撥轉玄關奚辨别。時當乙巳年七月望日也。於是遂隱靈邱之曲迴寺。荒藍廢址，重興新之。庚戌中，西京忽蘭大官人府尹總管劉公、華嚴本主法師英公具疏，敬請海雲老師住持本府大華嚴寺。海雲邀師偕行。既至雲中，海雲抑師住持，代攝寺任。師天資粹美，難違上命，勉就住持，即其年九月十五日。師既主其柄，厚下寬明，勵力公清，宗風大振。先是德公長老攝持，院門牢落，庭宇荒凉，官物人匠，車甲繡女，充牣寺中。至是並令起之移□他處。大殿、方丈、廚庫、堂寮，朽者新之，廢者興之，殘者成之，有同創建。本寺藏教零落甚多，或寫或補，並令周足。金鋪佛熖，丹漆門楹，供設儼然，粹容赫焕，香燈燦列，鍾鼓一新，非師有大因緣，孰能如是成就也。又於市面創建浴室、藥局、塌房及賃住房廊近百餘間，以贍僧費，洪規遠慮，固以深矣。壬子春，今上皇帝未及龍飛，享師名德，特旨令太保聰公述疏，命師陞堂開法，永住大華嚴焉，即其年六月十五日。癸丑中，有獨謨干翁主者，太祖之女也，權傾朝野，威震一方，仰師碩德，加佛日圓照徽號焉。乙卯春，慶壽虚席，燕京府僚及海雲疏，命師主之，凡百循規不事邊幅，增完補弊，修葺田薗，丈室蕭清，門無俗客。今上皇帝及東宫太子屢於慶壽作大法會，師厭於將迎，退歸靈邱之曲迴寺，閑庭隱几，終日翛然。小師冲公及西京官僚知師在彼，扣門堅請，薦移大華嚴寺焉，怡顔永日，貴賤一之，衢罇恒盈，酌而匪竭，踵門造閫，虚往實歸，丈室未開而户外之屨滿矣。至元七年二月初，覺有微疾，遂罄捨衣資，作大法會。至六日己未，日薄虞淵，乃謂門人曰：日色晚也。即索筆書偈曰：這箇閑家破具，知他販了幾度，翻身踢倒乾城，是處清風滿路。復云：驀直去，咄！偈畢擲筆而卧，似若熟眠，然撼之，已逝矣。顔色無變，頂煖若生。攀慕追號，來往如市，恨人天之眼滅，傷苦海之舟沉。闍維之際，紅光亘空。蕃漢瞻之，嘆未曾有。俗壽七十二，僧蠟四十五。嗣襲法道者七人，首曰昭冲，奉旨住大慶壽寺，承海雲之道爲僧門總統。次曰義辯，住西京南關崇玄寺。次曰法鍾，繼住华嚴堂構先業。餘者各爲一方法主。舍利暐曄，五色皎然。門人兩處建塔。一窆於華嚴寺之壙，一穸於靈邱曲迴寺。師賦性淳謹，器宇恬愉，臨事不回，與人謙穆，陞堂演法，涖衆儼然，誘掖後昆，綽有餘裕。平生以第一義諦爲人，未嘗枉道以從物。前後五遷大刹，閲龍藏。一終出家門資隸名受訓者，百有餘人；在家士女請名稟教者，亦千餘數。雍雍肅肅，敬法崇師，上下有倫，良可羨也。一日，慶壽總統冲公使嗣法長老月公、華嚴監寺昭偉來謂余曰：先師盛德，豈可無文。誨導之恩，孰敢忘卻。假師筆力，庶可發揮。刻諸貞珉，冀其永久。余文慚麗則學謝博聞。勉力抽毫，勞楊雄之五藏。雕蟲小巧，乏曹娥之□詞。古井引泉，枯梯生肆。昔黄檗示滅，裴相誄其功；佛覺歸真，蔡珪旌其德。瓊編之下，草綆續之。嘉慶壽之孝誠，美老師之鴻範，義不可讓，謹系以銘。其詞曰：

無位真人本自全，昭昭出入面門前。一段光明爍大千，六門開豁獨連軒。海雲法道若天懸，異種曇華奪色鮮。栴檀林下師子眠，大用全滅真可傳。華嚴古刹起因緣，阤址頽簷皆端研。

憧憧往來孰後先，結秀人華佛果圓。全身跳出金剛卷，吞卻楊歧栗棘丸。閉門靜掃龍潛淵，乘興閑游没底舡。慶寿三年炕未氈，葉落歸根來不言。本自無生復寂然，雲中日月墜深泉。空華落影水歸源，徒令後學增悲纏。亭亭寶塔金玉堅，層層無縫映荒芊。破披盛德幾何年，磨盡蒼崖名愈宣。（《山右石刻叢編》卷二五　楊仲儀校點）

滕安上

滕安上，字仲禮，中山安喜（今河北定縣）人。薦授定州教授，遷禹城主簿（《四庫全書總目》），入爲國子博士，升監丞，改太常寺丞，元貞元年除監察御史，辭歸。尋起爲國子司業，未上任卒，年五十四。追謚文穆。著作有《東庵類稿》十五卷，已佚。四庫全書從《永樂大典》中輯出詩集四卷，名爲《東庵集》。《新元史》卷一百九十五有傳。本書收滕安上文二篇。

擊壤亭記　至元二十九年

祝阿紀敬叔，縣郭之東有田數百畝。中田爲廬舍，舍旁别葺小亭，且以俟賓友，且爲歲時遊樂之所寓。高士董公宗道之書來京師，求亭名，予贈以「擊壤」，存古意也，勸主人之樂農也。又致書求記，古亭無名何有記？亭之有記自近世始。予以古意待君能樂先農之所以樂，何記爲？文字彰而古意晦矣。書再至，愈懇。吾聞先農有擊壤之歌，賓友在亭，君能歌之以侑觴，何記若也。君或恥古歌之不我出，熙熙然陶情性之真，吐自然之音，田夫野老相與吹箄管、扣土鼓而和之者，想其相忘於一畝之丘，不知其在魯之東、齊之西也。洛水之涘，有仙人焉，聞君如此，將騎風御氣而來矣，君當執觴以須之，是能作記。至元壬辰夏五月朔，國子監丞中山滕安上記。（清嘉慶十三年《禹城縣志》卷一〇，道光二十年《濟南府志》卷六七）

祭硯司業先生文〔一〕

至元己丑十有二月某日，門生國子博士滕安上謹遣子羽，以清酌庶羞之奠致祭於司業先生硯公之靈。

士之文章，與世汙隆。百年以來，南北不同。惟公述作，有稽其中。學者師之，知所適從。士之志操，與齒盛衰。一生之間，終始自違。惟公抱負，白首不移。學者仰之，得其表儀。於戲！教授東垣，淵淵乎經義之學；司業成均，表表乎忠孝之教。其起之暮也，固非淺淺之可議；其去之果也，又非庸庸之可效。公之歸老，猶振頽波。遽云逝矣，爲之奈何。八十雖壽，在公匪多。聞公易簀，了然不亂。平生之守，於此益見。自公之歸，夢寐見之。况於永訣，無復見期。一官羈人，送不及尸。千里致奠，寓哀一詞。（元西湖書院本《國朝文類》卷四八，清文淵閣四庫本《元文類》卷四八　王明澤點校）

全元文卷三三五九

徐　琰

徐琰（？—一三〇一），字子方，號容齋，又號養齋、汶叟（元蘇天爵《元文類》卷四八），東平（今山東東平）人（清王梓材等人《宋元學案補遺》）。至元初，任陜西行省郎中。後任中書左司郎中。二十三年（一二八六），任嶺北湖南道提刑按察使。二十五年，改任南臺御史中丞。二十八年，除江浙參政。三十一年，遷江南浙西肅政廉訪使。大德二年（一二九八），召拜翰林學士承旨。五年卒，謚文獻。著有《愛蘭軒詩集》。本書收徐琰文九篇。

跋宋徽宗書

至元二十五年九月二十三日

徽宗書畫皆過於人，惟其克長克君之道有愧於其祖宗，以致失國，故收藏之家頗不以爲貴重。此帖端莊嚴麗，首尾如一，似非末年盤遊無度之日之所作。劉彦明得於錢塘，携至長沙，出示予曰：「帝王翰墨，當時得見甚難，况後世散亡之餘乎？苟真不僞，吾將蓄之，使後人觀焉。見其善於此，則知其不善於彼，獨不可爲有國有家者之鑒哉！如齊人刺魯莊公云『頎而長兮，美目揚兮，巧趨蹌兮，射則臧兮』。終篇美之，而不言其惡。千載而下讀之，則莊公之所不足者，隱然見於言外。吾意亦猶是也，請跋之。」予復之曰：「跋已竟矣，奚煩他議。」至元戊子九月下弦日。（清文淵閣四庫全書本《天下同文集》卷三二）

大元國京兆府重修宣聖廟記

至元十三年九月

古之教者，家有塾，黨有庠，術有序，國有學。凡始□學□□奠於先聖先師，故學必有廟。後世以孔子爲先聖，顔、孟爲先師，冉、閔而下九人，益以曾子，爲十哲，皆侍坐而配享焉。自餘六十一弟子及左邱明、公羊高、孔安國、劉□、荀□、楊雄、鄭玄、王弼之等二十四大儒，繪於兩廡。春秋二仲月日，取上丁祀用王者事，自天子京師達於郡邑，咸遵此制，唐以來，莫之或廢也。金季板蕩，中原邱墟，所在廟學，例爲灰燼。大元開創，撫有方夏，謂生民不可一日無教，孔子不可一日無祀，所首命東諸侯歲□□平益□濟南歷日銀□宣聖廟於兖州曲阜之闕里，其他郡邑起廢之議未遑及之。然修之與否，各在其土□賢不賢，爲不爲耳。京□舊有宣聖廟，辛卯棄城，殿宇傾頽，總管田侯護持僅存。甲辰歲，征南先鋒使夾谷公□□扈國昌言，慨然以修復自任。既葺正殿，復起二門，工粗畢而力不繼。又十餘年，平章廉公糸政商公宣撫陝□，乃爲搆其兩廡。繪事未興，二公入相。□轉運使□公假館於學也，率□屬僦工爲圖之。年歲既久，後就者雖新，而先成者已復壞矣。正殿□建規制□□材植撓弱，天雨浸□，上棟爲之腐敗，床床之漏，適當黼□，學之師生蹙額仰視，無以措手。教授李庭騰書有司，走謁當路，遑遑焉，汲汲焉，若不能一朝居者。時，陝西四川行尚書省平章賽公，屬有疆埸之事，駐□巴蜀□省正奉嚴公視事之明日，祗謁廟下，徘徊顧瞻，已而嘆曰：「今夫爲教於世者三，而吾夫子居其一。彼二教者，何其崇敬之甚也！且以一□□□寶□琳宮金碧□□，觚棱相望，介於民□□□者□數區少猶不減二三。一縣凡幾鄉，一州凡幾縣，一府凡幾州，合而言之，則不可勝計矣。京兆獨轄八州，□□□臺□□□是秦□九道□之以爲風化□□□□宣聖一廟，方之二家，不爲過分，而狼藉若此，食人之德，襲人之教，游於其門者，寧□愧於心歟？其議所以□葺之□□□俸聊□經□且以爲諸公倡。」於是省府僚吏暨在學儒生莫不欣然讚歎，咸願出錢而助之。會平章賽公之檄至，許以欒材別廪餘□糯米三佰石□□，通計□□。所鳩之貲，總爲錢二千□□緡，以新易舊，以崇易庳，□徒蔵事，綽綽然有餘裕矣。命京兆總管府判寇君元德董其役，經始於至元七年之冬，斷手於明年之夏。□大成殿爲七楹，高其□□□□□□。乃命工更塑先聖先師及從祀者十人之像。內外二門摧□尤甚，悉從改作石臺。《孝經》，唐明皇之御書也，爲之起樓以貯□。石刻九經，開成間之故物也，爲□架□以庥之。又作二堂於大門之內，東□先正七賢之祠，西則亭□齋居之次。祭器有庫，烹飪有廚，□其壇，槐其市。繚垣疏屏，罘罳綽楔，丹雘之華，塗塈之飾，無所不□。其力雖皆嚴公之指授，而綱維□□是修飾之、潤色之，判府寇君之功爲多。爰擇吉日，舍菜告成。諸生濟濟，駿奔在廟。禮殿高明，法庭宏敞，周廡深□，重門洞徹，籩豆有嘉，笙鏞間作，進退周旋，登降揖讓，三獻而退。邑里之民觀禮識古，剔耳刮目，愉愉懌懌，有感道懷和之意。既卒事，教授先生招諸生立館下，誨之曰：「汝知行臺諸相作新斯廟之本旨乎？非直爲觀美也，蓋以懿德之在人，非學無以就之；人倫之在人，非學無以明之；選秀俊造之資之在人，非學無以辨論之。有民則有學，有學則有廟，廟以致牆羹之思，學以囿漸摩之域，其所由來尚矣。秦中自古帝王所都，首善之制，歷代相承，人材之盛，號爲淵藪。風聲氣習，薰釀涵浸，視他道爲獨異。於論鼓鍾，於樂辟雍，有周之典也。繼之以藹藹王多吉士，惟君子使媚於天子，開設學校，旁求儒雅，以闡大猷，西漢之規也。終之以數路□人，文武並興，名臣輩出，增築□舍千二百區，鼓篋升筵，八千餘士，大唐之則也。卒之以積學成功，□談辯治，邈有其人，光乎信史，曰宋曰金，簉跡於泮宮，登名於天府，□傳記所載，曾不讓乎鄒魯□□素教之效與。方今聖天子孜孜求治，網羅賢俊，郡國文學妙齡秀發之士，朝取一人焉，拔其尤，暮取一人焉，拔其尤，□□臺閣安置殆遍，自關以東無郡無之，獨吾京兆未有一人應詔者，非天降材爾殊，是亦教誨涵養敦勸之不至也。行臺諸相增崇廟學，其意以此。竊□□□□儒□國家寬卹之典，世世復其家，無繭絲之供，無過踐之傜，飽食煖衣，恣其讀書，業稍精，行稍□，官□祿之矣。□□謂儒於道最高，乃今始知爲不妄，何憚而不自勗哉？廟之不葺，有官君子□其責而塞之矣。學之不講，吾與汝曹之事也。諸君幸努力焉。」東平徐琰在側，適聞其語，請誌於石，以爲重修廟記。先生曰：「諾。」於是乎書。（一九一八年羅振玉《金石萃編未刻稿》）

重建睢陽雙廟記

唐張、許死節，廟食睢陽，以南霽雲配，世稱雙廟者是也。歷代贈官皆至州大督督，既而增祀賈賁、雷萬春，復稱五王廟。宋大觀中，賜爵侯，謚巡忠烈，遠忠義，霽雲忠壯，賁忠濟，萬春忠勇，而表其廟曰「協忠」。紹興中，因鹽官有忠義侯廟，詔許增祀如睢陽。又合東平太守姚誾以配，並賜爵上公，其於褒忠勵節至矣。睢陽廟舊在城南七里所，金末河南被兵，蕩毁無孑遺。邑之耆老相與謀，欲搆故基以祠張、許，前後數十年不遺於城。至元二十有六年，主簿柴叔武率里人好事者，以爲城南去人遼遠，香火不便，卜地於睢陽城中，面照碧堂而爲之祠。介前歸德府判監察御史玉茂來問：「古稱雙廟，張巡、許遠而已。既以南配，又增賈、雷，往制如此。今襲而復之，於義何如？」仍乞文以記。余謂：自古當大患難，立大名節，非一手足之所能致。奔走先後，品量巨細，人人雖殊，而趨事赴工之心，捐軀報國之志，則一而已。祀此遺彼，後何以勸？況二君孤危之際，嘗欲割肌以啖衆，分所愛之肉以享士，同甘苦、共死生之意何如。若尸而況之，薦祼寅潔，來歆來享，風虎雲龍，其必景從上下四方也無疑。遠稽唐文，近徵宋禮，俾有位而得祀者咸秩焉，柴叔武之舉不爲過。嗚呼！事有不切身者而興懷，人有不同時而共憤，是可觀也已。余義之而有感焉：睢陽死節三十六人，史稱寧陵之功，別將二十有五，後皆從巡死難，而姓名之可見者僅二十有一，石承平、李辭、陸元鍠、朱珪、宋若虚、楊振威、耿慶禮、馬日昇、張維清、廉坦、張重、孫景趨、趙連城、王森、喬紹俊、張恭默、祝忠、李嘉隱、翟艮輔、馮顔、孫廷珪(一作廷畯)。祀又弗及。今祀於廟者纔六，它所遺落者亦多矣。或曰：「忠臣義士，知盡吾忠義而已，生而心不能白於時、死而名不得聞於後者何限？謂封侯廟食足以待天下之忠臣義士則否。」余曰：「是忠臣義士之心也，有天下國家而爲是言，則非所以訓。故雙廟忠義之寄也，將以啓天下忠臣義士之心也。錄張、許而不盡見諸將，固爲唐之史氏惜。修祀典而不敢遺數公，余猶爲天下國家幸。舉不祀不足爲諸公毫末輕重，而增一祀則於天典民彝千鈞也。」嗚呼！是役也，有足書者，而余有感焉：歐陽公錄死節，五代僅得三人，其難如此。世變日下，安得搜五百年之廢典，而盡祠睢陽死節者哉！(一九三二年《商邱縣志》卷一四)

范文正公祠記

至元三十一年正月二十日

至元壬辰，予奉命廉訪浙西，涖吴中，是爲文正范公之鄉。尊賢勵俗，政所當先，既仰慕其餘烈，獎進其後人。仲秋次丁，有司以故事告，將舍菜於公祠。予肅然起敬曰：「至當偕僚吏拜祠下，與觀盛典。」是日成禮，訪義莊，登歲寒堂，家園之碑巋然獨存。祠正在其左。門堂寢室，嚴整合度，蓋宋郡守潛公説友所建。牲牢器幣，則撥田以給之，俾公子孫世守而歲祠焉。薦奠儀文皆當時所定。乃甲戌建祠，旋被兵，意有所增廣而不遂，亦未暇有所記也。一日，主祀邦瑞踵予門求記，且曰：「祠雖建於前代，禮實存於今日，有一言而可以毋底荒墜者，繄我公之靈，實永賴之。」余固辭勿獲，移治錢塘，凡再歲，徵賤言益勤。謹按：釋奠必有□也，有國故則否。説者謂如唐虞有夔、伯夷，周有周公，魯有孔子，則各自奠之。近世則通祀孔子。向□通祀，公獨非故宋之夔、夷乎〔二〕？而石守道慶曆之詩，固已指公輩爲夔、夷矣。又按：鄉先生歿而祭於社。社稷，民以生；先師，民所以生師法，公獨不祭於鄉乎？矧公爲政，所去見思，慶、鄧數州之民，往往生祠畫像。既歿後，祠於長白，於海堰，於睢陽，於廣德，於鄱陽。公蘇人也，郡學以建祠祀公。天平山先隴僧寺舊有祠，然稽協古典，必專祠於此而後愜於人心，夫亦何爲而然耶？致君之志，動物之誠，放諸四海而準，百世而下，聞者莫不興起也。是豈區區富貴利達以衒耀於須臾者可同日而語哉！昔宋人定五代軍鎮之亂，以儒立國，儒而見用者何限。以公而不得相其君，展其憂天下、致太平之略，彼一時也，非可爲之時乎？自其入館閣，爲諫官，諫則必黜，黜而益諫，陳善閉邪，寧以身蹈不測而不悔，非直以言語侍從爲職也。故雖當路不容，委之邊鎮〔三〕。才兼文武，適受主知。正己而不求人，相與解讎戮力，卒臣夏人，以安中土。爲所當爲，一以自信。其屢爲守帥，又豈尋常多議論少事功者哉！晚參大政，請倣周官六職，分任輔相，漸復古制。開陳未終，權倖惎間，不得安於朝廷之上。雖其國家盛衰，由此而分，而君子小人，迭爲勝負，嘗使人躊躇鑒戒而未已也。嗚呼！尚論其世，不知其人可乎？或以爲王佐，或以爲傑出，要其平生則以爲有德者，又公光明俊偉之本原歟？留心聖賢，弘毅力行，漢唐人材鮮克進於是矣。初公買田以贍族，而族滋大。立塾以教其人，而子孫類份份焉，遭聖朝仁恕，恤其科徭。祭前古忠烈，比有事於公。源深流長，天佑善人，於公蓋無爽者。昔晁仲約之欵賊完城，公不肯加誅，文忠富公服其絶識。蔡確詩獄，公之子忠宣公謂責之太重，元祐諸賢亦以自悔。即其存至公，全大體，世之研幾成務，不當如是耶？人有古今，道有顯晦，瞻相儀刑，是豈一家一鄉所得私者！遠惟耆成人，宅心知訓，而予也魯，何足以發之。至元三十一年正月念日記。（一九八九年《吳縣志》卷二七）

〔一〕獨非宋之夔夷乎：宋，原作「有」，據明洪武十二年抄本《蘇州府志》改。〔二〕委之邊鎮：鎮，原作「鎖」，據明洪武十二年抄本《蘇州府志》改。

萃美亭記略

天下名山巍然而大，巖然而尊者，泰山而已。泰山勝境，窈然而深，蔚然而秀者，西溪而已。溪居岱宗之右麓，延袤數十里。樹林陰翳，蹬道崎嶇，清泉奇石，瑰瑋萬狀。行愈遠而山愈奇，境愈勝。極溪之所窮，顛崖百尺，懸流下擲，望之如垂練，天神泉也。天神之西有巨壑焉，一水自天勝巖落，爲盤石所散漫，瀉於壑之上簷，若建瓴然，水簾洞也。而又芙蓉、懸刀、飛鴉、獅子諸峰削萃其上，黑蜧白龍、神潭水府，潛環其下。雲煙吐吞，晦明變滅，跳珠濺沫，轟雷掣電，顧接有所不暇。真山水之窟宅，天壤之奧區也。（明嘉靖十二年《山東通志》卷二一）

戒石銘

天有明鑑，國有公法。爾畏爾謹，以中刑罰。（清文淵閣四庫全書本《萬姓統譜》卷六）

廣寧通玄太古真人郝宗師道行碑

大元有天下，好賢樂善，度越前古，凡有德之士，不及用者，必加寵數以旌顯之，初無間於道俗存亡之異也。中統二年，詔賜盤山棲雲道人王志謹之號曰惠慈利物至德真人，至元六年，詔贈棲雲之師廣寧郝大通之號曰廣寧通玄太古真人，至元二十三年，詔賜棲雲弟子洞陽徐志根之號曰崇玄誠德洞陽真人，旌有德也。是年三月，予將赴官湖南，道出汴梁，時洞陽掌本宗教，住朝元宫，率其屬來見，請於予曰：「貧道出家，無過人之行，誤蒙聖朝采録，錫以徽稱，使得簉於師真之列，皆吾先師棲雲之訓也。棲雲之所以表見於世者，獨非先師太古之澤也歟？二師道行卓異，在人耳目，孰不知之？必得文士與之紀述，庶幾可以傳信後來，昭示永久。棲雲則有翰林承旨慎獨王公之作，已勒之石。若夫太古之碑，義不可後，而今尚缺然，是則嗣教者不敏之過，願屬筆於子。儻辱惠顧，我曹之責塞矣。」予自惟儒生昧於玄學，叙事遣辭或致抵牾，徒取誚於識者，牢讓再三，竟不獲已。又洞陽與予同宗，見待素厚，難於終拒，乃據洞陽所錄宗師行實，采摭綴緝以付之，仍系以銘詩，俾步虚者歌之，以頌師德。師姓郝，名大通，字太古，道號廣寧子，寧海人。家故饒財，爲州首户。兄俊彦登進士第，官至朝列大夫、昌邑縣令。師初諱升，少孤，事母孝，稟賦穎異，識度夷曠，蕭然有出塵之資。讀書喜《易》，研精尤甚，因通曉陰陽律曆之術，不樂仕進，慕司馬季主、嚴君平之爲人，以卜筮自晦。大定七年，重陽真君王祖師自關西寧海游行於市，見師言動不凡，仙質可度，思所以感發之者，遂背肆而坐。師曰：「請先生回頭。」真君應聲曰：「君何爲不回頭耶？」師悚然異之。真君出，師閉肆從之，及於館所，而請教焉。真君授以二詞，師大悟，不覺下拜，自是日往親炙。以有老母，未即入道。明年母捐館，師乃棄家入崑嵛山，禮真君於烟霞洞，求爲弟子。真君納之，賜名璘，號恬然子，仍解衲衣去其袖而與之，曰：「勿患無袖，汝當自成。」蓋傳法之意也。九年，寧海人有構金蓮堂，以待真君挈其徒西歸居之。師攜瓦罐乞食，誤觸之，碎，真君別授一罐，題頌其上云：「撲碎真灰罐，卻得害風觀。直待悟殘餘，有個人人喚。」未幾，師辭真君，去與王玉陽往居查山，真君亦赴汴京，馬丹陽、譚長真、劉長生、丘長春四子實從。十一年，師聞真君上仙，四子已入關，遂西游以訪之。十二年，葬真君於祖庭，師欲與四子同廬墓側，長真激之曰：「隨人腳根轉，可乎？」師明日遂行，至岐山，遇神人授今名字及道號。十三年，度大慶關而東，翱翔趙魏間。十五年，坐於沃州石橋之下，緘口不語，河水泛溢，身不少移，水亦弗及。人饋之食則食，無則已。雖祁寒盛暑，兀然無變，身槁木而心死灰，如是者六年。昌邑君之季女嫁爲真定郭長倩之夫人，長倩夫婦過沃州，知師在橋下，駐車拜謁，贈之衣物，所以存慰者甚厚，師藐然若不相識，一無所受。夫人感泣，長倩嗟異而去。二十二年，師過灤城，又與神人遇，受大《易》秘義，自爾爲人言未來事，不差毫髮。至鎮陽居觀，升堂演道，遠近來聽者常數百人。已而闡化諸方，專以利物度人爲務，由是郝太古之名聞天下。明昌初，東還寧海，一日欲作《易》圖，遽索紙筆，適粥熟，弟子不即與，請俟食已。師曰：「速持來，我方得意，何暇食粥！」筆入手，布紙揮染，疾若風雨，不終朝，成三十三圖，其旨意皆天人之藴奥，昔賢所未發者。咸平高士王賢佐，占筮素精，見師推服，盡棄其學而學焉。由是技進，名動闕庭。其他靈異之迹，如天長預告侯子真之火，恩州夜入王鎮國之夢者，尚多有之，不可殫紀。春秋七十有三，以崇慶元年臘月晦日，仙蜕於州之先天觀。前此三年，敕其徒預營冢壙，告以死期，及是果然。平生制作，有《三教入易論》一卷，《示教直言》一卷，《心經解》一卷，《救苦經解》一卷，《周易参同契簡要釋義》、詩賦、雜文、樂府及所作《易》圖，號《太古集》，凡十五卷，行於世。

噫！道家者流，其源出於老莊，後之人失其本旨，派而爲方術，爲符籙，爲燒煉，爲章醮，派愈分而迷愈遠，其來久矣。迨乎金季，重陽真君不階師友，一悟絶人，殆若天授。起於終南，達於崑崙，招其同類而開導之、鍛煉之，創立一家之教曰全真。其修持大略以識心見性，除情去欲，忍耻含垢，苦己利人爲之宗。老氏所謂「知其雄守其雌，知其白守其黑，知其榮守其辱，爲道日損，損之又損，以至無爲」；莊生所謂「游心於淡，合氣於漠，純純常常，乃比於狂，外天地，遺萬物，深根寧極，才全而德不形者」，全真有之，老莊之道於是乎始合。重陽唱之，馬譚劉丘王郝六子和之，天下之道流祖之，是謂七真，師其一也。非天授之，其孰能與於此哉？師逝之後，弟子行緣四出，能世其業者甚衆。高弟范玄通與棲雲王宗師，又其尤者。當中原板蕩，國朝隆興之初，一居東平，一往來乎燕汴，建琳宇，開玄壇，聚徒講説，貴賤欽仰，宗風大振，道价增崇，不減太古。今洞陽耆艾敦龐，剛毅木訥，食師之德，干父之蠱，當釋道紛爭，摧敗挫衄之際，寂然湛然，守之以謙冲，安之以委順，處之以鎮靜，操修無方，精進不輟，用能上取聖知，特降璽書褒美。較其難易，又不出於棲雲之下，謂非太古之澤，將何歸乎？凡今之人，欲知太古，請觀其子，欲知其子，請觀其孫。銘曰：

東方雲海空復空，群仙出没空明中，此語常怪東坡公，神仙有則八表同。不應秀止東方鐘，崑崙山高天比崇，左顧右瞰搏桑宮，上有一洞烟霞封。重陽發之麾鬼工，紫氣直與閶浮通。馬譚劉丘王郝從，六子矯矯皆人雄。縹緲至自蓬萊峰，驚見碧海磨青銅。煌煌七朵金芙蓉，信哉仙人出於東。就中郝公鸞鳳龍，洗心以易虚玲瓏。藏用於密退以冲，粃糠富貴不挂胸。剛決物莫嬰其鋒，訓練復遇王元戎，衲衣一傳神契融，有袖無袖由人縫。同門之朋稑與穜，脚根不必隨渠儂。沃州石橋張果踪，亘如虹蜺插蒼穹。大道在此南北冲，何須遠走巢雲松。止而不動吾非慵，艮乃萬物之始終。結跏趺坐爲瘖聾，朝觀日出光曨曈，吞霞入腹丹火紅，暮觀流波朝彼宗。河車挽水玄霜蓬，有人問之趨下風。如以寸莛撞巨鐘，搖手使去妨吾功。過橋行人抗塵容，僵名仆利不有躬。見公視世猶蟻蜂，形骸土木心冥鴻。顙必有泚羞頑庸，反求於身當發蒙。撙貪節愛瘳癏恫，憧憧往來秋夏冬。百感一二亦已豐，如此利益誰能窮。確乎六年真苦攻，養成姹女連嬰童。奮袖起舞知德充，願以所餘及倥侗，普度一切超樊籠，泥在鈞兮金在熔。螟蛉蜾蠃無常蟲，功成朝元去匆匆。飛霞佩玉鳴冬隆，雲裝烟駕滄溟重。弱水萬里昏濛濛，淮南小山空桂叢。黄芽欲種須圃農，公不可見憂心冲。棲雲老仙亦難逢，住世賴有徐神翁。（一九八八年文物出版社《道家金石略》）

重修大慶壽寺碑

海雲、可菴，皆葬寺之西南隅。至元四年，新作大都二師之塔。適當城基，勢必遷徙，以遂其直。有旨勿遷，俾曲其城以避之。又曰：京師佛寺自來甲天下，慶壽重修之後，完整雄壯，又爲京師之冠。大德三年歲在己亥秋九月望日。（《順天府志》卷七）

故宋兵部侍郎徐公墓表

國朝自至元初元用兵襄漢以來，驛書狎至，日告克捷。既下襄陽，渡大江，所向風靡，有城郭封疆之任者，若崩厥角恐後。卒之混一區宇，際天薄海，罔不臣妾。是雖廟謨雄斷，師武臣力之故，而江南謀國用世之士，亦從是可知。獨時時聞趙昂發死池州，李芾死潭州，馬曁死靖江，如是者不過十數人止。最後又聞文天祥以宰相使軍前，遁海上，被執不屈，久乃伏節。若可起人意者，而於先幾之識，前知之見，未之敢論。十數年來，南士車馳轂擊，北來不絕，間坐論對，語及其所以亡者，則深憂遠計、危言剴論之士，亦嘗有之。而所用非人，以言爲諱，抑而不求，求而不聽，聽而不用，是以馴至此極。始知人謀非盡不臧，抑亦國運之有所窮，而天命之有所屬，故不得不歸於有德也。嗚呼！是豈一人之力，一朝之故哉！今觀余君恁所狀故宋尚書兵部侍郎徐公之行，則前言信有證不誣。公諱卿孫，字麒仲。臨江之清江人。曾祖源。祖大經。父森，贈宣教郎。妣熊氏，贈宜人。按狀，公在宋朝，起身儒科，即以治縣最當時，其事蓋不勝書，人視以爲譜。升朝，一再遷爲御史，爲諫官，垂三年。時其國之事，莫急於邊備。初見，即以勵人才、飭軍政、結民心三事爲告。襄陽之不守，元帥之無謀，我軍之在行者猶無不知之。而彼相挾私，蒙蔽上下，略不正其僨軍之罰。位於朝者視爲軟熟，恬不之怪，獨公能抗議彈擊，第一義已甚可觀。繼是累十百疏，反覆諄切，無非論邊之日，言大而不遺其細，謀遠而不略於近，料事精密，置論切宜，使吾徒其爲國計，亦不過爾。取是謀帥，而拔李芾於久廢，薦文天祥於列郡，以襄事。而陳李庭芝之決不可用，即責時宰陳宜中循行故事，如坐而待亡。其爲謀，神授之策者乎？不用其言而用其身，雖簪筆持橐，把節持麾，於我何加？至是公去蓋益遠矣。後或抗節死義，或誤國謀身，無一不如其言。此則非知人如權衡，識時如蓍龜，則世孰能之？殆天與國亡未幾，而身亦隨之。悲夫！余閒居坐念，自有宇宙以來，亡國何限？以爲其國之有人，則其時其事，言之可爲太息。以爲無人，則斯人斯言，散在史傳，何國無之？而卒亦無救於須臾之運者。信在人則在乎用才者爲何人，在天則亦顧迓續者之何如耳。後有君子論一代興亡之由於千載之上，其有取於吾言乎？若公之文學政事，散見如狀，以非大節所在，故不詳錄。公生以宋丙戌二月十九日，卒以至元庚辰三月十日，葬某鄉。以至元丁亥十二月二十四日娶楊氏，贈宜人。繼黄氏，封宜人。子男二：長震，先卒；次必茂。女二，豐城李杲、廬陵文陞其婿。孫男二，女三。曾孫男三，女二。異時余參乘江西，以修從祖漢高士之祠於東湖，固已起敬公之名節，嘗欲列吾宗人之有德有爵者升侑之，屬去官不果。會文陞來京師，一日致其婦兄之辭曰：「必茂先親殁，且葬有年，而墓道未表，大懼隕越，無以顯揚。惟公中州典刑，以詞翰重一世，敢以不朽爲請。」余知公悉，且欲著其可鑒者示後來，故不復辭。而系之辭曰：

亡國之臣，莫知所亡。一或有知，國指爲狂。由異代觀，惟狂惟聖。我知其人，有死無殞。千載而下，其言則存。刻表墓門，示爾子孫。（清文淵閣四庫全書本《文章辨體彙選》卷六九一　以上何本方點校）

全元文卷三六〇

丁易東

丁易東，字用和，又字漢臣，號石壇，武陵（今湖南常德）人，或説龍陽（今亦屬湖南常德）人。宋咸淳四年（一二六八）進士。官至朝奉大夫、太府寺簿兼樞密院編修。入元，隱於郡東黄龍坡，累徵不仕。教授鄉里，建精舍曰「石壇」。事聞，賜額「沅陽書院」，授以山長。丁易東工《易》學，著有《周易象義》十六卷、《大衍索隱》三卷。本書收其文九篇。

大衍索隱自序

天地之數，五十有五，而大衍五十。先儒於此，每失之鑿，獨朱子以五乘十之説近之。至於四十有九，率不過歸之虚一而已，未有得夫五十數與四十九之全者，予竊病焉。比游浙右，有謂邵子先天、兩儀、四象、八卦，合四十九，所虚之一，是爲太極。其説雖異先儒，要無牽合傅會之病。予始以爲大衍之説，不過此耳。徐而思之，則於《易》中天地五十五數，尚有未合，固已疑之。未幾，復得河南楊氏《大衍本原》，謂四十九與五十，皆天地之數各再自乘，而以中數自乘除之者，始知四十九真爲四十九，五十真爲五十，非强合之也。噫！楊氏之説似矣，然其爲數，必再自乘，又以中數除而後得，雖無牽强，頗非簡易，未必聖人作《易》初意。嘗以管見求之，亦既得其説之一二矣，而猶以爲未也。思之思之而又思之，一旦豁然，若有遭於神明之通者，然後知五十、四十九，皆天地之數合而衍之。其耦其奇，自然而成，至簡至易，而四十九奇之策，三百八十四爻，以至萬有一千五百二十之數，胥此焉出也。嗚呼！何其數之神如此，妙如此，契合如此，而古人曾未及之耶？抑嘗有知之者，而其説不傳耶？是未可知也。或曰：「若子之説，則聖人作《易》之初意，果在是，而他説可廢耶？」曰：「《易》道無窮，識見有限。聖人作《易》，取此四十九、五十之數，以神蓍卦之用，而天理、人物之理，無所能逃。豈予之淺見，遽可以盡聖人之本心乎！且予方其得以五衍之之説也，固未知以數乘除之説也；方其得以數乘除之説也，又未知有合而衍之之説也。安知後之學者，其説有不出於予之上者乎？若但以先儒之説病予，則咎雖有所不辭，理亦當仁不遜云。」

周易象義自序一

《易》者，文王所繫六十四卦之名，蓋以變易取義周國名也。以其文王所繫，故曰《周易》，所以别夏、殷也。上古伏羲始畫八卦，因而重之，八各生八，故止於六十四卦。其卦以乾、兑、離、震、巽、坎、艮、坤爲序，而重卦亦然。如今《先天横圖》耳，未有《易》之名也。夏曰《連山》商曰《歸藏》，雖首艮、首坤之不同，然皆止以下卦爲貞，上卦爲悔，故箕子《洪範》但云占用二耳。至文王始以六十四卦取大衍之數，所得七八九六爲陰陽、老少之分，而一卦又可變六十三，併其不變之一爲六十四，而四千九十六卦於此具矣。後世有謂伏羲八卦，文王六十四者此也。或謂《先天圖》已六十四，遂以謂文王六十四者爲非。不知伏羲八卦，雖重爲六十四，止是八各生八。而文王又以六十四卦，各變爲六十四，而成四千九十六也。以九六爲變，故謂之《易》。然文王雖以九六爲變，止有《卦辭》，未有《爻辭》，蓋不變則用本卦之辭，變者但以本卦爲貞之卦爲悔，如朱子《啓蒙》三爻之變之占，而卦辭交錯，成四千九十六耳。至周公始於三百八十四爻，各繫以辭，其間不變者，全變者，三爻變者雖因文王之舊，而一爻、二爻、四爻、五爻變者各用《爻辭》爲占，大略如朱子《啓蒙》之法焉。若夫子十翼，特即伏羲兩體，文王《卦辭》、周公《爻辭》，以義理發明之耳。至漢儒作《易林》，又以一卦之變六十四者各立《爻辭》，遂有四千九十六。繇是，又因周公《爻辭》推廣之也。雖漢儒之作，不可與文王、周公之《易》並論，然其由簡而詳，亦可以知古今之變也。若將《易林》各以兩爻交錯，四千九十六上復加四千九十六，則《啓蒙》所謂累至二十四畫，成千六百七十七萬七千二百一十六變者，亦可推焉，於以見《易》道之無窮矣。今此始乾坤，終既濟，未濟者，蓋文王之序。但文王《彖辭》、周公《爻辭》合，各自爲書而併爲一者，蓋周公不敢自爲書，特補文王所未備耳。古之書載以竹簡，以周公之《爻辭》，合文王之《彖辭》，則簡册重大，故分而爲二，以上下别。然其分上下，亦有義焉，非苟然也。經者貫簡之繩之名，蓋繩爲經，簡爲緯也。古人或作上篇、下篇者，蓋篇以簡言，經以其貫簡之繩言也。《易》上、下經，古既爲二卷，通孔子所傳十篇爲十二卷，至費，直分《彖》、《象》二傳，附於經辭之後，以便學者，今《乾卦》是也。後人又附爻、《象》傳文於當爻之下，今《坤卦》以下是也。近世吕微仲嘗正之爲十二篇，晁以道又正之爲八篇，皆以《經》、《彖》、《傳》、《文言》、《繫辭》、《説卦》、《序卦》、《雜卦》爲次。吕氏伯恭又更著爲經二卷、傳十卷，其十卷之序：《彖上傳》一，《彖下傳》二，《象上傳》三，《象下傳》四，《繫辭上傳》五，《繫辭下傳》六，《文言傳》七，《説卦傳》八，《序卦傳》九，《雜卦傳》十，合王肅本《朱子本義》用之。吴斗南又謂《説卦》三篇，漢初出於河内女子，今止存其一，而又有《繫辭》上、下二篇。夫《繫辭》者，文王之經而非傳也，意後人以其間推明《繫辭》之指目之歟？要之即所謂《説卦》上、中篇。而今所謂《説卦》者其下篇耳，乃合夫子《彖》《大象》各爲一卷，而以《小象》分上、下爲《繫辭傳》，以今《繫辭》合《説卦》，爲《説卦》三篇。南康馮氏謂其説近是而從之。然《彖》《象》依《本義》而分爲二。故上下二經外，《十翼》之序：《彖上》一，《彖下》二，《象上》三，《象下》四，《文言》五，《説卦上》六，《説卦中》七，《説卦下》八，《序卦》九，《雜卦》十。此説固似有理，但改《繫辭》爲《説卦》，尚有可疑，而置《文言》於《繫辭》之前，則不可易。故今從其序，而《繫辭傳》之名則仍依《本義》云。

周易象義自序二　至元二十三年

《易》有聖人之道四焉，《象辭》變占而已矣。予少而學《易》，得王輔嗣之《註》焉，得子程子之《傳》焉，得子朱子之《本義》焉。王氏、程子，明於辭者也；子朱子，明於變與占者也。獨於象無所適從焉。逮壯遊四方，旁搜傳註，殆且百家，其間言理者不可縷數。若以象言，則得李鼎祚所集漢魏諸儒之説焉，朱子發所集古今諸儒之説焉，馮儀之所集近世諸儒之説焉；間言象者，則有康節邵氏之説焉，觀物張氏之説焉，少梅鄭氏之説焉，吳興沈氏之説焉，京口都氏之説焉，長樂林氏之説焉，恕齋趙氏之説焉，平庵項氏之説焉，節齋蔡氏之説焉，山齋易氏之説焉，樸卿呂氏之説焉，古爲徐氏之説焉。是數家者，非不可觀也。而邵氏、張氏則明《易》之數本，自著書，非專爲卦爻設也，沈氏、都氏則明卦之變，趙氏、項氏、易氏、馮氏、徐氏則明卦之情，蔡氏、徐氏祖述《本義》，皆非專爲觀象設也。林氏之説則反覆八卦，既爲朱子所排；鄭氏之説，又別成一家，無所本祖。其專以《説卦》言象者，不過李氏鼎祚與朱氏子發耳。朱氏之説，原於李氏者也；李氏之説，原於漢儒者也。李氏所主者，康成之學，於虞翻、荀爽所取爲多，其源流有自來矣。然漢儒之説，於象雖詳，不能不流於陰陽術數之陋。朱氏雖兼明乎義，而於象變紛然雜出，考之凡例，不知其幾焉。良以統之無其宗，會之無其源也，予病此久矣。山林無事，即衆説而折衷之，大抵《易》之取象雖多，不過三體，所謂本體、互體、伏體是也。然其爲體也，有正有變，故有正中之本體，有正中之互體，有正中之伏體焉。有變中之本體，有變中之互體，有變中之伏體焉。正非中正之正，但謂其卦中未變之體耳。案：以上諸體，皆本漢儒及唐李氏，近世漢上朱氏，非予之臆説也。但其中卦爻，先儒取象有未盡者，亦以其例推而補之。其餘凡例，固非一途，要所從來，皆由此三體推之耳。蓋以正體取象者，不待變，而其象本具者也；以變體取象者，必待變，而其象始形者也。故自其以正體示人者，觀之正而吉、而無咎者，變則凶、則悔吝也；正而凶、而悔吝者，變則吉、則無咎也。自其以變體示人者，觀之變而吉，而無咎者，不變則凶、則悔吝也；變而凶、而悔吝者，不變則吉、則無咎也。兼正變而取象者，可以變，可以無變，惟時義所在也。是可但論其正，不論其變乎？夫《易》，變易也，先儒言理者，皆知之矣。至於言象，乃止許以正體言，不許以變體言。凡以變言象，率疑其鑿，是以《易》爲不易之易，不知其爲變易之易也。既不通之以變易之易，則毋怪以象爲可忘之筌蹄也。既以象爲可忘之筌蹄，毋怪以象變之説，率歸於鑿也。故善言《易》者，必錯之以三體，而綜之以正變，則統之有宗，會之有元，《易》之象可得而觀矣。予於是竊有志焉。是編之述，因象以推義，即義以明象，固錯之以三體，綜之以正變，而必以正中之本體爲先，而其餘諸體則標於其後，又以示主賓之分也。至於言數，雖非專主，而間亦及之焉。蓋將拾先儒之遺，補先儒之闕云耳。雖因辭明理不如程子之詳，言變與占不如朱子之約，至尚論其象，自謂頗不失漢儒之舊，於李氏鼎祚、朱氏子發，未敢多遜焉。後之言象者，不易吾言矣。於是而玩索焉，上可以遡漢儒之傳，亦可以免漢儒之鑿，庶幾君子居觀之一助云，作《周易象義》。柔兆閹茂敦賓甲午，武陵丁易東序。

周易象義又序

《易》之爲書，自王輔嗣以前，漢儒專以象變明辭，固失之泥。及輔嗣以後，又止以清談解義，於象變絶無取焉。伊川純以義理發明，固爲百世不刊之書。然於象變，則亦引而不發。康節雖言象數，然不專於《彖》《象》發明。朱子歸之卜筮，謂邵傳羲經，程演《周易》得之矣。其於象數也，雖於《易學啓蒙》述其大概，而《本義》一書，尚多闕疑。僕用功於此有年矣。竊謂泥象變而言《易》固不可，舍象變而論《易》亦不可。於是歷覽先儒之説，依《本義》體，分經與《彖》、《象》，各爲一編。大率以理爲之經，象變爲之緯，使理與象變並行不悖，庶幾不失前聖命辭之本旨。以示初學，使知其大意云。易東又序。

周易象義後序

《易》，變易也。六十四卦，一乾之變也；三百八十四爻，一初九之變也。太極動而生陽，乾之初九也；動極而静，乾之用九也；静而生陰，坤之初六也；静極復動，坤之用六也。分陰、分陽，迭用柔剛，而《易》之變不可勝窮矣。太極之動，乾而已矣，動極而静，乃有坤焉。得乾之初九者，復也；

變而爲一陽者，六焉。得乾之初九與九二者，臨也；變而爲二陽者，十有五焉。得乾之初九以至九三者，泰也；變而爲三陽者，二十焉。得乾之初九以至九四者，大壯也；變而爲四陽者，十有五焉。得乾之初九以至九五者，夬也；變而为五陽者，六焉。自初九以至上九，則乾之全體也。變乾之初九，則爲姤；變乾之初九與九二，則爲遯；變乾之初九以至九三，則爲否；變乾之初九以至九四，則爲觀；變乾之初九以至九五，則爲剝；變乾之初九以至上九，則爲坤。而一陰者，五陽之卦也；二陰者，四陽之卦也；三陰者，三陽之卦也；四陰者，二陽之卦也；五陰者，一陽之卦也。六陽俱變，則用九而爲坤；六陰俱變，則用六而復爲乾。乾而坤，坤而乾，然則乾之一卦，非六十四卦之所自來歟？初九一爻，非三百八十四爻之所自來歟？有變而後有象，有象而後有辭，有辭而後有占。不得於變，勿求於象；不得於象，勿求於辭；不得於辭，勿求於占。卦之變如此，則卦之象如此；卦之象如此，則卦之辭如此；卦之辭如此，則卦之占如此也。漢去古未遠，諸儒嘗以象變言《易》矣。言象變而遺理，不可也。王輔嗣一掃而去之。以其遺理而去之可也；併象變而去之，則後之學者不知三聖命辭之本心矣。嗟夫！六十四卦，皆乾一卦之變也；三百八十四爻，皆乾初九之變也。故有變卦焉，有卦變焉。變卦也者，六十四卦變而四千九十六者是也；卦變也者，十二卦變而六十有四者是也。由乾一畫而變焉爲十二，由十二而變焉爲六十四，由六十四而變焉爲四千九十六。蓋變卦其流，而卦變其源也；變卦其支，而卦變其本也。有卦變，而後有變卦。故予之於《易》，既以變卦而論其爻，必叅卦變以原其畫。夫然後聖人作《易》之旨，無餘藴矣。雖然，探賾於積年之久，成書於期月之間，若神明之有以開其心者，而猶懼夫失之易也。是其是，非其非，蓋將有待於萬世之公論焉。儻無忝於鼻祖將軍之家學云。昭陽協洽侯豫卦，武林丁易東後序。

易統論上

《易》之爲書，由漢以來，解者甚衆，各是其是，爲説紛然，以其所主不同故也。余嘗類而別之，大抵其義例十有二：一曰以理論《易》；二曰以象論《易》；三曰以變論《易》；四曰以占論《易》；五曰以數論《易》；六曰以律論《易》；七曰以曆論《易》；八曰以術論《易》；九曰以事論《易》；十曰以心論《易》；十一曰以老論《易》；十二曰以釋論《易》。以理論《易》者，若胡安定、程伊川、張横渠是也。然皆莫如程子之精且詳。但既詳於論理，則略於論象焉，故伊川自謂止説得七分，正以是也。以象論《易》者，若李鼎祚、朱子發、鄭少梅是也。然鼎祚《集解》則失於泥，子發《集傳》則傷於巧，鄭少梅則又別成一家而失之雜。以三家言之，子發爲最勝，但於卦變止用三爻，既有未通，且牽合子雲《太玄》并陰陽家之術數，不免失之冗焉。以變論《易》者，若沈氏該、都氏潔是也。其説本左氏，筮《易》如「乾初爻變，則爲姤」之類。沈氏既用變卦，又用變爻，若乾變卦爲姤，則變爻爲巽；都潔但論變卦，則多以之卦取義，於本卦反略焉。夫變卦誠不可少，然爻爻以之卦言，則不通矣。以占論《易》者，若朱子、蔡伯靜、馮儀之是也。然朱子、蔡氏專主於占，而於象之難明者，尚多闕疑焉，雖象言變而有所未盡焉。以數論《易》者，若邵康節、張文饒、劉志行是也。夫《易》之生數，止於加一倍法，其蓍數，止於大衍五十。若康節之説，則四四而變，歸於《皇極經世》，别成一家。文饒雖本康節，而又取《太玄》及司馬氏潛虚、衛元嵩元包之數而失之雜。志行則又祖述列子一變爲七、七變爲九、九變爲一之説，至於太易、太初、太始、太素與太極，列而爲五，雜又甚焉。以律論《易》者，若鄭康成註《周禮》六律、六吕是也。其説以黄鍾爲乾初九，以大吕爲坤上六，以陽爻配六律，以陰爻配六吕可也。然而泰卦不得爲寅月而爲辰，否卦不得爲申月而爲卯，則又與辟卦不同焉。以曆論《易》者，若京房卦氣，以乾初九爲子月辟卦，以坤初六爲午月辟卦是也。夫十二月卦始復終坤，論其大體可也，至若始於中孚，而終于頤，每以六日七分應一候，僅合「七日來復」一語，而於他卦無所發明。至一行之説，則又以起曆二始、二中、二終之數，附會大衍，不但於《易》義無所取，於《易》數亦未嘗合焉。以術論《易》者，若《易林軌革》是也。《易林》之繇，既自别成一家，而不合於《易》，至於軌革，則以直年直事歸之一定之數，而人事無與可乎？以人事論《易》者，若干寶、晁子止，楊廷秀是也。夫以人事言，若帝乙歸妹，箕子明夷之類，《易》固有之。干寶專以三代事爻爻證之，多失之鑿。近世晁子止又以後世事證之，亦失之拘。至誠齋，雖能融化史事爲己用，又不免近於舉子之程文。先儒謂三百八十四爻，豈止可用於三百八十四事哉！以心論《易》者，若楊敬仲、錢子是、黄景元之説是也。其學本於象山，故以本心爲主，凡《易》之爻象，大率皆歸於心。夫《易》固聖人所以洗心，若爻爻牽合，俱以心言，則非《易》之本旨矣。以老莊論《易》者，若王輔嗣、韓康伯、程泰之之説是也。其於《易》，不可謂無所得，但輔嗣以形爲累，韓康伯以一爲無，泰之以《易》爲通於老，則非聖門之學矣。至若魏伯陽作參同契，又以是而爲内丹之火候，雖空同道士嘗取之，蓋假《易》以論丹，非《易》之有待於彼也。以釋氏論《易》者，若孔穎達所引《江左義疏》所謂住内住外之空，就能就所之説，斯乃義涉於釋氏，非爲教於孔門是也。若唐李通玄作《華嚴論》，至以文殊表艮少男，而近世語錄亦有「華嚴可當艮卦」之論，蓋借是以明各止其所之義，非真謂其無異旨也，借此以明彼可也，以彼即此不可也，《易》論人事，豈彼所謂出世法哉！夫以諸家之説論之，莫先於理，然至微者理，至著者象，言理而遺象，不可也；言象而遺理，不可也。故予之説《易》，專以因理明象爲主，而參以變與數焉。象本鼎祚而兼漢上，卦變本象辭，變卦本左氏，筮占本朱子，月卦本京房，數本大衍而不敢狥邵張焉。雖博採兼收，而要其大歸，則一揆以理。至於以事論《易》、以心論《易》，則諸家之解詳矣，不待更贅也。若夫用老釋之義，論周孔之經，則非儒者之學，故有所不敢焉。

易統論中

《易》者，聖人窮理盡性以至命之書。然非若他經之言理也，每即象以明理焉。不得於象，則不得於理；不得於理，則亦不得於象；故尤不可不以象求也。夫聖人立象所以盡意，先儒之求象，亦未嘗以一例拘。大率論之，其義例亦十有二：一曰本體，二曰互體，三曰卦變，四曰應爻，五曰動爻，六曰變卦，七曰伏卦，八曰互對，九曰反對，十曰比爻，十一曰原畫，十二曰納甲。何謂本體？如乾爲天，坤爲地，凡《説卦》所取之象，各以其本卦上下二體得之者是也。何謂互體？《繫辭》曰：「若其雜物撰德，辯是與非，則非其中爻不備。」先儒於上下二體之外，以二至四爲一卦，三至五又爲一卦是也。然互體亦有二：有自本體而互者，有因爻變而互者，此又不可一例拘也。何謂卦變？如隨自否來，賁自泰來之類。然亦有二：有自一爻變者，如隨、賁之類是也；有自兩爻變者，如睽、升之類是也。朱子發止以一爻取義，故於小過、中孚有所不通。若知其或自一爻變，或自兩爻變，各隨其彖辭而消息之，則無疑矣。何謂正應？如初與四應；二與五應；三與上應之類是也。以陰應陽，以陽應陰，謂之正應；以陰應陰，以陽應陽，謂之無應；或亦謂之敵應。故各卦取象，或有自所應之爻而得之者，但求於本爻，則不見其象矣，此應爻不可不求也。至若晁氏以道，但欲以世應論爻，而謂他爻不可以言應者，則是京房卜筮之學也。何謂動爻？夫爻象動乎内，功業見乎外。又爻也者，效天下之動者也。故此爻本陽也，以老陽而變爲陰；此爻本陰也，以老陰而變爲陽，則又自其動者取象焉。然有以本爻之動取象者，有以與應爻相易取象者，此又不可以例拘也。何謂變卦？如《左氏傳·筮易》所謂「乾之姤」、「乾之同人」之類是也。然有以三畫卦變取義者，如乾變爲巽之類；有以六畫卦變取義者，如乾變爲姤之類是也。至若蒙之有困，需之有恒，則又以諸爻迭變而取焉！此又不可一例拘也。何謂伏卦？如天地定位、山澤通氣、雷風相薄、水火不相射，此伏卦例也。謂乾伏坤，坤伏乾；艮伏兑，兑伏艮；震伏巽，巽伏震；坎伏離，離伏坎是也。然有就本卦伏者，乾之伏坤是也；有就動爻伏者，若乾之初九變巽，而伏震之類是也。若晁氏以道每卦專以一爻飛伏取納甲者，則又惑於火珠林矣。何謂互對？漢儒謂之旁通，《易》曰六爻，發揮旁通情也。以旁通論象，即前所謂伏卦。但伏卦止以本爻論，旁通則以全體論，如復有姤，泰有否之類是也。此在先天圖中，互對是也。何謂反對？即損與益，夬與姤，既濟與未濟之類。反而觀之，則此之初，即彼之上；此之二，即彼之五；此之三，即彼之四。卦中亦有其辭同者，故損之五，益之二，皆言十朋之龜；夬之四，姤之三，皆言臀無膚；既濟之三，未濟之四，皆言伐鬼方是也。然特間有之，不可拘泥。林黄中以一卦包八卦，正取、反對、正體、互體兼言之，必欲卦卦如此推求，則泥矣。何謂比爻？謂初與二比，二與三比，三與四比，四與五比，五與上比之類是也。故或此爻動，而連彼爻之動以取象；或彼爻動，而連此爻之動以取象焉。如乾之初九連九二之動，而取諸遯，離之上九與六五相易，而四爲乾首是也。何謂原畫？謂推原此畫本屬何卦也。若陽畫屬乾，陰畫屬坤，初九、九四屬震，初六、六四屬巽，九二、九五屬坎，六二、六五屬離，九三、上九屬艮，六三、上六屬兑，是皆推原卦畫所自來也。如訟之六三，以坤取象，觀之六二，以離取象；頤之初九，以乾取象之類是也。何謂納甲？如乾納甲壬，坤納乙癸之類。亦有兩説：有本卦納者，有因卦變伏卦而納者。今卜筮家乾初爻納甲子，坤初爻納乙未之類是也。卦變伏卦納者，如蠱之先甲、後甲，巽之先庚、後庚，又自卦變及伏卦而納也。若用占筮家之説推之，則不通矣。以上十有二例，取象不同，先儒或得其一，即以例凡，故不失之拘，則失之鑿；若以諸例通，則無不合矣。或曰同此一爻也，或取互體而遺本體，或取應爻而遺本爻，或取伏卦則遺本卦之類，又何也？曰：「聖人作《易》，先因卦畫而得其義，然後因義而求其象焉。」當取本體，則遺互體；當取互體，則遺本體；當取卦變，則取卦變；當取應爻，則取應爻；當取動爻，則取動爻；當取變卦，則取變卦；當取伏卦，則取伏卦；當取旁通，則取旁通；當取反對，則取反對；以至當取納甲，則取納甲；初不可以一例拘也。孔子所謂惟變所適，不可以爲典要歟？曰：「若是，則聖人所取無定象矣，又何必以象求哉！」曰：「聖人之心，不出於一理。大《易》之象，不出於八卦；隨時變易，將以從道而已。所謂如珠走盤而不出於盤者，其聖人作《易》之謂歟？」故善觀象者，兼此十有二例而推之，則無不通矣。或曰：「子於序文，既以象爲不過三體而分正變，今乃以十二例言之，何也？」曰：「十有二例其目也，三體其綱也，其綱舉而後其目張，得其三體之正變，則十二例在其中矣。」

易統論下

《易》，一太極而已矣；太極，一理之極至而已矣。《易》，變易也，以其變易而無窮，故謂之《易》。然其所以變易者，孰主張是有理焉？以其至極無以復加，故尊之曰太極。雙峰饒氏所謂太極者，天理之尊號是也。然周子則曰：「無極而太極」。朱子則曰：「萬物體統一太極。」又曰：「一物各具一太極。」何也？蓋是理之至無聲無臭，不可以形迹求，故曰「無極而太極。」是理也，雖不可以形迹求，而上下四方之宇，古往今來之宙，萬形之生化，萬變之推移，莫不於焉而總攝，故曰「萬物體統一太極」也。然太極生兩儀，有兩儀，則太極便在兩儀之中，而兩儀各一太極也。兩儀生四象，有四象，則太極便在四象之中，而四象各一太極也。四象生八卦，有八卦，則太極便在八卦之中，而八卦各一太極也。八卦之上復生八卦，爲六十四卦，有六十四卦，則太極便在六十四卦之中，而六十四卦各一太極也。分爲三百八十四爻，太極便在三百八十四爻之中，而三百八十四爻，各一太極也。六十四卦變而各具六十四卦，爲四千九十六，太極便在四千九十六卦之中，而四千九十六卦，各一太極焉！故曰「一物各具一太極」也。然而統體之一太極，全具於一物之中，而一物之太極，即統體之太極，故全《易》之太極，具於一卦之中，而一卦之太極，即全《易》之太極也。統體之太極，全具於物物之中，而物物之太極，即統體之太極。故全《易》之太極，具於六十四卦之中，而六十四卦各一太極，即全《易》之太極也。然而一物之理，偏在萬物之中，而萬物之理，具在一物之中。是故，一物各具一太極，即物物各具一太極。故一卦偏在六十四卦之中，而一卦所具之太極，即六十四卦各具之太極也。物物各具之太極，即一物各具之太極。故六十四卦具在一卦之中，而六十四卦各具之太極，即一卦所具之太極也。蓋自其不變而言之，一卦止爲一卦，六十四卦止爲六十四卦。自其變通而言之，會萬於一，則六十四卦具在一卦焉；散一於萬，則一卦偏在六十四卦焉。夫惟六十四卦具於一卦，而一卦偏在六十四卦，則六十四卦各具六十四卦，而六十四卦各偏六十四卦，爲四千九十六卦焉。四千九十六雖各一太極，而未嘗不同一統體之太極也。所謂推之於前，不見其始之合；而引之於後，不見其終之離歟！曰：「若然，則一卦之與六十四卦，混融而無間矣，何必以某象屬之某卦，某象屬之某爻哉！」曰：「前不云乎，自其變通而言之，則一卦有六十四卦，而六十四卦各有六十四卦。自其不變而言之，一卦止爲一卦，而六十四卦亦各爲六十四卦焉。故自其合者言之，則萬象森然而不必分。自其分者言之，則卦各有象而不可亂。自其分者言之，有正中之本體、正中之互體、正中之伏體；自其合者言之，有變中之本體、變中之互體、變中之伏體。隨時變易以從道焉，非假借，非牽合，而太極之理無不在也。」六十四卦尚可旁通，况八體乎！此《易》道所以變易不窮。而夫子一言以蔽之，曰：「《易》有太極歟！」或曰：「《易》以變易言，曰有變中之本體，變中之互體，變中之伏體可也。今有所謂正中之本體，正中之互體，正中之伏體焉。是三者，皆不變之體也。然則先儒謂《易》有不易之義者，然乎？」曰：「若以變言，則變固變也，不變亦變也，而《易》之一字，正以變易爲言耳。」蓋能變而不能不變，未足以爲變，惟能不變，益所以見其變也。况夫太極流行，有動有静，不變其静，而變其動也。陰而變，静中之動；陽而變，動中之動也。陽而不變，動中之静；陰而不變，静中之静也。或動，或静，或變、或不變，一太極之流行耳。雖然，太極之理著於事物者然耳。夫《易》，無思也，無爲也，寂然不動，感而遂通天下之故。無思、無爲、無極，而太極之本體也寂然不動。太極之静，感而遂通天下之故。太極之動也，冲漠無朕之中，萬象森然，已具物物之太極，固已具於吾心一太極之中矣。夫是之謂《易》有太極，夫是之謂心爲太極。是故，聖人以此洗心，退藏於密，非天下之至神，其孰能與於此哉？吁！至矣！（以上清文淵閣四庫全書本《周易象義》）

惠愛碑記

惠愛碑者，常德爲總管府尹倪公而建也。公六年於此，無一民不受其惠，無一物不被其愛，此碑之所以名也。無一民不惠，無一物不愛，公之志乎民，民心未安乎公，此碑之所由建也。常武初入職貢，民心未安，畏死不暇。丙子，公來，揭四十條〔一〕，推行赦書德意。公取以諭民，非有他也，若曰：「民方畏死，吾示以生。吾非德己，吾惟爾之惠耳。」公愛人利物之心，寓於此矣。明年，鄰郡有警，公適白事省府，民心又恐，郡僚方俾百姓登城拒守。公歸，知事不足慮，亟命罷之，若曰：「民方畏勞，吾使之佚。吾非要譽，吾惟爾之惠耳。」公愛人利物之心，又續於此矣。未幾，省府下郡戰艦三百餘艘，復俾運餉十餘萬斛於中灤。公念其皆郡家事，且省府有材，募舟費何苦民爲哉！委官吏輦材於所產之地，造舟如其數，不役一民；委官吏僱募巨賈之艘，運米如其數，亦不役一民。公若曰：「民苦役，且憚遠涉。吾自用公家之財〔二〕，吾非矜能，吾惟爾之惠耳。」公處置有方，便民如計，其愛人利物，信不虚矣。至若察衆心所惡，則不忠之校，因事而逐去之，非爲其慢己也，天下之惡一也；從衆心所好，則稱孝之民，雖賤而亦旌之，非爲其譽己也，天下之善一也。凡皆天理民彝不可泯者，公之心，固人心耳。他如捐餘貲，修孔廟、永惠等祠，以聳動邦人耳目者，又特其粗迹而已。且士者，公議之所自出也。公間覩其士之窮且貧者，則周之，於是士悦而歌於塾矣。民者，諷頌之所自出也。公閒視其民之饑且凍者，則賑之，於是民悦而歌於衢矣。士與民胥悦矣，然後遂吾愛人利物之心，無閒言，公之心詎可淺窺。故明道先生曰：「一命之士，苟存心於愛物，於人必有所濟。」况公之惠愛於吾民者溥矣，兹敢以或忘乎！己卯辛巳八月，公家尚留郡。癸未春，代者李公仲常，常去，士民既碑之矣。公雖肖像於學，未之碑也。邦人曰：「李公來不兩載，牧斯民未久，以其廉足稱也，故碑之。君歷年於兹，使民之事不一，顧未之紀焉。何愛人利物之心有未白乎？」合辭於郡士黄必大，致記於僕。僕以拙直辭，請益堅。自念公造舟、運餉二事，不擾於民，吾邦受賜之大者。且欲因公以示後來成式，輒不揣荒陋，竟爲之。然於公愛人利物之心，未數其一二也。後有仁且智者觀吾碑，因其所已書，察其所未書，則知公矣。公名德政，字正之，薊人，號鳳山。嘗僉廉樞密院事。丙子春，以安撫使臨吾郡。丁丑，易安撫司爲總管府，公以嘉議大夫爲之長。戊寅秋，以總管兼尹事，始終於郡跨六年，視民猶父子兄弟，且將定居吾郡，與邦人相安如此。其愛人利物，亦必有道也。是秋，公以書來，知公以上命爲兩淮都轉運使，既禮上矣。公之子顥，將奉母之維揚。士民攀轅卧轍莫能留，欲紀惠愛於兹石。若夫六年之間，相與通下情，遂公愛人利物之心，則公之子與其外弟高裕，蓋有力云。是爲記。（清同治二年《武陵縣志》卷四六　以上李仲祥點校）

〔一〕揭四十條：四十，《常德府誌》作「十四」。

〔二〕吾自用公家之財：「之」字原闕，據《常德府誌》補。

全元文卷三六一

王埜翁

王埜翁（一二四〇—一三〇〇），字太古，婺源（今江西婺源）人。元初，江浙行省委以鎮江學正，不受。潛心《易》學，自成一家之言。大德四年（一三〇〇）卒，年六十一。本書收王埜翁文一篇。

讀洪範五行

五行之生成，以奇偶爲天地，以先後爲一二。太極渾然，初無象數。因氣成質，先後可紀。生之類，水最先，故曰一數奇而陽，故曰天。火之生次水，故曰二數偶而陰，故曰地。木金土又次之，故曰天三生木，地四生金，天五生土語，其生則土最後。蓋有水火木金而後土有以爲質，語其成則土纔具。而四者皆因以成，土又因四者之生以爲成，本無六七八九十之序也，原其生則有是先後之序爾。生之者奇則成之者偶，生之者偶則成之者奇，蓋獨陽獨陰不能以生成也。夫所謂水最先者，物靜而動，氣以潛潤，呵而雨，唂而涎，悲而泣，愧而汗，牝牡之交感，果實之包含，其初皆水也。濕之氣鬱於陰則熱，故火次之。熱與濕相搏持則凝，故木次之。俄而堅强不撓，故金又次之。四者俱備，相與沖和，故土居其中。故曰一水，二火，三木，四金，五土也。水火木金非土不能以有成，故生成之數，水之一加於土，五則爲六。火之二加於土，五則爲七。木之三加於土，五則爲八。金之四加於土，五則爲九。土之五不待加五也，以土加土，如塗附塗，吾知其必不然矣。然則土之成數，曷爲而成十哉？全水火木金之生，即土之成數，積一二三四之數而爲十也。（清文淵閣四庫全書本《新安文獻志》卷三五）

龍德壽點校

方鳳

方鳳（一二四〇—一三二一），一名景山，字韶卿（韶父），號巖南，婺州浦江（今浙江浦江）人。早年客杭，將作監丞方洪奇其文，以族子任試國子監，又試禮部，不中。宋末以特恩授容州文學。入元不仕，曾於金華吳渭家作塾師，與吳思齊、謝翶過從甚密。翶死於杭，鳳聞之，數百里前去赴喪。浪遊江南，遍覽名山大川，尋訪古蹟，多生興慨，見之賦詠。與當時名士牟巘、方回、戴表元、龔開、仇遠等人多有詩歌往還。至治元年（一三二一）卒，年八十二。著有《存雅堂遺稿》五卷（一作十三卷）、《野服考》一卷、《物異考》一卷，今俱存。本書收方鳳文十五篇。以清文淵閣四庫全書本《存雅堂遺稿》爲底本，校以一九二四年永康胡氏續金華叢書本(以下簡稱續金華本)。

上陳丞相書

鳳頓首獻書相公閣下:竊聞之,曝芹可獻天子,聖哲不廢芻蕘,千慮一得,知者取之。而況駘駑下走,夙膺伯樂之顧,忠藎血誠,不以瀝之閣下,將誰瀝乎?鳳雖一介布衣,伏處草莽,其於家國機宜、兵食大計,嘗竊竊講究,稍有聞知,身歷行都,希得一當。惜當世依違,無足告語,廢然思返,乃耳習六君子之名,藉藉人口,則浩然長歎,謂獨不得閣下一秉國成耳。凡一切用舍處置,寧有不當,而尚恐勁敵生心[一]、薦食上國哉!迨閣下晉司寇、陟政府,果首嚴喪地之律,旋正誤國之辜,四方益喁喁向風,翹首隆理。乃天未悔禍,疆域日蹙,然國事豈遽難爲?而左丞相先去,以爲民望,致庶僚離次,守令委城,三宫孑立,無可撑持。雖然,竊不能不重望於閣下者,何也?知鳳惟閣下,苟鬱結箝舌,有懷莫吐,鳳豈特負閣下,且以上負朝廷,下負所學。請得稍布區區,願賜採擇焉。語有之:「善衛室者,不於户牖,而於門庭。」又曰:「緩則治本,急則治標。」夫長江帶水,固國之標而今之門庭也。效義攄忠之臣,奚第棊列内郡徒掣之肘,宜急徙之沿江以控要害。百里設屯,十屯設督,驛絡統制,使往來奮擊,互爲聲援,則險要乃阨也。國家懲鑒五季,一意儒臣,尾大之弊雖除,然釀成積弱,敵鋒所摧,目無堅城。曷若揀擇忠貞,暫分藩閫,使各爲戰守。敵勢既分，自疲奔命，而國威可振也。夫居言於室，翔鷗不下；凡卉春剪，芝蕢不秀。蓋天地生才有限，况時方多事，百爲培養，猶懼勿給，容忍芟薙，自鎩羽毛乎？凡國家可惜人，宜儲爲中流之壺，勿增人抱蔓之嘆，則人才必恤也。金羽之沈浮殊性，火水之燥濕異宜，故冬蟄難與語夏，舴艋不可遵途。奈何令步騎舟師各呈所短，一旦檣摧輔折，誰司其咎？則任用當審也。語云「困獸猶鬥」，况國乎！敵棄地利，懸軍深入，近關雖破，勤王師衆尚盈數萬。激而用之，背城可戰，堅壁可守。濟檄江淮，斷其歸路，使進退失據，腹背受敵，天下事未可知也。夫鬱烈之芳發於委燼，繁會之響生於絶絃，則士氣堪鼓也。陸士衡嘗云：「濟事挾情，不觀萬殊之妙；虚己應物，可究千變之容。」寧曰天下事如一家事，苟利家國，功不必己出，名何難人成？群色會而衮藻麗，衆音雜而韶濩和，則已見戒横也。凡此者，皆切時要圖，雖或閣下所習聞，亦或閣下所厭聽，然而鳳籌之必熟，綜之必詳，告之必切。蓋鳳既備閣下之藥籠，敢忘效藥石之言。是用不辭寡昧，冒瀆攄陳，幸恕瞽狂，留神察省，或有可採。錫之面教，願一一畢其志焉。

〔一〕而尚恐勁敵生心：勁敵，續金華本作「狡虜」。

午日候張叔元鎮帥

恭惟某官，纏縷續命，綰符祓眚。惟兹重午之時，實爲一陰之始。古之君子，節慾謹身，以待晏定，見於禮文。楚有哲人，浴蘭射黍，期迓禎庥，著爲風俗。伏乞憲今酌古，爲國愛身。長日悠游，泛蒲適意，薰風披拂，競渡揚旍。則保合天和，凝承淑氣，何祲不去，何福不臻。頌禱虔中，採納是望。

仇仁父詩序

山村仇君過余説詩，余觀其年甚茂，才識甚高，處紛華聲利之場，而冷澹生活之嗜。混混盆盎中，見此古罍洗，令人心醉。及披其帙，標格如其人，蓋得乾坤清氣之全者也。余謂作詩當知所主，久則自成一家。唐人之詩，以詩爲文，故寄興深、裁語婉。宋朝之詩，以文爲詩，故氣渾雄、事精實。四靈而後，以詩爲詩，故月露之清浮，烟雲之纖麗。今君留情雅道，滌筆冰甌，其孰之從？仇君曰：近體吾主於唐，古體吾主於《選》。融化故事〔一〕，往往於融暢圓美中，忽而凄楚蘊結，有《離騷》三致意之餘韻，然後知嚮之所以爲仁父者，窮而故在也。今夫水，雖萬折必東焉；鳥獸大者，喪其群，過鄉翔回焉，鳴號躕躅焉；小者至於燕雀，猶有啁噍之頃焉。由人心生也，使遭變而不悲「黍離」，居嫠而不念「儀髧」，望白雲而不思親，過西州門、聞山陽笛而不懷故，是無人心矣，而尚復有詩哉！此余於仁父之詩，獨證其不爲窮所移。又明年，復相見，乃序而歸之。人當有因余言而深知仁父之心者；世之人不有知其心，則仁父自知之；余知之，後世亦必有知之者矣。友人東陽郡遺民方鳳韶父。

〔一〕融化故事：融化，續金華本作「化」。

重陽詩卷序

余將適東甌，重陽前日別家，明日赴邑友會。又明日，吴續古遺籃輿過邀，遂至吴溪寓館。則續古之兄景禧，率群從弟姪，與客金楚芳，有登山之約。步仙華之絶頂，攬八景之勝概，歸而分韻賦詩，已盈卷軸，乃徵余序。余深念夫齒髮日非，朋好凋落日甚，嘗發故篋，掇拾三十年詩，咸賦重陽。會萃觀玩，凡姻友鄉里之聚，知交湖海之逢，衆作具在。沈思追想，山川風景既殊，而其人之存亡離合，皆不可例論，蓋歎息久之。未别家時，大兒樗偏南遊、偏騷國以歸，而已失其母，余悼亡半載。今爲東甌訪舊之行，歸且歲晚，人生來去，俱若夢寐，而能有託以垂不朽，則非予之所及。姑爲序此，使後之視今〔一〕，猶今之視昔云爾。

〔一〕使後之視今：使，原無，據續金華本補。

書梅節愍公文安集後

右《文安集》十五卷，尚書梅公執禮所撰。曰文安者，公所封開國縣也。嘗考《日錄》，金人劫上皇及后妃等至其軍，吏部侍郎李若水死之。及大括金帛，户部尚書梅執禮死之。皆靖康死節之最著者。然世多難若水而次公，則以金人有「遼亡死義十數，南朝惟李侍郎一人」之語。不知公擣營之謀最中敵忌〔一〕，金人所必欲甘心者，故忌公而惜李耳。其實死事之無遺恨，李何能視公？當金人再邀帝，羣臣多勸無行，帝亦有難色，惟若水與何㮚以爲無虞。及逼帝易服，秖以一死塞責而已。公當金人入懷州，即勸帝親征，請太上六宫權宜出避。奈有阻之者，乃勿果。及金人質帝、邀金繒以數千萬計，又謀夜擣敵營，以二帝歸。密偕吴革、趙子昉輩，團結軍民，不旬日得十餘萬。天苟祚宋，豈必遽至南遷？惜奸臣范瓊殺革，泄其謀，徐秉哲亦以子昉遺金〔二〕。金知公實主之，以根括金銀爲罪，問誰爲長官，意正在公也，遂遇害。竊嘗論之，若水實主車駕者，即其死，豈逭誤國之罪？倘使公計終行，則河津豈得飛渡？敵勢豈遽莫遏〔三〕？兩宫豈竟北轅哉？悲夫！人謀已臧，天禍未悔。展卷興懷，每用長慟。若夫文辭之博碩精核，人能言之，非予之所以仰止公也。

〔一〕不知公擣營之謀最中敵忌：營、敵，續金華本均作「虜」。〔二〕徐秉哲亦以子昉遺金：金，續金華本作「虜」。下句「金知公實主之」之「金」，亦如是。〔三〕敵勢豈遽莫遏：敵，續金華本作「虜」。

跋述古尚書復期上人手帖

述古尚書錢公仕爲熙寧間，死於宣和睦寇之變。揆之封疆社稷之義，或者爲公惜之。然侍從舊臣歸休於家，直奮義勇，逆遏姦猖，雖身殞賊手，而卒全鄉社，脱父兄子弟於鋒鏑之下。故其子孫文獻，繩繩有引，是足以亮公之心矣。公之裔孫庭蘭，得公憂居時答期公闍黎手帖。其言蔬食水飲，既以如禮，然亦不敢過之。親喪所以自盡，則公之擇於禮義而自靖。夫忠孝之實，其大節之端，固兆見於是，豈少爽之哉？葉公昌父，有書名於時。謂王荆公學王濛書，公書實似，蓋當時崇尚如此。此其有爲言之也夫〔一〕？

〔一〕此其有爲言之也夫：言之，續金華本作「之言」。

跋謝臯羽登西臺慟哭記

子陵臺荒，寒壓江水，過者恒覽古賦詩，未聞於此野哭，而翺爲之，蓋不獨異於今之人也。予讀其所爲文辭，竊以不及與於斯哭爲恨。或者他日得攜手相與大笑，胡盧絶倒於斯臺之上。由百世之下觀之，詎謂哭者之非笑、笑者之非哭也。

題處士樋記後

世嘗稱故家喬木者，果何取於木哉？蓋木非百年不能干雲霄，百年則所閲三世爾。取夫子孫能世其業，故能保而有之也。里人鄭君達卿，出方先生子顧所作《處士樋記》示予。記言處士植樋以期子孫，義聚者甚備，請予識之。嗟夫！處士至於君，六世矣。處士之骨雖化於土，而木固無恙。非君兄弟之孝友不忘先訓，能若是乎？木之榮瘁，義門盛衰之所繫也，鄭君尚深培而厚植之。方鳳題。

（以上《存雅堂遺稿》卷三）

書北山感雪竹賦後跋

至元二十六年一月十六日〔一〕

北山鄭先生未遇時作。先生嘗以宣和庚子來寓浦陽，集中詩及《避亂錄》所書後鄭者。景山自先世實家焉，林巒藪澤，深村埜寺，往往皆疇昔所經行處。時兵火方張，先生自言舉室流離，窮乏萬狀，僅脱頻死，此一雪竹也。後既第更靖康元二，以至被遇思陵，秉鉞全蜀。然卒以執論不阿忤檜相，謫臨封，此又一雪竹也。困而能自奮，既奮復摧壓而所守固自若，先生之高節勁氣，其不屈於權奸如此。使後乎元二之禍，而有如先生者，立乎其間，則所以處陰陽向背者，宜有甚於曩時。其爲雪竹，益凜凜百世下矣。嗚呼悲夫！景山與客謝翺，將往金華山中，過先生故居。先生五世孫足老，出《雪竹》畫卷及諸賢所書是賦，肅襟諦玩，因得想見風烈。蓋於是距宣和之庚子，一百七十年矣。其年孟陬既望，方景山拜手謹書。（一九二四年刻續金華本《存雅堂遺稿》卷三）

〔一〕寫作年代原無，校點者自本文中及《金華洞天行紀》上考證得出。

答行可吳姻家

舍館别來，方袖示介眉之句；室廬至止，已伻傳餽饁之文。疊加瓊玖之貽，一洗泥塗之辱。某私憐萍梗，重感蒿莪。閏歲黄楊，適類初生之旦；陽春白雪，端爲永好之期。

棲碧樓記

延祐二年十一月二十日

浦陽江水源西去縣三十里，曰桑溪。遡旁澗而入曰華源，吳氏景禧卜其地爲壽藏之所。經始於至大辛亥冬，工未訖，明年室人何氏亡。又明年，舉柩以窆，而結廬其左。上爲樓，以備遊惕。取李太白詩語，扁『棲碧』。山從西北來，與嚴陵郡接境。重岡複嶺，長林茂樹，蒼翠欲滴。曲垣周遭，方沼澄瑩，級磚渠石，平甃峻築，黝堊塗飾，玲瓏輝煥。供饌被服，器用畢完，佺花奇卉，布蒔前後。又二年秋九月，領客觴菊斯樓之上，且命予記之。或謂予：「吳氏世居是鄉，逮景禧承祖父業，能充拓舊址，搆廣廈連雲，且二子所志，又足觀，正將便體養生，抱孫娱晚，不出户而菟裘故在，尚假碧山之棲乎？」予謂：昔人有樂斯丘而欲葬、望其壙而知息者，亦明乎造化乘除消長之理而然。景禧日與物接而物於物，家居豈不樂，而山棲之樂亦若家焉？試以是叩之。當意與神會，正太白所謂「笑而不答心自閑」者，視世人逐逐於聲利、不暇回顧卻慮，至以貽後世子孫憂者大有間矣。景禧於余親且厚，是不可以不記。余雖老，碧山未謝客，尚當扶杖從之遊。是年當延祐乙卯冬十一月甲子，邑人景山方鳳記。（以上《存雅堂遺稿》卷三）

金華洞天行紀上　至元二十六年一月

己丑歲正月，謝翺皐羽、方鳳韶卿約遊洞天。

十一日辛卯，韶卿攜子樗肖翁入邑，與皐羽陳公凱君用、弟公舉帝臣會。韶卿夜賦詩，示同遊者。

十二日壬辰，陰寒。韶卿拂曉取道上洛之吳溪，過吳似孫續古，約俱行。至横溪，訪柳時聲父子。君用不至，帝臣從五路嶺先過門。皐羽繼至，會宿時聲居。

十三日癸巳，枕上聞雨。是晚以雨宿柳明府新居，各賦一首。

十四日甲午，陰。未曉即行，午度太陽嶺，晚泊上坦，欲訪雙巖鄭子有。子有聞之，先至旅寓，邀宿陵雲山房。城友葉謹審言，適相遇於陵雲，約翌日同至赤松。是夕，子有出家藏先資政北山先生遺墨及久近諸賢書帖，共觀至夜分。韶卿書《北山感雪竹賦後》，皐羽亦題。

十五日乙未，曉聞窗外葉聲，疑雨，起而視之，則霽。既飯，話良久。子有之姪復留飲凝香閣，晚抵赤松。自源口入一里許，萬松矗翠，有亭跨中路，扁「赤松山」，舊樞密潛齋王公埜書，今住觀唐元素易以他書矣。沿溪入橋，亭扁「金華福地」，郡人潘繼先篆。過橋入三門，勑「寳積觀」額，大中祥符元年所賜。與殿中四錦旛，及獻花四木孩，俱今猶存。入門而右，有堂臨池上，爲濯纓堂，默成先生潘待制良貴書。入而爲松遊亭，又入而爲枕流亭。觀之前爲卧羊山，即皇初平叱石成羊處也。道士王元台、謝天與欵宿，謁冲應、養素二真祠。二真，初起、初平兄弟也。松下有遇仙石，坐其上。相傳往年唐公李度有目眚，寓觀中，嘗憩兹石。遇二仙問，故采草拂其目，遂明。且祝曰：「後十八年，當相見彬州。」及唐登第授彬教，有二道士過之。唐不知省，道人曰：「子亦記松下治眼時語乎？」既而邀之，不知所適，方知爲二仙云。時韶卿病目甚，故道士言之爲詳。回宿王謝房，各賦《上元遊赤松詩》。

十六日丙申，微陽道士水竹唐元素、妙虛王德厚、竹泉倪守約房中觀羊石，臯羽作《觀羊石記》云：金華洞爲皇初平叱石處，予髫而聞之髮種種。乃一至，而叱石處復不在金華洞。未至洞十五里，有山曰赤松，今爲寳積觀。觀旁祠二仙，二仙即皇初平兄弟，是其處也。石故在山之巔，變怪牴牾，宛然如羊形，多爲樵牧及好事者取去。道士拾其餘，蓄觀中。余得借而觀者三處。其一在天井東，僅十數角，嶄然群伏且起，復無牴觸，意萏茸茸，若草藉地，可近而玩。其一並曲池之北岸，纍石爲山，參布伍列，犬牙其上。卧者十八九，伏者十七，牴者、蹶者十五，履險而跂者十三，傍而齕、跪而乳者十一。若觀古彝尊之跡，於石形不求全而意自足。其一積小坻，位置加密。跂、伏、齕、乳、牴、蹶與前變態略同。復有拱而人立者，奇崛特甚，非前所有。道士易以他名，使不與群羊伍。余曰：「是不可易。左元放之遇曹瞞，其化而爲羊，與茲羊之化爲石，是或一物也。今而後觀茲石，若馮而遊，若脱而休，茫乎日與對，而泊不知所求，其有不復化爲是物乎？」道士顧笑，衆皆沈寂，起立若植，以余言爲然，故書以啓後之遊者。其所觀三處道士，曰倪守約、唐元素、王德厚云。石去初平仙後若干年，爲樵牧好事所取，又若干年，道士悉能言之，於遊者非有繫，故不書。紗虚石傍有方竹一叢，蕭疏可愛。堂名蕭閒樓，有減筆隸「物化」二字極佳。水竹留飲膳，王、倪各爲煮茗，倪之徒、石泉趙元清疽發腦纔愈，未接客。入小桃源路口，有小桃源、物外、洗耳三石刻奇古，皆餘杭虞似良仲房八分書。未過橋爲物外亭，過橋有亭，泉上有臺，名滄浪。溪石皆磊磈，水激射爲峭峽，爲盤渦。道士徐南華攜酒肴，並青窗王易所書趙元清《夢遊小桃源四時詩》來。青窗，即故樞密王公之孫，名進思，官惠院，號淳齋[一]，善書而好吟以避世。立兄子爲子，使出贅。復分田送其妻歸母家，而自爲道士於此。南華酌酒滄浪臺榭陰下行至巖扉間，新構小亭名《别有天地》，復酌亭上，巖扉有諸公題墨。新種桃梅夾道，道士周雲巖世昌要會酌樓上，石泉之徒王德謙益之攜琴。鼓再行。午從觀右登丹山，行窮林巨石間，觀丹竈及丹石。相傳某年丹光見石上，有道人養雞，見雞啄丹，取之，丹即飛去，今立祠與菴。祠前舊有老樹併，其一中斷倒架，上半於其一附著而生，下半則偃立不相接，狀甚怪奇。今爲改祠，道士伐去，曾遊者以爲言。由丹山而左，稍下有丹井泉，極甘冷。一徑出小桃源之上，抵二仙祠，回宿寶積觀中。西廡石刻「赤松山」三大字，李陽冰篆，偉甚。以「赤」字從大，下作火，揭之有火災，故置不用，而存其刻云。

十七日丁酉，雨。欲往三洞，不可，遂入城。泊祥符寺，待霽取道智者以往。

十八日戊戌，雨，留祥符。臯羽有「塔影霧中深」之句，韶卿足之。

十九日己亥，陰。入寶婺觀，謁星祠，登八詠樓。寶祐丙辰歲，郡守謝奕脩改創，潛齋王埜書扁，今易以他書矣。時箰丁夫急，所帶奚奴不敢出市衢，韶卿自同臯羽訪芙蓉盛太傅，共與談世故，晚歸祥符。

二十日庚子，新霽。約審言自蘭溪門會於北栅。韶卿父子、續古、審言登七寶寺塔樓，拂塔院至道年碑石。遇且庵徐玉汝於盧士安卜肆，韶卿、臯羽甚欲留訪，諸老以雨餘得霽重於妨，衆遂行。既出城，遇抑齋劉權院、梅居邵深道、成齋王玉成於菱塘之東。王、謝二道士自赤松來，西鹿田寺僧懷玉留而相導。韶卿賦《北山道中》，衆客皆和。晡至智者寺，山路有亭，扁「北山」，唐乾元二年八月縉雲縣令李陽冰篆書。入而爲倚松亭，過橋有亭，扁「靈源」。小憩亭上，又潛齋王公書「靈源勝地」四大字，置之雲堂後廡，寺僧莫之貴也。日夕過鳳凰山法清院，山形如鳳凰，舊爲法朗，石晉開運二年爲國泰，今改法清。山西有一怪松，偃蹇如盤龍。院僧圓矩云：「昔潛齋王公嘗護以闌楯，遊憩其下。」是晚宿院中。（《存雅堂遺稿》卷四）

〔一〕號淳齋：淳，原闕，據續金華本補。

金華洞天行紀下

二十一日辛丑，有徐生館法清，酒狂士也。曉起攜詩見贈，有「鳳凰山上鳳凰翔」之句，聯中又以「耕田鹿」、「化石羊」爲對。臨別密謂審言曰：「余以鹿比僧，羊比道士，鳳凰比諸君子。」審言途中述其語，衆皆絶倒。從法清而西，過故康懿泰國長公主墳園。登山可至九龍寺，上有劉先生講堂，劉孝標讀書處也。三洞上爲朝真，中爲冰壺，下爲雙龍，三石扁皆飛白書。立下洞口觀，有「天下名山」四大字。觀之左爲椒亭，所從入洞路也。以山下平地言之，此則山巔，然而迢遞寬衍，觀之前居民成聚，則此乃洞天之趾爾。雙龍洞口石室明淨，坐可三二百人。仰視石室紺碧，其隱約可名狀者，爲雲物、爲仙桃、爲道人。比肩而立，龍首見其左，而尾懸右。石壁上又懸石，至地獨黄色，俗呼吕先生。藏身霞衣掛其旁，有北斗星窠。洞穴如蠡，頤水淙淙從中出，即流入右偏，暗出洞外溪澗。衆束炬揭裳，傴僂踏水入内，洞凡三數丈，首背皆擦石。舊卧小舟而入，今敝漏閣水際。既入，復虚曠如外洞，水從右流，莫測其淺深。執炬者一一相指，告見蜂窠石、水蛙石、石鐘。手搥之，鐘聲仙珠累累貫巖上。石門限雪山，山前雪，山後雪，望之皎然。仙笠懸巖石、石鼓，槌之鼓聲有形，蜿蜒頭角鬚尾，凡二屈蟠隱見，爪尖皆白石如玉，所謂雙龍也。貓一，獅子一，頭足尾具，額有珠。大龜黑色，白蛇糾繞其背，首入甲下，奇甚。筆格一。霜崖，粲如繁霜。有卷石，小竅指面大，有水正滴竅中，名「仙人硯滴」，候片時，纔一滴。仰觀洞中，他無漏泉，獨此爾。浴室石槅，三足蟾。懸鐘、寶蓋，如名刹講臺上所設而加高。大海角虎蹲立雲霞，五色欲飛。極裏從暗處俯伏遠望，洞口水中所從入處，僅一小隙，透明如十五夜月，名仙人望月。又大象足二、小一，仙桂水波石，粼粼然大者如浪。轉雪山後而左，爲滑臺、爲池、爲田，畦町高下可數。仙人掛衣，横十數丈。衣純素，袪褏襞摺，皆天成。又仙人眠石，方整可卧。仙人帽、日月二宫。復從洞口踏水而出。凡洞中所見，不假一毫鑱鑿而形狀自然，其妙處殆不可言也。登山幾半里至中洞，洞口視深處乃暗穴，但聞潺潺水聲。束數炬相後先若入井然，稍斜向内，衆魚貫而下，石滑且險。約三十丈至水簾，自高巖噴出，下有巨石盛之，即不知水之所往。水簾出處，前有懸石如鐘，又如飛鳳。視水簾以下復沈沈深黑，人多不敢復入。臯羽毅然揚炬而前，韶卿、續古從之。由水簾之右轉而深入巨石無數，回視水簾，乃在目前。愈入愈深，下復無水。有石筍入空曠中，高可三四丈，色瑩如玉。從石筍而下，極底有石室燥潔，曾遊者留題在焉。回至水簾，漸可望明而上，不如入之險也。然不能深入，則不得盡其奇，來遊者率望水簾而止爾。又登山二里，韶卿父子、臯羽、續古倩兩山童買竹薪，束炬至上洞。入洞而右，爲觀音洞。從巖罅越石限而入，展轉愈高，攀緣至觀音前。其石像天成，垂衣伸一足如土偶者，但高入巖罅，以炬燭之，僅得其半，而臂與面莫盡見也。旁有潭，深不可近，名觀音井，又名龍潭。復路出，從大洞正面而入，歷三數坡陀，其石上雲霞、波浪、霜雪、屋室之類，皆不減下洞所見。洞口天日之光，斜射洞中，石崖上淡如月色，奇甚。内有石梁高掛，深可二三十丈，白龍護其左，蒼龍護其右。又入，有天池深廣，四畔峻壁不可下。池之裏有崖，如兩扉而啓其一。極黑暗中遠望，石扉啓處，天光下燭，蓋洞天漏明而人莫知其處，名「一線天」。既隔天池，不得復深入也。「雙龍」，洞口題名石上。韶卿賦三洞云：「金華北山三洞天，垂髫欲往今華顛。春風吹衣雨洗屐，瘦筇忽拄蒼山烟。山高地平走幽澗，根絡石上森楠梗。步從飛橋瞰石洞，厓色閱世知幾年。風痕霧迹化異物，龍首昂左尾右旋。就中暗穴如蓋頤，急水瀉碧鳴媧絃。遡流束炬照徒涉，肩背擦石行拳攣。水窮路夷内景得，以炬交燭窮幽玄。細紋蹙波湧浪接，皓彩凝雪飛霜鮮。大爲獅子虎犀象，瑣碎亦復蜂屯然。蜿蜒雙蟠角尾具，一一玉爪拏蒼堅。穹龜負甲色深墨，長蛇白質相縈纏。鐘能鐘聲鼓能鼓，不假樅簴知誰懸。直櫺斜檻藏湢室，短畦長町移原田。青雲白霓五色霞，笑畫敗絮留丹鉛。中途經過最深窅，伏身低眺洞口泉。空明一隙隔遠見，秋蟾浴海光嬋娟。左巖架衣頗横亘，疊摺衆皺垂蹁躚。自餘神怪不可極，似鑿非鑿鐫非鐫。出登山腰叩中洞，外視石井聞潺潺。入深踏險思縋綆，長竿揭炬後且先。水簾可俯心爲悼，到此十九歸言遄。嗜奇不憚歷磊砢，足以目故差輕便。翻身卻望水簾處，銀河天落懸吾前。常情疑復下百尺，積水定作神龍淵。石乾徑闢卻易進，玉筍拔地脩而圓。宜爲淵處乃爲屋，亦或摩蘚題新篇。同遊疑我久未出，笑謂豈欲井底眠。林幽風起日已晚，猶睨高洞山之巔。薪蒸可買樵我導，不遠數里仍攀緣。傍從石壁入深坼，如鐵户限瓊爲楔。儼然海相掛珠絡，熟視始信非誇傳。左爲朝真正面入，便想笙鶴遨羣仙。雲霞波濤仙衣裳，奇詭豈必下洞專。欻然脩梁架巖起，左右蒼白龍形全。望中極底勝漆黑，雙扉隱隱啓半邊。天光一道燭扉内，知此明罅從何穿。雷深壁峭不可往，安得插羽如飛鳶。嗟余兹遊尚牽俗，身所驟歷辭難宣。但思乞水學坡老，洗眼看字消餘年。」是夕，與懷玉同歸西鹿田寺止宿。寺丈室後，有奇石峭立，罅坼間可行，林泉幽勝特甚。默成先生潘公大書其處云：「余往來南北兩山餘二十年，獨未曾至鹿田。紹興七年四月十七日，同智者長老法銓來，於崎嶇險隘之中，得虚曠寬閒之地。脩篁喬木，巨石瀑泉，氣象雄偉，此蓋未之見，不獨甲於金華也。自是評吾鄉山水，以此爲第一」云。其丈室遂榜「第一軒」，上爲思賢閣。是夜聽雨軒中。

二十二日壬寅，曉霽，過東鹿田寺。廊廡列詩石，内有葉丞相衡集杜五言四韻，中二聯云「水花分塹弱，山木抱雲稠。更宿招提境，還同惠遠遊」。又僧舍壁間有郡倅金陵吴琳題詩，中一聯云「雲暗雨來疑是夜，山深寒在不知春」。潛齋王公嘗和其後。行數里，至潛齋所營山橋，穆陵御書「山橋書堂」四大字。下有懶瓚巖，巖上有亭，亭之西有石筍。又傍巖臨溪爲亭臺，遠望州城，城中之塔鑽小，雙溪如篆文。路口有亭，扁「北山」，今亭臺皆蕪廢。既下山，王、謝道士登山取别徑歸赤松，至潛岳寺前，帝臣、審言同入城，韶卿、臯羽、續古、肖翁取赤松源口虎頭巖下。道遇雨，抵上坦旅宿。

二十三日癸卯，曉霽。近午度太陽嶺，晚宿柳時聲居。聖傳之蘭溪留詩以待，續古先歸。

二十四日甲辰，過松巖陳粹翁，午與臯羽别，晚復雨。

二十五日乙巳，韶卿父子回抵吴氏書塾。客有問金華勝遊者，韶卿以詩叙其槩云：「赤松上下雨霏微，八詠樓頭重拂衣。西港晴來汀艸長，北巖幽處洞泉飛。風敲定磬鹿春過，月滿丹臺鶴夜歸。歷覽因知古詞客，盛誇雲夢未全非。」臯羽歸後，作《金華洞人物古蹟記》。（《存雅堂遺稿》卷五）

謝君皋羽行狀

君諱翺，字皋羽，姓謝氏，福之長溪人，後徙建之浦城。曾祖景暉，祖嘉，至其父鑰，以《春秋》學爲婦翁繆正字列所器重。嘗著《春秋衍義》十卷、《左氏辯證》六卷藏於家。君世業，弱冠已有聲，試有司不第，落魄泉、漳間。會丞相信公開府，杖策詣公，署諮事叅軍，其略見《西臺慟哭記》。後避地浙水東，留永嘉、括蒼四年，往來鄞越，復五年，戊子夏，至婺，遂西至睦及杭。慕屈原懷郢都，讀《離騷》，二十五託興遠遊，以「晞髮」自命。爲詩厭近代，一意遡盛唐而上，文規柳及韓。嘗欲倣太史法，著《季漢月表》，采獨行全節事爲之傳。大率不務爲一世人所好，而獨求故老與同志，以證其所得。會友之所名汐社，期晚而信，蓋取諸潮汐。嘗爲《許劍錄》，嘅時降交靡，耆舊凋落，盡吳越殆無掛劍者。思集同好姓字、年爵、居里，擇地昔賢所嘗遊，作亭立石，他日示宿草不忘意。其遊蹟，非勝絶處不到。如雁山、鼎湖、蛟門、候濤、沃洲、天姥、野霞、碧鷄、四明、金華洞天，探幽發奇，所至即以遊錄述。所賦詠，多昔賢文字所未及，持以與人，若載異寶歸者。遊倦，輒憩婺睦之江源、月泉、仙華巖、小爐峰、三瀑布。復愛子陵臺下白雲原，唐玄英處士舊隱，有終焉之志。且欲爲文冢，瘞所爲稿臺南。甲午寓杭，遣人劉氏女以女。至是買屋西湖，日與能文字者往還。乙未復來婺睦，尋汐社舊盟。夏由睦之杭，肺疾作，以秋八月壬子終。蓋於是距生年己酉，四十有七矣。垂歿時，語妻劉：「吾去鄉遠，交遊惟婺睦間方某、翁某數人最親，死必以赴。慎收吾文及遺骨，候其至，以授之。」辛酉訃聞，婺方鳳、方幼學、吳思齊，睦馮桂芳、翁登及弟衡，會小爐峰，相嚮哭。明日，鳳與幼學方𤎽先往臺南，度可葬地。甲子具舟之杭，哭諸劉氏。劉循治命，候庚午以遺骨歸殯桐廬買山營兆所度處。越明年，正月二十八日丁酉窆，以文稿殉。兆在故起居舍人范公端臣墓右，地名嚴陵，郡以著名，即其地。從初志作許劍亭、伐石表於墓，曰「粤謝翺墓」。蓋君嘗人剡，見戴顒墓表云然。窆之日，同年生吳謙志壙〔一〕，其從孫貴以門人虞而歸婺，祠之月泉。君遺稿在時，舊所爲悉棄去，今在者，手錄詩六卷、雜文五卷、《唐補傳》一卷、《南史贊》一卷、《楚辭》等《芳草圖譜》一卷、《宋鐃歌鼓吹曲》、《騎吹曲》各一卷、《睦州山水人物古蹟記》一卷、《浦陽先民傳》一卷、《東坡夜雨句圖》一卷、《浙東西遊錄》九卷，《春秋左氏續辨》、《歷代詩譜》未脱稿，選唐韋柳諸家，及東都五體在集外。憶君始至時，留金華山中。歲晚，爲文祭信公，望天末共哭，復賦《短歌行》以寄餘悲。自是與余爲異姓兄弟，不忍離，離輒復合。每卧起食飲相與語，意不能平，未嘗不撫膺流涕也。君好修抱獨，刻厲憤激，直欲起古人從之遊，其樹立有如此者。顧死中年無後，翁衡與余子樗，俱嘗從君受《春秋》，未卒業。諸學者經指授，率異嚮所能。余雖早衰，尚擬相從，盡衡霍之興歸，而潛文字以老。今已矣，能無痛乎？姑叙顛末，赴所知，求爲銘，且以俟後世君子。友人方鳳謹述。

〔一〕同年生吳謙志壙：「同年生」，原作「同生年」，據續金華本改。

祭溫州路教授吳君

昔年丙子，始識君家，而父伯叔，三荆正花。當兵革餘，同館穀我，二兒來趨，旁列右左。金蘭之契，膠漆之堅，道義相與，逾三十年。中雖暫違，虚左以待，信誓重尋，前規弗改。詳君出處，意在徜徉，室扁「止所」，舟名「安航」。園丁蒔花，廝役鋤藥，沼樂觀魚，亭率放鶴。家庭燕集，賓客過從，有壺有奕，觴咏從容。居嘗語余，人苦形役，或擁牙纛，或肆毒螫。當其觸網，頓踣糾纆，我則此中，心身泰然。賸擬耆年，爰樂始旦，徐行裝遊，宦甌泮渙。彼蒼不惠，苦戕善根，疾未及藥，弔已在門。顧予衰摧，期託晚歲，君乃先余，逝矣莫逮。縱論三世，賴有象賢，猶存楚醴，不乏鄭氈。憶君斷絃，自爲卜兆，豈知今斯，繼飛丹旐。兹率二兒，薦此金巵，望望新阡，老淚交頤。（以上《存雅堂遺稿》卷三）

（以上李軍校點）

全元文卷三六二

鄭思肖 一

鄭思肖（一二四一——一三一八），字憶翁，號所南。閩之連江透鄉（今屬福建）人（盧熊《蘇州府志》）。宋太學生，善畫墨蘭。宋亡後，浪跡江南，坐卧不向北，聞北語即掩耳走避，緬懷故國。自號三外野人。晚年寓居吳中僧寺。延祐五年（一三一八）逝世，年七十八歲。著作有《一百二十圖詩集》一卷、《錦錢餘笑》一卷、《所南文集》、《心史》七卷。本書所收文，以《知不足齋叢書》本（一九二一年上海古書流通處據清鮑氏刻本影印）爲底本，校以一九八五年中華書局據上海商務印書館排印本影印《叢書集成初編》本。

答吳山人問遠遊觀地理書

所南翁福之連江人也，落命吳中，不與世接久矣。夫何天風吹子來前，與吾相見，問遠遊觀地理之事，而子又謂某家傳地理學幾二十年，以能問於不能，何耶？終不成味古人之所殘，鉤吾子之所蓄，倒售於吾子。陳言泛意，想不足以新子之聽。既有問，只得破口傾出自己胸中之天，以廓吾子之天，勿怪其荒誕無緒，不與地理書同也。今吾六十四歲矣。二十二歲壬戌二月，我父菊山先生卒于吳中。十一月，葬于長洲縣甑山之原，天幸保全四十三年，略無他説。幼嘗聞我父曰：「汝祖卒於枝江縣主簿，葬於南門外。我一兩歲失怙恃，莫知所在。丙午歲，遊荆州，止望祭於南門外。」我祖宗墳墓，俱在吾連江透裏，我終天憾恨不消。今我祖之墓不知何如，我父之墓未知其往，又爲無後罪人，惟有終天痛哭於罔極，尚忍言墳墓之事耶。古之葬者，厚衣之，以薪葬之中野，不封不樹，將以泯之於太朴之天也。劉向言：「黄帝時始製棺槨。自是以後，緣情制禮，三代損益，尚從簡朴。」寧儉寧戚，爲禮之本，始得盡子孫之心，又得盡春秋霜露之感，祭於斯拜於斯也。古人胸中高明，一見便了所以。古法人人皆葬，皆無疑背，罔不合宜。未若後世嘮嘮叨叨、支支離離，棄本逐末，侈爲乖謬。司馬溫公《葬論》、伊川先生《葬説》，允爲儒者正大之論，終難磨滅。唐呂才《救時》、《卜宅》、《祿命葬》三篇，其説亦正才，所學則淺陋也。吾每思之，天地間山水奇絶之處，世間富貴之人，各有氣數，安得人人俱得吉地葬之，又安得富貴之人復得吉地，世世永享福壽富貴耶。天地亦不肯妄加禍福於人，亦安得使人可弄智術，移易天地氣數禍福耶。堅欲厚葬吉地，決動溫韜竊發之心，今江南罕有數十年完墳，何獨樵兒牧豎荆棘狐狸之悲乎。凡子孫堅欲上穴爲安厝計，有數十年求之不得者。非唯死者不能妥其陰魄，而生者空勞心費財，有累養生送死正理，强留死者未得入土，骸骨卻爲自己他時富貴之謀，何孝子順孫之用心哉。抑不思《左傳》曰：「天子七月而葬，諸侯五月而葬，大夫三月而葬，士踰月而葬。」葬節書法或書其緩，或書其速，或書其禮。其非禮，其過制厚葬，《春秋》其嚴乎。與《禮記》葬期微有異，是爲古制必有以也。且地理之説，其可考者，自公劉居豳，有相其陰陽之意，至十四世周成王，有命召公先相洛之事。孔子有「卜其宅兆，而安厝之」之語，卜者擇其吉也。《禮記·曲禮》已有「前朱鳥，後玄武，左青龍，右白虎」之説。暨乎《春秋·左傳》書葬頗多，主乎大義，不及葬法。《儀禮》、《禮記》喪祭最備，語葬亦多主乎禮，不及葬法。《檀弓》縣子曰：「夫喪不可不深長思也。」至於葬獨不深長思之何歟，又當思。」國子高曰：「葬者藏也。」欲人弗得見也。孟子曰：「無使土親膚也。」是掩親之道也。孔子曰：「葬於北方。」北首三代之達禮也，之幽之故也。《禮運》曰：「死者北首。」鄭康成註謂：「地藏爲葬也。」是不可首南、首東、首西而葬也。此三代之葬法也。子游問喪具，夫子曰：「稱家之有亡。有，毋過制；苟亡矣，還葬縣棺而封。」謂無則便爲窆，束棺直下而葬也。孔子曰：「吾見封之如堂如坊，如夏屋，如斧。馬鬣封也。」孔子以延陵季子習禮，觀其葬長子於嬴博之間。孔子曰：「其坎深去聲不至於泉。」謂度深得宜曰深，此即孔子之葬法也。孔子合葬於防，封之高四尺，從周制也。有子曰：「夫子制棺四寸，槨五寸。」孟子曰：「中古棺七寸，槨稱之。」則棺槨六向俱當厚也。莊子曰：「衛靈公死，卜葬於故墓，不吉。卜葬於沙丘而吉，掘之數仞得石槨焉。」則周末已重卜葬之吉凶矣。漢興，風俗漸繁漸華，正如漢京房輩卜筮之斷，不如《左傳》載卜筮之斷明白簡當也。淮陰侯布衣時，貧無以葬母，乃行營高敞地，令其旁可置萬家者。太史公聞淮陰人言，視其母冢良然，則漢初已尚地理山川之勝矣。至晉地理之術始盛行，羊祜猶出折臂三公，陶侃葬牛眠地，郭璞葬龍耳，不三年當致天子等説，久相傳爲美談。地理家謂始於赤松子《青囊書》、《錦囊書》、《狐首經》。樗里子青烏先生、郭璞、一行師、袁、李、曾、楊輩，俱精其術。郭璞青囊中書已爲火取去。今所存《狐首經》爲第一書。邇後其書千百，議論縱横，遇有安厝，咸以此事爲重，誠不可廢。流至於今，耀爲奇術。子毋以是而動心乎，欲以市道罔利，則不可；欲以陰騭存心，則可。有足力，無眼力則不可；有足力，有眼力則可。欲之天下四方，觀天地造化，觀天地氣數，觀天下山川，觀天下人物，觀天下風俗，觀天下文章，觀天下萬事，觀天下萬物，則可。子正少年，鋭氣英發，宜爲古人，宜學儒者。不優於儒者，不足以通天地人也。吾其人也，吾之上即天也，吾之下即地也。中其中者吾也，以其中仰乎上，則蒼穹高懸，尊不敢望。以其中俯乎下，則大塊横陳，近可諦視，足力所到，目力所窮，了不可逃於吾胸中。既不可逃於吾胸中，即今雙足之下，尺寸之地，來龍從何發源。若不能見吾雙足之下來龍，則不知吾眼底所見八方來龍。若不見吾眼底八方來龍，則不知此縣此州、衆山衆水、一丘一壑各各來龍。若不見縣州山水丘壑各各來龍，則不知九州五嶽、萬山萬水各各來龍；則不知至遠八方、遐陬絶域、四大海中一切大小山水、洲渾諸國、不與南閻浮提中國接壤之地各各來龍畢竟畢竟；不知渺渺茫茫無邊大地大海全體來龍。欲知茫茫渺渺、無盡無盡大海大地全體來龍，胡不以仰觀俯察、近取遠譬之理，反覆精思天地人之全體，更反覆精思之，復反覆精思之，求於必悟，以通其太妙。昔者，大禹隨順山勢濬導水脈，因其地理支派，别九州以治水，本不論天下地理形勢。南揚、北冀、東青、西雍，中間周圍三四萬里，爲堯之九州。天下，《尚書》以積石爲河源，苦不遠窮於析支渠搜之外。《周禮·大司徒》求地中以建國，周知天下地域廣輪之數，遠不出於九州之外。唐一行以山河之象存乎兩戒，其北戒自三危負地絡之陰，屈曲入東北至朝鮮，是爲北紀。北紀爲胡門，河源爲北紀之首。其南戒自岷山負地絡之陽，屈曲入東南至閩中，是爲南紀。南紀爲越門，江源爲南紀之首。兩戒乃雍梁以東，兩支山勢，兩支水脈。只是論唐天下十道之形勢，更自三危而西北，幾萬里方至崑崙山，始是黄河之源。漢使張騫窮河源，《續博物志》謂：騫至宛夏間，見河水初原，達其潛發處。小崑崙山宛夏間，至大崑崙山尚極遠。桑欽《水經》論：崑崙山去嵩高山西北五萬里，高萬一千里。《淮南子》、《博物志》：其高如之。司馬遷、班固咸贊崑崙山高二千五百餘里，日月所相避隱爲光明，正是大崑崙山。其上即釋氏阿耨達多池，流出四河，黄河居其一。東土之山勢，咸自西北大崑崙山迤邐而來。至王屋、太行、飛狐、上黨諸山，爲東土天下之脊。自大崑崙山更西南幾萬里，方是天竺國。更幾萬里以上，方是西海。儻不能盡論南海之南、北海之北、東海之東、西海之西，非大地之全論。不知其大，焉知其微？微者以何爲體？不知其近，焉知其遠遠者以何爲界？知地而不知天，知天地而不知人，知人而不知天地，知天地人而不知萬物，非知天、地、人之全論。天不獨爲天，亦不自知其所以爲天。地不獨爲地，亦不自知其所以爲地。人不獨爲人，亦不自知其所以爲人。萬物不獨爲萬物，亦不自知其所以爲萬物。徹見三才之機，互而萬之，則三才之道妙矣。天形圓而完，其體則正，故能範圍造化中大全之體，則以日至天頂爲午，日入地底爲子。地形方而平，其體則偏，僅能函載天運内小半之體，則以極南爲午，極北爲子。天道雖左旋，天氣則下降。地道雖右轉，地氣則上騰。地勢雖散漫平走八極，而向東向南最低最弱最薄。地運則在地中密移，東西南北而不定。地外地之全體，則在大海中，隨春夏秋冬四遊而有準。然地之正體以下，以北爲正。丙午壬子，正當其正。山亦地也，爲陽中之陰。而峙水亦地也，爲陰中之陽而流。山以南爲陽，以北爲陰。水以南爲陰，以北爲陽。山體雖鎮靜，其勢則活動。水勢雖浮動，其體則平靜。東土水勢雖東流，東海潮勢則西上。東土山勢皆自西北大崑崙山發源。乾山爲山之正位，爲先天之艮山。後天寅爲艮山，亦爲山之正位。大崑崙山山西(二)，山皆西向，水皆西流。南海、北海、東海、西海之外諸山，皆深深遠遠自海底而來突出，未易評論，決非《山海經》所能盡知。地之陽氣盡從地底而上，故純坤之伏卦爲乾。山之陽氣亦自地底而上，由卑而高，陽氣直達山頂，故艮之陽畫居最上爻。冬至後，陽氣盛，水土漸重。夏至後陽氣衰，水土漸輕。坤雖柔也，其動也剛。坤雖靜也，翕則斂而歸根。開則散而生萬物。當夏至一陰後，至閉塞成冬時，地氣亦上騰，但至深至微至密耳。午時後亦如是。以天地間，未嘗有一息不升降流行之造化也，而人亦未嘗有一息不升降流行之氣脈也，而坤地之妙用，亦未嘗有一息頑靜而不流動也。潮者，海水還歸尾閭之底，爲潮落，大海氣脈吸而入也。尾閭外之，水湧出大海之上，爲潮長，大海氣脈呼而出也。艮以望夕之月，受陽光正滿，則望夕之陽潮，直至子時正盛而正滿。晦日之月還陰魄正滿，則晦日之陰潮，直至午時正盛而正滿。世傳初三、十八爲潮大信，猶如陽極於夏至。而未月之末，熱愈熾。陰極於冬至，而丑月之末，寒愈冽也。月與潮與人身中陽精藥物，體雖不同，而同一造化。又日月五星行度、一切星辰、一切風雲雷雨等，又陰陽五行八卦八門九星太一十六星等，又劫數年月日時、時節氣候、支干方位、一切吉凶神殺、一切天神地祇、一切諸法、一切造化，妙用無窮無盡，皆一一各各變化不同。又天下無盡世界，地不同，山不同，水不同。一丘一壑，相距不多，步尺鑿深，或問尋丈。土性、土脈、土色、土味、土聲、水性、水脈、水色、水味、水聲、石性、石脈、石色、石味、石聲，一一不同。各地所産禽獸，所生草木，以至種種萬物，其狀其性一一不同。三才萬物萬事萬法，萬變萬異，無窮無盡，一一各各不同。其不同，一一雖不同，一一莫不皆有倫序。文理支脈，一一各相背而馳，不相統，不相合，不相通，不相同。自生自滅，自始自終，自形自色，自性自命，各分絡繹，各爲經緯，各具一切，各辦乃事。非真不相統，非真不相合，非真不相通，非真不相同。不同者不通者，形也事也。通者同者，理也氣也數也。莫不皆自宜其宜也，莫不皆自然其然也，皆所以錯綜倒順，彌綸宇宙，以立三極也。天地人萬物皆活物也，皆以南北爲經，東西爲緯也，皆一理也。一一皆以大造化爲本。大造化以何爲本，以真陽生意爲本。天以之散爲萬象，地以之散爲萬物，人以之散爲萬事。其根源，一一杳冥乎至深至深玄微之中。而事業，一一發見於無盡無盡廣大之外。其實皆原於真陽生意也。真陽者體也，生意者用也，二者本不相離也。不僞於僞曰真，不陰於陰曰陽，不死於死曰生，用之無盡曰意，故曰真陽生意。其天地人之神氣乎，其天地人之命蒂乎？不以古今變，不以頃刻停，鼓舞萬化，無有終極。其機或焉滯，天地閉，在人則病。其機或焉息，乾坤毁，在人則死。列子曰：「天地空中，一細物耳。」人又天地中一細物耳。然其理甚妙，其心甚大，其機甚微，其氣甚深，其體甚真，其用甚溥。可以與天地竝。而參天地之化育者，以此天猶吾身也，地亦猶吾身也。今吾之身，相與生其生者，皆十二經脈。奇經八脈行乎至深至妙之中，層負萬氣，支縷萬脈，統緒相纏，首尾相銜，次第相軋，玄妙相應，貫頂貫踵。縱横經絡五藏六腑，四肢九竅，周而循環，呼吸吐納，灌注井滎，流通榮衛，氣血筋骨，精神魂魄，三百六十骨節，八萬四千毫竅，以之爲身，其妙未嘗不相通也。以之爲穴，至於種種之事，其妙用又未始相同也。此所以爲一身來龍之關鍵也。其能如是者，乃吾身中下丹田，先天、先父母，一點真陽生意流衍之妙也。其人之神氣乎，其人之命蒂乎？當天地造化真陽生意動時，人之三焦之原，十二經脈之根本，雙腎之間下丹田，至深深至微微之中，一點真陽生意先動。任督、湧泉一時俱動，天地人萬物咸同此真機而相通焉。雙腎之間爲下丹田，出《神景内經》。馮玠註《難經·八難下》註引之甚詳。《黄庭經》脾長章註引《玉歷經》亦然。又《道藏》、《别經》處處皆同此説。人能通真機之妙，得此真陽，藥物聚則成丹，不聚則不成丹，乃妙於人者之聚也。粤自判重濁爲地之後，柔者爲土，剛者爲金，頑者爲石，英華榮茂者爲草木，雜氣爲物，秀氣爲人，皆依乎地而形其形者也。然皆不識地之所以爲地，能博厚無疆，發育萬物，何所藉而能如是。孰知夫大地之下，皆一重土，一重泉，相間爲九，因而曰九地、九原、九壘、九泉也。層負萬氣，支縷萬脈，柔順鞏固，盪化流躍，斜細其軸，互爲鉗鎖，深運其機，密相橐籥，張布玄網，維絡地根，非金非石，非水非土，千千萬萬，經攢緯織，牢牢不可解，重重不相礙，綿亘持抱，幾千萬億里無邊大地，懸浮於茫茫無邊大海之上，以之爲地，其妙未嘗不根通也。以之爲穴，至於種種之物，其妙用又未始相同也。此所以爲大地來龍之關鍵也。其能如是者，乃大地底至深至玄，先天先地，一脈真陽生意流衍之妙也。其大地之神氣乎，其大地之命蒂乎？此下鎮地根之大寶也，真陽生意躍爲浮散流溢於淺淺之處，則地氣泄而虛耗，不用之猶不足。凡百事皆不宜。真陽生意妙於凝合，反抱乎深深之根，則地氣密而柔實，雖費之，亦有餘。在天下則太平，在人則壽，則爲神仙。真陽生意其天地人萬物之福基乎。《淮南子》、《博物志》所載地下有四柱、三千六百軸，非真有其形，聊借譬喻真陽生意，有大力量負荷世界，支撑劫運也。豎亥大章所步幾萬幾億之多，非真有其數，不足測量博厚無疆之地勢也。又如十大洞天、三十六洞天，亦孔穴之至大者，可以通仙靈出入之路。洞者空也，通也。洞而爲天也，純是陽氣結而爲骨，潛自崑崙，分跨海外，洞洞相通，犬牙相錯。十大洞天、三十六洞天，只是一洞，外無隙罅，内有光明，不入凡穢，密貯妙暖。十大洞天、三十六洞天、七十二福地，皆地底真陽生意凝結流衍之妙也。三十六洞天不可葬，如人身上有三十六穴不可鍼。七十二福地不可葬，如人身上有七十二穴不可灸，俱禁穴也。洞天福地、神仙長生之氣，不可以尸氣犯生氣也。其洞中四通八達之路爲大地來龍之骨，與人脊梁四肢節節相拄，有筋附骨絡之，外實而無穴，中通而有陽髓之意相同。世人肉眼不見身内支脈，節節有條理，竟以此身爲塊然之肉。世人肉眼亦不見地底支脈井井有條理，亦竟以大地爲塊然之土。殊不知天地人萬物皆有文理支脈。煙縷冰澌，壁裂瓦兆，尚有文理，謂之地理，獨無文理支脈乎？曷爲地之文理支脈，其來龍者地之根源所自本也。又取其勢如龍之來，蜿蜒活健也。勢之大者，厚德載物。次則廣闊坦平，委蛇坡陀，嶮峻崔嵬之狀也。支者，勢之分也。又外則路之所通，内則脈之所貫也。脈者，真陽生意流行之迹也。穴者，地氣山勢來龍支脈真陽生意之妙畢聚於此，凝結不滯，活動不流之窟也。此穴之能福於人者，真陽生意凝結不滯活動不流之澤也。穴者，竅眼也。鍼穴灸穴非竅眼，曰筋、曰骨、曰肉，不曰穴。葬穴非竅眼，曰土、曰石、曰泉，不曰穴。以其能通不能通内外氣脈之機爲義。高土爲墳，兆域爲墓，即宅所兆也。兆，朕也，謂地之一罅，微露造化毫芒妙處，即竅眼爲穴也。與鑿井無竅眼，通井脈則不爲井之意同。鑿井，横出泉眼，來處近淺而易竭，水味汗泛。直出泉眼，來處遠深而不竭，泉味清甘。土實水妙，土虚水濫。方方處處鑿井者，見地下土與泉，各各層層色澤氣味亦難盡其説。泉之正直而上曰檻泉，縣出曰沃泉，謂倒溜而下也。側出曰氿音軌泉，湧出曰濆泉。所出同，所歸異曰肥泉。所出異、所流同曰瀵泉。井無水曰眢井。水一也，以泉來處不同而名不同，味亦不同也。山地一也，地脈陽氣發源不同，有散出者、横出者、直出者、曲出者、半地出者、一脈分衆脈者、衆脈合一脈者、地氣竭有穴無脈如眢井者，其類衆泉之各異出而異名也。山勢以横走而來，地氣當直上而出。横者束之勝，則穴深。直者漢之勝，則穴淺。地之惕氣勝，爲有餘。山之形勢勝，爲不足。山地二脈，紐結均平爲兼美，其間之脈，山勢互横互直，互斜互曲，互正互爲，互相坱圠，種種内異脈外異狀不同，又過於□脈多多。以是聚而爲穴，又一一不同。有山勢地脈相逐相軋，相束相入，回抱真陽之氣，倒溜結秀於地中者，此歸源之穴也。此最難得難識，發雖遲，葬之久久，子孫終有奇特得道之士。穴之爲穴，非千萬可悉，議其所以爲形勢氣數者。形者天生其物之象也，勢者物情前陳之狀也，氣者天地萬物盛衰之候也，數者天地萬物盛衰之限也。形勢乃天地萬物之部位，氣數乃天地萬物之機括。形勢外也，氣數内也。一切形勢卒難自變，盡是氣數逼之換骨。形勢雖奇，氣數未來，無以發其妙趣。有華麗之屋在焉，無富貴之人居之，縱華麗亦衰冷，其如辜負此華屋何？地乃陰物，乃寒物，乃查滓物，而於陰寒查滓中得陽和精華之妙，非寶而何，非真陽生意而何？此真陽生意實自深深地底根源而來，與人之一身十二經脈、奇經八脈遠遠自下丹田任督、維蹻諸脈根源而來，見於骨節皮膚之上而爲穴之勢頗同。天地人造化之機悉不在外，悉在內，悉不可見，悉不可知，故妙，故神，世人焉得見之，焉能知之？地理之法，又與鍼法同。不知醫脈者，則不知病。不知病者，則不知正穴。毫釐之差即不得穴。或得其穴，鍼之無法，淺深不中度，反病於人。不識真來龍者，則不識真形勢氣脈。不識真形勢氣脈者，則不識真穴。大地茫茫然，不可尺寸量。或坐向不當，或失於東西南北之微差，或深淺不中度，皆不得氣脈之正。形勢正而氣脈完者，唯一穴，祔葬則分矣。祔葬即合葬也。祔葬亦有離合之分，衛人之祔則離，魯人之祔則合，謂隔槨別壙之分也。《詩》云：「死則同穴。」《檀弓》曰：「合葬非古也。」自周公以來，未之有改也。《喪大記》曰：「男子不死於婦人之手，婦人不死於男子之手。」意不欲死者戀戀於所私乎。子孫附葬於其下者，皆受正穴之福澤也。葬骨殖，初無偏正，勢又輕矣。葬衣冠杖履，則寄誠也。盍取形勢正而氣脈完者爲善。形勢雖正雖完雖妙，氣數已過，非吉也。識形勢易，識氣數難。識穴尚易，定正偏淺深尤難。纔遇形勢氣數，得其大體，正以主之。衆者客也，主爲君，客爲臣，君居正位，臣伏四方。須當熟視偏正，不必苦泥末節。穴不真，位不正，不可作。如是説，若人平日心地不開，眼力不真，臨時微差其意，則龍側虎向，風擊水衝，關繫不小。風水有渙散之象，山風有蠱壞之象。風能扇播地氣，夏至以後風自上而下，漸漸吹來，直入地底。曾有爲巽風吹側墓中之棺者。水能衝地氣，能泄地氣，能截地氣，使山地氣脈直從水底過地而去，亦能回抱地氣，映帶地勢。凡當要衝處，俗諺戒之，如當風門水口，遂相襲以爲看風水，最忌無情之風、無情之水、無情之山、無情之地。內無含蓄則直，則露，則無情，則不吉，以其不能聚真陽生意而爲神氣也。或微拱而不聚，或聚而不凝不活者，爲虚位、爲盲穴。似聚者暫駐而即去，微有滲漏便不完實。真聚者凝結而不滯，活動而不流者，爲真穴。其真自千里百里十里，從他山分勢舞來，至此斂然而止。或自地底發源，深深直上，至此欣然而聚。多有真似種種物象之形者，或平原曠野間，或水底，或石罅，別有奇異，有非世人可窺眖其深邃之妙者。其地之上也，外欲密，而內欲敞，欲常見日月，欲不紊陰陽，欲最茂草木，欲不生蛇虺，勢欲團簇，氣欲疏通，意欲清美，色欲明淨，脈絡欲雄健深厚而不露，骨肉欲勻實柔淨而不枯。骨者石也，肉者土也。大體欲左右宛轉，擁護環抱，顧戀有情，如朝王者，然後爲佳。使其地氣支脈湧沸而透爲一竅，山勢來龍旋折而注爲一窟，兩宜相入，通而爲一，停涵蟠蓄，眾妙絪緼，凝結而不滯，活動而不流。其地之下也，外必柔而內必化，土重而體清，紋細而髓深，暖如春氣、如雲潤、如瓊粲、如金流泛甘香，不與土同。羣奇雜瑞，叢然相獻，內外四方，靡不相宜。其一山一水，一丘一壑之神氣乎，其一山一水，一丘一壑之主位乎？環視此外，皆奴僕爾。一窟雖密，其上必有瑞氣，其下必有靈物。一窟雖微，其餘潤所及，或數里，或數十里，莫不隨其地氣支脈，山勢來龍，相宜情態，委蛇踴躍，遠近大小，清濁淺深，高下輕重，盛衰通塞之勢之意，爲地爲穴之優劣。勢之所駐，爲山氣之所會，爲聚止；而不聚則非穴山脈地脈不正則無穴。果能抱真陽生意之妙，正而聚則爲穴，此妙於地者之聚也。人多看山勢之止，不識地氣之聚。山乃附於地者也，當以地爲主。平原曠野間，當獨論地下氣脈氣數。多不喜平原曠野，以爲無形勢可取，正緣不見地下氣脈氣數盛衰端的爾。平原曠野間，忽得清暖妙潤之地，雖不如山之高峻，而速於應驗。因其平坦，極是耐久而平穩，是以古者葬之中野也。先論地氣，然後論山勢，乃爲全論。山勢露在外易見，地氣潛在内難見，止以山言，聚以地言，《易·萃卦》曰：「觀其所聚，而天地萬物之情可見矣。」聚之義妙矣哉。天者大造化之聚，地者山水土之聚，都邑者人民之聚，山者土石之聚，海者水之聚。聖賢者道德之聚，儒者德行才學之聚，佛者福慧之聚，神仙者純陽之聚，男女者父母媾精之聚。富貴者福德之聚，一切諸寶貨造化秀氣之聚。皆聚則妙，不聚則不妙。聚則富貴而有權，不聚則貧賤而無位。大聚則大妙，小聚則小巧。久聚則久耐，暫聚則暫美。大凡陽氣聚則暖，暖則生精神，生萬物。陽氣聚爲生，爲吉，爲福。陰氣聚則寒，寒則不生精神，不生萬物。陰氣聚爲殺，爲凶，爲禍，不可不辨。陽氣浮於淺，則爲暖。陽氣極其深，則爲熱。人之水臟之下極熱，不熱不足以化諸食，不足以運諸世事。地之水輪之下極熱，不熱不足以縮諸水，不足以消諸陰氣。萬物之生，其受氣雖偏而雜，只是藉此一點暖氣以生。其生真火，即真陽生意也。爲三才萬物立深深之壽根也。深深者不外其外，而内其内也。世人不論内論外，高人不論外論内。外富内貧，外强内弱，外勝内不勝，非福、非壽、非根本之論。有能一覷直透數萬丈波濤之底者，方見龍宫海藏分明，可唾手取第一顆鎮海明珠。有類如是之地，不生奇特之人，必生奇特之寶。所以佛仙勝迹，鬼神靈宅，多據山水秀異所聚之地，可以赫其靈，可以尊其神，葬者可以妥其魄，可以昌厥後，皆天地山水真陽生意氣脈凝結不滯，活動不流之妙所致。其天地人神氣之流慶乎？緬想《周易》，聖人爲棺槨治葬之法，翻巽初六，爲兑上六，是爲大過卦。大過乃始乎巽陰，終乎兑陰之卦。雖始終乎陰也，以乎外初六上六之陰畫，包乎内二三四五之陽體，是拱其陽，而聚之於内也。始於入巽之陰，終於悦兑之陰，巽開陰卦之始爻，兑了八卦之終事，始可以終乾父坤母之大事。能了父母送死之大事，當以外拱其陰以包之，内聚其陽而實之之地而葬焉，則死者入而悦矣，有歸根還源意。孰曰「遊魂」，上古葬之中野者。何中野者？非獨指一處，凡一山一水，一丘一壑，所在莫不有天地正中之位，天地正中之氣。外而得地勢之正，内而得地脈之正，其真陽生意之機之聚，寧不在是。宜東不東，宜西不西，宜南不南，宜北不北，宜高不高，宜低不低，宜深不深，宜淺不淺。如蓋覆函，分毫不差。微有參差，即不相應，皆非中也。氣數已過，氣數尚遠，亦非中也。中則和，不中則不和。和則真陽生意聚矣。古者葬之中野，聖人以棺槨，取大過，皆寓葬法於言外。諸葬書盡不議及此。若地理四面形勢似乎潮落，吸其真陽生意，歸斂地中，密拘於内，是爲葬者之穴。若地理四面形勢似乎潮長，噓其真陽生意，浮漾地上，流潤於外，是爲生人之居，此陰宅陽宅之分也。若倒用之，力則減矣。開闢初心，發而爲真陽生意，以溥大化。天地尊位，山澤通氣，本不爲葬而設。本爲生民立極，鼓三才萬物生死之機，開斯世興衰無疆之運，先古氣清，後劫氣昏，此意玄賾，存於不論。一郡有一郡之形勢氣數，一縣有一縣之形勢氣數。坐向，前欲正而朗，後欲實而厚，高而不陷。左欲昂而長，右欲低而短。分而相向，捧盤獻珠，怪其光明燦爛，見者顏面亦生紅潤。地欲厚，土欲重，古人每稱土輕重，驗地岡厚薄〔三〕，立郡治縣治，宜於坐鎮四方，潤澤生民。地下氣脈所聚者，大則爲郡爲縣，人物所聚必繁盛。陽氣不聚，則土弱，面地無力，不宜勝載世事。陽氣聚，則土實面地有力，則地與人相宜而生福。聚之小者爲穴，而爲穴之形勢氣脈則欲斂束。山之與地數里數十丈之形勢氣脈，聚于或一二丈或數丈之餘。愈密愈妙。掘地藏寶貨於不露形像，葬者冥竊天地真陽生意一罅之暖，自然宜其後人，吉無不利。地亦欲厚，土亦欲重。一郡一縣之間，可居者多，可□者亦多，居而奇則少，□而奇更少。欲求穴，萬或一二，真陽生意散而流行天下，無往不在，無往不生草木萬物。然氣聚處少聚而爲穴者，真陽生意之小，小至微一芽爾。其大本則垂蔭十方，無盡衆生世界。《抱朴子》云：「天下一郡一縣，一鄉一里，一宅一房，各有生地，各有死地。」又兵家兵書多論天下戰守形勢，其說應機出處，便宜行事，難拘其說。如荆州、永州，息壤不可犯之。《淮南子》謂之息土。又地形之小異也。廣南之地頗有惡戾之土葬，及一年骨與棺盡朽爲土。四裔遠域更有麤硬惡戾之土，非正氣也。《易》曰：「立地之道曰柔與剛。」坤以柔道爲正。土柔而細潤則吉，土剛而麤硬則惡。山氣多剛，地氣多柔，柔勝於剛乃吉。唐末，遠方或以五色帛，或以器貯活魚，埋之一年，發視其魚生死，五色變不變，驗其地美惡，其癡殊甚。昔有至人教人，待大雪中看雪，不積處是穴。又有至人教人，執火把走，遇火滅處是穴，乃陽氣散漫而出，不容火燃也。又有至人教人，燃燈於所指之地，看燈不明處是穴，乃一縷陽氣勁緊直出，隨一縷燈焰而上，不爲風雨所滅地。如數里數十里之間，山地四向皆砂礫冷瘦之土，忽其中一圍或一二丈或數丈乃清暖柔膩之土，至吉地也。此皆論地下造化也，皆真陽生意之聚之妙也。水圓折者有珠，水方折者有玉，此其似也。不止於此，地運、山運將興，素有虎狼，盡盡自去，卻與人相宜而生，歡愛心如增如漲，如地下藹藹有情於生春。地運、山運將衰，曩無蛇虺，戢戢亂生，卻與人不相宜而有損害，意似偷似陷，似地下索索有聲而走氣。非有高明之人，見以見外之見，即古山水開新氣象，剖其精玄則失之矣。唯是世間萬事，年改月換，日變時化，山山別、水水別、處處別、方方別、氣數別、變化別、興衰別、久近別、一別衆別，別別無盡，秖將別以益別，竟莫別其爲別，以何別別之法，別其不別之別。應笑盡走於不容不別之萬別世境，不識別有非別非非別之地在乎山阿。一天之妙無盡，四時之氣常和，八方之風寒莫入數畝之土，宜最多。縱有萬別，其如之何？不遇至人，意終不決。至人開眼一照，洞見天外。天地俱新，山水俱活，一指指定，不勞再指，更不求其契合於一切法，而自然契合。天上陰陽五星，九星四時，地下五行八卦，八門九宮，二十四局，三十六將，一切造化，何用安盤下鍼。擬議來龍，定主賓，分拱按，形勢諸事，又何須移路避衝，改水換勢，種樹補缺，培土爲照，粉飾諸事。世率以五行之山各二十四局，纔遇一山一水，若差一步十步。又各有二十四局，互換作數山數水之用，互換爲主爲賓爲龍爲虎爲風爲水，互飛天星，互移八卦，互開八門，互飛三白，互爲六儀，人各出奇術，人各生奇見，展轉發明，各各屈折山水形勢，歸於輪盤格局之中，爲千千萬萬山水妙用。此爲移尺寸之差，盡換山水之勢，頓別禍福之應，乃人爲之穴也，實非山水自然真穴也。此意相

婆娑。宜以窀穸，瘞骰崖峩。過於鐵函，牢不可磨。樂哉斯丘，絕無偏頗。宜以菟裝，遯世

襲已久，難可遽改。若用坐東坐西，則陰陽相差。坐南向北，則位置顛倒，陰寒極重。後人以枕所坐
之山，即爲北首，非北首也，非天地正位也。縱別有至奇特處，不得已而用之，終減分數，何況不深忖
細論分金輪盤諸格局法，只推測得世上尋常五行生旺格局，未足以見地下真正自然氣數。大地廣博
氣脈，紛錯糾纏，潛走地下，自然變化，自然奇特，一一處處，各各自然不同。詎可以世間奇見活法，
移換拘束自然造化。以三年一步、十步一世，種種諸法移易氣數，勒爲定驗。山山水水、處處方方，
氣脈氣數有時遲，有時速，有時進，有時退，有時然而不然，有時不然而然。又一一各各皆不同於不
同，果可以輪盤籌策，算以活法，局以定驗，推測之乎？天静無風，一鈴獨鳴。天津橋上聞杜鵑聲，以
心通知之，亦似以風角鳥占知之，不以尋常推測法知之，而乃寫爲山形，板成死本，纂爲格詩，釘作死
句，爭知天下事盡在一毫上，挫過好事，勿泥死法。當開活眼，勿執外境。當察内情，勿拘小局。當
觀大體，千丈爲形；百尺爲勢，其見亦狹矣。目前之所謂葬者，不過取山水微有格局處，不問無真來
龍，不問無真穴，不能細論主山。妄誕指東畫西，誣合遷就立説。只怕地下有石有水，深鑿不過案天
星九尺爲例，卻令多增新土，培高爲勢，終是客土，氣不相合。江南墳墓，棺槨去土多止三四尺，豈治
葬良法？夫子封墓，謂不可弗識，非爲培勢。從古封墓論爵，焉敢過制歟。忍聞江南之人，子孫零
落，掘焚取物賣地，風俗惡薄可歎，反不如楊王孫立於臝葬也。古者葬法俱不用石槨甎槨，亦不用柏
梁槨板，四圍竝不甃砌，但以周圍厚木棺槨，深深懸棺下葬，不用槨亦可，最以深爲妙，不留影迹與後
人知始佳。古今天下處處葬法各不同，獨此法最簡最妙，只恐父母無治命，子孫決不肯用此法。舊

以歷青和油煎，徧刷棺外。又黄泥石灰，或查和擣，卻周圍實之，久則如鐵，極可取。謀葬者當薄葬，棺内無物，棺外葬不華飾。又當漫山無迹，只可遥望拜掃，庶或其可。世人竭目力，繼心思，略見地上分毫氣數不能徹，見地下本體造化猶相人之形貌。醫人之疾病者，不能徹見人之靈臺五臟，豈善相也，豈神醫也。世人既見不分明，不得不再四爲避凶就吉謀。孔子曰：「里仁爲美，擇不處仁，焉得知。」釋名曰：「宅，擇也。擇吉地而營之也。」聖賢教人擇地而居之道也。若夫橘踰淮而北爲枳，鴝鵒不踰濟，貊踰汶則死，及蟻遷穴，鵲巢避風避太歲之類，萬物各有所宜，萬物各有所不宜。《禹貢》任土作貢，職方氏九州所宜。歷代貢各州所産，皆土地所生，風氣所宜者。《易》亦論及天地之宜，象物之宜，與地之宜，使民宜之。《月令》亦論來歲時令之宜。大司徒以土宜相民宅，與夫七月豳俗，皆論天時地氣人事之宜與不宜。陰陽家諸法、諸卜皆論與此事宜與不宜。《考工記》論天時人事獨歸重於此，地氣然也。真的確論，本乎地者，親下故爾。地氣非獨能變物之美惡，然頗能移人之性情。其地宜佛、宜僊、宜儒、宜富貴、宜豪傑、宜人民、宜於清粹，重厚者吉。其於濁惡頑脆者不吉。種種人事所宜不同，由於地土清濁剛柔變化之氣種種不同而然。司馬頭陀識骨人不宜住肉山，而識潙山主之奇驗是已。或宜於此，或不宜於彼，或宜於古，或不宜於今，皆地氣使然也。山勢地氣宜於葬者，則宜於存者。論地之外，山地卻要分明，一依風俗古例。存者立陽券，問人買地。又立陰券，問土神買亡者葬地。明示疆界，幽告神明，苟不宜，客鬼爭之，土神訶之，官訟陰譴，纏綿子孫，乃存亡事理財物不正直分明所招，非山地風水神殺之咎。偷葬者有福，無爭無咎，葬之不宜，則爲僵尸，地寒氣滯，骨槁肉堅之故。肉軟者非僵尸，暖則化，化則吉。況葬以藏爲義，人之藏物必藏於深密完固之處，不爲人竊鼠偷，則物永久葬之。藏骸當藏於暖密完固之處，復藉山環水拱，則墓永安。更亡者在生，德行精神完固無失，宜潛陰神，瞑如入定，歸宿深密，鞠育靈活。一窩暖雲，漬醒冷骨，寂以養幽，獨妙於遊冥漢，何當躍滯爽於玄夜，開生顏於尸解？次則爪甲纏身，笑面如生，此大不易得，否亦過於南面王樂也。非此暖意，則太陰何以煉形。真陽生意之妙一至於是。于以宜後人，以安以壽，以富以貴，父母子孫一氣潛通，幽明孰能間之。人之欲安欲壽，欲富欲貴者，固天下所同欲也。抑又當思天有時，地有運，氣有盛衰，世有古今，天上劫運，世間莫測，而三元甲子一周一百八十年，天運一小變，地運亦一小變。一丘一壑，一紀十二年，亦一小變。小則地脈山脈或移，風路水路或轉，土有增有陷，石有長有泐，又或掘鑿燒毀坍崩。又甚則高岸爲谷，深谷爲陵。又甚則萬方易俗，萬化易位。又甚則桑田變海，海變桑田；大則復混沌復開闢，混沌開闢無有盡期。造化氣數一回，天溥真陽生意以福於人，則地氣通，一方之水土俱甘香暖潤，人物亦清正賢慧，鬼神鳥獸亦咸若，萬物亦盛多，一切色，一切聲，一切氣，亦俱清。造化氣數一去，地收真陽生意以遠於天，則地氣塞，一方之水土俱苦澀枯寒，人物亦愚陋惡逆，鬼神鳥獸亦不寧，萬物亦衰乏，一切色、一切聲、一切氣亦俱濁。禎祥妖孽可以前知，人生無慧目、慧耳、慧性，則不能見一切先變之色，不能聞一切先變之聲，不能察一切先變之氣，不能辨一切先變之味。以至一切處、一切物、一切事、一切俗、一切人、一切心，種種先變之兆，外雖如然未變，內已隱然先變。小則數月、數年前，大則數十年、數百年前已兆之矣。

如《史記》秦樗里子已先知葬章臺東，後百年有天子宫夾我墓，所言奇中。非獨此一人一事，亦非獨一丘一壑、一物一事、一家一郡消長之理如是，天地氣數大體消長之理亦如是。人與萬物尚未變，獨地氣先變。蓋地爲萬物之母也，真陽生意盛，則地氣盛，萬物壯實而耐；真陽生意衰，則地氣衰，萬物槁弱而不耐。或消或長，難以定論。如海中沙渚，或東湧，或西没，如空裏雲霧，或雨出，或晴收。又地水之外，渾是金剛之氣，秉而爲輪，自然天下八方地底，無往不當生金銀。時未至，氣未完，體未堅，物未出，彼長此消，古無今有，各有氣數，悉難以定論。自古帝王建都，下而小邦外化，立國往往不同。原於天時地利人和，各各與氣主盛衰，氣數之所感召，三者有一不完，則王氣衰歇。古今天下三才萬物盛衰生死之運，處處亦各各不同。天地日月尚終歸於壞，特歲月劫運久近不同耳，安有一定不易之人事，亦安有一定不易之乾坤耶。亘古不壞者理也，真陽生生之意也。欲知地理之脈絡，又當知地運之盛衰，又當合天地人萬物之全體，逆參其機括而擒縱觀之，或得其樞要焉。豈可獨委之地理，而不究天人之理也？固是天下山水頗多吉地，率皆天秘地隱，神藏鬼匿，不使世人窺見其處。其出也自有氣數，決待吉人與之，非天地私與之，吉人自與之也。太公五世反葬於周，禮不忘其本。狐死正丘首，仁也。成子高不肯以死害於人，擇不食之地而葬焉。鬱鬱佳城，有主久矣。當時盜眼豈不欲竊滕公吉地，似定數也。孫鍾感三官下教，其葬不亦重乎？非設瓜也，二人皆陰隲也。君子有是心，葬之不吉，未之有也。是以爲惡人葬吉地，上天有禁。天地鬼神斷不許無德行無福之人，私竊天地之寶，以壽不仁之富貴。至人未嘗不見之，未嘗不知之，決不輕易漏泄。世人况無先事而知、隔物而見之術，又無透空破地藍碧方瞳之人，曷能源流天地人萬物一脈真造化乎。其不能遡乎真造化者，以舉世之人紛紜萬學，一一盡走於不相同之域，而未造於未始不相同之天。同其不同，不同其同，同其同，不同其不同，則不墮於同不同之偏，不同者，三才萬物紛然妙用。同者，三才萬物本然真體。初未嘗同，未嘗不同也，惡可以天道地道人道物理，一一一切之不同者，惑亂其胸中之天耶？庶幾不泥於天地人之迹，而通乎天地人之賾也。此非術也，理也。三才萬物之理本一致也，欲造一致之妙，必推其精粗而格致焉。譬如乳出酥，酥出醍醐，至醍醐則極妙矣。陽氣者，一切有形中之至精者也，是猶酥也。真陽生意者，又陽氣中之至精至精至精者也，是猶醍醐也。道家謂之水中金藥物也。天地人萬物萬事萬法之各各變化不同也，果誰爲之？全論其全體，全然同是一真陽生意，千變萬化，而爲之其先天先地先父母者也。真陽生意，果誰爲之？超此難言也。案圖索駿，泥形取象，真死漢，寧足以語此道。世之所傳所學，只是世間法，縱得真傳妙用奇訣，亦世間法。不涉於世間法而得之，始爲高眼，苦學三十年，不如點化數語。又不如一雙垂覺之眼，又不如一片玲瓏之心，猶未也，猶未也，難哉！又況一切世法，上聽上天所行，又隨國法所轉，又審世道汙隆，又逐人心正邪，尚之則靈，不尚之則不靈。又當識其時宜也，斷以不疑爲上。通達之人皆可，不通達之人多忌諱，此陰陽家諸法不容不存。第人鹵莽，難闖其妙，又不可苦溺其説，又當觀人力量見識德行福德爲何如？遇其地或太過，而其人不足以當之，亦不可。天地至大，萬物至多，唯一至公之理，行乎其中，天且弗違，安有私心。然彼一一各有分劑，一一各有法緣，當以真情實行，盡力行我之正大，契彼之氣數。忽然眼開，見奇特造化，欲加一毫，人爲不可得，奚特地理云乎哉。道家謂五嶽之外有別五嶽。鄒衍謂九州之外有大九州。列子謂焉知天地之表不有大於天地者乎。釋氏謂南閻浮提爲四大部洲之一，娑婆世界爲華藏二十重世界中，第十三重諸世界中之一，此其大槩也。恣情瀾翻，何有涯涘，是誠不可以聖智測度。然天地依風，風依虛空，虛空無形，無所依。天地虛空，根蒂安在？必有剖破天地虛空根蒂者，視之而笑，且置此說。尚有一則語，頗費分疏：昔迦葉示滅窣堵波，至今在天竺國鷄足山中。迦葉親抱釋迦佛金縷袈裟，直待彌勒佛下生而付焉。其事極遠極遠，當時正是何穴，又如何不隨天地山川氣數遷變耶，理耶非理耶，數耶非數耶？子當努力行四方，子當努力行四方。一旦鐵鞋根斷，會遇無舌大丈夫，歷歷明以告子，何止三教九流萬方萬法要旨，大地山水來龍，天地人萬物陰陽虛空根蒂而已。子終身之事畢矣。子當牢記其語，待歸以告我。（《所南文集》）

〔一〕大崑崙山山西：「山」，原脱，據叢書集成初編本二四〇六册補。

〔二〕驗地崗厚薄：「厚」，原作「後」，據叢書集成初編二四〇六册改。

全元文卷三六三

鄭思肖 二

辭吳泮請儒師書

某頓首，奉書于吳泮廣文先生。某幼嘗聞之，揚子雲曰：「通天地人曰儒。」又聞之，韓退之曰：「師者，所以傳道授業解惑也。」子雲、退之能，言之猶未備也。昔人莫不皆難之，不唧溜鈍漢何由通此六者之意乎。數十年來，欲弓不箕，欲冶不裘，顛嗒固滯，喚鐘作甕，十字九錯，百事千謬，叢萬拙於一身，宜乎化爲凡民。併與早年所讀所見之書，一翻翻卻，甘於老而貧而病而死而已矣。回視古今，萬夢不直一總指。胡爲乎？倏焉垂手於萬古蒼茫之外，摸著虛空如小物，忽然破想於一豪，玄微之中，笑看陰陽妙萬象，或與青天白日互相斟酌，或招山光水影交恣飛舞。自我其我，不他其他。所以破衣跣走，狂歌醉笑於雖與人語，而不與人同語，雖與人行，而不與人同行之古路。倀倀癡癡，終日竟歲獨遊而莫知底止。亦不知世間何如謂之世間。又胡爲乎？一旦欲移之於詩書禮樂之傍，果可以世間法縛之乎？尚髣髴記得，數十年前我父有言曰「夫子之道大如天，六經之旨深如海」。吾老矣，何足以知此。今又復化而爲野人矣，是誠無所用。矧茲吴中土風清嘉，羣彦汪洋，其來久矣，至今藹如。惟廣文先生以斯文爲重。閩中三外野人鄭思肖頓首。

送吴山人遠遊觀地理序

天下之人，天下之事，莫不以立心爲本。立心正，事罔不吉。立心不正，事罔吉。苟不然，雖能之，非福也。蓋古今不易之論也。今子挾地理學而遊，且誓以大地之心爲心，是知所立心矣。子亦知夫地乎？地未嘗有封畛也，而人封畛之。地未嘗有彼此也，未嘗有取舍也，而人彼此之，而人取舍之。地雖能生萬物，能載萬物，地亦莫知其所以然而然。地之爲地溥矣，子果能誓以大地之心爲心，則子之爲子亦溥矣。子抱清淑之氣，爽邁之目，飛步九州，流視八荒，若出空中而俯地下，日日歲歲貫於心胸，竟不見有他物，惟見滿眼皆大地耳。直將身而爲大地，剖大地心髓，滌剔而細辨之，大地雖茫茫然，盡落在吾子雙眼中。故凡所至曰某地如何曰某地如何，咸契其事，豈非立心之微驗歟！儻得誓以父母之心爲心者，與子相見口未言而意先化，子必持平日以大地之心爲心者，心禱于上下神祇，期必無愧於所志、所學，此欣然，彼欣然，天欣然，地欣然，天地必開子之雙眼，靈子之雙足，一踏竟踏於此處，地密而天近，山正而水妙，龍舞而進角，虎蹲而跪爪，鬼悦于陰幽，人慶于陽明，此奇地也。得之大喜，希有希有，以此爲孝子順孫辨事，奇哉。天地不與斯人，而誰與乎？庶幾不負子之以大地之心爲心也。是故彼之心，既能一心，誓盡至孝之心，上當乎上天之心以爲心。而此之心，亦能誓溥至誠之心，下通乎下地之心以爲心。天也、地也、彼也、此也，合四者爲一心，決當得上穴。彼之心雖克盡至孝之心，復妄想以利自己子孫爲心。而此之心，但以盡所學而爲心，恐亦得中穴。彼之人事或未至，而此雖欲神其術，天地將封其吉地而藏於子雙眼之外。子縱剖心竭術，終歲求之，何從而得其地耶。又況後世之人，兩僞相對，以貌相劫，一吝以虚禮飾其情，一貪以大語市其術，兩俱失之。各以小智微巧欲盜天地之機，可乎不可乎。吾嘗以後世之心，試子之心，子憒憒作色曰：「吾決不如是，惟盡吾之所志所學而已矣。事了而去，安肯回顧。或不與我合，富貴之人，數數挽破我衣，焚香致禱，求我駐足，我已飄颻遁去。」果如所言，誠大異於他人所學。子來吴，皆不識子之心之學，舉足即行。見天愈大，見地愈闊，終有與子相合者相遇於數千里之外，以心照心，一見而醉，是真識子者也。他年相見，必空天下山水矣。

三教記序

我自幼歲世其儒，近中年闖於仙，入晚境遊於禪。今老而死至，悉委之。第邇來三教凄涼甚矣，不覺數數爲之動心，各因其意作三教記。何夙習之尚未忘耶。然期望天下後世之心，則深矣切矣。

吾其絶筆於斯文乎。（以上《所南文集》）

太極祭鍊内法序

我耕儒不穫，餒於弓冶，見道不明，盲於玉石，所賴受先子菊山先生鞭撻之痛，迄今尚不可忍，所以終身不忘，時乎或夢一二於千萬也。或苦吟顛笑，或冷坐罵禪，直欲挾今古，偕出於有形之表，坐狂自醉，浸命以死，又焉知其一切耶？有笑我者曰：昔者著釋氏《施食》、道家《祭鍊》二書，毋乃尚查滓乎？我聞之如搦弄舊夢於掌上，竟不知爲何物，是誠查滓矣。或者曰：請論之以次。曰：道者不得已之名也，法者不得已之用也。凡一切事事物物之用，皆法也。莊子謂「以本爲精，以物爲粗」，其然豈其然乎？昔年著一書，童習未斷耳。但世之祭鍊，紛然其旨。譬如雷者，陰陽擊剝之氣也。世之行乎雷者，必以我五行尅制之氣擊剝而爲用。胡爲而雷名？雷祖、雷神率皆不同，正一法外別有清微法，雷名逾數百。白玉蟾書所述正一法，雷名逾於百數。以我見聞，彼尚未盡。一切諸雷、諸法，浩渺無數。姑即一法而論，所傳呪氣符想，旨要千差萬殊。始本一法，訛而爲百千本，或者所傳斬勘雷二百餘家，靈官三百餘家，地祇百八十餘家。又有師金丹大道者，或拜三百五十餘人，或拜九十餘人，尚皆未然。他法類此，况今之言大道金丹諸法者，森森然如麻、如葦，實非一方之人、一夫之目所可盡矚。又他方外域，不行我中國種種諸法。其所行之法，隨地各各自異，亦各各靈驗。前乎三五百年，亦未有斬勘靈官地祇之類。至如諸仙書仙傳，載古神仙所受所行之法，其名雖存一二，然亦頗異。但今亦無傳，故知後十百千萬年必迤邐變名易用，又廣爲種種諸法，出於創見，驚人耳目，喧於末運，鬨以群訛，實不可以千萬億兆計。若以古今天下論，則四方所傳所學荒怪無緒，展轉弄新，惑亂滋多，此皆叔季世變，人心好奇眩名之過，亦群然損益自誑自賣，以盲教盲，有以致此宜乎？馬自然有道人拜了千千箇之詩。馬自然六十四歲始得真傳，然則向者所拜皆非師也。老子曰：「吾道甚易知，甚易行。吾道甚夷，而民好徑。」徑者，小路也，使天下學者將何如，問道問法或自是其是，互非其非，學者終當從誰。道一而已，苟以爲道一而已，則已二之，又況支離而萬之耶。若不具真眼，空今照古，孰不爲孽氣所蝕，欣然墮於華僞，終身不知，而天下後世反皆爲道所迷。道本無以示人，而人自迷之。固有古聖賢神仙書在，但欲語之以妙其理，不肯身之以實其德。無大功深行，決不獲逢真師。以我之業蒂未斷，真心未與天地爲一也。非天地有所禁也，非至人有所惜而不常遊斯世也。且人以藐然之身，弄一窪精神眩走夢中，天地萬萬，其心萬萬，其欲萬萬，其事萬萬，其僞萬萬，其說萬萬。其業死欲牢鑄此夢，爲自己永永不壞之天，以是縱萬萬萬萬度金石爛，海嶽枯，衆生顛倒雜亂，尚未寤於迷途。悲夫！是故太上俯就衆生，曲垂方便，以祭鍊拯幽冥之苦，遂有其法傳於下土。昔有葛仙公大闡太上之心，後無大闡葛仙公之心者，久而愈訛，流爲空雜，誰其正之。雖青天穹然在上，無從扣問玄旨，則我《祭鍊書》亦寐語也。譯我之寐，覺彼之寐，其寐亦甚矣，其癡亦甚矣。此我之所以與衆生俱落命於夢海之波濤也。尚舞空辭以自衒耶！噫，誰其擊太空三下，以寤之。沈

之我請爲序，故序焉。三外老夫鄭所南序。（《正統道藏·太極祭鍊内法》）

無弦處士説

典午之夢，羲熙以還，滿目不堪，吾何以觀？淵明見幾頗早，解印息交，竟歸去來。性剛才拙，邈與世絶，數詠高節，獨書歲月。卻喜野老，爾汝懷抱，願鋤荒草，復聞斯道。尚情夢古，流笑睨物，自見自心，白於白日。非羲皇上人而何，或詩焉，或酒焉，或耕焉，或游焉，或著文焉，或觀書焉，亦寓於無弦琴焉。每朋酒之會，則撫而和之，曰：但識琴中趣，何勞弦上聲？其傲弄當世，非凡情所忖。雖所寓不同，同此意也。大江之潯，皆晉山林，草木森森，知之最深。歲在丁卯，晉徵士陶潛卒後八百七十七年，雪心先生羡無弦之意，亦假而寓焉。淵明苦嗜酒，不能琴，得其趣，聽以醉。雪心不嗜酒，素能琴，默其聲，聽以醒。一醉一醒，異世同領。一能一不能，異見翻相承。昔孔子嘗告子夏以無聲之樂矣，淵明本自曠疏，亦或有契於聖言緒餘。淵明無弦琴果何如？以吾嘗聞吾之無琴之琴而逆之，或得之。吾之無琴之琴，今安相在吾心爾。不以存亡得失而失焉，不以借於聽而聽焉。吾心融融，天趣空而通。彼想憧憧，世網蒙而聾。宜彼無琴之琴，無朕可尋。雖無宫商，至樂悠長。欲辨玄黄，狂見荒唐，動静泯亡，遠邇蒼涼，不知其方，自然成章。非配桐以梓，可以發提。天機不露，萬響如瘖。絶越邃古，曷聞曷睹。妙指莫施，慧耳奚爲？精神不疲，志氣不移。萬無歡悲，一無成虧。何必戴逵？焉用鍾期！魚鳥何知，鬼神莫窺。心聽則癡，智聽則疑，事聽則潦，理聽則支。聽内持，聽外遺，聽有隨，聽無違。離微墨屏音眉癡，俱不宜，俱不足以明之，將何以發此機？胡不委無心之心於無理之理，操無琴之琴出無聲之聲？無琴之聲，琮琮琤琤，與一氣同生，與兩曜同明，與四時同行，與萬物同榮。妙此獨清，渺於八紘，索之弗聞其形，迎之罔測其靈。何從而聞無琴之琴、無聲之聲？古今之人，其生也孰不賦一氣而爲命，孰不照兩曜而爲鏡，孰不操四時而爲柄，孰不共萬物而爲境？不出有爲之井，不能跨空而騁。癡欲鼎鼎，逆走弄影，誰激清泠，猛於一省。無聲之聲，不琴於琴，此聲無根，託物而存。天下萬物之物之聲也，非此物也，而此物也；非此聲也，而此聲也。奚其琴，奚其弦，奚其聲？三者悉泯於無迹，然後吾之心始出。吾之心出，然後與萬化冥而爲一。擊節孤嘯，浮動幽渺。横握其要，似絶此妙。是真無真賞音矣，况吾亦真不能琴矣。既真不能琴矣，是真無琴矣。既真無琴矣，是真復何言哉？既真復何言哉，此意淵哉玄哉，奇哉微哉！上而皇天蒼蒼然，下而后土茫茫然，中而四顧荒荒然，詎肯與人同耳而聽，同目而視耶？又安得不獨抱此意，與之同終同始，同生同死耶？此是別曲，還與誰聽，清而寧，和而平，天然奇特之經。開古今，翻滄溟，浴有情，空泠泠，還冥冥。但蚩蚩之氓，聞吾言必驚，使淵明在時，親見論評，亦當開攢眉而相逢迎。今不復見前修典刑，乃與雪心相遇於衰暮無聊之濱。勿歎凋零，百勇皆冰，萬物必待剝落而後成。勿嫌無能之名，空活不死之春。譬如無弦之琴，不耀山水之音。寧枯於至貧，斷不可失無弦琴。君欲不寒斯盟，切勿辜負淵明。久假不歸其名不名，曰無弦處士亦宜。始者，顔延年誄淵明曰：「晉徵士。」又曰：「宜謚曰靖節徵士。」《南史》則曰：「靖節先生。」晦翁獨取晉徵士三字，書於《通鑑綱目》。梁昭明太子作《淵明傳》曰：「無弦琴，別本又作無弦素琴。」《晉史》作「素琴」，弦徽不具。《南史》只曰「素琴」，第「無弦琴」三字甚雅，且久響於人口耳間。康節嘗品題之，禪門亦借用之，詩人多詠之。古作弦，今從之。（《所南文集》）

太極祭鍊内法説三篇[一]

從道家者學仙公鍊度，從佛家者學阿難施食，一有肯心，不必問其從釋從道也，均之爲濟度幽冥也。惟因其所好而入焉，則其自信也必篤，其用心也必專，庶可望其繼久，始則積功，終則成道也。予始於儒，中於道，終於釋。又著釋氏《施食心法施食布施支説》幾二萬言，惟好事者參錯詳觀之。其於能始終深心，力行此祭鍊内法者，願護是人，永無災難。願學神仙者，速成神仙。一一終當超之於至道也。獨恨予善行不逮於常人，空言無補於衆生。若我説或謬，願鬼神早滅此書，勿誤後人。越六載，所南鄭思肖書

心吾馬行之，年二十一得予祭鍊内法，併以《祭鍊議略》授之，乃盟之曰：人身難得衆生可憐，心心相授，燈燈相傳。志吾之行，盟吾之天。願天下四方，一一盡化爲仙公而登仙。吾其深有望於後

之來者焉，行之毋忽，厥守唯專。丙子九月二十一日，正予三十六歲前辛丑初度之辰也，所南隱者書。

沈之我年十八，知好道，頗願得我《祭鍊内法》，且請其要，遂出此以示之。「未有太極」前有一句子，乃「太一慈尊，太極仙公之祖」若解，俯頭仰面，親見一回，不妨於不祭鍊處，蕩蕩流通祭鍊去；其或未然，普請一看祭鍊注脚。所南隱者書。

〔一〕據《正統道藏》之《太極祭鍊内法》拟題名

我家清風樓記

有以嚴陵《清風閣記》示吾者，正恨不能飛上富春山頂，恣觀千尺釣臺焉，吾矍然而言曰：未能遂其超邁之志，深有愧於古人。吾當自作清風樓記。非東坡所記之清風閣，亦非越山赴官齊之清風樓。曰清風樓者頗多，皆非吾清風樓。吾無家，焉有樓？樓固無，風則有。昔乾坤一索風雷生，再索日月出，三索山澤具。先天之乾，初爻始動曰巽，六子首出，莫先於風。乾天初以陽剛變爲陰柔，散一氣，撓乎萬物，曰雷、曰日、曰月、曰山、曰澤、曰晴、曰雨、曰寒、曰暑、曰萬物，咸有資於風。六子最柔順，最能變化。天地之機，莫妙於風。人但見無形而吹，有觸而空，入萬物之不可入，至八荒之不可至，此風也。殊不知宜乎四時晝夜之中，柔風也。持乎萬古虛空之外，剛風也。是以乾坤六子最周流，最無邊際，莫大於風。風之爲風抑神矣。風之變化皆不同，風之名亦皆不同。又曷爲清風？微噴囊口，浮偃樹杪，飄蕩而來，迂徐而去。有當之者輕輕泠泠，透骨瑩快，一何妙哉，一何奇哉。此空闊閒靜之所，天地一時之清風，非古今不息之清風，是果何風？道德超邁之清風也。蓋光武故人，莊子陵先生其人也。胸中空空無物，不肯以眼垂視當世。半夜飛上客星，不覺漢家江山亦俱爲之精神。本亦無心以一絲之微，高懸東都二百年名節。至今人仰先生如在天上，尚見其標致散而爲清風，併仰懷許由、伯夷、叔齊、屈原、子陵輩，其意遠矣。大丈夫焉能尾尾於人之後乎。微斯人出，後世皆走於威福之下，足以殺其心而役之。許由忘天下之有君無君，夷齊痛天下之皆無其君，屈原傷一國之不有其君，子陵喜天下之再有其君。此狂奴之所以大恣，放其老狂也。大抵古今超邁之人，所出之時皆不同，所遇之事亦不同。高懷勁節則同，輝輝煌煌俱不可當，寧不以萬乘非爲不尊，萬鍾非爲不貴。吾之所尊所貴者，惟終身以天理行吾之志而已。大開懷抱，純是古意，初不見其有他俱未嘗有所學。遺萬形而孤往，超萬濁以立命，永吹此香，浮動終古，其清又至矣。非獨一時薰其風者，抖擻臭夢，瞠瘖瞳角，直欲挈此百世之下，措於百世之上，與天地、風雷、日月、山澤豁其昏滯，還我明朗。有能天地之風之所不能，似或有過於風之行乎天下，入乎萬物，故其感動鼓舞後世人心，浮浮然若決水就下，必歸於海。又莫先莫妙莫大於此之清風。彼怪風之贔屭且不能終朝，而此風此意最清，最淡，最有味，最久遠，最無然而不然。胡然而然，以其有不可泯滅者存焉。偉哉，偉哉！吾弗得而見許由、夷齊、屈原、子陵輩矣，吾弗得而見許由、夷齊、屈原、子陵輩矣。將何以爲吾清風樓然？吾之清風樓非天地之清風，亦非有超邁道德之清風，特吾自清風其非清風耳。非清之清，風而無風；非風之風，清而無清，非世界爲世界，鏗鏘萬象。爲窗户非窗户，玲瓏八紘，何待見披拂草木，始超於上棟下宇，何必欲驚覺天人，有藉於機動籟鳴。嗟大塊之噫氣，安能疏而爲此情。縱擎天之大柱，豈解複而爲此屋。既不墮於十二重之間，必又過於九萬里之速。誰動誰静，消息出没，無成無壞，基址堅密。其氣匪天地之氣，其形匪土木之形，此意不可得，終莫見其推雲送雨之迹。所見苟不高，何以空其憑欄眺遠之心？莫盪泬寥而突兀泬寥，不見高明而擎聳高明。拔木揚沙之怒號，飛廉未悟天然。多景消暑之品題，騷人終爲物轉。鵬摶鷁退，豈從於南北東西而至。鼠墜燕空，只爲是杞梓楩楠所建。欲譬大江千帆，寧如此快。何止去地百尺，無所不見。好翻天上至活之機輪，宏開劫外不朽之規模。終歲東南舶櫂，倒走大海水。萬倍岳陽大觀，壓破洞庭湖。甚於醉太初冰露，浴沆瀣而流芳涼。笑彼住蓬萊宫闕，擘杳冥而開畫圖。别有秋聲空翠，撲簌其飛。難以井幹麗譙，髣髴其影。或與造物游，何者爲梯？不藉扶摇送，居然到頂。至潔潔於雪，至爽爽於月。疇能更誦大王所獨之賦，至高高於天，至深深於泉。想應不是仙人所居之境。天籟吹萬不同，慵聽物外緒言。老子此興不淺，浪傳江左奇才。馬牛不相及，誠有異矣。星辰還可摘，何其卑哉？滿鼻生香，日日幾信催花。滿耳吹笛，聲聲五月落梅。雖無重疊之間架，而輪奐屹然高映於紫雲。雖無作止之時節，而意度穆如自舞於碧空。終不以劉琨之嘯，以於菟之嘯，以造五鳳之手，假合而作其不可作。竊勿與元龍之卧，與淵明之卧，與賦八詠之詩，議論其同而不相同。其實不絢五彩壯麗，無清風外之樓而亦不受一塵點染，無樓外之清風。吾如是而謂之清風樓也。夫但問得此非清風之清風誰歟？自吾昔得之而爲吾也。天地、風雷、日月、山澤，得之爲天地、風雷、日月、山澤。道德之士，得之爲道德之士。忠臣孝子，得之爲忠臣孝子。百姓，得之爲百姓。萬物，得之爲萬物。四時晝夜，得之爲四時晝夜。萬古虚空，得之爲萬古虚空。非融握萬古虚空、四時晝夜、天地、風雷、日月、山澤、道德、忠孝、百姓、萬物之機，而委之。終不得見此非清風之清風，本無清風而爲清風，亦無樓而爲樓。其吾之真清風樓乎？安得出世間八風，又出天外八風之人，握手登此無清風樓之清風樓，相與恣傲游泳，讚罵賞弄非清風之清風也哉！

早年遊學泮宫記

我自三十六歲科舉既斷之後，絶不至於學校，又三十一年，終不能忘其爲儒也。昔五帝三代皆有學也。《禮》，凡始立學，必釋奠於先聖。鄭康成以先聖爲周公、孔子，固是周之舊典，至孟子出，始播告宰我、子貢、有若之至論，是以儒者皆願學孔子。及漢興，高帝五年，至魯聞弦誦，以爲守禮義之國。七年樂行儒者叔孫通所定之禮。是以十二年過魯，不祠周公，而以太牢獨祠孔子，皆不能忘其所宗也。蓋吾夫子之開道統也，雖不外於祖述憲章堯、舜、禹、湯、文、武、周公之意，然以此道大開，古今天下君臣盛德之美，聖賢斯文之運，必準之於吾夫子，而後斯文始定而始昌，此道彌尊而彌彰。微吾夫子創始，以儒道設教，垂憲萬世，則後世仰誰爲儒道之大宗主。至今國法家法身法心法，天下之人凡百行事，悉當準之爲法，大矣哉！爲吾夫子之心法何如？昔吾夫子以「一日克己復禮，天下歸仁」之妙授於顏子，以「吾道一以貫之」之旨語於曾子。此二者吾夫子開道統之大本。子曰：「吾志在《春秋》，行在《孝經》。」《春秋》尊王之經，《孝經》事君親之書。此二者明人倫之大法，獨吾夫子化而大之，所以爲大聖人。續之者子思子、孟子、周子、二程子、朱子、陸子諸公，疊疊而出，皆有以開道統明人倫也。凡自古爲君子儒者，何莫非此道。道統之源，集大成於夫子，續於儒者。儒者之事繫於學校，學校本以教養人才也。何以教之，自正心始。何以始之，由讀書人。讀書而不見道，匪爲讀書。見道苟不明，則無真詣。實踐不嚴於正心，則臨事差忒，義利莫辨。況今既無以教之，又無以養之，而又不能以理義自養其所養，其心餒矣。每垂涎於外，聞路傍腥芳之氣襲人，必乘其餒而入，則醉彼耳目口鼻也深。意氣狀貌與之俱變，有似此身不屬於我者。非道果離於人，而人自昧其道耳。奚不自悔自艾，發憤思之。一日日出，勃然晨興，八荒洞洞然與我化矣。而此道至廣至大，妙乎無垠，與天地萬物相與周流，曾無間然。所謂吾夫子開道統之大本，明人倫之大法者一也。二之則小，一之則大，皆我本然之善，固有之天也，非外假也，豈風雨晦冥所能惑也。甫無愧於爲儒，抑亦激勵學校，苟未至於大全，其道得以切磋琢磨者，其學問器識可經綸治道，可著書立言，俾天下人皆不越於禮義廉耻之域，其效博哉！或非其人而儒其業，夫豈曰儒？自古有用之才爲君子儒者，盡出於學校。當知學校乃禮義廉耻所自出之地，豈徒有用而已。切勿謂向之學校儒者，惟業科舉時文，腐而無用，何補世道。然科舉時文，其所講明皆九經諸史、諸子百家、天地陰陽五行萬象、歷代君臣聖賢人物、道德性命、仁義忠孝、禮樂律歷、制度政事、戰守形勢、風俗氣數、文章技藝，萬事萬物、格物致知、誠意正心、修身齊家治國平天下之旨要。其中選者衆作粲如，亦未嘗不妙也。析理則精微，論事則的當，亦多開發後學。其爲人物典刑氣節議論，初未嘗亡也，特行之有至有未至，多成空言。今言空言者亦罔聞，更三十年舊儒無矣。後之來者出何不早，不得一拜斯文之盛。嗟彼之眼何其貧甚？欲問辯誰其問辯，欲矜式誰其矜式，欲就有道而正焉誰其有道？向使我早年不得父命，遊學泮宫，遊學四方，出而廣大其見聞，歸而我父開以天理，將何以正其心，將何以終其身，今不敢忘其所教，故盡死以我父爲師。但我無能爲人也，不能身其儒者之道而新之，乃抱此拳拳空意，欲以被之將來，可哂也已。惟吾夫子之道，無古無今，無變無異，無斷無續，無窮無極，遂述此意。名之曰《早年遊學泮宫記》。

十方道院雲堂記[一]

我夙慕長生，甚欲創道院。中年後化爲頑物，不復作神仙夢想，乃止。昔嘗謂自唐以來，若宫觀道院，若僧寺菴院，竝絶少，卻多有真心出家之人。邇來仙佛之居數倍多於三十年前，而率皆富者蔽身，貧者竊食焉，非真心出家。通身俗氣，厭駡貧者，安有真心供養於人也。然則，天下山水非不勝也，仙佛室廬非不多也，特未嘗多見有真心辦道者，又未嘗有真心盡情供養於人之人。若無真心辦道，又豈知供養凡人與供養神仙等無差別，則滿眼但見盡是神仙，更不見有世間凡人。或生分別心曰：此仙也，此凡也，非真道人，非真道院。曰道院者何？道院與宮觀異，道院乃延待天下十方蓬頭鬔角，跣足破衣，清淨雲水道人憩肩入靜之所。其來如風，其去如空，似非世間人爲流通大道而來耳。實以曩劫，上帝憫世人陷没於欲海中，不得壽其天年，敕神仙以長生不死妙道流行世間，擇有德行之人而授之。道家之道，正法也。謬師貪婪，誇衒奇特，千人萬説，自異爲高。至有魔法恣説百千種穢褻之事，誣汚大道，迷之賣之於少年富貴之人，不顧上天有禁，死則罪在不赦。始者厭塵濁，遂入道。既入道，反再入於塵濁，何其顛倒錯謬如此？以其本無真心於出塵離俗也。胡不思大道乃自然清淨之理，神仙乃出塵清淨之人，若不清淨則德行從何而生，縱是有功於人，不從真實慈悲清淨心中流出，則不曰大德行。若無大德行，決無大脱灑，決不得大成就。縱遇極妙真傳，使其無福，魔必壞之，決不得結其聖胎，決不可身外求道。道不在於身外，決不可心外求道，道不在於心外。此心不真、不定、不純一、不空玄，有想、有存、有意、有方所、有運用、有希望等事，盡是妄想。纔有纖塵，即生魔業。於深定中假有一切祥異，皆爲魔幻，勿喜、勿怖、勿視，當自消滅。始契至妙，若以一妙散之衆妙，曰玄牝，曰鉛汞，曰斤兩，曰火候，曰結胎出胎等，有種種假名，各有種種奇説。苟悟以衆妙攝於一妙，一尚非一，衆曷爲衆，咸泯之於自然之中，咸無衆名，咸具衆用。魏伯陽云：「委志歸虚無，證驗自推移。」正此旨也。以浮游而守於規中，抑其次焉。是故神仙之道無他，一自然之妙而已矣。必先絶其思慮，若渾忘於晝夜，靜極於極靜，極靜於靜極，自然其清淨，清淨其自然，自然冥身心於空，空而不昧。自然藏乾坤於玄，玄而不漏。自然返本還源，自然月滿精盛，自然當大造化一陽將動未動之初，我身中深深深極之根，自然出獻甚玄甚妙甚微甚真之先天陽精，以爲丹母，自然通於任督湧泉，同時互相淫淫錟錟，沸發真熱，捧擁丹母，昇上降下，交貫周流，以大造化大妙一身，自然媾孕於其中，自然凝而爲長生不死純陽之寶。動其自然之動，而不動其自然之不動，則動者以無動而動，悠久綿密，秋毫不差。自然成就於無終始之始終。其心不死，決不成道。以我自然聽其自然，純是真心。自然其然，不涉人私而弄天玄，此者誰也，誰其此也？萬僞皆壞，獨此不壞。一切皆真，萬象自靈，妙潛於至深，清徹於極圓。酩酊渾沌之髓，而常吹古磬。玲瓏金玉之體，而獨抱空堅。化其所化，化爲至化。清風白雲，同一去來出没。天無根而根於天，地無蒂而蒂於地，人無心而心於人，三者雖不同道，而同於道。道而同之，則與之同遊於無何有之鄉。或焉神其無形之形而出，似乎聞太空有聲，太叫世人曰：汝等何爲昏醉不醒耶？有欲應之者，已挾之出六合而去。寧有蹤跡與世人見之人也。世間道院豈能延之，設造奇特華麗道院過數百所，不如以一點真心，盡情供養一切道人，盡力利益一切衆生。若以此爲道院，始入神仙境界。敢以我夙誓真心，盡誠吐露。向者所參道家精蘊，冒禁破戒，説而爲文，平等供養十方三世一切神仙、一切道人、一切世人，願一一先以德行爲本，仍以此道壽其自然清淨之天，終與此道同挾乎天地人，而同超於無無有有、有無無有之表，豈不了其無所了之了而了也耶。遂以此文曰《十方道院雲堂記》。

〔一〕原本題下小字注云：一名神仙金丹大旨。

十方禪刹僧堂記〔一〕

我三十年來幅巾藜杖，獨行獨住，獨坐獨卧，獨吟獨醉，獨往獨來古闔廬城，每一至於萬壽、承天、虎丘諸禪刹之間，必喟然歎曰：我生也晚，惜乎不見古尊宿法席隆盛之時。向者徑山、靈隱、天童、淨慈、育王、中竺、雪峯、雪□、蔣山、道場、能仁、東林、仰山、黄龍、開先、百丈、雙林、鼓山、大潙、石霜、西禪、保寧、疏山、金山、焦山、何山、夾山、福嚴、圓通、江心、大慈、華藏，名刹百餘，皆爲法窟。大刹禪單近千數，小刹禪單亦不少。凡古尊宿之行道也，一語一默，一動一靜，無非舉唱向上巴鼻，了當衲子命根，多有死其心於一坐宴間，而笑駡於佛祖之上者，如在世外，受清淨福。自不肯飲酒，自不肯茹腥，自不肯私庖私啖，自不肯私富私居，自不肯傲慢恣縱。所爲野氣，如一水菴、岳松、源沖、癡絶、範無準、觀月林、開無門諸老禪，據師位皆孤硬，有惡辣手。皆講叢林規矩，不許看經看册，不許偶語雜事，晝夜趺坐，密如列筍，盡命參究，咸有覺觸。是以頗多龍象，堪以負荷法門。夫何今者爐冷鎚輕，不足以煅煉法器。飯糲食惡，不足以供養大衆。常住昧於收支，過於撙節。斡衲子口中食爲囊橐計，爲結託計，爲自醉醲飽鮮計，比比皆然，致使十方衲子東馳西走，竟無可放包參請之地。昔不憂飯，今憂無飯。昔不憂師，今憂無師。江南禪教諸刹連年遭水遭荒，常住逋訟窘迫，處處閉僧堂併數年。可去者去，不可活者丐，借獨爨，偷救殘命，如失母兒，無所依附。先是三十年來，爭奪住持，耗常住，竭私畜，弄貧買勝，無辜爭訟，亦多摧挫費耗，失僧儀落業，共撥因果，大爲時俗變壞。江南十方叢林古意，今盡不存。意無十方本色衲子，處處僧亦皆少。逆料此後法門愈其難，以世人意馬惡業易於跌蕩，後於薙髮，背古悦新，競舞魔怪，叛於正法。我欲痛説，不忍筆之。昔黄面老子嘗懸記末法僧門流弊，不幸身親見此。間有清素純正辨道之士，叱爲怪物，罵之何苦自取桎梏其身。苦者益苦，頗難於獨立堅抱舊心，固無搖動。彼偷心未歇者，亦從而得志，逞盲辯以當宗乘，笑守古戒爲不脱灑，自誑自尊，鼓無明火，入骨愛財。富者愈富，念念謀僧官，買大住持，營私室爲俗窟，生親子爲徒弟，業重魔熾，浮於俗人。苦哉，痛哉！絶不念黄面老子正爲何事出世，百丈禪師亦何爲而作僧堂。爰自少室曹溪，多居律寺，别院説法，尚苟簡，雜居無倫。唐代宗末，百丈始發廣大心，别創禪居，立法堂，立僧堂，又置十務以處主事者。清規一出，法度咸新。素無蒙堂，無前資，無單寮，無退居方丈，無塔頭菴院。其曰禪僧無高下，但依入堂次第，同一堂而處，進則始出位，盡力爲衆；退則仍屈己，棲身於衆。三條椽下，七尺單前，一切不顧，寧肯犯人苗稼，爲衆所擯笑。又况百丈以前，天下苦無多寺院，而辨道之士多無地棲禪，率是獨隱深山窮谷，刀耕火種，而自食其力，身其勞苦，則心不純一，豈不願得一單自如，將安其身而遠於役，可移其心而專於道。百丈之惠，可謂至矣。有志氣者可以安禪，可以共住，可以同參，可以交相淬礪，可以交相鼓唱，可以交相行道，照耀山林，大衆羣然。一時一一坐破蒲團，我心亦足慶快。我成道，大衆不成道，我不願獨先成道。我安，大衆不安，我決不敢獨安。昔創此僧堂，爲大衆設，非使我獨安於辦道也。安其身所以安其心，安其心所以安其道。苟不安於道，則不安於心，不安於心，則不安於身，不安於身，則心生萬夢，失卻自己，何以爲佛法棟梁，何以爲衆生表率？僧固亦人也，爲其清淨慈悲，了達自心而得僧之名，若以落鬚髮、披袈裟爲僧，九間萬椽，百席千單爲僧堂，此世間見也。誠不曾聞往昔之時，千巖萬壑之中，古尊宿行道之處，萬錫飛來，如龍走空，雖現頭角，不露爪甲，劃破虛廓，別爲一道，不涉世人衆生行處。萬刹日月，出没其中，八面風雲，變化於外。無所之所，不住而住，爭柰有目者不能見，有足者莫能入，是誰之過歟？儻能飽食終日無所用其心，恐亦可以消檀施一盂飯，然未廣大也。必有大心大士，與大衆同生死，同粥飯，同行住坐卧，同開此心本然無盡廣大之天，一一盡蓋覆三千大千世界，方始與黄面老子吐一口氣。何期末法叢林凋零若此，思之駭然，安得不淚下如雨。我老矣死矣，誓當重出頭來，以大力量於無盡無盡百千萬億大衆僧海中，推出無量無量劫前古佛，剖開自心無盡廣大法門，大告報一一無盡衆生塵刹，一一三千大千世界。若是大心大士，便請各各歸堂去，快哉，快哉！第佛法至此亟矣，必先速得數十人肉身大士，大闡神通，應化天下諸刹，使一切衲子外不壞於一毫賄賂酷虐，内不犯於一塵淫殺貪傲，其不遵黄面老子遺教經最後教誨之意者，不得名曰僧。然後卻與之論世尊拈花、迦葉微笑之宗風，佛法其興乎！我今苦告諸佛子，各各述入大回心三昧。但言之至此，我亦罔知所措，諸佛菩薩寧不動心焉。我遂嘔我心中無忱聲而爲誓，銘之曰《十方禪刹僧堂記》。

〔一〕原本題下小字注云：一名佛法正論。

先君菊山翁家傳

思肖心數生平所爲，不孝一事最深，理久當殛死，非自損抑語，蓋實有罪。感造物赦之，開其自新之路。今雖大哭殞命，不足贖一身罪，不足述先人德，尚忍言哉。鄭姓得於周宣王母弟桓公受封之後，至晉永嘉分派入閩，居於連江東導村，今十數世矣。高祖，上字秀，下字穎。曾祖，上字昭，下字嗣。祖，左□右斤。世世襲以讀書傳家。先君兄弟二人，伯氏蚤喪。先君字叔起，號菊山，名與字之下字同。早年嘗名正東，方之卦。生於慶元己未，終於景定壬戌，壽六十四歲。先君四十歲始生思肖，今所記者，惟先君五十歲以後事。前乎此時，正當早年豪傑時，奇氣偉節未易可以形容。父子間禮甚嚴，非親見事不敢問。又無伯叔長兄教之。今前輩或有能道其早氣豪邁者，特髣髴爾。獨憶思肖七歲時親歷之事，淳祐丁未，前丞相鄭清之以侍讀入朝，泊於湧金門外，朝廷忽除之再相。先人聞除命下，痛哭流涕，謂：我自上流歸，聞端平出師復兩京之敗，皆鄭相誤國罪。即登其門，歷歷數之，厲聲大罵曰：「端平敗相，何堪再壞天下耶？」竟爲鄭相執下天府，母、妹、思肖俱遭執去。當時士氣頗盛，京尹趙與憲越一宿俱縱之。鄭相乃命天府廣布耳目吏卒於長橋所居左右，密物色。至於朋友往來，出處云爲，排日錄聞天府，堅求瑕疵，欲以他罪加焉。如是二年，莫能得毫髮。鄭相去國，事乃寢。鄰人始言其布置欲陷人以罪之事。先人爲社稷生靈憂，蹈此危機，有司求之二年，不得其過，可以見平日大節目矣。在京師居時，屋後有淫祠。因先母病，鄰人謂宜禱之。先人以爲狄仁傑嘗毁江南淫祠一千七百，獨留禹廟、泰伯廟、伍子胥廟。程子尚謂伍子胥廟亦不當留，先人竟手毁廟像，後亦無他。每事正直無邪諂，率皆若是。讀書之外，唯好飲酒，嗜食茶，他皆不切切焉。客京華三十餘年，不行狹邪徑竇之門，屈其氣節。世俗通賄賂事，一毫未嘗破戒。四方餽以禮，唯正則受。有酒即飲朋友，有錢即與朋友。聞人之善昌言之，見人之惡面折之，意氣飛動，不協於時。人固敬之，抑且畏之，或頗忌之。平生獨冠巍巾，異於衆。議論氣象，出處言動，皆正直嚴毅，有法度。當時宰執賢其賢，欲官焉。耻出私門之恩，終咈其事。每與平章賈似道論得失，累忤其意，後竟爲彼所疏。凡公卿大夫交，言不及利，語不阿媚，卒無親昵黨比之交。其實情則藐視一時人物，寄心澹泊，以道自鳴，高潔其行。白首六經。家不蓄銀器，不蓄直錢之貨，不喜翫圖畫骨董，不親博弈，不言私事，惟家藏古今書數千卷。自庚辰出閩遊京師。庚子，於潛縣請主於潛學。時居渡子橋作《三膜記》。甲辰，伏闕言姦相史嵩之，奉旨免解。丙午，上江陵。丁未，遷居西湖長橋，扁其廬曰「水南半隱」，作《水南半隱記》。壬子，伏闕言水火災，不報。漕臺請爲諸暨縣主學、蕭山縣主學。甲寅，絜居無錫縣率請至邑庠開講，環轍淮左浙右，據坐皐比，深衣竹笏，講性理學，一時學者翕從焉。講道來歸故廬，小圃植幽花修竹，逍遥其間，意不欲復出，將閉門養道，遂其閒適。天不壽以年，不得終此高隱計。早年場屋不利，即潛心窮理盡性之學，極有所得。至老讀書不倦，晚年造詣益深。正欲毁舊太極無極説，别作太極書。病已亟矣，將易簀際，盡歷歷言得失。且命思肖「至中年加以學力，削改補釋，足成《易註》。我丁未年後，即留心注《易》，今十六年，汝勿廢我生前志。汝終身所行之道，平日語汝久矣。」遂卒。先人素自許以治國平天下之道，制於命而不伸，痛哉！使其生至今日，決不忍陷於賊阱，必一死盡臣子報國之節。著述有《講義》、《詩集》、《雜著》、《前後讀書愚見》、《太極無極説》、《修攘事鑑》、《南北要覽》、《深衣書》、《鄉飲酒書》，並注《易》六十卦外，又有碑銘記序百五十餘篇，詩百餘篇，皆晚年所作。亂後，故稿爲賊取去。僅存於别稿者，文得十一篇，詩得十五篇，餘篇不可復得，深爲痛惜。先人生子女二人，思肖長焉。女弟適人，不諧終，願爲尼，修淨業。思肖又懦弱無能，爲一絲文脈，終將何如？近日漳州大義甚正，干戈擾擾，閩間正苦。吾族在鄉甚盛，誰歿誰存，今俱可傷。墳墓纍纍，盡埋没荆榛戰血中，獨先祖墓在江陵城外。先人早失怙恃，寄食外氏，亦莫知地之詳。先人丙午遊江陵，嘗望祭焉。先人墓在姑蘇甑山西隴，亂後幸無恙。先母兵火間，丙子歲，茶毗水化骨殖矣。天長地久，北風凄寒，如我不似於人，啓人掩口胡盧大笑者，誠不可掩矣。又痛思無子紹先人遺書，刳割心髓，雖念念謀爲傳後計，但國事大變，奚敢獨以家事論。今爲國爲家之念，紛然

茫然，裂碎其心，莫措手足，仰天大慟，莫喻後之所云。（《所南文集》）

一是居士傳

一是居士大宋人也，生於宋，長於宋，死於宋。今天下人悉以爲非趙氏天下，愚哉。嘗貫古今六合觀之，肇乎無天地之始，亘乎有天地之終。普天率土，一草一木，吾見其皆大宋天地，不復知有皇帝、王霸、盜賊、諸蠻介於其間。大宋粹然一天也，不以有疆土而存，不以無疆土而亡。行造化，邁歷數，母萬物，而未始有極焉。譬如孝子於其父，前乎無前，後乎無後，滿眼與父與天同大，寧以生爲在，死爲不在耶？又寧見有二父耶？此一是之所在也。未死書死，誓其終也，故曰死於宋。一是者何？萬古不易之理也。由之行，則我爲主，天地鬼神咸聽其命。不然，天地鬼神反誅之。斷古今，定綱常，配至道，立衆事，自天子至於庶人，一皆不越於斯。苟能深造一是之域，與天理周流，明而不惑，殺之亦不變，安能以僞富僞貴芻豢之。居士生而弗靈，幾淪於朽棄。長而明，始感父母恩異於他人父母恩，非數可算。性愛竹，嗜餐梅花，又喜觀雪，遇之過於貧人獲至寶爲悦。不飲酒，嗜食菜，薦飯得菜欣然，飯速盡。有招之者，拒而不從，決不妄以足跡及人門。癖於詩，不肯與人唱和。懶則數歲不作一，興動達旦不寐，作諷咏聲，辭多激烈意。詩成章數，高歌輒淚下，若不能以一朝自居。每棄忘生事，盡日遂幽閑之適。遇癡濁者，則急去之。多遊僧舍，興盡即飄然，愜懷終暮坐不去。寡與人合，間數月竟無至門者。獨往獨來，獨處獨坐，獨行獨吟，獨笑獨哭。抱貧愁居，與時爲仇讎。或癡如，哆口不語，瞠目高視而僵立。衆環指笑，良不顧。常獨遊山水間，登絶頂，浩歌狂笑，氣潤霄碧，舉手掀舞，欲空其形而去。或告人以道俗不耳其説，反嫌迂謬，率耻與之偕。破衣垢貌，晝行囈語，皇皇然若有求而弗獲，坐成廢物，尚確持一是之理，欲衡古今天下事，咸歸於正，愚又甚衆人。宜乎舉世之人不識之，有識者非之。識之識其人，不識其人非識也。能識一是之理，則真識一是居士矣。奚以識其精神笑貌，然後謂識一是居士也與。故作《一是居士傳》。（清文淵閣四庫本《文章辨體彙選》卷五四三　以上何本方點校）

全元文卷三六四

蕭𣂏 一

蕭𣂏（一二四一——一三一八），字惟斗，一作維斗（黄宗羲《宋元學案》卷九五），號勤齋。其先北海，父任官秦中，遂爲奉先（今陝西西安）人。初爲府掾，與上官言語不合即引退。隱居南山讀書三十年，博覽精研，通曉天文、地理、律曆、算術諸學。元世祖在藩邸時，欲聘爲官，不就。大德初年，授陝西儒學提舉，不就。繼授集賢直學士、國子司業、集賢侍讀學士等官，亦辭不就。大德十一年（一三〇七），授太子右諭德，帶病至京師，見太子，以老病辭歸。不久，授集賢學士、國子祭酒，以病固辭。平生致力於傳授理學，精於小學，《元史》卷一八九有傳。著作有《勤齋集》四卷。本書所收蕭𣂏文，以文淵閣四庫全書本《勤齋集》爲底本，校以清乾隆年間翰林院鈔本（簡稱清鈔本）。另輯得集外文三篇。

辭免國子司業狀

近於正月初四日，承中書省官馮宣使傳奉都堂鈞旨，給到馳驛，聖旨令𣂏赴都事。扶疾聽命，戰兢無措。竊念𣂏愚鄙寡陋，疑昧積塞，與人共學，非敢爲師，度分量能，苟安田里。不期遠近稱譽，名過於實，致誤朝聽，妄被聖恩，授以陝西儒學提舉。自顧荒謬，何敢叨冒寵榮以取盜虛聲之罪，超越資序，有紊朝經。謹以墾辭，幸蒙聽允。忽辱嚴召，實倍兢惕。繼令鈞命，諭以國學事務，愈益惶懼，無地自容。聲聞過情，君子所耻，學未成己，何以及人？猶不能當外郡學職，豈復敢預國學之事？灼見力小任重，以速顛覆之禍。又爲辭卑居尊，以取無廉耻貪冒之罪。其心忘目昏，臥疾日久，猶在所不論。伏望俯察愚誠，收回成命，旁求天下，以授真儒，則聖道宏暢，人望允協。伏惟朝廷清明，賢俊在位，凡在海寓，孰不願奔走從事，仰報萬一？𣂏既承召命，便當趨造，別乞改授近下初仕品職，以効涓塵。緣舊患脚氣發動，及腰背痛楚，艱於行立，又兼新病，有差來官日逐守候，恐妨公務，亦乞召還。

辭免國子祭酒狀

七月十六日，承奉陝西等處行中書省備中書省咨，除𣂏集賢學士、國子祭酒，依前右諭德。又中書省差薛宣使欽齎遛字七十八號四匹鋪馬之任聖旨，及行中書省參知政事趙資善一同禮請卑職疾早赴任。承命震驚，神識迷眩。念𣂏賦性愚暗，學術空疏，名浮於實，多誤朝聽。前大德十一年冬，病中拜諭德之命，不敢固辭，力疾載行。自十二月二十一日起家，二月二十日方到闕下。又伏枕月餘，四月二十一日拜覲東宮，杖策人扶，艱於趨造。惛忘錯誤，不能應酬，曠職素餐，空貽罪責。東宮憐此羸憊，命使送還。歸家妻没未藏，疫疾滿室，悲憂困頓，精神耗竭。忽拜新除，愈增惶懼。人微學陋，猶未論及，只此沈痼，實難勉强。惛忘恍忽，常若夢中，足膝恒痛，泄瀉頻作，夜不能卧，坐寐達曉，日惟指使，無力語言，醫藥無功，飲食漸減。即日未能前去，除將元給之任鋪馬聖旨欽領外，候疾稍愈赴都，合行具呈陝西等處行中書省照驗施行。

辭免陝西儒學提舉書

某蚤事文墨，見一時高才絶足趨事功者，效之不能，是以安于田畝，讀書爲事。本求寡過，不謂名浮于實，聖恩横加。竊念聖人之戒，必明德而後新民，成己乃能成物。昔夫子使漆雕開仕，對以吾斯之未能。信然，則心術之微，雖聖師不若開自知之。審今某學行未至，自知甚明，望達廟堂，改授真儒，則朝廷得人，學者得師，某亦不失爲寡過之人矣。

與同寬甫雷季正書

承示堂上無恙，甚慰。數日來天氣涼，想更調適也。季正簡諭：朝夕哭，猶生時定省之禮。固是。然此自是未葬時禮也。又云入廟後節降，亦是如此。但㪺初妄謂：有奠物猶可不出主，則無奠而拜，或可不出主乎？若在几筵時，朔望自有殷奠禮，倣質明已出主，拜奠哭如儀，與入廟後自不同也。㪺初疑主似父母形體，而匵猶屋室。然則隔門致敬，似是非禮。今再考之，自反哭時，匵主於靈座，既而詣之哭，則已不出主。至虞祭時，納主後方哭，而再拜辭之，則是主在匵中，而有可拜之禮。自是之後，罷朝夕奠，仍朝夕哭，則但哭無拜，可不出主明矣。至於小祥，朝夕哭亦止，何緣又復出主乎？又祠堂條：晨謁及出入辭參有所告語，皆大門内焚香再拜。惟經月而歸，則主人開中門。夫中門外尚可焚香再拜，則在匵中，其可亦明矣。則不與隔屋拜人同也。所可疑者，既入廟不廢晨謁，則在几筵，安得不行定省之禮？故但不出主，焚香再拜，其亦可哉？在靈座則定省于匵外，在廟但晨謁於中門外。然終不見出處，蓋考之猶未詳也。若專泥見主方拜之意，則恐又似向來覆藉魂帛之説矣。二兄以爲如何？幸往復詳究，有定論然後將改之。去人怱怱，不謹，希情恕。七月十三日，㪺稽顙再拜。（以上《勤齋集》卷二）

五老堂序

大德九年十二月五日

五老堂者，威寧張侯時舉暨其弟時中、時獻爲其父母、世母、叔父、叔母而作也。以五親者皆享眉壽而同居，故名之。蓋時舉父詳議君壽八十有七，母薛君八十有四，世母王君八十有三，叔父知事君八十有四，叔母董君七十有六，年雖皆老而視聽聰瞭，步履康彊。知事君雖嬰末疾，而精明不衰，飲食如壯者。五親者食于斯，飲于斯，燕笑語于斯，熙怡雍穆，日復日焉，不知身之老也。張氏繇祖萬户君之事曾叔祖隱君，考監軍府君之事父兄，詳議、知事兩君之事祖父母、父母，皆盡愛盡敬。故時舉輩遵守儀榘，愛敬二父三母，一無異焉。而五親者平生無一言之相齟齬，尤人之最難也。《易》曰：「積善之家，必有餘慶。」即五君之壽考康寧而觀之，則所積善不善可知已。天道不僭，寧不信哉！時舉屬余叙之。將求當世君子樂道人之善者歌詠之，以悦其親，且垂法後裔。蓋當監軍府君不忘文儒家法，雖軍旅中圖書不廢。而詳議君生而悦學，終日把玩詩卷字畫，欣然忘晷。而凡世之聲色異端雜學，一不經目。夫子之事親，苟可以悦心志，娱耳目，咸得爲之，弄雛戲斑皆是也，故不能拒。不知余之文能使令尊君一解頤否？然而諸賢之作，鏘金而戛玉，韶濩奏而鸞鳳鳴，自足以悦神情，忘百慮，爲引年之一助云。

送馮仲潛序

徽政屬總管府判官馮德昭仲潛，故友懷善甫次息轉運君之孫，前進士寧化尹提學君之曾孫也。生有厚質，沈毅莊恪，寡言笑，襲芳紹，休敻異凡子。矧受學其外祖昭文潛齋先生之門，而婿于父執馬君肅政家。磨礱浸灌，文質炳蔚，幹局敏達，一時譽望藹然，繇長秦漢民而轉是任，嘗觀一私家之事，而在公之六曹庶務咸備。傳曰：「居家理，故治可移於官。」信哉！顯揚之道在其中矣。方祇命成都，來叙别，且徵鄙言。我聞曰：「事君如事親，事官長如兄，與同僚如友朋，待吏卒如家衆，處官事如家事，愛百姓如親妻子，毋使毫髮不盡，如是而已。又本之以忠信，行之以清勤，餘力讀書，資養原本。仕優而學，聖門遺軌也。冰霜栗烈，天地肅清，修棧造雲，往哉叱馭，復有癡能了事云者，實悠悠誤世之談，慎勿聽之也。」樗巖諸君皆有戒休勸相之辭，凡如干篇。病叟蕭某叙之。

送孫秀才序

定西之爲州，在隴右極邊。習武尚氣，士俗固爾。而有能使其子弟爲學，而子弟又能篤志副所望者，咸可謂難矣。秀才孫生，以父命，不遠數百里，請肄于鞏府之教授文君靜卿先生之門，受六藝學，居郡序者數年。既而先生赴召王庭，解惑靡所，將東游長安而學焉。其二親以爲方秋冬之交，旅寓非易，俟開歲議之。而生進取之意甚鋭，即與同舍毛生，冒霖潦不告而東。其父懼其不利於跋涉也，騎而追之，不能及，抵長安乃見之。以之歸，不可，遂偕展束脩之儀于韓君從善先生之席，執經而從事焉。從善亦嘗稱其可與進也。今年春，兩生介僕日所與游者云：其囊貲已竭，城中不可留，而亦不能歸也，將寓諸郊而時質所疑焉。僕據義以辭之屢矣，而兩生日與諸友偕來不輟。未幾，毛生先歸，而孫生之來益熟，乃分余土室以居，逮三月矣。今將歸而徵言，余維忠告之義，而謂之曰：「聞之格物致知之方，則有論古今人物而辨其是非者，况近在吾身乎？日夕思省，使是非皦然，是則加勉，非則改之，毋自欺焉，學之要也。故子之鋭於進學，可謂是矣。若去秋之來東，今歲之出郊，則皆非也。僕又枉己徇物，持姑息以待子，亦非也。昔賢有云：學者所以學，爲忠爲孝。又謂：欲求事君，而先欺君，不可。詎有方將爲學而先傷父母之心者乎？遊必有方，以父母之心爲心也，烏可易其處哉！且學者之求師，猶行者之問途，資其指導之一言爾。至於道路物色難易，曲折緩急，則登途自見，要在善行之而已。聞令尊君儒者也，固無使子陷於非義者，但當一切聽順，不可萌毫髮私意。又以『天下無不是底父母』之語推而行之，爲學之道，無加於此矣。夫仁義之實，不離事親從兄之間，而千里游學，將舉廢之，是離物求則，豈聖門實學也哉！隆暑畏途，敬慎夙夜，是亦學焉。事無非學，又朱夫子之至言也。僕蕪廢日久，感子嚮學之勤，不覺自失。然進鋭退速，聖賢所戒，子能勉以終之，吾輩之望也。」安西諸君皆有詩咏，故爲序之。

送王弁序

聖上嗣位之三年，詔天下以德行明經取士。明年，陝西魯齋書院山長平水王弁，受行中書省薦辭其職，將進於春官，省余疾南山下，且徵鄙言。詢之曰：「能無矜乎？能無忮乎？能忘富貴乎？能靜乎？能中正乎？能希賢聖乎？知通塞乎？無患得乎？若是，可以言矣。《易》曰：『大觀在上，中正以觀天下。』此其時也。子之業在夫爻之三矣。」曰：「所謂觀光者，非邪？」曰：「非也。四大臣之位，近君者以之。而子也第當觀夫繇已出者，隨通塞爲進退焉，所期不失於道而已。苟通邪，即立事立功，尊所聞，行所知，使民不失其所望。苟塞邪，則仁義忠信，樂善不倦，其孰能禦之？知至而至，知終而終，苟不至乎踐形之域無止也。故先正以少年登高科爲不幸，豈虛言哉！子行矣，慎毋使前數可無者毫末塵吾靈府也。冰雪載塗，敬慎自愛。」

送陳耕道序

天子以德行明經取士之歲，夏，暑雨炎酷，陳生耕道來自咸寧，諗予曰：「畚之伯氏榮，以服賈養母，客死京師，藁殯僧舍者八年。老親以不得歸葬，念念不能忘。比以耀州文學掾得謝，將詣乎都，發兄之櫬以西，幸辱教。」耕道開爽莊慎，學有師法，流輩所推重。然病夫困蒸欝，昏昏夢寐中，莫知所以爲辭。適連雨有秋意，乃獲踐言曰：人之所以爲人，以其有仁義。仁義之大者，親親爾，尊賢爾。子能輟循陔之愛，趨陟岡之義，期慰母心，誠幹蠱之大者，張仲之播美於聲詩也，勉之。京師首善之地，國學又文正魯齋夫子遺躅，良法美意宛在，詎可大嚼屠門而已邪？先正有言：事無非學。今往反數千里，險阻艱難，人情物態，觀之深，慮之熟，處之有義，行之有道。方册之云，信而有徵矣，孰謂秦無人邪？新涼娟娟，雲峯猶奇，中央土德，四時之氣具焉，宜慎調攝。毋久懸倚門之情，知耕道者有瑶華之贈，凡如干什。

送王克誠序

昔顔黄門言：「別易會難，古人所重。江南餞送，下泣言離。」而詩人有「丈夫非無淚，不灑別離間」之云，意顔説乃其常，詩人故反之爲高奇耳。繼以「蝮蛇螫手，壯士解腕」爲喻，思功名以排遣離別之悲。豈知崇一己之私欲，滅交友之真情，陷於絶裾齧臂之倫，知德者不貴也。丞相府長史王克誠，向僕在京師，多仰引翼，及歸，送別南城，眷眷之懷猶記也。今年春，奉朝命會理行尚書省金穀來陜西，覲省之餘，問余疾南山下，相對恍如夢中。訪舊驚呼，半爲異物。今而言別，作惡如何？王事靡盬，子來莫期。餘生無幾，後會難必。信顔君所言，人之情、天之理不誣。克誠溫恭有學，以古人自期。臨事不苟，必絜度而爲，固本安上，深長之思。《詩》云：「樂只君子，邦家之基。」君其有焉。銓是公卿大夫咸韙之，而上下罔或怨恫也。卷中諸君子贈行之作可知已。某勉序之。粃糠良愧，長途翳發，重裘是宜，志道雖勤，復圭宜力，何以處我，焉得忘言耶！

李臨名字序

禾川人士李以正，介彰縣彭彦寬謁予，贄以新文，陳相見之儀。逮暇過余曰：「臨之名與字，先生所賜，維《易傳》是稽，願有序。」夫《易》之爲書，廣大悉備，其要立三極之道而已。請以爲學言：以吾之德性爲陽之屬，爲剛；血氣私欲爲陰之屬，爲柔。未知學者日唯聲色嗜欲爲務，自暴自棄者有之，猶天地純陰之時也。良心發焉，猶陽生於羣陰之下，在《易》爲復，爲臨。臨，二陽之長，有地澤之象，取上下相臨爲名，凡心思事物所際皆是。有元亨利貞八月有凶之象，故觀象玩辭，當使吾之陽明德性悦而日長，陰濁物欲順而日消，則大亨以正，夫誰禦之？知二陰之長，陽遯有凶則保吾之貞固。崇德修慝，扶陽抑陰，拳拳而弗失之。夫聖門之學，由日月至焉，以及三月不違天道，雖變自若也。過此，則化而無息矣。或謂：人事異乎天道邪？曰：固也，八月之凶，學之不篤，則有物欲消德義之失。君子則克治有素，必使物欲退，聽而察吾氣稟剛柔善惡之偏用力焉。以剛善克柔惡爲陽之長；柔善克剛惡爲陰之長，故具果毅幹固慈順之美，而無猛隘彊梁懦弱邪佞之疾，隨感而發，皆善而中節，其臨道之至矣乎！雖然，臨，實剛長之時，所云皆屬乎動。唯持敬存養大本，尤不可忽，以正勉之。又《大象》之傳曰：「君子以教思無窮，容保民無疆。」蓋澤能潤乎地，地可容夫澤也。聞以正有胡公子叔願闢館之招，此適今日賓主所當以之者。

張氏壽母辛八十之慶歌詩序

延祐四年

天錫禹範以壽富康寧好德爲福。夫子傳「履霜」之繇曰：「積善之家，必有餘慶。」皆所以爲萬世生民建極之法語也。德即福，善即慶，匪二道也。報應之説，蠱人心久矣，二天人也。天人二，則私意爲之主，德善何有焉？杜曲故鄉先生張翁潤夫之淑儷辛氏，年登八秩而康寧聰瞭，有遜志、迪德二子，十孫，四女，甥十三，彌孫五，可謂福慶矣。夷考其行，亦惟即夫人倫日用之常行也，無歉而已。蓋遜志曰：「母生二十年而結褵，供養尊章十年，襄内治、鞠育幼稚六十年，其端潔靜專、孝敬慈裕如一日。翁儒行力田，以經訓淑里黨。居樊川佳處，高人勝士時時留止其舍，節衣食爲厚具，無少懈。嘗曰：『吾家前朝號多田富有，兵亂中盜苦吾父，至于焚炙。人生第免寒饑足矣，何必多財爲患』？故耕織之外，一無他務。人之華好，不一臨視，寧瘠己而腴人，勉勉進修，令不墮儒素。詔女教婦宜其家，撫循僕使若天屬。雖老不異糧，得甘旨必均賚。中歲苦上氣疾，不能强藥，劇則飲水，旬日恒伏枕。比年食飲步履復如初。」遜志之言如此。且曰：「七月二日，母之初度，將徧求時賢大夫士歌詠，以慰其艱劬，傳之于家，永以示子孫。願先生之叙述也。」竊惟壽母生田間，不繇姆訓，克盡力職，分所當爲，則天質之美可知矣。況忌盈滿，以無求爲足，不幾于達乎？約己以饋賓，與截髮近似。而異若宿疴頓失，子孫滿前，德善之徵也哉！夫子曰：父父子子，兄兄弟弟，夫夫婦婦，而家道正，上言善，下言慶也。維君子樂道人之善，得不爲潛德而發幽光，以慰孝子慈孫之望，且以正人心，俾知爲善之實，而不妄徼求於冥漠也。詩凡若干篇。延祐丁巳歲七月吉日序。

李税使妻馬氏哀詩序

大德十年十二月十五日

《詩》曰：「無非無儀，惟酒食是議，無父母貽罹。」婦人之常也。又曰：「釐爾女士。」然則女之有士行者，昔人所稱願如此，烏可少之耶？寶雞劉尹庭玉謂余言其妻之母馬君之賢也，詢之，則曰：慈惠而明達，孝於父母舅姑。佐君子鳳翔税使李君，得事之宜，財雄一郡，而莫有怨忮陵犯之者，而家益完以美。晝哭時四子俱幼，禮聘端士教之，嚴其程業禮度，卑其服食，勤其四體。今皆循循謙恭有成立，婚姻咸大族，而蠶績刀匕，諸婦必躬，家衆三千指，愛敬如父母，户庭閒然。宗屬閒孤兒女，收而教育同己生，成長又家室之者五六人。若是者不賢而能之乎？況已債子錢，家貧，每爲折券卹窮；新養濟院，給糧藥，購地賑饑；大德九年，旱饑，發粟麥以石計百有五十，惠及一方者乎？又況族里之骨肉勃磎者質焉而信服之者乎？今年六十三而終。其葬也，西州大夫士作爲相哀之辭，凡如干篇，願序之以範諸來裔。余曰：成周教民六行，無之者有刑，教成者賓興焉。古之發政施仁，必先煢獨鰥寡，水旱則假貸勸分，此皆政之善者，而又賢士大夫之所爲也。世豈無富民哉？方自足其口體耳目之欲，以敗其子弟，怒其鄉鄰者，皆是也；有能深思長慮，成子問學，爲衣纓家，且知積而能散之道，如一嫠婦人者乎？是真無愧乎女士矣！抑余有感焉。夫齊民以財力相長，雖嫠婦有以及人，若夫居崇高之君子，善其政教而發施之，民有不被其惠澤者乎？書之使藏其家，俾來者有考也。大德丙午季冬望日勤齋病叟蕭某書。（以上《勤齋集》卷一）

跋周文矩校書圖

皇慶二年十二月

右題曰《周文矩校書圖》。案劉道醇《宋名畫評》：文矩，建康句容人。仕南唐李煜爲待詔。善車馬人物子女，用意深遠，於繁富尤工。與蒲師訓、黄筌父子、孫知微、孟顯同列，並在妙品中。圖凡八人，皆唐衣冠，三僮子前三人與胡僧對坐，朱衣者持梵夾讀，僧屈指爲數物狀，衣緑者指左，黄衣者拱手，皆有談説，似是爲文事者。中二人偕立，童子磨墨。一則憑曲松而言，若口授其意。一則據石，左執卷，右秉筆而掌其頤，若思隱括其意而將爲書者。後二人坐石上，共執卷，一讀而指其文，一仰而若有所思者。此卷藏故經歷李君長卿家有年矣。今乃孫凝仲袖以示余，欲究其事實未暇也，留已久，遂歸之，且備記之。他日或有所考，併書於此，以詢諸博雅君子，求其所謂深遠之意云。皇慶癸丑涂月中澣蕭某書。（《勤齋集》卷四）

無欲齋説

延祐四年九月九日

行中書省平章公有燕休講肄之所，問名於僕，書以「無欲」。因俾申其義曰：惟天生民，理與氣具。理也爲仁義禮智之性，氣也爲五臟百骸之形。人生而靜，性之本也。至大至剛，氣之本也。人與天地本一，私欲間之則二。惟靜無欲，惟剛無所屈撓。昔夫子歎未見剛者，以申棖有欲，不得爲剛。剛與欲正相反，剛則不屈於欲，故常伸於萬物之上。有欲則己小物大，爲物所掩而屈焉。孟子曰：「養心莫善于寡欲。」周子又謂：「寡焉以至於無，聖學以一爲要，一者無欲也。無欲則靜虚動直而明通。」公溥又曰：「無欲故靜。」至哉言乎！方其事物未接，思慮不萌，湛然純一，五性渾然在中，塗人堯舜，天地同流，雖鬼神莫知焉。既感而四端出，五典惇，充之可以保四海，此性情之正，子思謂之大本達道，無欲之事也。發於形氣，溺於意向，雖小大汙潔不齊，凡足以喪志荒政之屬，皆奮吾剛斷克治之，以復本初，寡欲之方也。然必先用力於格物致知之功，乃能別心意之是非邪正，躐等陵節又不可也。或曰：如槁木死灰，無欲矣乎？曰：不然，此二氏絶滅倫類而終不能者。夫飲食男女，天理存焉。天理人欲，同行異情。明者即此爲治心修身造端切要，昧則流爲大欲耳。若帝舜之「從欲以治」，夫子「所欲不踰矩」，「欲仁斯至」，孟子「可欲之善」，皆聖賢政教。公天下萬世淑斯人者，烏可與形氣之私同言而付之枯槁乎？要在日用間精察力行耳。然有不可不知者，剛有二焉：有血氣之剛，有義理之剛。血氣之剛，能施於朝夕，或輟於持久；有見於少壯，或衰於暮年。理義之剛，本乎浩然之氣，從道不從物，爲善不爲利，富貴不能淫，貧賤不能移，威武不能屈，此毗陵周氏説，朱子謂緊切可取者，然其要歸於由夫大學之道而已。噫！民之多欲也，甚矣。奪攘矯虔，猶未屬厭，以死殉焉；非秉鈞當國之君子同寅和衷，率而拯之，流禍何極乎？苟子不欲，雖賞不竊。上之化下，風行草偃，豈不信哉！公開府未期月，頌聲洋溢，大書屢書有其人，此姑言名扁之意。公之名諱言爲鑌，友朋字之曰德剛，故爲説。如此云。延祐丁巳重九日，病叟蕭某書。

馮鳳儀字説

延祐二年三月

咸寧馮鶚飛，介友生陳畓耕道來言：「翼雲中書都司鵬飛，吾弟也，由陝西憲史當移江陵。念二親年在喜懼，我兄弟恒睽離膝下，烏鳥之情，有不能自已者。每竊自傷，不忍復以飛揚爲稱。又鶚非鵬之族類，且專以擊搏害物爲事，有乖慈祥孺慕之意，願易之。」余聞，凡天下之事物，皆可以爲名與字，第存善去惡而已。傳稱不以國官畜牲、隱疾之屬，考諸昔人，皆有用者，顧所行何如耳。無已，有一焉。凡尊名之義必相符，則羽族之良莫鳳若者。《書》曰：「蕭韶九成，鳳凰來儀。」言其感至德之和而來，有容儀也。若曰鳳儀，則知羣疑皆亡，且有以進於善，可感至治之應而瑞世矣。曰：「諾，請用之。」申告之曰：揚子雲撰《法言》，準《論語》，出處則曰鳳，鳳何其微，反貽詰鳳之譏。至朱子以

《春秋》之法深貶之，此又不可不知也。然則如之何？曰勉爲大學之道而已。春日載陽，慎路自愛。

延祐乙卯三月甲戌，鴻濛穴主人書。（以上《勤齋集》卷二）

全元文卷三六五

蕭𣂏 二

地震問答

歲在癸卯，八月辛卯初夜地震，汾晉尤甚，湧堆阜，裂溝渠，壞牆屋，厭人畜死者無數。延慶次之，安西又次之，餘尚未聞也。至今月餘，猶若乘舟車然，間復一動，民皆廬於空庭市道，以火繼晝不可禁，惴惴焉莫能寧處。閭巷焚楮幣告謝者，無日無處無之。姦人間爲利，詭言相驚，民深以爲患。有問於余者曰：「某將有禱於天地，而或謂此地動也，何關天事。又紛紛之言，不可勝記，某亦不之聽信，但未知此何祇之所主，何以爲辭而禱之，如之何其可？」余聞之曰：「吁，人之不學乃至此乎！此其所以有此大變異也歟？天地人一也，豈有二乎？天包地外，地居天中。人生天地之間，受氣于天，受形于地，乾爲父，坤爲母，故人之一身，氣則天也，形則地也，心則人也。故《禮記》曰：『人者天地之心也。』邵子曰：『一身還有一乾坤，豈有二乎？』人而不知天地，猶自心不知其血氣形體，猶子不知其父母之心也，何以爲生耶？」曰：「天如何而包地也？」曰：「僕聞之，天積至陽輕清之氣耳。其爲氣也，至剛至健，旋轉至急，故包得地居其中。地則氣之至陰而重濁者，積之而後成形質。然其初本一氣也，動則爲陽，靜則爲陰，陰陽分則兩儀立，雖曰兩，而實未嘗相離也。故曰天地自相依附，天依形，地附氣也。子不見夫日月星河之出没乎？隨天運轉，從地下過耳，此最明白，又何疑焉？」曰：「天地其變如此，何也？」曰：「失其理也。」「如何而失其理？」曰：「由人而失其理也。人者天地之心，安有心病而身不病者乎？」曰：「理如此其大乎？」曰：「昔宋太祖問世之何者爲大，宰相趙普對曰：道理最大。雖天地各有其理，而況於人乎？請備言之：曰聞之天之理曰乾，地之理曰坤，故乾健而坤順，乾動而坤靜，乾剛而坤柔，乾發舒而坤生成之，乾覆燾而坤負載之。人之理曰仁、義、禮、智、信，所謂天地之中，民受之而生。若仁者愛之，理也；義者宜之，理也；禮者敬之，理也；智者別之，理也；信者實之，理也。此人之性也，亦曰人之德也。蓋此理得之於天，亦曰德性也。故仁之發爲怵惕惻隱之心，義之發爲羞惡之心，禮之發爲恭敬辭讓之心，智之發爲是非之心，信之發爲誠實之心，此人之情也。仁則爲父子之親，義則爲君臣之義，禮則爲長幼之序，智則爲夫婦之別，信則爲朋友之交，此人之道也。蓋是爲人當行之正道，萬世不可改易者，亦曰人倫者也。又推而言之，則凡孝愛慈祥、和易寬惠、粹溫醇懿、公恕周溥、宏裕安泰、容育彊健、剛毅果決、勤敏紓徐、哀矜施卹，仁之屬也；文理節序謙抑、宣章嚴威、祗惕慎畏、齊莊卑巽，禮之屬也；裁制宜適、友悌方達、斷直從順、擾肅廉介，義之屬也；密察精辨、清明開爽、睿哲聰覺、達淵貞正、確固專栗、縝密儉約，智之屬也；恒一守忠、敦篤純質、願樸厚重、孚塞懇悃、鎮靜恬夷，信之屬也；凡此皆人之理也。或乃兇賊慘忍、虔劉傷害、酷虐禍敗、狂猛獷悍、躁率媢疾、忌忮貪頑、私比狷褊、隘狹偏駁、輕忽弱懦，仁之反也；驕矜誇盈、僭忒奢溢、怠肆滔淫、侈亂黷冒、攘奪鬩鬩、號酗爭伐、陵競侮傲、惰放蔑慢、戲侮荒弛、吝嗇鄙俚，義之反也；殘暴悖戾、狠愎偏黨、苟靦容媚、拂訐隨同、疑爽姑息，禮之反也；猜蕩幽暗、昏昧窒塞、傾邪陰險、蔽係滯吝、愚惑繁苛、瑣碎愁戚、闊疏粗略、混濫陷溺、卑污、遂非億詐，智之反也；妄誕矯誣、欺詐詭譎、狡僞諂諛、空曠儇薄、便佞便辟，信之反也，凡此之屬，皆非人之理也。蓋人之理，其大者爲五常，其細者有萬善，反之則皆爲惡，名數不可盡舉，此大略也。又雖曰是理，而施之不當其可，則爲惡矣。如愛與敬，理也，若不愛敬其父母，而愛敬他人，則謂之悖德悖禮。以此爲例而推之，可徧通矣。故凡爲學之要，於一言一行間不可苟，必務去惡而存其善。夫子謂：「言行，君子所以動天地也。可不慎乎？」曰：「聞之致中致和，天地位、萬物育者，何也？」曰：「此聖人之能事，學問之極功，未易言也。若粗言之，不過使天下人之心，一靜一動，各盡其理爾。人盡其理，則人道立，故天地自位。天地位則萬物育，亦猶人心安泰，神志清明，俯仰無愧，則氣血和平，膚革豐盈，化化生生，壽考康寧矣。」曰：「此在位者政治教化之事，匹夫空言何益哉？」曰：「此童蒙之見也。夫治民而教之，自秦漢以來，此道廢矣。然自此民物之休戚亦可考矣，尚何言夫人之有生，得天所賦之理，方有此形。既生爲人，而喪失所賦，誰之過歟？天使爲人，而自棄之。孟子曰『人之所以異於禽獸者幾希』，庶民去之，君子存之。此自是己所當爲，何待人教乎？」曰：「亦有無理之人乎？」曰：「無是理，則自不爲人矣。所謂得其偏者爲物，本乎天者親上，本乎地者親下，爲飛爲走者是矣。然而虎狼有父子，蜂蟻有君臣，鴻鴈有長幼，雎鳩有別，烏鳥知養，豺獺知報。本此，其得一偏者猶不失也。人得其全而乃失之，又如何哉？」曰：「同是人也，同有是理，君子小人何自而分？」曰：「孟子言之矣，從其大體爲大人，從其小體爲小人。大體心，小體耳目口鼻形體血氣之屬也。心有五常四端，是天所賦，謂之天理。口體之屬止有聲色飲食男女，是人所欲，謂之人欲。人若以天理心思爲主，則爲大人、君子。若但以人欲口體爲主，則爲小人也。」曰：「然則君子無欲耶？」曰：「君子以理制欲，使皆合義，小人則專從人欲滅天理耳。雖然，先儒有言：小人不合小了他，本不是惡，若學以明理，能制其欲，即爲君子。蓋天地之間，只有陰與陽。天理，陽也；人欲，陰也。使天下之人皆能以天理勝人欲，則自然事事合于天心，自然陰陽和，風雨時，百穀豐登，萬生暢遂，災害不生，禍亂不作也。」曰：「爲學之事非易，豈天下之人皆能爲之哉？」曰：「古昔盛時，治而教之，故當世之人皆自八歲入小學，十五入大學，無有不學者。人人皆知有五常萬善。凡人倫日用己所當爲者，盡力行之。所以上之治教明，下之風俗美，而後世不可及也。《書》曰：『平章百姓，百姓昭明，協和萬邦，黎民於變時雍。』正謂此也。」曰：「古之教民之法可得聞歟？」曰：「古之居民，二十五家同一閭巷，巷首有門，門邊有堂曰塾。民出入常受教於塾，而後行之。自八歲已入小學，收放心，養德性。既長，又有兩塾之師教之，行其理，去其非，故賢者得以明理善俗，愚者亦能寡過遠罪，而不自知也。今縱不能然，但鄉黨里巷中，必有年老有道理者，謂身行之而有得於心。或識道理者，謂生質之美。皆可師而問之，知愛其身，不墮於惡穽，則漸自長進，過失漸少，道理漸明，是亦古之遺意也。蓋古之所行者，治世教民之政。今之所言者，使人人自明其理之法。夫萬物之中，人所以最貴者，祇是爲有此理。若我心不求明之以充此人形，安得爲靈？夫子謂：『仁豈遠乎？我欲仁而仁便至。』祇回過心便是，又何難哉？子不聞郭西劉氏之蒼頭乎，逃于平陽數年矣，值此變不死，次日徑歸其主，此即能回心而得理者。凡今之人，孰欲出於蒼頭之下乎？」曰：「然則祈禱謝過無益乎？」曰：「知其過而改，以遷於善，則可。若不知其過，或畏難而不改，則是欺天侮神，反招禍矣，何益之有？昔者夫子疾病，子路請禱，子曰：『丘之禱久矣。』蓋聖人未嘗有過，無善可遷，其行素合於神明，雖不禱，猶禱也。常人所行，違背天理，雖日禱之，猶不禱也。如己有子或婢僕，事事違背於己，而每每祇來禱告，是欺侮於己，則愈增怒矣，能無咎責乎？昔樊遲問知，子曰：『務民之義，敬鬼神而遠之，可謂知矣。』義是人所當爲之理，人祇合專力爲之，若不明義理，祇知褻瀆鬼神，可謂不知也已。然此猶論當祀之鬼神爾，若淫祀，又所不論也。《記》曰：『淫祀無福。』若遇正人，則自當廢去矣。夫豈能貪天之功而禍斯民耶？故漢谷永曰：『明于天地之性，不可惑以神怪。知萬物之情，不可罔以非類。』人而可不知學哉！」曰：「廬而處，禮乎？」曰：「禮，若有疾風迅雷甚雨則必變，雖夜必興，衣服冠而坐，所以敬天之怒也。孟子謂：『知命者不立乎巖牆之下。』盡其道而死者，正命也。桎梏死者，非正命也。人事盡處，方可言命。今天地大變，而人豈可偃然無所變其處哉！須一切廢罷宴樂聲伎紛華利欲之事，常以憂畏改悔處之，則可。《詩》云：『敬天之怒，無敢戲豫。敬天之渝，無敢馳驅。』當如是也。」曰：

「聞之，自古災異多云政令之闕失，何也？」曰：「各盡其職分，可也。職分者，各人分限中理之當爲者也。在位者固當自改其一官之政治闕失，然而無位者不當自責其一身之失理乎？昔者大舜爲其父母所怒，每往于田，則呼天號泣曰：『我竭力耕田，共爲子職，父母不我愛，不知我有何罪？』怨己失愛，自求己過不得，於是戀慕而號泣，故終能致父母和悦。漢萬石君子孫有過失，爲便坐，對案不食，然後諸子相責，因長老肉袒固謝罪改之，乃許。凡父母若有怒爲子孫者，當相責而悔改。況天地大變如此，而人可不自求己過以改之乎？夫人之一身，儘多有事。《大學》論絜矩，則欲其上下四傍均齊方正，若自五事、四勿、九思、九容、三戒、三愆之屬，以至父之慈，子之孝，兄愛弟敬，夫和妻柔，朋友相責以善，泛愛親仁之類，是皆天命之流行，人事之當爲者。日夜切己點校，若有不盡，則竭力加勉，此之謂自修。故曰君子求諸己，小人求諸人。天下之人皆知自責以自修，則皆得其理。若但責人，則皆失其理矣，不可不慎也。所以先儒有責上責下，而中自恕，豈可盡職分之戒。昔年僕買温公《家範》于市，有張姓者曰：『此部書不售二十年矣。』嗚呼！此亦觀風俗之一端也。若《家範》所言，自祖及孫，以至乳保，各有言行爲法，此職分也。」曰：「然則當如之何？」曰：「夫子傳震之象曰：『洊雷震，君子以恐懼修省。』當此震驚之際，唯當畏天之威，而自省察其身心過失，急自修治而痛改之。又推求向之過失之所由來，而盡絶之。或昧而不知者，學問以明之。或既知而行有未至者，力行以實之。蓋人言行之失，人猶得而尤之。若夫心思幽隱之過惡，人不得而知者，惟自心與鬼神知之，故曰爲惡於明明者，人得而誅之，爲惡於冥冥者，鬼得而誅之，可不懼乎！」曰：「如長平四十萬、新安二十萬，其中豈無爲善之人耶？但玉石俱焚，亦古人之言也，豈無其理哉？」曰：「奚止於是？古固有比屋可封、比屋可誅之言矣。孟子謂『富歲子弟多賴，凶歲子弟多暴。非天之降才爾殊也，其所以陷溺其心者然也』。」夫人心陷溺，習以成風，雖舉一國之人皆熏染如一，生長見聞而不知其非。不然，何以《詩》有十五國風耶？夫子首以《二南》，而終以《豳》者，又豈無意哉？其旨深矣。故善爲國者，必以正風俗爲本也。夫長平、新安之人，以爲無罪不可殺降者，爲白起、項羽言之也。若於趙於秦論之，則皆叛卒，豈得爲無罪哉！若夫玉石俱焚之言，以火之無别，發其下文曰：「天吏逸德，則烈于猛火矣。故分别而言，但殲其渠魁，若脅從者，則罔治之，非若火也。鬼神聰明正直，豈無知耶？」曰：「終疑有濫者。」曰：「思之痛心，難盡言也。於此只當斷定以天道與聖賢之言爲決可信，決不悮人。且爲善猶未獲福，爲惡更欲何望？今遇此大變異，只合深自恐懼修省，唯恐悔改不及，而禍變大至，豈尚有疑惑工夫？故曰吉人爲善，唯日不足也。且爲善而安富尊榮，爲惡而誅死禍賊，此天理之正也。若或反之，則在君子爲不幸，小人爲僥倖。又先儒之言曰：『爲善而得禍，是善未積；爲惡而有福，是惡未稔。』子將奚擇焉？人果能自省察，知其過惡，將畏懼悔改之不暇，何暇有疑？人生短景，日日改過遷善，未知畢竟能得全其天之所賦與老而歸全否？且孟子曰：『仁，人心也；義，人路也。舍其路而弗由，放其心而不知求，哀哉！』又曰：『仁，安宅也；義，正路也。曠安宅而弗居，舍正路而弗由，哀哉！』聖賢所哀，爲其良心已死也。蓋人與飛走不同處，祇爲有此仁義禮智之心，謂之良心。若無此心，則韓子所謂『其貌則人，其心則非』者。孫明復亦云：『人亦天地一物爾，饑食渴飲無休時，若非道理充其腹，何異鳥獸安鬚眉？』人至於此，則與物類何異？可不哀哉！嘗見故老教人曰換了你心肝者。此雖俚語，實於人有益，真起死之神丹也。」曰：「聞之天地以生生爲心，而殺人如此，何也？」曰：「自取之也。天以陰陽五行化生萬物，流行不息，故生意無窮。惟人得其精，故最靈於物。若善用其靈，存心於義理，則天之生意常在已身。若不善用其靈，專役於利欲，遂生出私意，欺僞百端，皆與天道正相違背，生生之理隔絶盡矣。《書》云：『自絶於天。』又曰：『非天夭民，民中絶命。』又曰：『非天虐，惟民自速辜。』《大傳》曰：『妖由人興。人無釁焉，妖不自作，人棄常則妖興。』正謂此爾。蓋天本只有生生正氣，因人所爲邪惡悖戾，積此惡氣，薰蒸雜亂，則亦有乖戾惡氣也。亦猶天地之氣不時，則人病；人之氣惡，則病天地矣。故人爲善則與生氣流通，爲惡則與惡氣相感，猶水流濕，火就燥，各從其類也。如五福六極之類，皆是也。《書》曰：『天道福善禍淫。』曰：『作善降之百祥，作不善降之百殃。』曰：『惠迪吉，從逆凶，惟影響。』豈欺我哉！」曰：「吾知所處矣，生死修短一聽於天，則此心虛静，有何憂懼？」曰：「此其粗者耳。昔司馬牛問君子，夫子曰：『君子不憂不懼。』曰：『不憂不懼，斯謂之君子已乎？』曰：『内省不疚，夫何憂何懼？』必日夜自察其思慮，云爲一一合理，無曠人之職分，則自然心廣體胖，不知憂懼。若有未盡善不合理者，即是過惡，安得不憂懼乎？」曰：「吾亦嘗自思所行，亦無甚過惡，祇此平常用心亦可矣，何必問學而爲是紛紛也？」曰：「此猶所謂美芹子而樂炙背者，不知天下有美於食芹、樂於炙背者多矣。人見西子，而後歸憎其貌。不覩大公，不見自私之爲小智。不知禮義，不覺物欲之害良心。故先儒有言：學者舍義禮，則飽食終日，無所猷爲。所事不過衣食之間、燕遊之樂，與下民一致。夫人豈樂爲下民哉？溺於所習而不自知耳。夫子謂：『性相近，習相遠。』又曰：『君子上達，小人下達。』蓋言習也。古人有行年五十而知四十九年之非者。人若不知學，不以禮義切己省察，豈能自知非，但見人之不同己者爲非爾。此之謂失其本心，但不知不覺作一世惡人而死耳。」曰：「觀鄉里中，亦有溫恭不爭競是非者，人皆稱善，亦可矣。」曰：「此所謂資質美者，更在學問以進之，爲聖爲賢，不可量也。若祇如此而已，是夫子所謂鄉願之人，似有德而非者。故曰：惡莠，恐其亂苗也；惡紫，恐其亂朱也；惡鄭聲，恐其亂樂也；惡鄉願，恐其亂德也。爲其不知學問，更不能進向上去，祇如此同流合汙，閹然媚于世，衆皆悅之，自以爲是，以終其身，而止于此，有害聖賢大學之道也。然則聖人所惡，亦非天之所祐者也。」曰：「聞有言老而學者，此亦無用之言也歟？」曰：「昔人言之矣：日暮豈不秉燭乎？猶勝坐于闇室之中也。」曰：「將死矣，能一明何補？」曰：「夫子謂：『朝聞道，夕死可矣。』雖有半日之生，猶當聞道，期不負此生，爲人猶勝虛生虛死、與草木無異也。曾子臨終，以一簀不合禮，必易之，曰：『吾得正而斃焉，斯已矣。』豈以將死任其非理耶？」曰：「觀世之學者，必數十年而後有成。吾旦暮人耳，安得此光陰？是可傷也。」曰：「不必如此。昔有李初平，欲從濂溪先生學，先生曰：『公老矣，無日子，但每日來聽説話。』於是二年後有所得。此或一法也。若未至於老，則茅容四十餘方學，終亦成德焉。人莫不有神明，用之當于其要，往往於不緊要事搜訪，須要得知，及至己身，一生爲人一大事，卻以爲等閒。《傳》所謂『茲心不爽，昏亂百度』者，可哀也哉！」曰：「自古地震多矣，未有如子之説，何也？」曰：「若有，則不必説矣。」曰：「亦有與子説異者。」曰：「此所以言人必須學問也。人不知學，則聞人之言，是與非莫能辨，往往只被邪説惑亂引去，聞正言則反疑矣。夫子傳夬之九四曰：『聞言不信，聰不明也。』程子曰：『夫過而能改，聞善而能用，克己以從義，唯剛明者能之。』又曰：『剛然後能明，柔則易遷。』失其正性，豈復有明也？故聞言而不能信者，蓋其聰聽之不明也。《書》曰：『視遠惟明，聽德惟聰。』夫聞善言能信而無疑者，聰明過人者也。在子思之如何？」曰：「事天有道乎？」曰：「有。孟子曰：『存其心，養其性，所以事天也。』《詩》云：『畏天之威，于時保之。』人能常常兢畏齊栗，如對君父，如事鬼神，則心不流蕩放去。心既常存，則能保守得天所賦之理完具不失，順而行之，不敢夾雜一毫己意，即事天之道也。《詩》曰：『不識不知，順帝之則。』雖文王亦祇如此，餘則張子《西銘》詳之。」曰：「雖然，吾將有禱也，子姑爲之辭。」余口授之曰：「坤靈震盪，民物夭傷，皆昏冥多失於降衷，致清寧有乖於常理。遘此大警，敢不痛懲？誓除既往之愆，敬迓好生之德。斯可也。」曰：「今日之言多矣，不能盡記，子盍爲我書之？」遂書草廬中，記答人所問，然難於命詞，太俗則鄙俚，爲知德者厭，稍文則不學者惑，畢竟無益。雖病中時時改定，終未能自愜也。

或謂余曰：「子之意誠厚，然吾思之，亦甚愚也。夫人之生，雖同得天之理以爲性，而亦有陰陽五行之氣以爲形質。理性雖同，而氣質有萬不同者，故曰清者智而濁者愚，美者賢而惡者不肖。今此愚且不肖者，乃有生之初既禀得濁惡之氣，既生之後又無賢父兄、良師友教養之功，又爲風聲氣習之所驅染，自襁褓無知之時，已爲紛華物欲放僻邪侈蠱惑。至于少壯耆艾矣，而乃欲一時言語文字間，使其自知照了、悔而改之，不亦難乎？又恐吾子重爲人所怒也。」余曰：「子之言良是。雖然，古猶今也。當聖賢之時，豈無氣質不美之人？豈不知氣習物欲之爲害哉？夫子曰：『有能一日用其力於仁矣乎？我未見力不足者。』又曰：『仁遠乎哉？我欲仁，斯仁至矣。』孟子曰：『人皆可以爲堯舜。』又曰：『中也養不中，才也養不才，故人樂有賢父兄也。如中也棄不中，才也棄不才，則賢不肖之相去，其間不能以寸。』周子曰：『人有不善則告之不善，且勸曰庶幾有改乎？斯爲君子。』又曰：『聞人有不善，則曰人孰無過，豈知其不能改，改則爲君子；不改爲惡。惡者，天惡之。彼豈無畏耶？焉知其不能改？故君子無不愛且敬焉。』朱子釋之曰：『告之以不善者，恐其不知此事之爲不善也。勸之改者，恐其不知不善之可改而爲善也。』夫聖賢豈不知氣質物欲之爲害？己欲達而達人，推己及人，仁之方也。明德新民，大學之道，豈有棄人於惡耶？其變化之，蓋有道矣。如百姓不親，五品不遜，帝舜則使契爲司徒，敬敷五教。又使夔典樂，教胄子以防其失。夫子言：『生而知之者，上也；學而知之者，次也；困而學之，又其次也。困而不學，民斯爲下矣。』子思言：『人一能之，己百之。人十能之，己千之』。果能此道矣，雖愚必明，雖柔必强。藍田呂氏解曰：『君子所以學者，爲能變化氣質而已。』德勝氣質，則愚者可進於明，柔者可進於强。不能勝之，則雖有志於學，亦愚不能明，柔不能立而已矣。夫以不美之質，求變而美，非百倍其功不足以致之。今以鹵莽滅裂之學，或作或輟，以變其不美之質。及不能變，則曰：天質不美，非學所能變。是果於自棄，其爲不仁甚矣。凡此聖賢大儒所以教人，言雖異而旨則同，而呂氏尤切，故詳著之。蓋氣質習染時尚物欲數者，維變化氣質爲難。

然既能真識德性之正，自能覺其氣質之偏，於日用動静語默間，事事力變之，則是天理之正。所謂「非禮勿視聽言動」，「一日克己復禮」，吾身過失皆可一舉盡掃除矣。譬如雲霧陰曀雖甚厚，疾風烈日鼓蕩消鑠之，豈有天宇不能清霽者耶？要在致知力行，篤志無怠而已。至於爲人所怒，則非愚之所能苟免也。雖然，十室之邑，必有忠信如聖人者，儻使見此説，或能感動奮發而有以變於前而善其後者焉，則於國家化民成俗之美，豈無萬一之助耶？」（《勤齋集》卷四）

醴泉縣廟學記

醴泉縣廟學，故在城内東北，元祐中博士蘇季明記之。金亡，廢。至元乙亥，縣尹東平宋侯洙徙於南市。大德壬寅，從仕盧侯佐爲縣祇謁初，覩闃隘庳陊，廟而無學，大懼不稱聖朝崇尚樂育之意。課諸監縣沙卜珠、簿尉陳瑞南進義，詢之縣史王濟，得故膾墟。當文明之位，顯敞爽塏，稱爲神居。盧侯以二歲己俸爲倡，同僚士庶遠暨咸陽槐里士夫之賢者，皆捐金以助。爲禮殿居中，繪羣賢大儒於兩廡，齋廬講堂、庖庾門垣悉備。左轄耶律公希逸、翰林劉公賡旬宣關，右題其知務翰林爲書殿榜焉。既終更，敦武郝侯某繼至，增正殿平基周陛，嚴陛楯以衛賢像，徙石刻庭下。建烏頭大門，仍諉醫學諭劉君珽植花果名木以千數。甲辰三月吉日告成。學諭王君贇狀其事請記，辭久不獲。惟古昔聖神繼天立極，設爲庠序，教以人倫，使之順性命之理，變化氣質之偏，人皆有士君子之行，而比屋可封也。四代之學，至周而備，而他術異道不得汨之，故民志正，風俗同，賢材衆而歷世久。兩漢而下，鄉里之舉，風俗雖降，人猶知自修。隋立進士科，專尚文辭。唐、宋、遼、金因之，致多士蒙干澤之辱，載籍爲射利之具，民彝汨亂矣。理極而復，世祖聖德神功，文武皇帝天縱聖哲，別詔設官劭農，立社擇師，教以《孝經》、小學、《大學》、《論》、《孟》、經史，敦本抑末。今聖上仰繩祖武，知爲治本乎風俗，而風俗本乎士，以德行明經設科，以孝弟信義爲本，以四書五經、程朱訓傳爲學問，躬行之。要思濟斯民以先王之道，將致成德全才，覩真儒之事業。詔下，主縣簿大同盧侯仲誠來速記，告曰：「吾黨之士，何以仰答皇上譽髦斯士之美意乎？曩以文墨取人，其弊使之喪心無所歸宿。今也不然，士果充吾良知良能，力行夫聖賢經訓，日就月將，義精仁熟，居廣居，立正位，行大道，用之能行，舍之能藏，尊主芘民，美風俗，壽國脉，無入而不自得，可謂君子儒爲己之學矣。苟不知自愛，徒以綴文辭、饕富貴爲心，即明德已有蔽虧。得之則昏傲矜誇，失之則躁蹙訕訐，卒之斁王化，傷士風，豈所謂德行之舉、經術之教也耶？國家果何所望哉？亦豈三侯經營成就之勤之願哉！吾黨之士，貴慎擇厥初。」

學古書院記

書院始于唐元和間，衡州人李寬于石鼓山，南唐昇元於廬山白鹿洞。宋大中祥符間，睢陽民曹誠，即戚同文舊居建學舍百五十間，蓄書二千五百卷，召明經藝者講習。及嵩陽、嶽麓、茅山皆聚徒教授肄業，朝廷畀之九經，賜以敕額，時天下有四書院之稱。是後江南諸郡，凡先正過化之地，皆置書院，敬延儒先，昭明斯道，以遵前軌。北方金氏，百年所無也。皇元奄有九圍，教尚儒術，屢敕有司勉勵學校。世祖淵龍，書召魯齋許公，疇咨啓沃之餘，命教人于京兆，成德者多爲時用，今悉物故。陝西行臺立魯齋書院，以紹前人、淑後學，邦人興起焉。是時，湍陽、平水、渭上亦有書院，籍籍有成。於是三原民李子敬，聚弟子，慭以民錢五萬緡築室儲書，號曰「學古」。既落之，請鄉先生悦古程君主之，眘獨白君繼之。啓迪漸有成序，部使者上之朝，報下旌其門。恭甫謂余曰：「願識書院之成事。然非敢矜也，將俾此方之人新其耳目，滌其靈府，有以大變其風俗。庶乎後之人爲詩書家志願畢矣。幸有以教之也。」辭曰：「師儒之職，安敢僭？」三請益勤，乃勉以毋欲人知而爲侈大，毋以歲久而生懈怠。遂筆其實以記。

秦王妃祠堂記

延祐五年五月

延祐戊午夏，開成路總管王公澤以書告蕭𣂏曰：「鄉也，欽承儀天興聖慈仁昭懿壽元全德泰寧福慶皇太后玉音，於秦王元妃祠堂月供牲牢醴齊以爲常，有司虔恭奉行，五年於兹矣。祠蓋寺人田長安所建，事具府學，士人郭好德狀，願紀之石。」謹按：妃諱伊囉斡，姓吉嚕氏，唐朱邪之後。乃祖叶贊，聖朝撫寧中夏，以勳公分土食靜安諸城。聯姻天家，孫阿爾布哈，尚世祖皇帝公主，封高唐郡王，妃之考也。今嗣封鄃王，妃之弟也。宸眷以妃配皇孫秦王，王之國，不幸蚤薨。妃淑慎貞靜，聰朗淵懿，好古博雅。嘗聞中陽薛氏董母闢館授徒，驛召留歲餘，通經訓大指，恒深居邃殿，維圖書是親。又不幸薨於大德丙午秋陵谷之變。長安者，京兆畫工璋之子，以隱宫爲寺人，感服慈惠之久，即崩殿故址肖像立祠，晨夕瞻奉。故朝廷嘉其不忘主恩，鄃王及百執事感其敦篤，亦咸有助。嗚呼！民之秉彝，好是懿德，夫惓惓者，誰實使之哉！雖然，兹亦汭陽祠諸葛公之屬，姑以慰人之思而已。若夫配位先王，以饗嘗烝，有國之典禮在。五月吉日，前集賢學士、通議大夫、國子祭酒、太子右諭德蕭某記。

稽中堂記

大德十一年十月十六日

友周君介夫，刺武王誥康叔語，扁厥居自警，諉余記。聞人之心虚靈知覺主一身，涵動靜，具衆理，妙萬物。惟聖哲氣稟粹精，鑑空而衡平，仁義禮智渾然無倚，曰中德。事物感之，萬善攸出，惻隱羞惡，辭讓是非，應各以物，無過不及，曰時中。惟厥庶民，昏駁攸質，爰自有生。中德既罔，顯習尚物，欲乘釁以汩，旦晝宵寐，斯須靡寧，心緊聲色，臭味勢利，紛華是誅。便儇巧佞，卑污苟賤，是狃靈府。惟冰炭攸積，彝則曷其存。維先哲戒玩物喪志，期精義以誠身。而凡民覆玩物喪志是求，私欲荼毒，救渴以酖，奚益？嗚呼！大化不息，匪高明日進，必汙下日趨，弗靈没齒，哀哉！惟昔顔子躬博文約禮，明睿攸燭，乃克有擇，拳拳依中德。苟禮義之心未純，時墮于過罔，及覺知，必一準夫顔、曾，自一事一物，究極天則，盡吾之靈，昭徹表裏，乃一意乎善，罔自欺，爰作稽中德，庶幾弗畔。矧稽之古，惟考惟計，必敷求古先聖哲，若堯舜禹，惟精一乃克執厥中，亦越成湯，惟禮義以制中，乃建肆昔之壽耇，成已成物，罔匪承于古。若《大易》之有卦，六位别以計。乾二、五固中，初潛，三乾，乾四或躍，上戒于亢，時亦罔非中，必有定于前，行道斯弗跲。兹即一飲食話言，其尚謹日用、矜細行，觸類以長，天下罔不惟悉。允惟于兹，業廣德崇，允惟王正事之臣，天若元德，夫誰禦敬之哉？自貽哲命，介夫孝友忠信，篤志問學，詩書四子舉成誦，善夫！《書》言「克明有政」，其遠大未易量也。大德丁未十月既望，北海蕭𣂏記。

有筠亭記　至元二十八年三月

竹之爲貴何？比德君子也。若風人託興以美其上，記禮者以其有筠能貫，四時不易，譬人之有禮，能釋回增美焉，皆其章章者也。前安西路總管府治中池陽王侯器之，有别野在樊川韋曲東，有息游之亭，在其寢東北隅茂竹間。至元庚寅春，即其圮而新之，增庫益狹，易茨以瓦。既成，屬予名與識，久不得辭。維夫竹之於用衆矣，上自宫省，下逮邑井廬野，吉凶賓軍，日用鉅細，微竹罔與成其功者。以是天府之人，歲恒與鹽酒埒。虞衡厲守之，罹其禁者有罰，故民以爲患。然或樹之庭砌而比德，是取則無禁焉。是知所可貴者，不在彼而在此明甚。乃綴禮家語筆其扁，且告之曰：騏驥一日千里，所稱者非以其力，蓋貴德不貴才之義，通天下古今也，故君子感焉。夫德其本也，才則其施。德有小大，才必從之。不德而才，古所謂不才子也。鄧舒、盆成括之流，亦何足算？才如周公，不可無德，可不懼乎！侯故儒家，明熟吏治，敏給有幹局，兩佐大府，籍籍有稱西州。迺令以疾閒居，方益以遠猶偉哉乎！侯誠有志於是，必也從事夫博文約禮之訓，多識前言往行，視聽言動思，壹是以禮。有聞斯尊，有知斯行，暨乎真積力久，擴而充之，宏綱正，萬目張，雖羽儀天朝，矜式黨里，與夫光昭祖考，垂憲來裔者，舉無遺恨，乃稱夫儒家事業矣。然則斯亭也不爲無助，名之與識，亦豈徒云乎？侯其懋之哉！宜刻之金石，庶後世子孫守之無斁也。明年二十有八年清明日，齊人蕭𣂏記。（以上《勤齋集》卷二）

全元文卷三六六

蕭𣂏　三

務滋亭記　大德十一年

滋，今之灞水本名也，史稱秦穆公改焉。隋開皇五年，復爲滋水，而俗猶不改。蓋漢魏已降，名灞已久，隋短世，不能遽回民之觀聽也。河中人韋君佐，余及識其大父五翁，精練勤儉，善治生，通輕重之理。鬻鹽長安市，而人皆視其賈爲之準，雖公府弗能軒輊也。繇是起家爲巨室，而君佐之父國賓善守成法，又買田灞上，益以衣食之本爲務。蓋將老焉，築亭爲館賓之所，雜植花竹果蔬於前後。爽塏高明，仲夏可居。求名，僕遂書之，取其爲農於滋水之上也。《語》曰：「一年樹之以穀，十年樹之以木，百年樹之以德。」《書》曰：「樹德務滋。」蓋寓其名，以明樹德之本指也。君城中所居有堂，曰「周德」，故以相發其義云。秦穆公改之，欲以彰霸功；今而復之，欲以滋吾德，皆所以示子孫也，各從其志也。大德丁未某月某日，勤齋病叟蕭某維斗識。

柳溪新洞記

大德九年六月

自鳴犢鎮走義谷，道左有小溪，舊以柳溝名。其源有二：一分義谷水，自甫張而下。一發源李義里，北流會之其下，即溪也，因曰柳溪。雷氏自濮府幕君毓德，累行慶衍于後嗣。知事君長子復，字伯靜，積學力行，承孝以德，儒先時輩推服焉。次子介，字仲介，承兄克家，既完既美。次子恒，字仲常。益，字叔謙。覲，字季正，應奉翰林文字。一門孝友，爲關右所稱。初，伯靜既葬，其妣趙夫人于溪西平里別業，曰：「此吾家世守也。」遂有營葺意。緣溪種柳數十百株，因高爲臺，將遂構亭，以爲藏修之所，不幸早逝。而仲介葬其考知事君，廬墓制闋，又鑿溪西垠以廣之，爲洞二，曰「稽古」，以讀書爲志，且取穴居之意也。爲堂四楹，堂洞之右儲書其中，曰「進德」，以成稽古之意也。堂前小方池植一白芙蕖，名曰「玉淵」，取顏延之詩語也。池東小渠瀌瀌過其前，横梁度之。其東北爲大池，則樗巖馬肅政命曰「錦雲」，以植紅蓮名之也。直堂東渠之左曰東池，以堂逐溪形，以池正之，是不忘規正之義也。三池若鼎足，與稻塍錯處，且雜藝花竹其間，繚以杏籬，總名之曰「柳溪新洞」。余嘗阻雨，信宿堂中，蕭然終日。向伯靜手植之柳，皆濃綠參天，禽聲和鳴，殊有勝致。猶恨不及晴霽，不見雲山遠近之態也。仲介舉酒囑余曰：「先兄一生志于學古，且治命見託，以弟與子之爲學，介何敢忘？況松楸所在，覬後日子孫必有學問以成先志者，子盍爲我記之？」余曰：「此君家翰林之事也，

曷敢僭。」又起而請。書此語曰：「待他日足成之。」（以上《勤齋集》卷一）

重修涇陽縣公宇記

大德乙巳夏，涇陽邑居之大夫士，與其鄉之耆艾李芳而下十一人，走書南山下，告予曰：「吾邑距大府不百里，政役叢劇，苟承上字下，不獲其人，則民將無以寧厥居。綵監縣進義正倫實不花、泉尹、從仕王侯琚仲瑗、簿尉存義彭侯德恕彦寬、典史郝誠來涖是邑，而能同心僇力，求所以集事而利人者。若王侯董役洪口，疏石濬淤，渠水倍常歲，而多稼豐碩而入，相與均賦平役，去疵助農，崇庠序，絶賕餉，不期月而訟衰盗息，民知樂生矣，知義於事上矣。又以官舍攲傾庳露，圖議新之。始倡其僚吏輸俸以市材僦工，已而故侯巨室翕焉佐以資力，經始正月丁卯，訖工三月丁丑。聽事有堂，延賓有館，吏舍庖廚，與夫燕休退食，悉有其所。華而不侈，質而不陋，什器具蓄，無事乎民取。引流經其中，畦蔬沼蓮。列植雜木數百本，可材可薪，期以經久。實前所未見也。欲紀之石，惟子之言直而信，願有記。」僕亦竊聞諸道路，今宰邑西善於其職者不數人，涇陽其一也。迺爲之言曰：「王侯既有以舉其職而新其居，是必能日新其德，而推以新其民矣。然而爲其民者，益當體王侯所以承宣聖天子之政，而各有以自新而修其身也。盍觀夫公宇乎？方其未修也，惟顛覆是懼；及修而新之，則觀者靡不滿志，此通天下之公理也。人或不修其身，亦廢人爾。一日修之，則父父子子、兄兄弟弟、夫夫婦婦，而人得其正。人皆得其正，則一家一邑從而正矣，雖推之天下可也。凡邑中之士，可不勉哉！」因名其公堂曰「明新」，以言修葺之有本云。（清宣統三年《涇陽縣志》卷二）

欽齋銘

於皇上帝，幹流二五，民有彝兮。火神司禮，其端維敬，萬變尸兮。欽肅寅畏，嚴恭祇翼，同一歸兮。姚姒以降，竹素森列，有餘師兮。立本既固，格致乃光，毋偏隳兮。之子名齋，澡雪陳翳，尤所宜兮。爲儒有二，爲人爲己，生死岐兮。詭言詭行，反道敗德，絶勿闚兮。狃于多中，無變彀率，羿則欷兮。

敏齋銘

改過雷烈，遷善風行。勉勉終身，無求速成。日就月將，瞬息有思。乾乾之功，曷敏如是。

直養齋銘

萬物所資，均乎一氣。孰其尸之？曰維上帝。帝命人極，健順五常。氣則偕行，莫禦莫量。順理爲直，得養則大。襲正助忘，匪理斯害。凡中有主，所向無前。拔山蓋世，古亦有焉。敬義夾持，俯仰無愧。上下同流，勇何足議。不憂不懼，不疑所行。何物事功，撼吾靈扃？矯矯裴君，炎黄其學。從事于斯，受説先覺。繄余小子，願學未能。敢銘君齋，實惟自銘。（以上《勤齋集》卷二）

質齋贊

國子助教祁君子京，以「質」名齋，自爲記，且銘之。一時宗工秀人題咏，盡其義矣。齊人蕭㪺掇其遺而爲贊曰：

上古聖人，仰觀俯察。旁及鳥獸，取象惟八。書契干戈，登降桎梏。化成之具，于焉以茁。巍乎煥乎，重華位陟。文命誕敷，懋昭大德。視民如傷，於湯有光。姬情孔思，謨訓洋洋。經緯三極，時維至文。世變風移，覆其質云。世之謂文，古所無有。游夏言行，昭昭可考。絺章繪句，錦心繡口。充棟汗牛，世用曷取。蔽天之明，窒人之靈。繇政迄廣，禍斯以成。卓哉祁君，矜世之病。質以自居，求盡其性。如彼泉流，載浚其源。彼華彼實，載植厥根。如賁尚白，循循勿勿。立德立言，成己成物。

元故特授大司徒贈太師開府儀同三司上柱國冀國公推誠宣力保德翊戴功臣謚忠宣石公神道碑銘

至大庚戌秋八月有六日，榮祿大夫、大司徒致仕石公薨于京師春臺里第之正寢，壽九十有二。以是月二十有八日，葬于順州南蔡里之先塋。有司舉褒恤之典以請，詔：石蒙古達六朝老臣，忠勤於國，謚贈宜從優異。太常集議，贈開府儀同三司、太師上柱國，追封冀國公，錫號推誠宣力保德翊戴功臣，謚忠宣。夫人和拉徹臣氏、夫人摩勒齊哩氏，皆封冀國夫人。上賜可。公諱天麟，字天瑞。古燕順州人。世有積德，爲盛族。贈中順大夫護軍武威郡侯諱祥者，曾祖也。妣完顏氏。贈資善大夫上護軍武威郡公諱慶元者，祖也。妣張氏。贈榮祿大夫上柱國順國公諱庭者，顯考也。博學篤行，爲陰陽家言，五行律歷，靡不精究，王官麻革銘之墓碑。妣薛氏。太宗皇帝在御，公年十四，侍父順國公從行在所，因得拜覲，蒙睿眷備警衛。公勤慤英悟，不數歲，學問有成，詩禮陰陽固傳家學，而旁及諸國書，言無不通，習聞義勇，爲同列推服。時天造之初，條綱未完，上命中書耶律公興舉釐革庶務，而毗贊難其人，僉議以命公。事或岨峿，每賴以濟，因賜名蒙古達，華言猶國族也，前代賜姓之通例。詔名。王帥師征西域，王以裨佐爲請，命公輔行，繇是分隸爲斷事官，兼教諸王子。憲宗即位，熟公才德，復選爲諸路斷事官。時省部未立，猶相職也。歲丙辰，命使西北，親王遂見留止。至元乙亥，邊將盜兵劫皇子北安王，亦寓止公之處。公惶懼深念，因彼用事臣，數數以宗親大倫、君臣正義、逆順禍福、天道人事，反覆告諭。彼始怒而中疑，終則欣然感悟，竟遣公護送北安王來歸。世祖大悦，恩賜蕃庶，禮異絶羣臣。授中書左丞兼斷事官，復命入中書。公再拜辭曰：「臣奉使無狀，幸免罪責。又才識鄙薄，加以耄惛，何敢叨居顯榮，爲廟朝之辱。」終辭不拜。帝嘉其誠懇，褒慰良久，然禮遇益隆矣。時至元癸未歲，蓋留西域者二十八年。既而有譖丞相安圖嘗爲官于彼者，世祖怒，公奏海都實親王，非敵也，安圖不以死拒絶之者，政以其他日來庭，則欣然無所疑阻於其心也。帝爲霽怒，故今易名之制，有「韜爾符節，芘我本支，扞牧圉以來歸，啓羈縻而向化」之訓。他日，帝聞江左道觀内有宋主土木遺像，言僧當致之大辟，何如？公對曰：「帝后祠像，西京寺内，終金有之。」事乃得寢。二十六年，賜以所御金龍頭杖曰：「汝老矣，拄此出入宫掖無禁也。」時權臣僧格方柄用，凶燄薰灼，海内震懾。其官人也，必陳狀納賄而後遣，人莫敢言者。公憤其罔上蠹民，首發其慝，帝益感公忠。成宗即位，特授榮祿大夫、大司徒。大德戊子，玉德殿成，以公元老，命大臣延公先宴其中。公再拜稽首曰：「殿宇新成，聖上未之臨幸，臣等何敢當此禮？灼知陛下不爲一己之安，將延天下賢俊論説政事於斯也，太平有日矣，臣敢爲天下賀。」上深感其言，稱善久之，賜御藥，且命左右勸之酒。是日霑醉，以御輦送歸第。武宗皇帝加平章事，尤蒙禮敬。晚節致仕家居，清心寡欲，時事弗以關懷。訓教子孫，優游數載而終。兩夫人皆冀國也。夫人端氏未封。男六人：曰額稜布哈，藁城縣達嚕噶齊；曰用，禮部侍郎；曰珪，大司農。女曰燕，適傅氏。皆夫人金氏所出。男曰輝圖，京南宣慰使；曰圖戩雅爾穆什，山東宣慰同知；曰和尼齊，常熟州達嚕噶齊。女曰達什札卜，適總管胡淪。皆夫人默呼德呼所出。女曰德呼，適司徒哈勒哈齊；曰托克托，適總管岱爾馬，夫人端所出。孫男十二人，孫女六人。公天資忠厚沈毅，周密平實，與物無競。歷事六朝，夔夔一節，罔有擇言擇行。耄期康彊，子孫滿前，爲國元老，以厚祿終，可謂五福備具矣。惜其嘉謨嘉猷入告於内者，皆宗社大計，不得備書。大抵主於睦懿親，戢征伐，奬忠良，黜回遹，消物害，彰聖德，内隱忠貞，不形於外，此其可知也。㪺又聞之，太子賓客王泰亨言，公嘗告坐客曰：「人之爲人，惟孔夫子札薩克不可違耳。」扎薩克，華言猶法律也。問公有之乎？曰：「有。」俾取示客，則編之以韋，如西域書，乃《論語》也。嗚呼！今孰不讀《論語》，以之爲法律當守者，獨聞于公。是宜與夫光靈榮寵同耀無窮。其辭曰：

《洪範》五福，其四在天，在人者德，德備福全。人皆好福，而靡好德；乃怨乃尤，何其大惑。太師宣公，夙侍鈞天，嚴畏格言，迄于華顛。暨造中書，曰預邦政，無施不可，忠信篤敬。西域數萬，絶徼之遠，繇懿親故，凡六往反。世皇御天，實爲親臣，謨猷入陳，外莫悉聞。登善黜惡，蠲民之瘼，國脈以延，皇猷允若。列聖誕膺，祖武是繩，寵光舊德，蕃錫相仍。玉盤之珍，金罍之旨，賜緡盈億，輕暖適體。謙抑方崇，若衛武公，順常教忠，全福以終。雲章爛然，榮生哀死，軌

度朝紳，光昭國史。振振公子，象賢濟美，爰錄之誠，勤勤無止。爰參輿誦，爰探綸旨，酌之豐碑，式詔千禩。（《勤齋集》卷三）

裴參政神道碑

至大元年，中奉裴公卒於河中府居第之寢，壽六十四。葬河東縣陶邑鄉文學邨兆次。後八年，延祐丙辰，嗣子富文以御史段侯輔所狀，請銘墓隧之石，勉爲序曰：公諱居敬，字文簡。先世州里，族系閥閲，具民匠府君碑。公孝友惇恪，開朗清澈，博學知政治，有濟時之具。中統改元，公陪宿衛。至元九年，奏兼王府掾。歷陞陝西行臺侍御史及今職，則皆不能赴。明年，遂不起矣。初事王所，寒暑夙宵無少懈。時汴、洛諸郡鹽課逋懸多且久，至是，王佩公金符，偕國官驛往。公曰：「嚴教選任，我輩當思報稱，不可以小利仰累大德。」至則富室必無貸，貧者蠲之，五疵不行，不再月畢事，民皆感王德庶。尹更薦，王悦，禮遇益隆。甯之廟學兵後鞠荒，鳩僝一新，事具學宫石刻。王視師北邊，叛王禿魯劫開成府庫，甯尤密邇。公曰：「此當警急，無謀而致逃散，死不償責矣。」即率僚屬秣馬礪兵，百用具舉，躬率千人，奔命而行。守者告饑，輒發廩勸分以給師，即日啓行，進武延川，與總帥汪忠肅公、招討李公合兵再戰，羣醜奔潰。二公暨按察使袁公克忠交薦之朝。安西邸王人歲飼駝馬於龍安、安塞，圉人私其藁粟，而官屬以羸瘠獲讓。公立法擇吏，時躬省察。是歲，畜肥而費省，二王賜馬賞其能。白海距延安，沙漠不稼穡，仰給關輔，人故多饑。公啓王下令，犯者均罪其主，中途置白塔驛，旅粟遂通。二王嘉獎，以《通鑑》、錦衣等爲賜贈咸甯王。癸未歲，延安旱。公省親河中，還而雨，頌比顏魯公。公詣行省陳：新附故卒不以安靜恩信懷之，將爲患，事聞，召還，褫其職。四川宣慰使扎法，故平章之孫，公謂曰：「先平章惠愛及人，故人思之不忘。今本道歲遣收其賦者，苛取無藝，致逃避林谷。從而征殺，何與先平章政迹異耶？」曰：「同僚未嘗及此，公見教，某之福也。」遂共召土官，諭上德意，使自占歲入，如期往徵，一方甯謐。他日扎法置酒，集僚佐，持金帶謝曰：「公以先祖善政勉我，我以先祖故物報公，幸毋讓。」四川運司連敗數任，同僚競爲姦利，公力革前弊，守成法。朝以所入有羨餘，僚屬悉優擢。乃咸喜曰：「非裴公，那得預此？」雲南職兵民者，以梁王在鎮，朋肆貪墨。憲司繩之，輒矯赦脱免。逮公至，直前啓聞，自是贓敗者一遵典制。又啓王：「征緬主帥非材無功，觸冒毒瘴，多致死傷，命從軍律。烏蒙諸部宜屯田以紓遠餉，大理元帥府宜移治永昌，雲南賦税宜從新均平，一城凡置行省治三，政龐民困，甸、砦官吏俱可省。」王以軍國事重，俾親言於朝，議者韙之。甘肅重藩大鎮，供億繁夥，奸吏侵盜，公累章糾聞。上命中丞章閭等與公同核回奏，詔盡易在官者。又所儲峙皆藉内地，物價翔貴。公按部行，視田可設屯，即日詣朝，言耕戰爲上策，蓋所知必言類是。其孝也，在嘉定日念親年當喜懼，而遠宦三千里外，即投檄歸養。甫三年，父八十二有疾，粥藥扶掖，致忘寢食。及喪葬如禮，築室墓所，終三年。在南道，日忽悲慘不自聊，急歸省，太夫人已違養，號擗悔恨無已。王賜錢以葬。遊宦四十年，夫人恒留侍親。獨赴官所，祭祀以肅其反也。民匠君將老而傳職，則讓於從祖兄居仁。弟居德踰冠，則爲之娶，且盡錄財産，從其擇取，而後有之。其學問淵源，嗜書老而不衰，積多至二萬餘卷。有詩文十卷藏於家。其自奉約而肅客豐，作成人士，多至清顯。遇鄉閭有恩，及卒，哭之者皆慟。夫人趙氏，子男三。銘曰：

昔原伯魯不悦學兮，識者知其亂之將作。風俗偷而日陵替兮，如嘉苗焉而不植斯落。裴公兮篤義方，事無非學兮孝友忠良。施於百政兮咸可稽德，惠之懷兮人不能忘。經文兮緯武，通今兮道古。矧小物兮克勤，藹蕃兮賜予。孚遠人兮孔安，職邦憲兮革貪殘。推誠舉公兮，賞延寮寀。益國裕民兮，知無不言。優游逸體兮昌晚節，河之洋洋兮魏闕之懸。噫！天之生材兮匪易。微學問以成之兮，亦終於不全不粹。繄公之光明碩大兮，實繇夫學之所致。揭彝範於穹碑兮，爰啓迪乎來裔。（清光緒十二年《永濟縣志》卷一七）

太史楊文康公恭懿墓誌銘

朱文公集周程夫子之大成，其學盛于江左。北方之士聞而知者，固有其人。求能究聖賢精微之藴，篤志于學，真知實踐，主乎敬義，表裏一致，以躬行心得之餘私淑諸人，繼前修而開後覺，粹然一出乎正者，惟司徒暨公。嗚呼！誠知德不易之言哉。（清文淵閣四庫全書本《元朝名臣事略》卷一三）

程飛卿墓表

史氏謂黄叔度言論風旨，無所傳聞，然士君子見之無不服深遠、去疵吝，何哉？有人焉，仕不隆赫，食貧守涯分，然名公卿大夫咸謂之古君子，忘爵齒與之交，莫不得其歡心，没而哭之哀，久則思而不忘，又何以哉？可爲叔度之流亞乎？君程姓，諱鵬霄，字飛卿，浮山人。始從都漕周侯督兵儲籌筆漢中，由幕僚胥保惠教誨，至親愛如天屬。及來長安，轉運使馬公官以照磨，接之若賓友。又提舉規措解鹽于懷孟，獨無逋懸。薦居二親憂，哭泣幾喪明。友善席郎中治夫往來康、楊先生之門，先生稱其善信，若提刑西谿王君子冕、總管李侯彦瞻皆賓敬之，或訪以道。至元丁丑，以薦提控案牘興元而總管安侯至，號風力聰察，初頗猜傲，已而見知，反更親倚，數至所館如故交。漢中比歲作□，疏黑龍水爲沃壤，工物之費夥。府主例親督其役，諉君攝以往，則藜杖芒屩，與之從事。安侯時酒饌勞之，工省而成速，且堅以久，人稱之至今。除武陵尉，屬新内附，巨盜恣睢，剽居人，殺鎮卒，守帥大府莫能戢。君曰：「此吾職守，可尸素耶？」以疾歸。秦士夫家多遣子弟從之學。至元二十九年歲在壬辰九月二十七日卒，年五十七。葬咸寧縣龍首鄉先塋之穆。妻張氏先殁。無子。長女婿王恪，奉議大夫、同知鞏昌府事；中女婿鈞臺韓徵君擇，自君初疾及大病，在君家視粥藥，襲斂、絞棺、窆虞悉如禮。君嘗言：「吾家葬于此，三世而絶。他日合三封爲一，庶能久乎？」聞者哀之。參政趙公彦澤曰：「可刻石爲識。」于是擇方買石表墓，而疾亦革，顧言惓惓思終其事。少女婿徐某，江西行省檢校。余在京，韓君書來曰：石已具，與君游者，惟子在，其尚成二公之志。間念叔度言論無聞，而史氏爲之傳。若君者，有道君子、名公卿士愛敬之猶叔度也，而又策名天朝，勤勞王事，無曠無玷，是可述已。考諱榮，母劉氏，名數河東而葬于是。賢者之墓，後世其無毀。延祐丁巳七月既望建。

威寧張氏新阡表

聖元大德改元之七月癸酉，前總管萬户府詳議張君，葬其烈考元帥左監軍，上及曾叔祖而降，凡五世二十四喪，于長安縣豐邑鄉萬村新兆。後二年，介長安竇長卿來曰：「僕威寧人也，曾大父而上葬威寧，爾後從軍宦游，隨殯殁所。僕既得謝，夙夜疚心，求之豐雲梁雍者四往返，積十餘稔，始可舉萃卜兆安西，便省埽也。今幸襄事，猶未表諸阡，惟耄期不瞑是懼，子幸無讓。」既不獲辭，乃據所錄述之，云：金初，詳議之高祖府君生六子，其五人皆失其名字行治壽年，獨諱元甫者，倫次居三，博極羣書，雅負高氣，有隱德，教子孫有法。嘗誡曾孫庸曰：「吾家上世儒術相承，不幸多難以廢。今爾父命汝輩從學儒先，當刻勵進修，光紹絶緒，毋徒如武人子事芬華爲也。」壽八十一，無子，長兄之子防城萬户俊實事之唯謹。萬户君娶劉氏，生二子。子瑀，西京大有倉使。子瑋，字器之，元帥左監軍也。弱不好弄，受學其叔祖，無子弟之過。長便騎射，喜兵法，魁岸足武力，沈鷙有謀，時輩讋服。

崇慶初，金運將終，天戈所臨，罔不風靡。公以威寧縣小不可支，遂與劉忠順公等迎拜太祖聖武皇帝城下，請無俘殺，勸未降者。上悦許之，俾長千夫，撫居人從征伐。其五月，攻天成，勇冠諸軍。百夫長王某爲守陴者鉤去，公揮刀斷而脱之。六月，進攻西京，敗金人默谷，别率千人發掘敵境，給軍實。明年，下山東，却敵大帥，承詔陞副萬户。又從圍燕，燕破。攻大名，飛矢中面，戰彌力。歲丙子，西京元帥以國王命授都提控。從攻汾州。明年，東拔遂城、蠡淄，定益都及屬郡五。詔爲西京帥府都彈壓。又明年，克太原、平陽。又明年，擊破潞安、山絳，皆有功。歲庚辰，從攻東平。十一月，詔改都提控。後一年，從擊鄜坊、隰州及太原西山諸屯聚，悉平之。明年，攻鳳翔，先登。十月，授兵馬提控。歲甲申四月，太傅行尚書省奏前後戰功多，宣授元帥都監。其年，攻下武仙西山堡栅。又一歲，破秦安及黄唐嶺砦，復圍益都，功最。歲丁亥七月，詔：「張子瑋攻下亡金城邑堡栅，積功甚多，可陞元帥左監軍。」尋取楚州。庚寅春，西京河南萬户奏公兼督捕雍州。萬原賊盗復西破鳳翔，長子戰死。遂受詔，與萬户侯劉忠惠公略宋山南。繞出金境，始至兩當，忠惠輕出覘其壘，猝爲敵所掩，公馳騎疾擊走免之。所過麾城撕邑，功居多。明年，合大軍大敗金人于鈞，下河南，振旅而還。于後公以叔祖父母、父母年在喜懼，精力疲于兵中，請以子唐從軍，而居閒養親矣。歲壬寅，總管萬户奏充總管天成、懷安、宣平、威寧、鄂勒事。乙巳之十月，詔申命前職，佩金符仍如初。公雖居軍旅，不忘文儒家法，禮名士，詢故實。河南還，圖書盈車。延致鈞臺郭仲通天成，事之豐腆，命子庸從學將十年。倉使君簡潔嚴急，事之未始少忤。君居大同，雖一果蔬必送致，歲時一再往省，輒數月留，不忍別。君來天成亦然。方公監護諸軍也，主謀畫，施號令，提紀律，將士悦服，萬户侯倚之爲重。然每有所不樂也。及退而養親事兄，訓導子弟，會族人賓友飲酒賦詩，陳説平生，則欣然樂之，日不足也。歲戊申二月二十二日，終天成居第，壽六十三。夫人溫騰氏，金殿前點檢克昌之孫，溫恭淑柔，宗黨取法，先十九年卒。王氏，金翰林黄華先生孫。叔澮游翁患公英氣有餘，繩以禮律，克盡子婿禮，雖貴不衰。門氏、王氏，同里人。趙氏，益都人。子男三：某，最長，殁鳳翔，時年二十六；唐，詳議也；庸，舉進士，鳳翔鄂勒萬户府知事。女二：長夭；次適南某。孫十三人，六男：榮祖，某之子，又長年三十七死安西；時生，知事子，穎悟力學，年十六死；時舉，成都轉運司判官，方爲之；時中、時憲，皆詳議子；時益，知事子，並好學篤行。七女。曾孫男五，女五。玄孫男一，某，尚幼。公兄子二。庶弟某，山陰鹽使就養，殁興元，年七十三；庶弟五，廿六殁安西，無子。孫男仁義，弟二，四十四卒，官興元鹽茶使。女嫁王某。曾玄各一男子。公嚴重有威，望之若神，居家如公庭，雖子孫莫敢仰視，故其謀議勞烈不能詳道之。其在親前，則斂容肅氣如孺子，未嘗聞履聲，執喪哀戚甚。其撫士卒，知勞苦寒暑渴饑，賞罰明信，人樂爲効死。其與人直以諒，是是非非不阿諛苟合。其尊祖考遺戒若嚴法令，軍府政役殊不及族人。會族拜掃威寧，後一日必合族。具教子孫孝義順厚，言必稱祖先，故詳議由髫齔事四母，不異所生。今詳議八十，知事少三年，雍睦歡洽，見者起敬慕。詳議薛夫人七十有七，嫂叔先後間一未嘗小有言。時舉復獨給軍事，與諸弟事叔父母如二親，此皆衰俗中不獲少槩見可紀者也。新兆爲昭穆次，曾叔祖居中，萬户君二世昭，倉使君三世穆之。一世夫人薛君祔，以下各如其次。四世昭嫂李祔一，又李祔二，牛氏班四，五世穆婦趙祔三，麻班五，梁班六，凡爲封十三。系曰：

當天造之初，出萬死爲元元請命，其識見遠矣。矧能以文獻爲事，于斬將搴旗之際，此淵源濡染之力非邪？觀公旅力方剛，百戰中原，以開昌運，一何盛也！雖奇謀偉績，莫得而詳迹。其孝友于前，蕃衍于後，亦足以明其無陰禍矣。及功既有成，蒼髮猶壯，皤然謝去，以就夫聖賢。所謂王天下不與存之樂，知所擇哉！嗣人復孝友承家，亹勤營葬，是真能子矣。若其文獻之傳，則又後人之重任也。夫勒諸貞石，昭告來裔，俾永永無替。（《勤齋集》卷三）

增安定郡伯蒙君新阡表

延祐五年九月

聖上御世之七年，崇德報功，推恩臣下，凡在官者，咸得褒榮其親，無間存没，一如彝章。於是陝西等處行中書省左右司郎中蒙懷忠得榮贈其父千户府君爲朝列大夫、同知晉寧路總管府事騎都尉、安定郡伯。妣姒氏安定郡太君，及粘合氏郃陽縣君。懷忠望拜稽首，對揚天休，不勝戰兢感激之至。奠告既竣事，乃敘述其先祖德善，求褒新阡。辭既不獲，勉爲删而述之。君諱天佑，字祐之。世爲馮翊人。曾祖諱直，祖諱榮，皆讀書抱道，匿輝不耀，鄉里推爲鉅人長者。顯考府君諱皞，字子明。剛毅宏敏，饒智略。從遺安先生郭君鎬游。國初間，船橋兵馬都總管禮賢下士，偕□□國□署遺安參謀軍府，而府君爲掾，後陞經歷。又從下天和人和等堡、鳳翔元城□□邑、恫資簡等州，復馳傳汾晉，督貨儲，補亡缺，致張侯克奏膚功，所謂發縱之功爲優者也。老而復游□鄉里，壽七十三。妣太君慈明貞潔，壽八十六。君天姿警悟，貌魁偉有威儀，承詩禮之訓，敦篤行業。萬户侯既熟其名，又際言議，不覺移晷，曰：「蒙祐之高朗有父風，加以學識絶人，當今無與比者。」固留襲經歷職。君嚴毅廉潔，幹局精敏，事無大小，綜理有法，賞罰明信，上下咸宜之。中統初，參從張侯入覲，召對詳明。上悦，即命船橋萬户都總管府經歷，賜錦繡二段。從軍邊圉，明紀律，申號令，授方略，舉中機。會屬方域初定，教修未一，凡有利民裨政者，懇懇爲言，期於必行。凡大謀議必諉君馳傳書告。至元庚辰，薦被錦衣之賜。壬午正月，以二親年已老，懼不獲終養，堅辭職歸。則日奉甘旨溫清，承顔養志，克盡親歡而致其樂焉。宗黨鄉閭貧不喪昏、疾而乏粥藥，悉周給之。萬户侯南征，兵士弗順，國書曰：「奥魯以官非其人，多役擾之。」侯啓天子，起君爲奥魯千户。正己戢奸，除煩苛，務簡靜，未幾則居者安業樂生，而征人絶反顧之慮矣。丁父憂，苫□廬墓次，終其喪。事母夫人食飲，引翼必躬親，不忍時日離，年將八十而康寧。君侍傍語次，暴中風眩而仆，至元庚寅九月二十八日卒於所居正寢，春秋五十三。顧言惟使壽母哭子爲恨。殯州之北漢別業。君忠孝誠實，不爲皦皦之行、察察之政，揚善而隱惡，處事詳，居官廉，臨下裕，信於朋友，敬老懷幼於鄉閭。戎馬間令行禁止，所過途中無一跡。教子處家，義方嚴肅，才德若是，而位終毗贊，年甫耆艾，故遠近知舊聞其喪，莫不悲傷痛惜之也。有遺稿三卷，藏未刊。公兩娶，前安定郡太君姒氏也；後郃陽縣君粘合氏。凡五男三女，二男一女姒氏出，男懷忠，即郎中也，官朝列大夫，嘗從稷亭先生段君學，孝友勤恪，明練政治，凡三被恩渥褒榮其先；懷良，巡捕民匠總管。三男二女粘合氏出，男懷德，將作郎，崇慶路巴縣主簿；懷玉，爲醫，歿；懷瑾，皆學問自將濟其世美。長女，婿雷沂，從軍歿外地，食貧守節三十年，事舅姑，鞠幼穉，有古烈婦風，朝旨旌其門，時賢稱詠；次，適慶陽屯田提領席元鼎；次，適河中醫楊震，早逝。孫男九：信，貴德州同知；義，民匠總管府提控案牘；亨，大慶關使；慶、撝、介從學魯齋，書□一石耐皆童。女七。武文昌御位□□，闕赤、張元振乾州等處管民長官，斐敏文四川道廉訪司書吏，張居寧朝邑縣儒學教諭，婿也；餘幼。《風俗通》□□□□之祀者，子孫因以爲氏。秦有將軍鰲生武，武生田、毅，皆仕於秦。故望出安定，後徙四方。宋有祥符進士傳。又台州人汲、封州人著，咸知名。其在秦者，蓋舊族也。世居同州馮翊之臨滸鄉，祖墳二：在黨客村埝下者，失其世；在楊家莊埝上者，七世祖所藏，高曾考妣附焉。懷忠痛念祖考妣、顯考二妣五喪未葬，楊家莊之塋隘，乃卜義井村西北滸原南麓，以延祐五年四月十九日安厝焉。經歷府君中爲祖，晉寧府君居左，以昭穆序百世，井井可考也。於戲！

天有顯道，厥顯惟彰，惠迪則吉，作善降祥。終古不易，實惟天帝。國有令典，推存及亡，寵賚其先，九泉有光。勸忠勵孝，百辟允臧。曰嗟子孫，志務顯揚。上則天明，下遵義方。永垂懿範，世出賢良。克作先烈，以致時康。是則爲報國之道，豈徒榮耀乎鄉邦而已哉？（一九三七年《大荔縣新志存稿》卷八）

全元文卷三六七

蕭𣂏　四

元故榮禄大夫平章政事議陝西等處行中書省事趙公墓誌銘

古先哲後之御天下也，爲君爲師，治之教之，故爲教易行，人才易成。昔聞其語，今見於公矣。公年十二，入侍世祖聖德神功文武皇帝，朝夕左右，僅三十年。天地四時神氣之教，變化漸摩，成就者非一，故其德器敦厚質實，忠勤廉慎，謙恭簡儉，大異於衆。公諱弼，字元輔。上世居澤之晉城。祖某，大定間進士。妣周氏。考得賢，豐州軍民總管，從征蜀，過秦，樂其風土，迨謝事，徙居雲陽，遂爲雲陽人。妣楊氏、張氏。以甲辰歲五月九日生公，二歲而張夫人没，楊夫人鞠之同己生，孩提言笑，不爲兒嬉，聰穎喜讀書。五六歲知屬對，識者必其異器。歲甲寅，總管君卒。明年，楊夫人挈公以玉杯名馬贄覲于六盤淵龍之所。給事行内，未嘗有過，上愛之。嘗冬狩，野宿寒甚，命寢御衾中。四征弗庭，恒扈從。駐蹕鄂渚，呇不共命者，公亦跪曰：「無功當責。」上笑遣之曰：「童幼，未能立功也。」上每御輦，必坐公于前，凭之乃安。夕則令左右講説故事，因問渡江時事，公終始全舉無遺，上大喜。嘗命出使秦蜀及沙漠，他日使還，上必問及水旱豐歉、田里休戚、邊陲利病、官吏能否、人才物産，公於是一一敷奏，悉見施行。至元十七年，以近侍服勞最久，特旨授朝列大夫、符寶郎。明年，改局爲監，進通議大夫、典瑞卿，賜之玉帶。當至元初，樞密機務悉委平章張公，後難其人。十九年，上選授資德大夫、簽書樞密院事，屢以德薄位尊辭。明年，改嘉議同知大都留守司本路都總管大興府事，兼行工部尚書。以才力不逮，不能並舉數職，辭之再三。又明年，除同知大都留守司、兼少府監事如故官，別敕監修白塔石佛等寺。二十二年，陞資善大都留守、兼少府監事。輦下浩穰叢劇，數號難理。公既獲乎上，無敢齟齬沮撓者，事以辦治聞。二十八年，轉資政宣慰荆湖北道。上每謂荆南重鎮，必慎擇其人。自平章廉公後，鮮有能繼者，乃特命公往。既至，宣布德惠，廢置利病。時雲南緬僰、八番諸藩闔，貢篚庶物浮江而下，及襄鄧往來轉輸相望，人畜疲斃。古有漕河，繇亡宋乃潰，泯其迹。乃命相度濬治，四閲月以成。民感其惠，銘曰「趙公河」。刻石頌德江陵驛。尋加資德河南江北行中書省右丞。元貞初，以先朝老臣，進榮祿四川行中書省平章政事。爲政主乎愛利，人以佛呼之。大德三年，省革，即拜平章政事、議陝西行中書省事。自入蜀後，屢以耄疾辭，不報。五年五月五日，薨于安西順義里私第之正寢。明年八月乙酉，葬雲陽縣金龜鄉蔣村西原先兆之次。夫人姚氏、陀囉海氏，皆先卒，祔焉。九子：男曰獻可，大都留守，受知三朝，鼎貴矣；曰獻翼，曰托和齊，曰徹辰，俱國學生；曰伊嚕勒，中殤。女四。公既早孤，未冠，楊夫人亦殁，皆在殯。其後至元某年，始克葬。痛平生不得致養，每拜掃必慟哭。又曰：楊夫人顧復成就之德，人不可及，尤不能忘也。其於族屬，無藏怒宿怨，一盡愛敬之誠。久侍帷幄，無一言之妄，世祖以老實目之。有毀之者，上怒曰：「曾似爾輩姦宄欺罔耶！」日侍禁中，從者惟攜一瓠壺飽粥瓜菹而已，故眷注逾渥。朝廷嘗以官提刑按察者多不職，將改爲肅政廉訪，命二品以上會議。中書公謂：「但當擇人，安有愚於提刑而賢於肅政者？」識者韙公言。凡忠謨讜議，顯賢進能，興利除害，皆密告於內，所薦者終莫之知。爲政不煩，與人以信，不作聰明，一守恒度，故吏得其職事，無所闕失。初公至行所，敕邇臣之賢者董君文忠爲之主，遂結爲兄弟，子孫繼序之。承旨李野齋、參政王子貞皆嘗同僚，每歎公之誠實謙和節儉，雖有學者不能及也。接士有禮，或先拜之。權幸臣方柄用，一時趨附，惟公絶不相與。阿哈瑪特風使附己，許爲增秩，曰：「富貴在天。」祥格使求玉帶，許爲同列，曰：「聖主所賜，不敢與人。」每蒙蕃賜，常異於衆，前後不可殫紀，而自奉有節，毫髮無貴驕氣。見人常盛服，或屢易衣者，每蹙額曰：「豈無他日耶？少爲兒女留可也。」五十後始還故里，時已隆貴，凡親戚父執之家，皆躬詣謁識，來者必迎送于門外。嘗語諸子曰：「我叨蒙兩朝湛恩，位崇祿厚，無功于國家，徒積戰兢。汝等當匪躬事上，以不欺爲主，其餘一聽於天。」嗚呼！可謂知事君之本矣。銘曰：

於穆天命，至誠無息，於皇聖神，與天合德。誠之者人，以人合天，維語不妄，行之所先。昔賢力行，七年乃成，公出天質，童髫以能。維此天質，重以學力，君師是式，迥出羣匹。帝成厥美，名之以實，乃司八寶，乃篚宥密。判留于京，百工是程，珠帽繡衣，以賞以旌。分轄于汲，藩宣于荆，復漕竭民，洋洋頌聲。辨章蜀秦，人謂曰神，維信維惠，好惡必循。五十八年，蒼髮未雪，國喪忠良，民望永絶。公則有子，祇訓嗣事，實發實似，實求公誌。金龜之阡，下從其先，既安既固，胡不萬年！

故中順大夫江東建康道肅政廉訪使傅公墓誌銘

公諱巖起，字正之，初名良弼。其先華原人也，世以孝義稱。祖贇，妣雲氏。考汝礪，陝西都轉運司經歷，妣李氏，自有誌。公天資警悟，蚤通經史。首事李忠宣公，爲府掾。及忠宣經略河南，宣撫燕、涿、瀛、保，皆驛召辟用。廉平章行中書省陝西，又辟焉。陞右司提控，舉爲承事郎，遥領華倅。尹咸寧，平賦勸農，笞殺不子，禁絶頑民十虎者。進京兆總管判官，盡瘁叢劇，取重府主。加承務僉四川提刑按察司事，分按施、黔，山谷幽阻無不至，彰善癉惡，一部清整。徵拜監察御史，超奉訓大夫。平内濟，脱其死。劾贓吏，陳利病，舉人才，知無所隱。初，盜殺權臣，上眷猶未衰，賴内濟極陳其惡，始怒致辟，民始稱快。復以它事，上震怒，命省臺雜治内濟罪。公言：「此人脅從，罪已自陳，首且會赦，今無所坐。」時相雖宿憾不能奪，事間霽威，乃免。遷刑部郎中，詳決無滯獄。出副四川西道宣慰使，加奉政，會討烏蒙諸蠻夷，兵甲芻糧辦。改副宣慰荆湖，給征交趾軍資，如在蜀。諭定雞洞四十三口三百九十五萬，辰、沅、靖以寧。轉陝西行中書省理問所官。尋加朝列四川轉運使，疾未赴。改授侍御史行御史臺事，浚大湖，故道水大息害。分臺江西、湖廣兩省，風威著立，以老疾辭，迨至今職，黜黠吏，抑豪横，舉綱維，謹繩槼。鎮服安靖，崇儒興學。江東昔號難治，臺考績最九道。以老秩滿累辭，不報，投牒徑歸。大德六年四月二日卒，壽六十九。蓋朝廷知公才具，任每未終，命輒下，雖老疾猶不舍也。五月三日，從葬長安縣義陽鄉槐衙先塋之昭。公有至性，三歲時，河東官司以經歷君私還鄉，欲罪之，即哭抱持，官異之而免。平居承顔養體，克致其樂。侍疾，嘗粥藥，不離側，衣不解帶，喪葬哀戚誠信。每拜新命，輒哀慕見於色。蓋終身未嘗一日忘其親。與弟良臣、良佐極友愛。遇族姻舊故，曲盡禮意。規益朋友，必竭其誠。而復孜孜下問，取人爲善，尊敬鄉閭耆宿。訓導後生，接人雍容笑語，未嘗有一毫貴宦氣。故卒之日，哭之者皆哀戚。疾革，戒二子曰：「吾年踰七十，位至三品，公私無負，死無恨。然自揆有何才能？皆祖先積累而致。念所以爲報，唯有孝悌忠信，揚名不朽，庶以光顯先世。吾一生兢慎儉素，僅能寡過。汝等當勤學以成德，以終我志，可謂能子矣。」公凡兩娶，夫人張氏，長安令仔之女，婦道母儀，族里取法，前二十四年卒。夫人宋氏，平章鳩水翁之女，佐君子無違德。子男二：昱，樞密院令史；杲，侍行好學。女三：適董思義、袁恢者皆殁，少適董思恭。五孫男和女四俱幼。比葬，昱持公之友鄭子誠所狀行治乞銘於北海蕭𣂏，曰：「昱遠遊，不得娛侍膝下，頃以告省疾，自洛甫歸而奄棄諸孤，哀曷可忘？幸與之銘，庶少慰存没。」𣂏以故舊不得辭，遂書銘玄石。曰：

唐虞之際，得人爲盛，猶曰才難。於維大夫，敦敏清慎，詳達靖端。數歷中外，卅年九政，舉能其官。不苟不激，辟歷有手，澄清有源。深入瘴阻，溪洞聽盟，皇靈乃宣。巴蜀湖江，民吏悦服，德功具完。輿歸先廬，考終天命，親媚滿前。顧言勉學，以繼以述，規模廣延。噫爾後人，勿替引之，履冰臨淵。銘雖匪古，有舉無廢，永識幽泉。

故中順大夫山南道廉訪副使王公墓誌銘

至元三十一年

至元三十一年九月乙亥，中順大夫、山南河北道肅政廉訪副使王公諱瑄字君用，壽五十九卒。夫人粘罕氏與其孤承事郎洋州同知溫、四川省掾淑及沖、洽，卜以十二月庚寅，葬于咸寧縣龍首鄉春明門東原之先塋。前事，溫、淑持公之友安定鄭中子誠之狀求銘于北海蕭𣂏，以故舊不得讓，爲之叙曰：公世居藍田，大父而上，金亂失其譜。幼知嗜學，稍長能循蹈繩矩，謹飭自將。入以事其考經歷君珪、妣白君，服勤致養，唯所欲。出而事京兆尹，文法明習，精力無害，一府推重之，識者知其遠到矣。咸陽上二劫盜當死，公異其掠創盛而見贓缺，察其寃。熟詰之，則本其弟竊他逆旅行槖至咸陽，取衣易食，爲縣卒執訊，不勝酷毒，誣引其兄爾。而槖中文書留縣，函帖取書，因得槖主，皆釋之。至元十一年，參政商公相安西王開府，由秦屬省掾署王府掾史。未幾，以能擢都事，授承事郎。商相有純一平坦之褒焉。十四年，右丞布哈、安西相李忠宣公行樞密院成都，陞王府長史兼行院經歷，轉承直，旌以金符。嘉定火，適兩樞相行邊，公攝事，發萬五千緡賑之，僚佐懼，公曰：「民初附未安，遽罹此灾，今流散滿路，脱致他變，則所失豈啻什伯耶？請以身任。」朝廷韙之。明年，遷奉議大夫、四川行中書省左右司郎中。二十年，改奉訓，僉山東東西道提刑按察司事。濟州漕渠當修，主者怙權臣爲姦，徵石十一萬以上，民發冢不能治，莫敢誰何者。公案得贓四十餘萬緡，别具當没入者唯四千，餘悉給主。督之月餘畢，民稱頌至今。明年，驛召除御史臺都事。又明年，復爲四川行樞密院經歷，陞朝請。院革爲省，除陝西四川行省左右司郎中。省析爲二，公至四川幕。二十四年，改陝西漢中道巡行勸農使。居二年，會理天下財賦，公命雲南，平心徵理，遠夷感嚮。道嬰末疾，未復命。明年，加中順雲南諸路行御史臺侍御史，疾未赴。二十九年，除陝西行省左右司郎中，力疾，署職月餘，雖去年拜肅政之命，不能赴矣。公貌魁碩，氣剛毅而謙恭，謹敏律己，奉法斷斷，務盡職分。省臺叢劇，詳閲審處無廢闕，不撓貴倨，不忽疏簡，人服其恒。以屢職參贊，功不獨居，故無赫赫稱。然平生不知持牒求仕，未終任輒遷，蓋其夙夜劬躬，爲朝廷所知如此。斯豈公一身之榮哉？亦足以勵勤恪、抑奔競已。若參政商公挺、提刑胡公祗遹、王公惲、司農尚公文，皆號有鑒裁，慎許可，于公則推挽延譽，一無間言者，公議誠不可誣也。居家謹倫理，厚意氣，每以學必適用，勿事浮飾教諸子，即其所以行己也。嗚呼！《詩》言「不懈于位，民之攸塈」，使公宰方州、殿巨藩，其休息元元，亦豈居漢唐良吏之下？而徊翔簿領間所見止，此豈非天耶？夫人，襄樊九州長官烏延之女，養舅姑，相夫子，無違德。四男，皆好德克家。二女，一嫁李持志者，先死；一嫁姚義勝。孫男四：喜璋、胤璋、閏璋、益璋；女一，皆幼。銘曰：

相古爲治出于一，奚而分裂乃自適。傲然疏率謂非屑，有能練達覆賊墨。凛凛大夫允詳密，不忮不求奮高迹。民物吐氣凶倖抑，凡厥攸居藹休績。漢廷風彩孰可匹，次公寬明長孺直。修途未究車亡軸，吏失所師臺閣惜。後人善述永貞吉，公乎不亡安此室。（以上《勤齋集》卷二）

元故淮安路總管高公墓誌銘

少中大夫、淮安路總管兼府尹、兼管内勸農事高公，以至元二十四年三月癸丑卒淮安，壽六十六。歸殯真定。後十九年，當大德十年，季子璉始克遵治命，奉公之柩來安西。明年己酉，葬長安縣華林鄉潘家里新兆。夫人邢氏、董氏祔。前事，璉介雲南憲倅馬君季鄉持淯陽孫君敬履狀謁㪺乞銘，辭以不文，不聽，乃叙之曰：公諱良弼，字輔之，世平山人。祖俊民，不仕。妣吴氏，生二子，進金鎮國上將軍、守同知滑州事林皇真定交鈔庫使，以本富樂施與，時稱長者，公之考也。妣門氏，三子，公最長。幼警悟端重，有成人度。真定火，盪空千餘室，公請於庫使君曰：「鄉里安則吾家安，宜有以賑之。」君悦許，且奇之曰：「大吾宗兒也。」既冠，宿衛世祖皇帝潛邸，忠勤自將，爲上眷注，俾主藩邸。全趙金穀，通商平估，經入屢登，歲終輒請會，上曰：「主財者恒懼檢閲，今高良弼數請會計，非潔身者乎？」慰獎甚渥。至元二年，擢奉議大夫、同知汴梁轉運使，授金符。六年春，調河南路課税拘榷使。八月，進少中，就除轉運使。汳洛民物殷夥，事叢網密，人易觸禁。公居仁恕，而行簡易，寬以惠來，嚴以絶欺，盡罷押遞冗官擾民之屬，故田里安，商旅輻輳，課恒人優等。明年夏，旱蝗，公謀諸僚屬曰：「用兵襄樊，河南爲重地，今流莩日甚，奈何？」衆永歎而已，公曰：「計諸倉儲米足支歲餘，若取其羨乘貴而賤出與民，歲熟以糴，猶多贏益。」縣官苟濟此艱厄，善政大惠也。」皆不敢，公慨然曰：「脱有罪，吾任之。」即自爲請於南省，報未下，亟發倉以糴，衆賴以生存，執政韙之。是歲至八月不雨，公爲壇禋禱，越三日大雨，蝗盡死，秋以無害。衆欲紀之石，公曰：「上天之惠大君，生靈之福，我何與焉？」竟不許。民復歌之曰：「開倉發粟活饑民，因吾高使君。晚苗足雨緑堆雲，賴吾高使君。」洛人道之至今。屬圍襄陽而糧不繼，羽檄和糴，督民自輸于軍。人大恐，公言之南省，請倍見估募商，米可不勞而集。史忠武公然之，即以諉公。不閱月，倉儲皆積，凡主彼邊倉六十餘，出納歲百餘萬石。時歷境襄、均、棗陽、光化，或糴或運，以給軍行。省褒賞，上其最于朝。十年，改朝請、知鳳翔府，戢豪横，撫善良，推誠任能，吏民信服。號縣人渠汧水以溉，而利未廣，乃詢衆審勢量功，命官鑿渠三十里而遥，不奪農功，再冬方畢。溉餘千頃，激磑十餘，名曰「善利」，而人名以公之姓。故陝右憲僉劉君仲脩有「黎庶喜，長官賢，千載世間傳」長短句以紀之。劉君端介，慎許可者也。十三年，授中順、同知陝西四川轉運司事，使貪黷怙勢，公常規切懇懇，引古權倖誅滅者爲戒，而終不悛。乃介然自守，凡涉非法皆不署，及敗，一無所與。置别業，水竹幽邃。既踐更，屏迹園田，讀書教子以自適。二十二年，即家拜少中大夫、知鎮巢府，未赴。陞淮安總管，仍故官。郡歲造海舶市材億萬計，猾胥豪賈陰相結，以虚文盜厚利爲故常。公至，吏抱給木商直四十萬緡成案請署，詰之曰：「歲用木幾？」曰：「僅一萬。」「見積幾？」曰：「十三萬。」「何爲復市？」曰：「省帖奉詔備預務廣，督以軍興，孰敢議？」同列一辭，公不聽，上之行省，言：「見木可支十年餘，地卑濕將朽棄，不勞重市。」羣商夜以五萬緡爲賂，公叱去。翌日行閲，見木則雜亂不可究，命以廣厚别置及十之七。是夜火作。又窮竟榷酤姦匿，方有迹而火亦作。既而商人持省報不許，公憤厲歎曰：「蚤被湛恩，膴仕四十年，每恨無萬一補，忍視鼠輩耗蠹縣官邪！」再擬力言，而疾已殆矣，聞者痛惜之。後二年大會天下，則罪人斯得，多破碎其家，或瘐死者，人稱快，公忠益明。公兩娶：曰真定監軍邢某之女，有婦德，生二男二女，前公卒；曰檀州元帥董某之女，謙厚慈惠，多内助，母則逾謹，後十年卒。子男五：琬，宜陽尹，後公三年歿，葬新兆之昭；璠，中殤，藏公墓後左；珪，征交趾海船總管，歿王事；璉，師事四川憲倅劉存齋季偉，力學篤行；瑾，方學。女三，季者死。其成都三務提領閻郁、鄂州行省郎中郭孝華、州判官魏餘慶，婿也。孫男一，思誠。女三：長適王秉，故元帥府郎中正之曾孫；餘在室。曾孫三男二女，皆幼。公弟良輔、良佐，居真定。葬西原頭祖塋，在府治西北三里所。仲之子三：璋、珦、瑄，居汲。季之子二：璀、玠，在真定。公誠直嚴毅，瓌偉豪邁，喜賓客，禮敬儒先，名德南陽楊子中稱公明敏精練，有聞於仁義道德、天理人欲之説，當生民利病政治得失，見義則勇，斷力爲惜，拘於金穀之間，不能盡其才也，時謂實録。嘗訓琬等曰：「吾奪於官事，不得極意講學。今老矣，於簡編獨有惓惓焉者，若曹其必成吾志。」嗚呼！公之教子，其知所務矣。銘曰：

維天生材，成世之務。用舍在時，匪材所與。用枉其長，水車陸航。十亂同德，扶皇之極。維官維友，維内貨來。疵之熾矣，材其殆哉！蠹政瘼民，延及於國。殷監在夏，孰懲斯慝。矯矯大夫，饑世菽粟。當義勇爲，不啻嗜慾。餽運有方，金湯屹存。靈雨既沛，爰出格言。洛京有謠，岐下有歌。秉彝好德，民心靡他。廢國遺頑，姦宄凶詐。恢恢天網，靡有攸赦。人之云亡，我心憂傷。繼述無忘，繄後人之慶。

元故承直郎甘州總管府判官李侯墓誌銘

至大元年

至大元年龍集己酉三月戊戌，承直郎甘州總管府判官李侯希顔以疾卒官舍。孤鼎聞訃哭走張掖，奉其柩歸。卜以其年十月辛酉從葬於咸寧縣苑東鄉先塋兆次，合于趙夫人之藏。前事，鼎持侯之甥王弁狀，偕弁泣拜請銘。重傷孝子心，不忍辭。按：侯諱之復，上世居雲陽，繇經歷君始遷京兆。大父耀金，以軍功官進義。妣仇氏。考唐皇，將仕郎，興元總管府經歷。妣趙、張、吳氏。侯生而警悟異凡兒，長師文正許公暨寓庵李先生，通六籍百氏之言。以府學生貢爲按察書吏，辟安西王府掾，復補掾陝西行省。平章額森公宣慰陝西漢中，因又辟署。逮改行省事，獨見留焉。至元三十年，調承事郎，同知鄜州事。大德三年，轉峽州路總管府判官，遷承務。十年，改甘州。侯天資孝友，事經歷君怡怡焉。先意無違，有疾，侍粥藥不離側，居喪哀毁有聞。奉二繼母無間言。襟懷洞然無城府。在鄜時，則有同僚以私立異，恒背憎於人，而侯但稱其善。蒞政精詳明恕。在峽時，則有北庭人爲監郡，怙侈驕恣，人怨之，嘗欲告其不法。肅政者羅織繫獄，議坐以不受逮，杖之以逞。侯適至官，反覆忠告善喻，且固執以爲不可，乃釋之。始殊鞅鞅，既乃深悟其失，以先生見稱，多從其議。有婦懟饋夫圜土，而獄卒取其黄金釵如干於首，憲長怒掠，卒服罪而釵無有，諉侯覆鞫。先別而訊釵所自，其夫曰：「服賈所獲。」婦則曰：「賈資也。」察其妄，詰之曰：「細民納食囹圄，何盛飾也？」婦辭屈，服罪。平居儉素，而周亟宗戚無顧惜。於妻子和而有義，慈而能教。嫁子一從姻家治具。絶委巷，需索慝禮。行己廉慎，論議正公。接賓友則燕笑語而不流宕，緇黄、巫媪絶跡門屏。初，侯至張掖，行中書丞相托迪公賢明，少許可耳侯之素，目侯寬裕通朗，遇之特厚，寮寀悉師敬之。侯以旅喪，僚屬爲主從浮屠法，飯僧拜佛，通夕不懈。及殯，率素服挽紼以哭。兹非有以悦服其心，顧豈高勢小智所可致然哉？惜其回翔佐職，不得展其藴也。三兄皆先殁，長某，次之得之、徽之。徽嘗主渭南簿。兩夫人：趙氏、楊氏。凡六子，男三：漸先死；次鼎也，謹厚克家；升，嗜學。女三：嫁鄭思義者夭；今婿王弁、韓克猷。銘曰：

聞之才勝，莫如德充。趙張有稱，終愧黄龔。維侯雍雍，清而有容。明慎祥刑，一協于中。三毗劇郡，豈弟彌縫。無怨無惡，于家于邦。甲子一周，壽匪不融。惟是喪歸，有識時恫。銘以識哀，刻閟幽宮。

元故文學薛君壽之墓誌銘

至元壬辰秋，秦王妃聞平陽薛氏董母賢，召之。其子延年壽之扶輿而西，至則以經訓輔導。明年春，得告賜金帛，官其子開成教授而歸，再授王府文學，壽之皆以侍親不克赴。居長安東郭，士夫延之，以淑子弟。後六年，母卒，因舉祖考妻子之殯于平陽，凡五喪，葬咸寧縣龍首鄉芙蓉園新兆。力貧襄事，人以爲難。又十五年，當皇慶癸丑，壽之年六十二，八月戊寅，沐浴正衣冠而終，哭者皆失聲。君天資警悟，八歲孤。母氏方闢館授徒，如韋宋付之男塾，諄誨不煩，或稍踰繩檢，必嚴夏楚。君亦痛自砥礪，卒臻有成。蓋繇冠歲，即代母講授，敎且學不離簡編者逾四十年。近世評辛敬之真特立之士，唯君爲可當之。痛孝養不逮，扁堂曰「風樹」。晚歲以「秋潭」自號，蓋中有所得云。有妄人談《易》，飾賤術，名宿納侮，長其聲餤。君詰以「乾六爻，三四不言龍，夫子謂『時乘六龍』，何也」？彼結舌，乃攘臂戒曰：「勿復敢爾。」其力于衛道若是。其素蘊見詩文，琴阮六書，則所專業，至于醫卜圖畫裝褾，率皆能之。有《小學纂圖》、《本草圖》、《四書引證》、《秋潭良方》、《鐘鼎大小篆韻琴譜》、《秋潭集》五書傳于家。顧言不用二氏，勉二子學以良。其嗣人、其族世爵里，見考省掾君誌。兩娶，高氏前歿三十八年。今無恙，清規懿範，克嗣無替。三子：曰吁，夭；𠯿，同州學正；喈，學直。二女，婿董大中，一幼。孫女一。將以十月庚午禮藏高氏之竁。前事，𠯿狀君行乞銘，終辭不果。銘曰：

三代庠序，人嗟不逢。化民成俗，孰大其功？胎教之徽，有才有容。是母是子，伊誰比蹤？風樹搖悲，秋潭鏡空。不亡者存，寧哉一宮。

故孝義張君墓碣銘

君諱貴，張姓。世爲三原人。考順，妣馬氏。生於金承安五年庚申之歲正月庚戌。魁岸足勇力，上氣義，喜施與。家故饒財，素以醫術聞，君則謂：「人命所繫至重。」遂更爲神農之言。屢内徙，荒饑，扶攜父母弟妹逃難商於，復與弟妹相失，采拾以爲養，流寓河東諸郡。歲丁酉，關内甫定，負父母歸復縣之鑑里故居。守松檟，剪荆棘，力耕鑿，樹桑果，始營生業。嘗市糴京兆，得麰米，鹿車挽之而還，遇盜數人將奪之，君懇告以致之之難，二親待食之急，必欲見奪，是害吾親，吾不獨生，誓以死鬭。盜熟君名，度不能敵，乃留置其半而去。居數歲，訪求宗族，得二十七家，并外親王氏。其子孫貧窶者不得藏，即爲之棺斂，列葬祖塋西。繼聞弟興及妹爲俘，即以金帛贖之于豐州、于泗上，骨肉完聚，且爲昏嫁有室家，二親樂之。妹適劉全而歿，遺女及笄，爲擇晃清作贅。未幾，女亦死，君哀妹甥早世，則娶張氏女妻晃，且析其産與弟興及清三分之，清感恩，誓不離異。初寓河東，日遇四孤女，問之亦三原人，遂收養與二親居，禮如親妹。至是，亦爲擇婿嫁之。其好義若嗜欲，不顧有無類此。君有至性，初逃難河東，爲土兵所獲，主帥議坑其老者，而以壯者從軍，君聞之罄其橐以獻主帥，哀號百拜，乞以身代死，情意迫切，有足感人，帥憐而釋之。蓋終其身未嘗離膝下。既而再執親喪，禮不足而哀有餘，葬以昭穆次，君子韙之。至元壬午十月二十有四日，終於所居之正寢，享年八十有四。配雲陽孟氏、同里楊氏皆先殁，白氏後二十六年，當大德丁未三月五日終，壽八十八。於至大己酉三月二十有六日，合祔於祖塋之次。君之子男二：曰德明，封奉義大夫、信州路鉛山州知州、驍騎尉、涇陽縣子，直諒潔厚，集賢宋公渤、翰林鄧公文原紀贊其行；曰珍，先逝。女適劉資者殁，楊出也；一適王真甫。孫十一人，男七：世英，河州路寧和縣尹；世昌，敦武校尉、圖沙瑪路新附軍上千户，佩金符，贈文林郎、陝西等處行中書省左右司都事；世傑，承務郎、同知威茂安撫司事，佩虎符，積官奉議大夫、同知河州路總管府事；世榮，承務郎、僉海北廣東道肅政廉訪司事，特授繕工司丞；世良克家；世寧，土蕃宣慰司令史；世貞好學。女三，壻曰王溫、劉良、朱安仁。曾孫十六人，六男：信、儼、俊；儆，儒林郎、江南諸道行御史臺監察御史；佐、儉。十女，段珪、李溫、李居仁、黎恭、楊灝、王仁，壻也，餘在室。玄孫男一，履；女幼。君弟之子，男三，曰德、曰才、曰義。女三，孫智、王秀、劉直，其壻。孫男四子：顯，物故；世亨、世美、世祿。女七。曾孫，男二，女一。玄孫一。德明持所述君之德善，介彰縣彭彦寬謁余銘墓隧之石，辭既不獲，銘曰：

洪範五福，民鮮克備。猗與張君，盡有其懿。孝友睦婣，任恤以義。子承義方，爲時所臧。諸孫濟美，符節煌煌。曾玄詵詵，其來未艾。天命弗僭，後豈不大！言歸先墳，下從二親。刻詩玄石，以啓後人。

祭雷孝述文

維至元二十八年某月朔日，蕭某告于秀才雷生孝述之靈。嗚呼！我方抱中殤之悲，而重聞孝述不起疾。嗚呼！何以爲情乎！前月末見子羸頓，雖若可憂者，然猶謂子年方少，氣方生長，或者雖困，將不害乎？且以經歷君淳德所芘，伯靜兄餘慶所鍾，孝述其將良已乎？况孝述之慈良敏達，可與進德，天既生之，必將有以成之，寧遽止于此乎？既而友子信，子回則云：「日能食半碗許矣。」當是時，我方健羨仲介兄弟視護之勤，而痛恨我之爲人父母而不能盡其道也。二十五日之夕，寬甫書來慰我，其末乃報孝述之凶，驚怛失聲，哭諸寢門之外。嗚呼！寧遽真有是耶？我之疏愚，不知憂畏每如此耶？抑冥冥之中，神化固莫測耶？所謂栽者培之，傾者覆之，復何説耶？豈人事或不偶耶？將孝述夙所受耶？是則所謂命耶，否耶？嗚呼！世道多難，同志凋落，苗者不秀，秀者不實，悠悠蒼天，此何心哉！嗚呼！屬余具食吉月以拜左右之爲殤女來者，不得往哭孝述之柩，且慰汝尊長之哀，負此存歿，既慚既痛。知將葬子於後之四日，期于此視汝入土，以爲永别。奠以告子，庶亮我心。尚饗。

祭周介夫文

延祐三年十二月

維延祐三年歲次丙辰十二月己巳朔，四日壬申，友人某等，謹以清酌柔毛之奠，致祭于故從事周君介夫之靈。嗚呼！介夫行人所不能行，好世所不能好。脱棄方亨之仕，罄竭因心之孝。孔、顔、曾、思之謨訓，虞、夏、商、周之典誥。趣味淵旨，辭義雅奧。諷詠若建瓴而琅琅，窮格見天心之浩浩。貴義輕財，有犯無校。恤人以惠愛爲常，居官以廉勤自效。謂造化之弗僭，汔康寧而耋耄。何期一往而弗還，不見年高而德邵。嗚呼！民物憔悴，人財彫耗。如斯吉士之無年，何乃旻天之不弔！觴豆雖陳，莫諭久要。從兹永别以終天，能不長號而痛悼！尚饗。(以上《勤齋集》卷四　以上何本方點校)

全元文卷三六八

林楝

林楝，字用可，號松湖，莆田（今福建莆田）人。咸淳七年（一二七一）舉進士，嘗知同安縣，有廉直高古之聲。入元不仕，居鄉講學，使朱子之學盛於東湖（見《閩中理學淵源考》卷三四）。本書收林楝文四篇。

賀皇帝册太子

慶鍾烈祖，仁賢見十世之孫；本立皇家，宗社衍萬年之緒。侈盛儀於朱芾，涣新渥於緑綈。皇帝陛下祗遹燕謀，增光鴻烈。以長子主器受之震，所繫匪輕；爲天下得人謂之仁，維公是選。茂揀金枝之秀，誕颺王册之華。孜禮訂名，固已遵嘉祐、紹興之令典；問安視膳，益同講建隆、開寶之閎規。臣邈戍荒陬，聳傳盛事。仰樂府重輪之日，幸托照臨；奉玉闕都護之觴，莫陪忭蹈。（明萬曆本《秘笈新書》别集卷一）

賀皇帝册皇子

璿源毓慶，獨超百世之本支；寳册颺輝，遵奏兩朝之典憲。涓辰見廟，主鬯承祧。皇帝陛下智臨作君，純乾爲父。志釐業業，用申天命之休；禮重親親，允爲人道之極。上以尊祖而親族，下以固本而寧邦。左右前後皆正人，教已嚴於資善；賢聖仁孝聞天下，位即峻於承華。臣忝庶邦之侯，莫陪抃蹈；誦吾君之子，徒劇謳歌。（明萬曆本《秘笈新書》别集卷一）

賀元正

春王三朝，撫五辰於庶績；天子萬壽，展一氣於八荒。睿智有臨，陰陽交泰。中賀。恭惟皇帝陛下剛健篤實，徽柔懿恭。受命惟七年，光已宣於文武；班瑞于羣后，和將在於唐虞。與物爲春，體元已長。臣濫乘一障，甫至三勞，明目達聰，但遥想獻樽之酌；舉首奮翼，無因陪梟鳥之朝。（明萬曆本《秘笈新書》别集卷一）

代宣司賀復泗州

十乘啓行，誕播順天之罰；一城得雋，首歸輿地之圖。壯士氣於前茅，憺皇靈於破竹。山河開闢，夷夏驩呼。竊惟大義之鼓行，尤貴先聲之響應。漢數百戰，由夏沛以迎降；湯十一征，蓋自葛而始載。矧泗水之名儒，本都梁之故城。雞犬相聞，久渴旱霓之望；豺狼肆噬，可稽時雨之師？肆搴幟以先登，果倒戈而效順。民皆按堵，市不易廛。破淮北之藩籬，諸道並進；扼山東之門户，萬里長驅。陛下默運神機，於昭聖武，運師枕席之上，救民水火之中。曰傒后，后來蘇，爭持牛酒；有不戰，戰必勝，行洗甲兵。臣肅奉廟謨，董司戎律。鋪淮瀆而馘醜虜，已觀因壘之降；伐玁狁以奏膚公，竚見犂庭之舉。（明萬曆本《秘笈新書》别集卷一　以上刁忠民校點）

燕公楠

燕公楠（一二四一——一三〇一），字國材，號五峯（《宋元學案》卷七〇）。南康之建昌（今江西永修）人。宋禮部侍郎燕肅之七世孫。母雷氏。十歲能文，鄉舉不第。因連帥辟用，五遷至贛州通判。至元十三年(一二七六)降元,任贛州同知。十四年,任吉州路同知。二十二年召至上都,奏對稱旨,世祖賜名賽音囊加代。出僉江浙行中書省事。二十五年,升大司農。二十七年,任江淮行中書省參知政事,又改江浙行中書省參知政事。三十年復任大司農。元貞元年(一二九五)升河南行省右丞,又改任浙江行省右丞。後移任湖廣行省右丞。大德五年卒。《元史》有傳。著作有《五峯集》。本書收燕公楠文一篇。

平江路重建文宣王廟記

大德二年十月

皇帝即位之初年,首詔郡國敦學修廟。越五年,是爲大德二年戊戌秋八月,平江郡大成殿成,前兩浙都轉運鹽使朱虎所造也。三日丁巳,郡侯戎益帥其長貳若屬詣新廟行釋奠禮,文武司之在郡者咸集,諸生駿奔走執豆籩,六民聚觀,謂有學未始有侯成禮。退顧教授蕭以道、陳紹在曰:「偉哉!朱君之績也。毋忘,盍記諸。」於是公楠以朝命寔來杭,歸道于學,二教授請記。以道言曰:「學雄浙右尚矣,而廟不稱。自宋紹興辛酉之歲建,於今丁酉,十三皇終矣。視其梁麗,修之三末之有改。以道始至即郡,別駕王都中謀焉。別駕曰:『是謀非而士與他人所能及也,其朱都運乎。』乃約東嘉蔡迟辛偕請焉。都運慨曰:『吾爲吴人二十年,未聞有爲是殿謀者,其數耶?今日之事先聖事也,曷敢不力。』欣然援筆書重建字,畀以道歸示,諸生盡驚,復疑信半。會都運有母喪,浮言胥動,謂殿事格矣。迺孟冬之日,馳告者曰:『朱運使木蔽江至矣。』羣工雲集,即日肇役,凡七月而舉梁。舉梁之日，去歲始議之日也，謂數非乎？舊基三尺，其棟不過十之，今通爲丈者五，蓋嘗憑虚望東西諸樓閣，巋然者無不及，而翼然者過之矣。學乃以米廩之積爲三門兩廡，高下深廣悉稱。其殿丹青漆堊之麗，令辟瓦石之壯無不可久。是役勤矣，微都運不及此，而歆然不自功也。記非都運意，獨願得一言載侯意示學者。」予心諾之，顧忽忽未暇。李侯戡來廟記事，復速記。予辭不獲，乃言曰：聖人之道，如天地父母。在人日用飲食受言罔極，獨通也。與哉，自靖自獻，爲吾黨而有所不知不能媿己。都運之爲此不朽，二三子忘之，壇杏其忘之乎？雖然，廟自孔氏所以爲道，非徒壯其居也，易於渙萃。俱言廟，廟者所以收人心之渙，而成其萃。夫廟高矣，大矣，美矣，今之萃其抑，猶昔之渙乎。子曰：「薄於德，於禮虚。」又曰：「制度在禮，文爲在禮，行之其在人乎。」此子游之所傳習也。東南匹士自通洙泗，上附青雲，衮冕萬世，非二三子之東家與。誰謂華高企其齊，而尚其自厲，以一洗荀卿子、子游氏之儒之誚，則爲無負都運新美之功，郡長貳勉勵之意，以式克欽承聖天子之明詔，而廟不朽矣。

（一九二七年《江蘇通志·江蘇金石志》卷一九　何本方點校）

湯炳龍

湯炳龍（一二四一——？），字子文，號北村，丹陽（今屬江蘇）人（清乾隆《江南通志》卷四四）。曾任慶元市舶提舉、建康路政和縣尹等官。學問賅博，尤深於《易》。著作有《北村集》。本書收湯炳龍文一篇。

西湖書院增置田記

古者之興學校，一以教養爲先務，而養又先於教也。《記·王制》論虞夏商周之上下庠，必先言國老、庶老之養。有虞氏以米廩名學，匪專爲粢盛之委而設，而養士或先焉。庠之義亦養也。孔門五秉九百之與弟子，猶賴聖師而食。而欲授孟子室者，必拳拳於萬鍾之養而後及□。夫國人之有所矜式，蓋士得其養，則置身禮義，人人皆思爲聖爲賢爲君子爲善人，於是政化行而習俗美，是養之者所以教之，其機括政在是矣。西湖古無書院，自至元丙戌徐廉使改舊壁庠爲之。創建之初，恒產缺然。越二年，松江瞿運使嘗一再助田，合四百伍拾叁畝肆拾陸步，歲得米壹伯叁拾石。院中經費浩瀚，延祐戊午續置杭之仁和田陸拾捌畝壹角，收米伍拾肆碩陸斗，猶未給用。次年，周廉使特爲勸率，有高訾樂助者，并取補刊書板，餘力及以贏糧轉售，共得中統鈔陸伯餘定。於是憲府知事趙將仕與經歷宋從仕，建議增產，力言於廉使，洎闔司官同主其說，僉曰：「是當爲者。」遂置湖州烏程、平江崑山二莊，共田拾壹頃貳拾玖畝叁拾伍步有零，歲除優放，實收米柒伯伍拾貳石壹斗壹升伍合。山地共貳拾壹畝貳角壹拾步，房廊壹拾貳間，歲得租錢中統鈔貳定叁拾捌兩玖錢捌分。自此春秋祭奠、師生廪饍、興蓋補葺，一皆取給於此。近歲以來，誠爲創見之舉。今憲府長貳皆昭代名公，他日增益完成當不止是。嘗謂吾道之盛衰係乎時，學政之廢興存乎人。係乎時者屬盛世文明之運，存乎人者屬當路賢哲之官。機緣相值之巧識者，知吾道其大昌乎。將見鼓篋踵堂挾策坌集，何啻四方八千而止。使凡任風憲者，倣傚而行，豈非天下儒風之大幸歟！山長陳袠、直學朱鈞及諸生欲寫之堅瑉，以傳不朽。辭弗獲，姑爲述其槩云。

湖州烏程縣口契至治元年十一月置錢茂之民田上貳頃伍拾柒畝八分捌厘陸毫，米貳佰貳石貳升。（清光緒十六年《兩浙金石志》卷一五　何本方點校）

釋文才

釋文才（一二四一——一三〇二），字仲華，清水（今甘肅清水）人。俗姓楊。爲五臺大萬聖祐國寺開山住持、釋源大白馬寺宗主，贈邦國公、海印開法大師長講。大德六年（一三〇二）卒，年六十二。《新續高僧傳》卷四有傳。著作有《肇論新疏》三卷。本書收釋文才佚文一篇。

肇論新疏序

始自好誦斯論，亦粗玩其辭，尚未能吮其理味以其心也。及隸樊川之興教，得雲庵達禪師疏。又數年應寧夏命，復獲唐光瑶禪師并有宋淨源法師二家註記，反復參訂，醇疵紛錯，似有未盡乎論旨之妙夥矣。且論之淵粹簡藴，見稱所自來，其辭文，其施辯，非深入實相踞樂説善巧之峰者，莫之爲之。予固以爲開方等之巨鑰，游性海之洪舟，運權小之均車，排異見之正説，真一乘獅子吼之雅作。欲乎吾人之性學者，先著鞭於此，此而通，則大方之理弗虞而妙獲者矣。嗟呼！姚秦迄唐二百餘載，歷賢首清涼圭山賢聖之僧，皆援之以斷大義，獨不爲發揮其曲要以召方來，致令諸説鑿枘紛綸，莫知所以裁之之正。乃因暇日，謹摭諸先覺之説，別爲訓解以授座下。愧夫迫於緣冗，每釋義引據，弗獲課虚細以討求，冀同衣同德之士，恕以荒斐失而正之可也。（大正《大藏經》第二〇一頁　鄧瑞全點校）

崔君舉

崔君舉（一二四一——一三一七），字宏甫，號復心，安成（今江西安福縣西）人。宋咸淳六年（一二七〇）秋闈第一，來年試南宮，觸時忌，遂不第，然名隱然出。元初，領鳳山書院山長，所至斯文宗之。父卒，不復有當世意。元延祐四年卒（元劉將孫《養吾齋集》卷三〇《前太學進士復心崔公墓志銘》）。遺文今佚。本書收崔君舉文一篇。

王天與尚書纂傳序

至元二十五年

六經惟《書》最難讀。去古既遠，世人無唐虞三代聖賢心胸，往往以其褊且薄者，揣臆其寬大忠厚，故非惟文義少通，句讀亦未易曉，自韓昌黎已目《盤》、《誥》以聱牙。近代大儒朱晦菴，白首明經，獨不爲是。完書意者，返之於心，而亦慨悼於世代人物之不可强合也。惟場屋之士，決得失於一夫，承訛習舛而無所忌。然亦時有見者，舜禹授受十六字，得徐景説演明之；立政任準牧三事，因陳行之，而正釋者之誤特如此，自不數數爾。余猶及記長上言，渡江建太學百年間，陳徐二上舍始認得化商骨髓，足以發先儒之不及。它如皇極二字，先儒固已盡發其祕，由今逆數不作大中訓詁，才三四十年爾。士無真見實學，詭隨苟且，言之悶悶。顧此時居官者恥貪墨，用世者致雍熙。後來諸儒，出新意於箋解之外，析精理於毫釐之間，使人神馳意，飽束閣古，傳而貪吏滿天下，華夏因以不競。豈堯、舜、禹、湯、文、武之精神，不欲發抉之殆盡，而言語文字之工，固天地鬼神所共厭也！科舉廢亦久矣。士無縶累，蕩然失其所挾。向時號爲舉子進士，今試使口誦本經，不能以句。此宜駸駸返乎醇樸，惟吾友梅浦王君，搜遠尋墜，辛苦纂書傳；晚又得鄉先生彭集齋往復考訂，無復遺憾，首尾十餘年而後就。嗟乎，君持此安求？豈亦天實誘之與？是書盛行，爲君必執典禮命討，爲臣必辨貨寶鞠謀；在朝廷必明目達聰，在四方必粜彝率乂；共鯀必流必殛，馬牛必放必歸；三風十愆必具訓，六卿九牧必阜成。其於世道，銷方來而救已往，淵哉，百世之澤也！嗟乎，君將不自知其何心！余自幼與君同研席，世方重絢麗浮靡，君爲場屋文字，徑赴直致，宛然家人婦子語，不事緣飾，橫竪經意如月倒河。雖繇此不偶於時，然且連科洴澼，盛譽流播，光景更須臾，君詎少一舉第哉！夫昔之絢麗浮靡，既竊取富貴，去且爲臭、爲腐矣。徒使君有世道之責，惓惓於此書。故曰：難平者事也。余平生不泥傳註，隨所藴輒言，竭所言輒止，講貫該洽，以是媿君。因君書傳成，而俛仰悲欣於得喪之表，竊獨以爲是，宜家藏而人誦之也。爲述其梗槩，寘之卷末。戊子長至日，友人崔君舉謹書。（清康熙十九年通志堂刊《尚書纂傳》卷首　王樹林校點）